钱锺书集

阅读的礼物

# 围 城
# 人·兽·鬼

钱锺书 著

生活·讀書·新知 三联书店

Copyright © 2021 by SDX Joint Publishing Company.
All Rights Reserved.

本作品版权由生活·读书·新知三联书店所有。
未经许可，不得翻印。

**图书在版编目（CIP）数据**

围城；人·兽·鬼 / 钱锺书著. —北京：生活·读书·新知三联书店，2021.10
（钱锺书集）
ISBN 978 – 7 – 108 – 07240 – 5

Ⅰ.①围… Ⅱ.①钱… Ⅲ.①长篇小说－中国－当代 ②短篇小说－小说集－中国－当代 Ⅳ.①I247

中国版本图书馆 CIP 数据核字（2021）第 175621 号

| | |
|---|---|
| 责任编辑 | 吴　莼　冯金红 |
| 装帧设计 | 薛　宇 |
| 责任印制 | 宋　家　卢　岳 |
| 出版发行 | 生活·讀書·新知 三联书店 |
| | （北京市东城区美术馆东街 22 号 100010） |
| 网　　址 | www.sdxjpc.com |
| 经　　销 | 新华书店 |
| 印　　刷 | 北京市松源印刷有限公司 |
| 版　　次 | 2021 年 10 月北京第 1 版 |
| | 2021 年 10 月北京第 1 次印刷 |
| 开　　本 | 880 毫米 × 1230 毫米　1/32　印张 17.5 |
| 字　　数 | 351 千字 |
| 印　　数 | 00,001 – 10,000 册 |
| 定　　价 | 58.00 元 |

（印装查询：01064002715；邮购查询：01084010542）

# 出版说明

钱锺书先生(一九一〇——一九九八年)是当代中国著名的学者、作家。他的著述,如广为传播的《谈艺录》、《管锥编》、《围城》等,均已成为二十世纪重要的学术和文学经典。为了比较全面地呈现钱锺书先生的学术思想和文学成就,经作者授权,三联书店组织力量编辑了这套《钱锺书集》。

《钱锺书集》包括下列十种著述:

《谈艺录》、《管锥编》、《宋诗选注》、《七缀集》、《围城》、《人·兽·鬼》、《写在人生边上》、《人生边上的边上》、《石语》、《槐聚诗存》。

这些著述中,凡已正式出版的,我们均据作者的自存本做了校订。其中,《谈艺录》、《管锥编》出版后,作者曾做过多次补订;这些补订在两书再版时均缀于书后。此次结集,我们根据作者的意愿,将各次补订或据作者指示或依文意排入相关章节。另外,我们还订正了少量排印错讹。

《钱锺书集》由钱锺书先生和杨绛先生提供文稿和样书;陆谷孙、罗新璋、董衡巽、薛鸿时和张佩芬诸先生任外文校订;陆文虎先生和马蓉女士分别担任了《谈艺录》和《管锥编》的编辑工作。对以上人士和所有关心、帮助过《钱锺书集》出版的人，我们都表示诚挚的感谢。

生活·讀書·新知三联书店

一九九九年十二月一日

为了满足广大读者的需求，继《钱锺书集》繁体字版之后，我们又出版了这套《钱锺书集》简体字版（《谈艺录》、《管锥编》因作者不同意排简体字版除外）。其间，我们对作者著述的组合作了相应调整，并订正了繁体字版中少量文字和标点的排校错误。

生活·讀書·新知三联书店

二〇〇一年十二月十日

# 钱锺书对《钱锺书集》的态度
## （代　序）

杨　绛

我谨以眷属的身份,向读者说说钱锺书对《钱锺书集》的态度。因为他在病中,不能自己写序。

他不愿意出《全集》,认为自己的作品不值得全部收集。他也不愿意出《选集》,压根儿不愿意出《集》,因为他的作品各式各样,糅合不到一起。作品一一出版就行了,何必再多事出什么《集》。

但从事出版的同志们从读者需求出发,提出了不同意见,大致可归纳为三点。（一）钱锺书的作品,由他点滴授权,在台湾已出了《作品集》。咱们大陆上倒不让出？（二）《谈艺录》、《管锥编》出版后,他曾再三修改,大量增删。出版者为了印刷的方便,《谈艺录》再版时把《补遗》和《补订》附在卷末,《管锥编》的《增订》是另册出版的。读者阅读不便。出《集》重排,可把《补遗》、《补订》和《增订》的段落,一一纳入原文,读者就可以一口气读个完整。（三）尽管自己不出《集》,难保旁人不侵权擅自出《集》。

钱锺书觉得说来也有道理，终于同意出《钱锺书集》。随后他因病住医院，出《钱锺书集》的事就由三联书店和诸位友好协力担任。我是代他和书店并各友好联络的人。

钱锺书绝对不敢以大师自居。他从不厕身大师之列。他不开宗立派，不传授弟子。他绝不号召对他作品进行研究，也不喜旁人为他号召，严肃认真的研究是不用号召的。《钱锺书集》不是他的一家言。《谈艺录》和《管锥编》是他的读书心得，供会心的读者阅读欣赏。他偶尔听到入耳的称许，会惊喜又惊奇。《七缀集》文字比较明白易晓，也同样不是普及性读物。他酷爱诗。我国的旧体诗之外，西洋德、意、英、法原文诗他熟读的真不少，诗的意境是他深有领会的。所以他评价自己的《诗存》只是恰如其分。他对自己的长篇小说《围城》和短篇小说以及散文等创作，都不大满意。尽管电视剧《围城》给原作赢得广泛的读者，他对这部小说确实不大满意。他的早年作品唤不起他多大兴趣。"小时候干的营生"会使他"骇且笑"，不过也并不认为见不得人。谁都有个成长的过程，而且，清一色的性格不多见。钱锺书常说自己是"一束矛盾"。本《集》的作品不是洽调一致的，只不过同出钱锺书笔下而已。

钱锺书六十年前曾对我说：他志气不大，但愿竭毕生精力，做做学问。六十年来，他就写了几本书。本《集》收集了他的主要作品。凭他自己说的"志气不大"，《钱锺书集》只能是菲薄的奉献。我希望他毕生的虚心和努力，能得到尊重。

一九九七年十一月二十一日

四十年代写《围城》的钱锺书

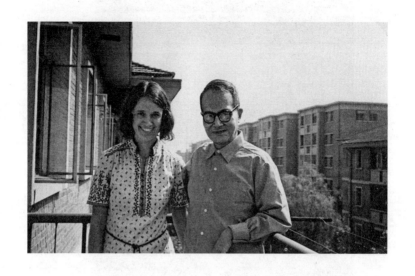

作者与《围城》的德文译者莫妮克(一九八四年)

## 总 目 录

围城 …………………………………………………… *1*

人·兽·鬼 ……………………………………… *419*

# 围城

书名由杨绛先生题签

## 目 录

重印前记 ·················································· 5
序 ························································· 9
围城 ······················································ 11

**附　录**

记钱锺书与《围城》······························ 杨绛　391

## 重 印 前 记

《围城》一九四七年在上海初版,一九四八年再版,一九四九年三版,以后国内没有重印过。偶然碰见它的新版,那都是香港的"盗印"本。没有看到台湾的"盗印"本,据说在那里它是禁书。美国哥伦比亚大学夏志清教授的英文著作里对它作了过高的评价,导致了一些西方语言的译本。日本京都大学荒井健教授很久以前就通知我他要翻译,近年来也陆续在刊物上发表了译文。现在,人民文学出版社建议重新排印,以便原著在国内较易找着,我感到意外和忻幸。

我写完《围城》,就对它不很满意。出版了我现在更不满意的一本文学批评以后,我抽空又写长篇小说,命名《百合心》,也脱胎于法文成语(Le coeur d'artichaut),中心人物是一个女角。大约已写成了两万字。一九四九年夏天,全家从上海迁居北京,手忙脚乱中,我把一叠看来像乱纸的草稿扔到不知哪里去了。兴致大扫,一直没有再鼓起来,倒也从此省心省事。年复一年,创作的冲动随年衰减,创作的能力逐渐消失——也许两者根本上是一回事,我们常把自己的写作冲动误认为自己的写作才能,自以为要写就意味着会写。相传幸运女神偏向着年轻小伙子,料想文艺女神也不会喜欢老头儿的;不用说有些例外,而有例外正因为有公例,我慢慢地从省心进而收心,不作再写小说的打算。事隔三十余年,我也记不清楚当时腹稿里的人物和情节。就是追忆清楚了,也还算不得数,因为开得出菜单并不等于摆得成酒席,要不然,谁都可以马上称为善做菜的名厨师又兼大请客的阔东道主了,秉承曹雪芹遗志而拟定"后四十回"提纲的学者们也就可以凑得成和抵得上一个或半个高鹗了。剩下来的只是一个顽固的信念:假如《百合心》写得成,它会比《围城》好一点。事情没有做成的人老有这类根据不充分的信念;我们对采摘不到的葡萄,不但想像它酸,也很可能想像它是分外地甜。

  这部书初版时的校读很草率,留下不少字句和标点的脱误,就无意中为翻译者安置了拦路石和陷阱。我乘重印的机会,校看一遍,也顺手有节制地修改了一些字句。《序》里删去一节,这一节原是郑西谛先生要我添进去的。在去年美国出版的珍妮·凯利(Jeanne Kelly)女士和茅国权(Nathan K. Mao)先生的英译本里,那一节已省去了。

一九八〇年二月

  这本书第二次印刷,我又改正了几个错字。两次印刷中,江秉祥同志给了技术上和艺术上的帮助,特此志谢。

一九八一年二月

  我乘第三次印刷的机会,修订了一些文字。有两处多年蒙混过去的讹误,是这本书的德译者莫妮克(Monika Motsch)博士发觉的。

一九八二年十二月

  为了塞尔望－许来伯(Sylvie Servan-Schreiber)女士的法语译本,我去年在原书里又校正了几处错漏,也修改了几处词句。恰好这本书又要第四次印刷,那些改正就可以安插了。苏联索洛金(V. Sorokin)先生去年提醒我,他的俄译本比原著第一次重印本早问世五个月,我也借此带便提一下。

一九八五年六月

# 序

  在这本书里,我想写现代中国某一部分社会、某一类人物。写这类人,我没忘记他们是人类,只是人类,具有无毛两足动物的基本根性。角色当然是虚构的,但是有考据癖的人也当然不肯错过索隐的机会、放弃附会的权利的。

  这本书整整写了两年。两年里忧世伤生,屡想中止。由于杨绛女士不断的督促,替我挡了许多事,省出时间来,得以锱铢积累地写完。照例这本书该献给她。不过,近来觉得献书也像"致身于国"、"还政于民"等等佳话,只是语言幻成的空花泡影,名说交付出去,其实只仿佛魔术家玩的飞刀,放手而并没有脱手。随你怎样把作品奉献给人,作品总是作者自己的。大不了一本书,还不值得这样精巧地不老实,因此罢了。

三十五年〔一九四六年〕十二月十五日

一

红海早过了,船在印度洋面上开驶着,但是太阳依然不饶人地迟落早起,侵占去大部分的夜。夜仿佛纸浸了油,变成半透明体;它给太阳拥抱住了,分不出身来,也许是给太阳陶醉了,所以夕照晚霞隐褪后的夜色也带着酡红。到红消醉醒,船舱里的睡人也一身腻汗地醒来,洗了澡赶到甲板上吹海风,又是一天开始。这是七月下旬,合中国旧历的三伏,一年最热的时候。在中国热得更比常年利害,事后大家都说是兵戈之象,因为这就是民国二十六年〔一九三七年〕。

这条法国邮船白拉日隆子爵号(Vicomte de Bragelonne)正向中国开来。早晨八点多钟,冲洗过的三等舱甲板湿意未干,但已坐立满了人,法国人、德国流亡出来的犹太人、印度人、安南人,不用说还有中国人。海风里早含着燥热,胖人身体给炎风吹干了,蒙上一层汗结的盐霜,仿佛刚在巴勒斯坦的死海里洗过澡。毕竟是清晨,人的兴致还没给太阳晒萎,烘懒,说话做事都很起劲。那几个新派到安南或中国租界当警察的法国人,正围了那年轻善撒娇的犹太女人在调情。俾斯麦曾说过,法国公使大使的特点,就是一句外国话不会讲;这几位警察并不懂德文,居然传情达意,引得犹太女人格格地笑,比他们的外交官强多了。这女人的漂亮丈夫,在旁顾而乐之,因为他几天来,香烟、啤酒、柠檬水沾光了不少。红海已过,不怕热极引火,所以等一会甲板上零星果皮、纸片、瓶塞之外,香烟头定又遍处皆是。法国人的思想是有名的清楚,他们的文章也明白干净,但是他们的做事,无不混乱、肮脏、喧哗,但看这船上的乱糟糟。这船,倚仗人的机巧,载满人的扰攘,寄满人的希望,热闹地行着,每分钟把沾污了人气的一小方水面,还给那无情、无尽、无际的大海。

照例每年夏天有一批中国留学生学成回国。这船上也有十来个人。大多数是职业尚无着落的青年,赶在暑假初回中国,可以从容找事。那些不愁没事的学生,要到秋凉才慢慢地肯动身回国。船上这几位,有在法国留学的,有在英国、德国、比国等读书,到巴黎去增长夜生活经验,因此也坐法国船的。他们天涯相遇,一见如故,谈起外患内乱的祖国,都恨不得立刻就回去为它服务。船走得这样慢,大家一片乡心,正愁无处寄托,不知哪里忽来了两副麻将牌。麻将当然是国技,又听说在美国风行;打牌不但有故乡风味,并且适合世界潮流。妙得很,人数可凑成两桌而有余,所以除掉吃饭睡觉以外,他们成天赌钱消遣。早餐刚过,下面餐室里已忙着打第一圈牌,甲板上只看得见两个中国女人,一个算不得人的小孩子——至少船公司没当他是人,没要他父母为他补买船票。那个戴太阳眼镜、身上摊本小说的女人,衣服极斯文讲究。皮肤在东方人里,要算得白,可惜这白色不顶新鲜,带些干滞。她去掉了黑眼镜,眉清目秀,只是嘴唇嫌薄,擦了口红还不够丰厚。假使她从帆布躺椅上站起来,会见得身段瘦削,也许轮廓的线条太硬,像方头钢笔划成的。年龄看上去有二十五六,不过新派女人的年龄好比旧式女人合婚帖上的年庚,需要考订学家所谓外证据来断定真确性,本身是看不出的。那男孩子的母亲已有三十开外,穿件半旧的黑纱旗袍,满面劳碌困倦,加上天生的倒挂眉毛,愈觉愁苦可怜。孩子不足两岁,塌鼻子,眼睛两条斜缝,眉毛高高在上,跟眼睛远隔得彼此要害相思病,活像报上讽刺画里中国人的脸。他刚会走路,一刻不停地要乱跑;母亲在他身上牵了一条皮带,他跑不上三四步就给拉回来。他母亲怕热,拉得手累心烦,又惦记着丈夫在下面的输赢,不住骂这孩子讨厌。这孩子跑不到哪里去,便改变宗旨,扑向看书的女人身上。那女人平日就有一种孤芳自赏、落落难合的神情——大宴会上没人敷衍的来宾或喜酒席上过时未嫁的少女所常有的神情——此刻更流露出嫌恶,黑眼镜也遮盖不了。孩子的母亲有些觉得,抱歉地拉皮带道:"你这淘气的孩子,去跟苏小姐捣乱!快回来。——苏小姐,你真用功!学问那么好,还成天看书。孙先生常跟我说,女学生像苏小姐才算替中国争面子,人又美,又是博士,这样的人到哪里去找呢?像我们白来了外国一次,没读过半句书,一辈子做管家婆子,在国内念的书,生小孩儿全忘了——吓!死讨厌!我叫你别去,你不干好事,准弄脏了苏小姐的衣服。"

　　苏小姐一向瞧不起这位寒伧的孙太太,而且最不喜欢小孩子,可是听了这些话,心上高兴,倒和气地笑道:"让他来,我最喜欢小孩子。"她脱下太阳眼镜,合上对着出神的书,小心翼翼地握住小孩子的手腕,免得在自己衣服上乱擦,问他道:"爸爸呢?"小孩子不回答,睁大了眼,向苏小姐"波!波!"吹唾沫,学餐室里养的金鱼吹气泡。苏小姐慌得松了手,掏出手帕来自卫。母亲忙使劲拉他,嚷着要打他嘴巴,一面叹气道:"他爸爸在下面赌钱,还用说么!我不懂为什么男人全爱赌,你看咱们同船的几位,没一个不赌得昏天黑地。赢几个钱回来,还说得过。像我们孙先生输了不少钱,还要赌,恨死我了!"

苏小姐听了最后几句小家子气的话,不由心里又对孙太太鄙夷,冷冷说道:"方先生倒不赌。"

孙太太鼻孔朝天,出冷气道:"方先生!他下船的时候也打过牌。现在他忙着追求鲍小姐,当然分不出工夫来。人家终身大事,比赌钱要紧得多呢。我就看不出鲍小姐又黑又粗,有什么美,会引得方先生好好二等客人不做,换到三等舱来受罪。我看他们俩要好得很,也许船到香港,就会订婚。这真是'有缘千里来相会'了。"

苏小姐听了,心里直刺得痛,回答孙太太同时安慰自己道:"那绝不可能!鲍小姐有未婚夫,她自己跟我讲过。她留学的钱还是她未婚夫出的。"

孙太太道:"有未婚夫还那样浪漫么?我们是老古董了,总算这次学个新鲜。苏小姐,我告诉你句笑话,方先生跟你在中国是老同学,他是不是一向说话随便的?昨天孙先生跟他讲赌钱手运不好,他还笑呢。他说孙先生在法国这许多年,全不知道法国人的迷信:太太不忠实,偷人,丈夫做了乌龟,买彩票准中头奖,赌钱准赢。所以,他说,男人赌钱输了,该引以自慰。孙先生告诉了我,我怪他当时没质问姓方的,这话什么意思。现在看来,鲍小姐那位未婚夫一定会中航空奖券头奖;假如她做了方太太,方先生赌钱的手气非好不可。"忠厚老实人的恶毒,像饭里的砂砾或者出骨鱼片里未净的刺,会给人一种不期待的伤痛。

苏小姐道:"鲍小姐行为太不像女学生,打扮也够丢人——"

那小孩子忽然向她们椅子背后伸了双手,大笑大跳。两人回头看,正是鲍小姐走向这儿来,手里拿一块糖,远远地逗着那孩子。她只穿绯霞色抹胸,海蓝色贴肉短裤,漏空白皮鞋里露出涂红的指甲。在热带热天,也许这是最合理的妆束,船上有一两个外国女人就这样打扮。可是苏小姐觉得鲍小姐赤身露休,伤害及中国国体。那些男学生看得心头起火,口角流水,背着鲍小姐说笑个不了。有人叫她"熟食铺子"(charcuterie),因为只有熟食店会把那许多颜色暖热的肉公开陈列;又有人叫她"真理",因为据说"真理是赤裸裸的"。鲍小姐并未一丝不挂,所以他们修正为"局部的真理"。

鲍小姐走来了,招呼她们俩说:"你们起得真早呀,我大热天还喜欢懒在床上。今天苏小姐起身我都不知道,睡得像木头。"鲍小姐本想说"睡得像猪",一转念想说"像死人",终觉得死人比猪好不了多少,所以向英文里借来那个比喻。她忙解释一句道:"这船走着真像个摇篮,人给它摆得迷迷糊糊只想睡。"

"那么,你就是摇篮里睡着的小宝贝了。瞧,多可爱!"苏小姐说。

鲍小姐打她一下道:"你!苏东坡的妹妹,才女!"——"苏小妹"是同船男学生为苏小姐起的外号。"东坡"两个字给鲍小姐南洋口音念得好像法国话里的"坟墓"(tombeau)。

苏小姐跟鲍小姐同舱,睡的是下铺,比鲍小姐方便得多,不必每天爬上爬下。可是这几天她嫌恶着鲍小姐,觉得她什么都妨害了自己:打鼾太响,闹得自己睡不熟,翻身太重,上铺像要塌下来。给鲍小姐打了一下,她便说:"孙太太,你评评理。叫她'小宝贝',还要挨打!睡得着就是福气。我知道你爱睡,所以从来不声不响,免得吵醒你。你跟我讲怕发胖,可是你在船上这样爱睡,我想你又该添好几磅了。"

小孩吵着要糖,到手便咬,他母亲叫他谢鲍小姐,他不瞅睬,孙太太只好自己跟鲍小姐敷衍。苏小姐早看见这糖惠而不费,就是船上早餐喝咖啡时用的方糖。她鄙薄鲍小姐这种作风,不愿意跟她多讲,又打开书来,眼梢却瞟见鲍小姐把两张帆布椅子拉到距离较远的空处并放着,心里骂她无耻,同时自恨为什么去看她。那时候,方鸿渐也到甲板上来,在她们前面走过,停步应酬几句,问"小弟弟好"。孙太太爱理不理地应了一声。苏小姐笑道:"快去罢,不怕人等得心焦么?"方鸿渐红了脸傻笑,便撇下苏小姐走去。苏小姐明知留不住他,可是他真去了,倒怅然有失。书上一字没看进去,耳听得鲍小姐娇声说笑,她忍不住一看。方鸿渐正抽着烟,鲍小姐向他伸手,他掏出香烟匣来给她一支,鲍小姐衔在嘴里,他手指在打火匣上作势要为她点烟,她忽然嘴迎上去,把衔的烟头凑在他抽的烟头上一吸,那支烟点着了,鲍小姐得意地吐口烟出来。苏小姐气得身上发冷,想这两个人真不要脸,大庭广众竟借烟卷来接吻。再看不过了,站起来,说要下面去。其实她知道下面没有地方可去,餐室里有人打牌,卧舱里太闷。孙太太也想下去问问男人今天输了多少钱,但怕男人输急了,一问反在自己身上出气,回房舱又有半天吵嘴;因此不敢冒昧起身,只问小孩子要不要下去撒尿。

　　苏小姐骂方鸿渐无耻,实在是冤枉的。他那时候窘得似乎甲板上人都在注意他,心里怪鲍小姐太做得出,恨不能说她几句。他虽然现在二十七岁,早订过婚,却没有恋爱训练。父亲是前清举人,在本乡江南一个小县里做大绅士。他们那县里人侨居在大都市的,干三种行业的十居其九:打铁,磨豆腐,抬轿子。土产中艺术品以泥娃娃为最出名;年轻人进大学,以学土木工程为最多。铁的硬,豆腐的淡而无味,轿子的容量狭小,还加上泥土气,这算他们的民风。就是发财做官的人,也欠大方。这县有个姓周的在上海开铁铺子发财,又跟同业的同乡组织一家小银行,名叫"点金银行",自己荣任经理。他记起衣锦还乡那句成语,有一年乘清明节回县去祭祠扫墓,结识本地人士。方鸿渐的父亲是一乡之望,周经理少不得上门拜访,因此成了朋友,从朋友攀为亲家。鸿渐还在高中读书,随家里作主订了婚。未婚妻并没见面,只瞻仰过一张半身照相,也漠不关心。两年后到北平进大学,第一次经历男女同学的风味。看人家一对对谈情说爱,好不眼红。想起未婚妻高中读了一年书,便不进学校,在家实习家务,等嫁过来做能干媳妇,不由自主地对她厌恨。这样怨命,怨父亲,发了几天呆,忽然醒悟,壮着胆写信到家里要求解约。他国文曾得老子指授,在中学会考考过第二,所以这信文绉绉,没把之乎者也用错。信上说什么:"迩来触绪善感,欢寡愁殷,怀抱剧有秋气。每揽镜自照,神寒形削,清癯非寿者相。窃恐我躬不阅,周女士或将贻误终身。尚望大人垂体下情,善为解铃,毋小不忍而成终天之恨。"他自以为这信措词凄婉,打得动铁石心肠。谁知道父亲快信来痛骂一顿:"吾不惜重资,命汝千里负笈,汝埋头攻读之不暇,而有余闲照镜耶?汝非妇人女子,何须置镜?惟梨园子弟,身为丈夫而对镜顾影,为世所贱。吾不图汝甫离膝下,已濡染恶习,可叹可恨!且父母在,不言老,汝不善体高堂念远之情,以死相吓,丧心不孝,于斯而极!当是汝校男女同学,汝睹色起意,见异思迁;汝托词悲秋,吾知汝实为怀春,难逃老夫洞鉴也。若执迷不悔,吾将停止寄款,命汝休学回家,明年与汝弟同时结婚。细思吾言,慎之切切!"方鸿渐吓矮了半截,想不到老头子竟这样精明。忙写回信讨饶和解释,说:镜子是同室学生的,他并没有买;这几天吃美国鱼肝油丸、德国维他命片,身体精神好转,脸也丰满起来,只可惜药价太贵,舍不得钱;至于结婚一节,务请到毕业后举行,一来妨碍学业,二来他还不能养家,添他父亲负担,于心不安。他父亲收到这封信,证明自己的威严远及于几千里外,得意非凡,兴头上汇给儿子一笔钱,让他买补药。方鸿渐从此死心不敢妄想,开始读叔本华,常聪明地对同学们说:"世间哪有恋爱?压根儿是生殖冲动。"转眼已到大学第四年,只等明年毕业结婚。一天,父亲来封快信,上面说:"顷得汝岳丈电报,骇悉淑英病伤寒,为西医所误,遂于本月十三日下午四时长逝,殊堪痛惜。过门在即,好事多磨,皆汝无福所致也。"信后又添几句道:"塞翁失马,安知非福,使三年前结婚,则此番吾家破费不赀矣。然吾家积德之门,苟婚事早完,淑媳或可脱灾延寿。姻缘前定,勿必过悲。但汝岳父处应去一信唁之。"鸿渐看了有犯人蒙赦的快活,但对那短命的女孩子,也稍微怜悯。自己既享自由之乐,愿意旁人减去悲哀,于是向未过门丈人处真去了一封慰唁的长信。周经理收到信,觉得这孩子知礼,便分付银行里文书科王主任作复。文书科主任看见原信,向东家大大恭维这位未过门姑爷文理书法都好,并且对死者情词深挚,想见天性极厚,定是个远到之器。周经理听得开心,叫主任回信说:女儿虽没过门,翁婿名分不改,生平只有一个女儿,本想好好热闹一下,现在把陪嫁办喜事的那笔款子加上方家聘金为女儿做生意所得利息,一共两万块钱,折合外汇一千三百镑,给方鸿渐明年毕业了做留学费。方鸿渐做梦都没想到这样的好运气,对他死去的未婚妻十分感激。他是个无用之人,学不了土木工程,在大学里从社会学系转哲学系,最后转入中国文学系毕业。学国文的人出洋"深造",听来有些滑稽。事实上,惟有学中国文学的人非到外国留学不可。因为一切其他科目像数学、物理、哲学、心理、经济、法律等等都是从外国灌输进来的,早已洋气扑鼻;只有国文是国货土产,还需要外国招牌,方可维持地位,正好像中国官吏、商人在本国剥削来的钱要换外汇,才能保持国币的原来价值。

方鸿渐到了欧洲,既不钞敦煌卷子,又不访《永乐大典》,也不找太平天国文献,更不学蒙古文、西藏文或梵文。四年中倒换了三个大学,伦敦、巴黎、柏林;随便听几门功课,兴趣颇广,心得全无,生活尤其懒散。第四年春天,他看银行里只剩四百多镑,就计划夏天回国。方老先生也写信问他是否已得博士学位,何日东归。他回信大发议论,痛骂博士头衔的毫无实际。方老先生大不谓然,可是儿子大了,不敢再把父亲的尊严去威胁他;便信上说,自己深知道头衔无用,决不勉强儿子,但周经理出钱不少,终得对他有个交代。过几天,方鸿渐又收到丈人的信,说什么:"贤婿才高学富,名满五洲,本不须以博士为夸耀。然令尊大人乃前清孝廉公,贤婿似宜举洋进士,庶几克绍箕裘,后来居上,愚亦与有荣焉。"方鸿渐受到两面夹攻,才知道留学文凭的重要。这一张文凭,仿佛有亚当、夏娃下身那片树叶的功用,可以遮羞包丑;小小一方纸能把一个人的空疏、寡陋、愚笨都掩盖起来。自己没有文凭,好像精神上赤条条的,没有包裹。可是现在要弄个学位,无论自己去读或雇枪手代做论文,时间经济都不够。就近汉堡大学的博士学位,算最容易混得了,但也需要六个月。干脆骗家里人说是博士罢,只怕哄父亲和丈人不过;父亲是科举中人,要看"报条",丈人是商人,要看契据。他想不出办法,准备回家老着脸说没得到学位。一天,他到柏林图书馆中国书编目室去看一位德国朋友,瞧见地板上一大堆民国初年上海出的期刊,《东方杂志》、《小说月报》、《大中华》、《妇女杂志》全有。信手翻着一张中英文对照的广告，是美国纽约什么"克莱登法商专门学校函授部"登的，说本校鉴于中国学生有志留学而无机会，特设函授班，将来毕业，给予相当于学士、硕士或博士之证书，章程函索即寄，通讯处纽约第几街几号几之几。方鸿渐心里一动，想事隔二十多年，这学校不知是否存在，反正去封信问问，不费多少钱。那登广告的人，原是个骗子，因为中国人不来上当，改行不干，人也早死了。他住的那间公寓房间现在租给一个爱尔兰人，具有爱尔兰人的不负责、爱尔兰人的急智、还有爱尔兰人的穷。相传爱尔兰人的不动产（Irish fortune）是奶和屁股；这位是个萧伯纳式既高且瘦的男人，那两项财产的分量又得打个折扣。他当时在信箱里拿到鸿渐来信，以为邮差寄错了，但地址明明是自己的，好奇拆开一看，莫名其妙，想了半天，快活得跳起来。忙向邻室小报记者借个打字机，打了一封回信，说先生既在欧洲大学读书，程度想必高深，无庸再经函授手续，只要寄一万字论文一篇附缴美金五百元，审查及格，立即寄上哲学博士文凭，来信可寄本人，不必写学校名字。署名 Patrick Mahoney，后面自赠了四五个博士头衔。方鸿渐看信纸是普通用的，上面并没刻学校名字，信的内容分明更是骗局，搁下不理。爱尔兰人等急了，又来封信，说如果价钱嫌贵，可以从长商议，本人素爱中国，办教育的人尤其不愿牟利。方鸿渐盘算一下，想爱尔兰人无疑在捣鬼，自己买张假文凭回去哄人，岂非也成了骗子？可是——记着，方鸿渐进过哲学系的——撒谎欺骗有时并非不道德。柏拉图《理想国》里就说兵士对敌人，医生对病人，官吏对民众都应该哄骗。圣如孔子，还假装生病，哄走了儒悲，孟子甚至对齐宣王也撒谎装病。父亲和丈人希望自己是个博士，做儿子女婿的人好意思教他们失望么？买张文凭去哄他们，好比前清时代花钱捐个官，或英国殖民地商人向帝国府库报效几万镑换个爵士头衔，光耀门楣，也是孝子贤婿应有的承欢养志。反正自己将来找事时，履历上决不开这个学位。索性把价钱杀得极低，假如爱尔兰人不肯，这事就算吹了，自己也免做骗子。便复信说：至多出一百美金，先寄三十，文凭到手，再寄余款；此间尚有中国同学三十余人，皆愿照此办法向贵校接洽。爱尔兰人起初不想答应，后来看方鸿渐语气坚决，又就近打听出来美国博士头衔确在中国时髦，渐渐相信欧洲真有三十多条中国糊涂虫，要向他买文凭。他并且探出来做这种买卖的同行很多，例如东方大学、东美合众国大学、联合大学（Intercollegiate University）、真理大学等等，便宜的可以十块美金出卖硕士文凭，神玄大学（College of Divine Metaphysics）廉价一起奉送三种博士文凭；这都是堂堂立案注册的学校，自己万万比不上。于是他抱薄利畅销的宗旨，跟鸿渐生意成交。他收到三十美金，印了四五十张空白文凭，填好一张，寄给鸿渐，附信催他缴款和通知其他学生来接洽。鸿渐回信道，经详细调查，美国并无这个学校，文凭等于废纸，姑念初犯，不予追究，希望悔过自新，汇上十美金聊充改行的本钱。爱尔兰人气得咒骂个不停，喝醉了酒，红着眼要找中国人打架。这事也许是中国自有外交或订商约以来惟一的胜利。

　　鸿渐先到照相馆里穿上德国大学博士的制服，照了张四寸相。父亲和丈人处各寄一张,信上千叮万嘱说,生平最恨"博士"之称,此番未能免俗,不足为外人道。回法国玩了几星期,买二等舱票回国。马赛上船以后,发现二等舱只有他一个中国人,寂寞无聊得很,三等的中国学生觉得他也是学生而摆阔坐二等,对他有点儿敌视。他打听出三等一个安南人舱里有张空铺,便跟船上管事人商量,自愿放弃本来的舱位搬下来睡,饭还在二等吃。这些同船的中国人里,只有苏小姐是中国旧相识,在里昂研究法国文学,做了一篇《中国十八家白话诗人》的论文,新授博士。在大学同学的时候,她眼睛里未必有方鸿渐这小子。那时候苏小姐把自己的爱情看得太名贵了,不肯随便施与。现在呢,宛如做了好衣服,舍不得穿,锁在箱里,过一两年忽然发现这衣服的样子和花色都不时髦了,有些自怅自悔。从前她一心要留学,嫌那几个追求自己的人没有前程,大不了是大学毕业生。而今她身为女博士,反觉得崇高的孤独,没有人敢攀上来。她对方鸿渐的家世略有所知,见他人不讨厌,似乎钱也充足,颇有意利用这航行期间,给他一个亲近的机会。没提防她同舱的鲍小姐抢了个先去。鲍小姐生长澳门,据说身体里有葡萄牙人的血。"葡萄牙人的血"这句话等于日本人自说有本位文化,或私行改编外国剧本的作者声明他的改本"有著作权,不许翻译"。因为葡萄牙人血里根本就混有中国成分。而照鲍小姐的身材估量,她那位葡萄牙母亲也许还间接从西班牙传来阿拉伯人的血胤。鲍小姐纤腰一束,正合《天方夜谭》里阿拉伯诗人所歌颂的美人条件:"身围瘦,后部重,站立的时候沉得腰肢酸痛。"长睫毛下一双欲眠似醉、含笑、带梦的大眼睛,圆满的上嘴唇好像鼓着在跟爱人使性子。她那位未婚夫李医生不知珍重,出钱让她一个人到伦敦学产科。葡萄牙人有句谚语说:"运气好的人生孩子,第一胎准是女的。"因为女孩子长大了,可以打杂,看护弟弟妹妹,在未嫁之前,她父母省得下一个女用人的工钱。鲍小姐从小被父母差唤惯了,心眼伶俐,明白机会要自己找,快乐要自己寻。所以她宁可跟一个比自己年龄长十二岁的人订婚,有机会出洋。英国人看惯白皮肤,瞧见她暗而不黑的颜色、肥腻辛辣的引力,以为这是道地的东方美人。她自信很能引诱人,所以极快、极容易地给人引诱了。好在她是学医的,并不当什么一回事,也没出什么乱子。她在英国过了两年,这次回去结婚,跟丈夫一同挂牌。上船以后,中国学生打听出她领香港政府发给的"大不列颠子民"护照,算不得中国国籍,不大去亲近她。她不会讲法文,又不屑跟三等舱的广东侍者打乡谈,甚觉无聊。她看方鸿渐是坐二等的,人还过得去,不失为旅行中消遣的伴侣。苏小姐理想的自己是:"艳如桃李,冷若冰霜",让方鸿渐卑逊地仰慕而后屈伏地求爱。谁知道气候虽然每天华氏一百度左右,这种又甜又冷的冰淇淋作风全行不通。鲍小姐只轻松一句话就把方鸿渐钩住了。鸿渐搬到三等的明天,上甲板散步,无意中碰见鲍小姐一个人背靠着船栏杆在吹风,便招呼攀谈起来。讲不到几句话,鲍小姐笑说:"方先生,你教我想起我的 fiancé,你相貌和他像极了!"方鸿渐听了,又害羞,又得意。一个可爱的女人说你像她的未婚夫,等于表示假使她没订婚,你有资格得她的爱。刻薄鬼也许要这样解释,她已经另有未婚夫了,你可以享受她未婚夫的权利而不必履行跟她结婚的义务。无论如何,从此他们俩的交情像热带植物那样飞快地生长。其他中国男学生都跟方鸿渐开玩笑,逼他请大家喝了一次冰咖啡和啤酒。

方鸿渐那时候心上虽怪鲍小姐行动不检,也觉得兴奋。回头看见苏小姐孙太太两张空椅子,侥幸方才烟卷的事没落在她们眼里。当天晚上,起了海风,船有点颠簸。十点钟后,甲板上只有三五对男女,都躲在灯光照不到的黑影里喁喁情话。方鸿渐和鲍小姐不说话,并肩踱着。一个大浪把船身晃得厉害,鲍小姐也站不稳,方鸿渐勾住她腰,傍了栏杆不走,馋嘴似地吻她。鲍小姐的嘴唇暗示着,身体依顺着,这个急忙、粗率的抢吻渐渐稳定下来,长得妥帖完密。鲍小姐顶灵便地推脱方鸿渐的手臂,嘴里深深呼吸口气,道:"我给你闷死了!我在伤风,鼻子里透不过气来——太便宜了你,你还没求我爱你!"

"我现在向你补求,行不行?"好像一切没恋爱过的男人,方鸿渐把"爱"字看得太尊贵和严重,不肯随便应用在女人身上;他只觉得自己要鲍小姐,并不爱她,所以这样语言支吾。

"反正没好话说,逃不了那几句老套儿。"

"你嘴凑上来,我对你嘴说,这话就一直钻到你心里,省得走远路,拐了弯从耳朵里进去。"

"我才不上你的当!有话斯斯文文地说。今天够了,要是你不跟我胡闹,我明天……"方鸿渐不理会。又把手勾她腰。船身忽然一侧,他没拉住栏杆,险些带累鲍小姐摔一跤。同时黑影里其余的女人也尖声叫："啊哟！"鲍小姐借势脱身，道："我觉得冷，先下去了。明天见。"撇下方鸿渐在甲板上。天空早起了黑云，漏出疏疏几颗星，风浪像饕餮吞吃的声音，白天的汪洋大海，这时候全消化在更广大的昏夜里。衬了这背景，一个人身心的搅动也缩小以至于无，只心里一团明天的希望，还未落入渺茫，在广漠澎湃的黑暗深处，一点萤火似的自照着。

从那天起，方鸿渐饭也常在三等吃。苏小姐对他的态度显著地冷淡。他私下问鲍小姐，为什么苏小姐近来爱理不理。鲍小姐笑他是傻瓜，还说："我猜得出为什么，可是我不告诉你，免得添你骄气。"方鸿渐说她神经过敏，但此后碰见苏小姐愈觉得局促不安。船又过了锡兰和新加坡，不日到西贡，这是法国船一路走来第一个可夸傲的本国殖民地。船上的法国人像狗望见了家，气势顿长，举动和声音也高亢好些。船在下午傍岸，要停泊两夜。苏小姐有亲戚在这儿中国领事馆做事，派汽车到码头上来接她吃晚饭，在大家羡慕的眼光里，一个人先下船了。其余的学生决议上中国馆子聚餐。方鸿渐想跟鲍小姐两个人另去吃饭，在大家面前不好意思讲出口，只得随他们走。吃完饭，孙氏夫妇带小孩子先回船。余人坐了一回咖啡馆，鲍小姐提议上跳舞厅。方鸿渐虽在法国花钱学过两课跳舞，本领并不到家。跟鲍小姐跳了一次，只好藏拙坐着，看她和旁人跳。十二点多钟，大家兴尽回船睡觉。到码头下车，方鸿渐和鲍小姐落在后面。鲍小姐道："今天苏小姐不回来了。"

"我同舱的安南人也上岸了，他的铺位听说又卖给一个从西贡到香港去的中国商人了。"

"咱们俩今天都是一个人睡。"鲍小姐好像不经意地说。

方鸿渐心中电光瞥过似的，忽然照彻，可是射眼得不敢逼视，周身的血都升上脸来。他正想说话，前面走的同伴回头叫道："你们怎么话讲不完！走得慢吞吞的，怕我们听见，是不是？"两人没说什么，赶上船，大家道声"晚安"散去。方鸿渐洗了澡，回到舱里，躺下又坐起来，打消已起的念头仿佛跟女人怀孕要打胎一样的难受。也许鲍小姐那句话并无用意，去了自讨没趣；甲板上在装货，走廊里有两个巡逻的侍者防闲人混下来，难保不给他们瞧见。自己拿不定主意，又不肯死心。忽听得轻快的脚步声，像从鲍小姐卧舱那面来的。鸿渐心直跳起来，又给那脚步捺下去，仿佛一步步都踏在心上，那脚步半路停止，心也给它踏住不敢动，好一会心被压得不能更忍了，幸而那脚步继续加快地走近来。鸿渐不再疑惑，心也按束不住了，快活得要大叫，跳下铺，没套好拖鞋，就打开门帘，先闻到一阵鲍小姐惯用的爽身粉的香味。

明天早晨方鸿渐醒来，太阳满窗，表上九点多了。他想这一晚的睡好甜，充实得梦都没做，无怪睡叫"黑甜乡"，又想到鲍小姐皮肤暗，笑起来甜甜的，等会见面可叫她"黑甜"，又联想到黑而甜的朱古力糖，只可惜法国出品的朱古力糖不好，天气又热，不宜吃这个东西，否则买一匣请她。正懒在床上胡想，鲍小姐外面弹舱壁，骂他"懒虫"，叫他快起来，同上岸去玩。方鸿渐梳洗完毕，到鲍小姐舱外等了半天，她才打扮好。餐室里早点早开过,另花钱叫了两客早餐。那伺候他们这一桌的侍者就是管方鸿渐房舱的阿刘。两人吃完想走,阿刘不先收拾桌子上东西,笑嘻嘻看着他们俩,伸出手来,手心里三只女人夹头发的钗,打广东官话拖泥带水地说:"方先生,这是我刚才铺你的床捡到的。"

鲍小姐脸飞红,大眼睛像要撑破眼眶。方鸿渐急得暗骂自己糊涂,起身时没检点一下,同时掏出三百法郎对阿刘道:"拿去!那东西还给我。"阿刘道谢,还说他这人最靠得住,决不乱讲。鲍小姐眼望别处,只做不知道。出了餐室,方鸿渐抱着歉把发钗还给鲍小姐,鲍小姐生气地掷在地下,说:"谁还要这东西!经过了那家伙的脏手!"

这事把他们整天的运气毁了,什么事都别扭。坐洋车拉错了地方,买东西错付了钱,两人都没好运气。方鸿渐还想到昨晚那中国馆子吃午饭,鲍小姐定要吃西菜,说不愿意碰见同船的熟人,便找到一家门面还像样的西菜馆。谁知道从冷盘到咖啡,没有一样东西可口:上来的汤是凉的,冰淇淋倒是热的;鱼像海军陆战队,已登陆了好几天;肉像潜水艇士兵,会长时期伏在水里;除醋以外,面包、牛油、红酒无一不酸。两人吃得倒尽胃口,谈话也不投机。方鸿渐要博鲍小姐欢心,便把"黑甜"、"朱古力小姐"那些亲昵的称呼告诉她。鲍小姐怫然道:"我就那样黑么?"方鸿渐固执地申辩道:"我就爱你这颜色。我今年在西班牙,看见一个有名的美人跳舞,她皮肤只比外国熏火腿的颜色淡一点儿。"

鲍小姐的回答毫不合逻辑:"也许你喜欢苏小姐死鱼肚那样的白。你自己就是扫烟囱的小黑炭,不照照镜子!"说着胜利地笑。

方鸿渐给鲍小姐喷了一身黑,不好再讲。侍者上了鸡,碟子里一块像礼拜堂定风针上铁公鸡施舍下来的肉,鲍小姐用力割不动,放下刀叉道:"我没牙齿咬这东西!这馆子糟透了。"

方鸿渐再接再厉地斗鸡,咬着牙说:"你不听我话,要吃西菜。"

"我要吃西菜,没叫你上这个倒霉馆子呀!做错了事,事后怪人,你们男人的脾气全这样!"鲍小姐说时,好像全世界每个男人的性格都经她试验过的。

过一会,不知怎样鲍小姐又讲起她未婚夫李医生,说他也是虔诚的基督教徒。方鸿渐正满肚子委屈,听到这话,心里作恶,想信教在鲍小姐的行为上全没影响,只好借李医生来讽刺,便说:"信基督教的人,怎样做医生?"

鲍小姐不明白这话,睁眼看着他。

鸿渐替鲍小姐面前搀焦豆皮的咖啡里,加上冲米泔水的牛奶,说:"基督教十诫里一条是'别杀人',可是医生除掉职业化的杀人以外,还干什么?"

鲍小姐毫无幽默地生气道:"胡说!医生是救人生命的。"

鸿渐看她怒得可爱,有意撩拨她道:"救人生命也不能信教。医学要人活,救人的肉体;宗教救人的灵魂,要人不怕死。所以病人怕死,就得请大夫,吃药;医药无效,逃不了一死,就找牧师和神父来送终。学医而兼信教,那等于说:假如我不能教病人好好地活,至少我还能教他好好地死,反正他请我不会错,这仿佛药房掌柜带开棺材铺子,太便宜了!"

鲍小姐动了真气:"瞧你一辈子不生病,不要请教医生。你只靠一张油嘴,胡说八道。我也是学医的,你凭空为什么损人?"

方鸿渐慌得道歉,鲍小姐嚷头痛,要回船休息。鸿渐一路上赔小心,鲍小姐只无精打采。送她回舱后,鸿渐也睡了两个钟点。一起身就去鲍小姐舱外弹壁唤她名字,问她好了没有。想不到门帘开处,苏小姐出来,说鲍小姐病了,吐过两次,刚睡着呢。鸿渐又羞又窘,敷衍一句,急忙逃走。晚饭时,大家见桌上没鲍小姐,向方鸿渐打趣要人。鸿渐含含糊糊说:"她累了,身子不大舒服。"苏小姐面有得色道:"她跟方先生吃饭回来害肚子,这时候什么都吃不进。我只担心她别生了痢疾呢!"那些全无心肝的男学生哈哈大笑,七嘴八舌道:

"谁教她背了我们跟小方两口儿吃饭?"

"小方真丢人哪!请女朋友吃饭为什么不挑干净馆子?"

"馆子不会错,也许鲍小姐太高兴,贪嘴吃得消化不了。小方,对不对?"

"小方,你倒没生病?哦,我明白了!鲍小姐秀色可餐,你看饱了不用吃饭了。"

"只怕餐的不是秀色,是——"那人本要说"熟肉",忽想当了苏小姐,这话讲出来不雅,也许会传给鲍小姐知道,便摘块面包塞在自己嘴里嚼着。

方鸿渐午饭本来没吃饱,这时候受不住大家的玩笑,不等菜上齐就跑了,余人笑得更利害。他立起来转身,看见背后站着侍候的阿刘,对自己心照不宣似的眨眼。

鲍小姐睡了一天多才起床,虽和方鸿渐在一起玩,不像以前那样的脱略形骸,也许因为不日到香港,先得把身心收拾整洁,作为见未婚夫的准备。孙氏一家和其他三四个学生也要在九龙下船,搭粤汉铁路的车;分别在即,拼命赌钱,只恨晚上十二点后餐室里不许开电灯。到香港前一天下午,大家回国后的通信地址都交换过了,彼此再会的话也反复说了好几遍,仿佛这同舟之谊永远忘不掉似的。鸿渐正要上甲板找鲍小姐,阿刘鬼鬼祟祟地叫"方先生"。鸿渐自从那天给他三百法郎以后,看见这家伙就心慌,板着脸问他有什么事。阿刘说他管的房舱,有一间没客人,问鸿渐今晚要不要,只讨六百法郎。鸿渐挥手道:"我要它干吗?"三脚两步上楼梯去,只听得阿刘在背后冷笑。他忽然省悟阿刘的用意,脸都羞热了。上去吞吞吐吐把这事告诉鲍小姐,还骂阿刘浑蛋。她哼一声,没讲别的。旁人来了,不便再谈。吃晚饭的时候,孙先生道:"今天临别纪念,咱们得痛痛快快打个通宵。阿刘有个空舱,我已经二百法郎定下来了。"

鲍小姐对鸿渐轻蔑地瞧了一眼,立刻又注视碟子喝汤。

孙太太把匙儿喂小孩子,懦怯地说:"明天要下船啦,不怕累么?"

孙先生道:"明天找个旅馆,睡它个几天几晚不醒,船上的机器闹得很,我睡不舒服。"

方鸿渐给鲍小姐一眼看得自尊心像泄尽气的橡皮车胎。晚饭后,鲍小姐和苏小姐异常亲热,勾着手寸步不离。他全无志气,跟上甲板,看她们有说有笑,不容许自己插口,把话压扁了都挤不进去;自觉没趣丢脸,像赶在洋车后面的叫化子,跑了好些路,没讨到手一个小钱,要停下来却又不甘心。鲍小姐看手表道:"我要下去睡了。明天天不亮船就靠岸,早晨不能好好地睡。今天不早睡,明天上岸的时候人萎靡没有精神,难看死了。"苏小姐道:"你这人就这样爱美,怕李先生还会不爱你!带几分憔悴,更教人疼呢!"

鲍小姐道:"那是你经验之谈罢?——好了,明天到家了!我兴奋得很,只怕下去睡不熟。苏小姐,咱们下去罢,到舱里舒舒服服地躺着讲话。"

对鸿渐一点头,两人下去了。鸿渐气得心头火直冒,仿佛会把嘴里香烟衔着的一头都烧红了。他想不出为什么鲍小姐突然改变态度。他们的关系就算这样了结么?他在柏林大学,听过名闻日本的斯泼朗格教授(Ed Spranger)的爱情(Eros)演讲,明白爱情跟性欲一胞双生,类而不同,性欲并非爱情的基本,爱情也不是性欲的升华。他也看过爱情指南那一类的书,知道有什么肉的相爱、心的相爱种种分别。鲍小姐谈不上心和灵魂。她不是变心,因为她没有心;只能算日子久了,肉会变味。反正自己并没吃亏,也许还占了便宜,没得什么可怨。方鸿渐把这种巧妙的词句和精密的计算来抚慰自己,可是失望、遭欺骗的情欲、被损伤的骄傲,都不肯平伏,像不倒翁,捺下去又竖起来,反而摇摆得利害。

明天东方才白,船的速度减低,机器的声音也换了节奏。方鸿渐同舱的客人早收拾好东西,鸿渐还躺着,想跟鲍小姐后会无期,无论如何,要礼貌周到地送行。阿刘忽然进来,哭丧着脸向他讨小费。鸿渐生气道:"为什么这时候就要钱?到上海还有好几天呢。"阿刘哑声告诉,姓孙的那几个人打牌,声音太闹,给法国管事查到了,大吵其架,自己的饭碗也砸破了,等会就得卷铺盖下船。鸿渐听着,暗唤侥幸,便打发了他。吃早饭时,今天下船的那几位都垂头丧气。孙太太眼睛红肿,眼眶似乎饱和着眼泪,像夏天早晨花瓣上的露水,手指那么轻轻一碰就会掉下来。鲍小姐瞧见伺候吃饭的换了人,问阿刘哪里去了,没人回答她。方鸿渐问鲍小姐:"你行李多,要不要我送你下船?"

鲍小姐疏远地说:"谢谢你!不用劳你驾,李先生会上船来接我。"

苏小姐道:"你可以把方先生跟李先生介绍介绍。"

方鸿渐恨不得把苏小姐瘦身体里每根骨头都捏为石灰粉。鲍小姐也没理她,喝了一杯牛奶,匆匆起身,说东西还没收拾完。方鸿渐顾不得人家笑话,放下杯子跟出去。鲍小姐头也不回,方鸿渐唤她,她不耐烦地说:"我忙着呢,没工夫跟你说话。"

方鸿渐正不知怎样发脾气才好,阿刘鬼魂似地出现了,向鲍小姐要酒钱。鲍小姐眼迸火星道:"伺候吃饭的赏钱,昨天早给了。你还要什么赏?我房舱又不是你管的。"

阿刘不讲话,手向口袋里半天掏出来一只发钗,就是那天鲍小姐掷掉的,他擦地板,三只只捡到一只。鸿渐本想骂阿刘,但看见他郑重其事地拿出这一件法宝,忍不住大笑。鲍小姐恨道:"你还乐?你乐,你给他钱,我半个子儿没有!"回身走了。

鸿渐防阿刘不甘心,见了李医生胡说,自认晦气,又给他些钱。一个人上甲板,闷闷地看船靠傍九龙码头。下船的中外乘客也来了,鸿渐躲得老远,不愿意见鲍小姐。码头上警察、脚夫、旅馆的接客扰嚷着,还有一群人向船上挥手巾,做手势。鸿渐想准有李医生在内,倒要仔细认认。好容易,扶梯靠岸,进港手续完毕,接客的冲上船来。鲍小姐扑向一个半秃顶,戴大眼镜的黑胖子怀里。这就是她所说跟自己相像的未婚夫!自己就像他?吓,真是侮辱!现在全明白了,她那句话根本是引诱。一向还自鸣得意,以为她有点看中自己,谁知道由她摆布玩弄了,还要给她暗笑。除掉那句古老得长白胡子、陈腐得发霉的话:"女人是最可怕的!"还有什么可说!鸿渐在凭栏发呆,料不到背后苏小姐柔声道:"方先生不下船,在想心思?人家撇了方先生去啦!没人陪啦。"

鸿渐回身,看见苏小姐装扮得袅袅婷婷,不知道什么鬼指使自己说:"要奉陪你,就怕没福气呀,没资格呀!"

他说这冒昧话,准备碰个软钉子。苏小姐双颊涂的淡胭脂下面忽然晕出红来,像纸上沁的油渍,顷刻布到满脸,腼腆得迷人。她眼皮有些抬不起似地说:"我们没有那么大的面子呀!"

鸿渐摊手道:"我原说,人家不肯赏脸呀!"

苏小姐道:"我要找家剃头店洗头发去,你肯陪么?"

鸿渐道:"妙极了!我正要去理发。咱们理完发,摆渡到香港上山瞧瞧,下了山我请你吃饭,饭后到浅水湾喝茶,晚上看电影,好不好?"

苏小姐笑道:"方先生,你想得真周到!一天的事全计划好了。"她不知道方鸿渐只在出国时船过香港一次,现在方向都记不得了。

二十分钟后,阿刘带了衣包在餐室里等法国总管来查过好上岸,舱洞口瞥见方鸿渐在苏小姐后面,手傍着她腰走下扶梯,不禁又诧异,又佩服,又瞧不起,无法表示这种复杂的情绪,便"啐"的一声向痰盂里射出一口浓浓的唾沫。

## 二

据说"女朋友"就是"情人"的学名,说起来庄严些,正像玫瑰花在生物学上叫"蔷薇科木本复叶植物",或者休妻的法律术语是"协议离婚"。方鸿渐陪苏小姐在香港玩了两天,才明白女朋友跟情人事实上绝然不同。苏小姐是最理想的女朋友,有头脑,有身份,态度相貌算得上大家闺秀,和她同上饭馆戏院并不失自己的面子。他们俩虽然十分亲密,方鸿渐自信对她的情谊到此而止,好比两条平行的直线,无论彼此距离怎么近,拉得怎么长,终合不拢来成为一体。只有九龙上岸前看她害羞脸红的一刹那,心忽然软得没力量跳跃,以后便没有这个感觉。他发现苏小姐有不少小孩子脾气,她会顽皮,会娇痴,这是他一向没想到的。可是不知怎样,他老觉得这种小姐儿腔跟苏小姐不顶配。并非因为她年龄大了;她比鲍小姐大不了多少,并且当着心爱的男人,每个女人都有返老还童的绝技。只能说是品格上的不相宜;譬如小猫打圈儿追自己的尾巴,我们看着好玩儿,而小狗也追寻过去地回头跟着那短尾巴橛乱转,就风趣减少了。那几个一路同船的学生看小方才去了鲍小姐,早换上苏小姐,对他打趣个不亦乐乎。

苏小姐做人极大方；船到上海前那五六天里，一个字没提到鲍小姐。她待人接物也温和了许多。方鸿渐并未向她谈情说爱，除掉上船下船走跳板时扶她一把，也没拉过她手。可是苏小姐偶然的举动，好像和他有比求婚、订婚、新婚更深远悠久的关系。她的平淡，更使鸿渐疑惧，觉得这是爱情超热烈的安稳，仿佛飓风后的海洋波平浪静，而底下随时潜伏着汹涌翻腾的力量。香港开船以后，他和苏小姐同在甲板上吃香港买的水果。他吃水蜜桃，耐心地撕皮，还说："桃子为什么不生得像香蕉，剥皮多容易！或者干脆像苹果，用手帕擦一擦，就能连皮吃。"苏小姐剥几个鲜荔枝吃了，不再吃什么，愿意替他剥桃子，他无论如何不答应。桃子吃完，他两脸两手都挂了幌子，苏小姐看着他笑。他怕桃子汁弄脏裤子，只伸小指头到袋里去勾手帕，勾了两次，好容易拉出来，正在擦手，苏小姐声音含着惊怕嫌恶道："啊哟！你的手帕怎么那么脏！真亏你——哙！这东西擦不得嘴，拿我的去，拿去，别推，我最不喜欢推。"

方鸿渐涨红脸，接苏小姐的手帕，在嘴上浮着抹了抹，说："我买了一打新手帕上船，给船上洗衣服的人丢了一半。我因为这小东西容易遗失，他们洗得又慢，只好自己洗。这两天上岸玩儿，没工夫洗，所有的手帕都脏了，回头洗去。你这块手帕，也让我洗了还你。"

苏小姐道："谁要你洗？你洗也不会干净！我看你的手帕根本就没洗干净，上面的油腻斑点，怕还是马赛一路来留下的纪念。不知道你怎么洗的。"说时，吃吃笑了。

等一会,两人下去。苏小姐捡一块自己的手帕给方鸿渐道:"你暂时用着,你的手帕交给我去洗。"方鸿渐慌得连说:"没有这个道理!"苏小姐努嘴道:"你真不爽气!这有什么大了不得?快给我。"鸿渐没法,回房舱拿了一团皱手帕出来,求饶恕似的说:"我自己会洗呀!脏得很,你看了要嫌的。"苏小姐夺过来,摇头道:"你这人怎么邋遢到这个地步。你就把这东西擦苹果吃么?"方鸿渐为这事整天惶恐不安,向苏小姐谢了又谢,反给她说"婆婆妈妈"。明天,他替苏小姐搬帆布椅子,用了些力,衬衫上迸脱两个钮子,苏小姐笑他"小胖子",叫他回头把衬衫换下来交给她钉钮子。他抗议无用,苏小姐说什么就要什么,他只好服从她善意的独裁。

方鸿渐看大势不佳,起了恐慌。洗手帕,补袜子,缝钮扣,都是太太对丈夫尽的小义务。自己凭什么享受这些权利呢?享受了丈夫的权利当然正名定分,该是她的丈夫,否则她为什么肯尽这些义务呢?难道自己言动有可以给她误认为丈夫的地方么?想到这里,方鸿渐毛骨悚然。假使订婚戒指是落入圈套的象征,钮扣也是扣留不放的预兆。自己得留点儿神!幸而明后天就到上海,以后便没有这样接近的机会,危险可以减少。可是这一两天内,他和苏小姐在一起,不是怕袜子忽然磨穿了洞,就是担心什么地方的钮子脱了线。他知道苏小姐的效劳是不好随便领情的;她每钉一个钮扣或补一个洞,自己良心上就增一分向她求婚的责任。

中日关系一天坏似一天,船上无线电的报告使他们忧虑。

八月九日下午,船到上海,侥幸战事并没发生。苏小姐把地址给方鸿渐,要他去玩。他满嘴答应,回老乡望了父母,一定到上海来拜访她。苏小姐的哥哥上船来接,方鸿渐躲不了,苏小姐把他向她哥哥介绍。她哥哥把鸿渐打量一下,极客气地拉手道:"久仰!久仰!"鸿渐心里想,糟了!糟了!这一介绍就算经她家庭代表审定批准做候补女婿了!同时奇怪她哥哥说"久仰",准是苏小姐从前常向她家里人说起自己了,又有些高兴。他辞了苏氏兄妹去检点行李,走不到几步,回头看见哥哥对妹妹笑,妹妹红了脸,又像喜欢,又像生气,知道在讲自己。一阵不好意思。忽然碰见他兄弟鹏图,原来上二等找他去了,苏小姐海关有熟人,行李免查放行。方氏兄弟还等着检查呢,苏小姐特来跟鸿渐拉手叮嘱"再会"。鹏图问是谁,鸿渐说姓苏。鹏图道:"唉,就是法国的博士,报上见过的。"鸿渐冷笑一声,鄙视女人们的虚荣。草草把查过的箱子理好,叫了汽车准备到周经理家去住一夜,明天回乡。鹏图在什么银行里做行员,这两天风声不好,忙着搬仓库,所以半路下车去了。鸿渐叫他打个电报到家里,告诉明天搭第几班火车。鹏图觉得这钱浪费得无谓,只打了个长途电话。

　　他丈人丈母见他,欢喜得了不得。他送丈人一根在锡兰买的象牙柄藤手杖,送爱打牌而信佛的丈母一只法国货女人手提袋和两张锡兰的贝叶,送他十五六岁的小舅子一支德国货自来水笔。丈母又想到死去五年的女儿,伤心落泪道:"淑英假如活着,你今天留洋博士回来。她才高兴呢!"周经理哽着嗓子说他太太老糊涂了,怎么今天快乐日子讲那些话。鸿渐脸上严肃沉郁,可是满心惭愧,因为这四年里他从未想起那位未婚妻,出洋时丈人给他做纪念的那张未婚妻大照相,也搁在箱子底,不知退了颜色没有。他想赎罪补过,反正明天搭十一点半特别快车,来得及去万国公墓一次,便说:"我原想明天一早上她的坟。"周经理夫妇对鸿渐的感想更好了。周太太领他去看今晚睡的屋子,就是淑英生前的房。梳妆桌子上并放两张照相:一张是淑英的遗容,一张是自己的博士照。方鸿渐看着发呆,觉得也陪淑英双双死了,萧条黯淡,不胜身后魂归之感。

吃晚饭时,丈人知道鸿渐下半年职业尚无着落,安慰他说:"这不成问题。我想你还是在上海或南京找个事,北平形势凶险,你去不得。你回家两个礼拜,就出来住在我这儿。我银行里为你挂个名,你白天去走走,晚上教教我儿子。一面找机会。好不好?你行李也不必带走,天气这样热,回家反正得穿中国衣服。"鸿渐真心感激,谢了丈人。丈母提起他婚事,问他有女朋友没有。他忙说没有。丈人说:"我知道你不会有。你老太爷家教好,你做人规矩,不会闹什么自由恋爱,自由恋爱没有一个好结果的。"

丈母道:"鸿渐这样老实,是找不到女人的。让我为他留心做个媒罢。"

丈人道:"你又来了!他老太爷、老太太怕不会作主。咱们管不着。"

丈母道:"鸿渐出洋花的是咱们的钱,他娶媳妇,当然不能撇开咱们周家。鸿渐,对不对?你将来新太太,一定要做我的干女儿。我这话说在你耳朵里,不要有了新亲,把旧亲忘个干净!这种没良心的人我见得多了。"

鸿渐只好苦笑道:"放心,决不会。"心里对苏小姐影子说:"听听!你肯拜这位太太做干妈么?亏得我不要娶你。"他小舅子好像接着他心上的话说:"鸿渐哥,有个姓苏的女留学生,你认识她么?"方鸿渐惊骇得几乎饭碗脱手,想美国的行为心理学家只证明"思想是不出声的语言",这小子的招风耳朵是什么构造,怎么心头无声息的密语全给他听到!他还没有回答,丈人说:"是啊!我忘了——效成,你去拿那张报来——我收到你的照相,就教文书科王主任起个新闻稿子去登报。我知道你不爱出风头,可是这是有面子的事,不必隐瞒。"最后几句话是因为鸿渐变了脸色而说的。

丈母道:"这话对。赔了这许多本钱,为什么不体面一下!"

鸿渐已经羞愤得脸红了,到小舅子把报拿来,接过一看,夹耳根、连脖子、经背脊红卜去直到脚跟。那张是七月初的《沪报》,教育消息栏里印着两张小照,铜版模糊,很像乩坛上拍的鬼魂照相。前面一张照的新闻说,政务院参事苏鸿业女公子文纨在里昂大学得博士回国。后面那张照的新闻字数要多一倍,说本埠商界闻人点金银行总经理周厚卿快婿方鸿渐,由周君资送出洋深造,留学英国伦敦、法国巴黎、德国柏林各大学,精研政治、经济、历史、社会等科,莫不成绩优良,名列前茅,项由德国克莱登大学荣授哲学博士,将赴各国游历考察,秋凉回国,闻各大机关正争相礼聘云。鸿渐恨不能把报一撕两半,把那王什么主任的喉咙扼着,看还挤得出多少开履历用的肉麻公式。怪不得苏小姐哥哥见面了要说"久仰",怪不得鹏图听说姓苏便知道是留学博士。当时还笑她俗套呢!像自己这段新闻才是登极加冕的恶俗,臭气熏得读者要按住鼻子。况且人家是真正的博士,自己算什么?在船上从没跟苏小姐谈起学位的事,她看到这新闻会断定自己吹牛骗人。德国哪里有克莱登大学?写信时含混地说得了学位,丈人看信从德国寄出,武断是个德国大学,给内行人知道,岂不笑歪了嘴?自己就成了骗子,从此无面目见人!

周太太看方鸿渐捧报老遮着脸,笑对丈夫说:"你瞧鸿渐多得意,那条新闻看了几遍还不放手。"

效成顽皮道:"鸿渐哥在仔细认那位苏文纨,想娶她来代替姐姐呢。"

方鸿渐忍不住道:"别胡说!"好容易克制自己,没把报纸掷在地下,没让羞愤露在脸上,可是嗓子都沙了。

周氏夫妇看鸿渐笑容全无,脸色发白,有点奇怪,忽然彼此做个眼色,似乎了解鸿渐的心理,异口同声骂效成道:"你这孩子该打。大人讲话,谁要你来插嘴?鸿渐哥今天才回来,当然想起你姐姐,心上不快活。你说笑话也得有个分寸,以后不许你开口——鸿渐,我们知道你天性生得厚,小孩子胡说,不用理他。"鸿渐脸又泛红,效成骨朵了嘴,心里怨道:"别妆假!你有本领一辈子不娶老婆。我不希罕你的钢笔,拿回去得了。"

方鸿渐到房睡觉的时候,发现淑英的照相不在桌子上了,想是丈母怕自己对物思人，伤心失眠，特来拿走的。下船不过六七个钟点，可是船上的一切已如隔世。上岸时的兴奋，都蒸发了，觉得懦弱、渺小，职业不容易找，恋爱不容易成就。理想中的留学回国，好像地面的水，化气升上天空，又变雨回到地面，一世的人都望着、说着。现在万里回乡，祖国的人海里，泡沫也没起一个——不，承那王主任笔下吹嘘，自己也被吹成一个大肥皂泡，未破时五光十色，经不起人一搠就不知去向。他靠纱窗望出去。满天的星又密又忙，它们声息全无，而看来只觉得天上热闹。一梳月亮像形容未长成的女孩子，但见人已不羞缩，光明和轮廓都清新刻露，渐渐可烘衬夜景。小园草地里的小虫琐琐屑屑地在夜谈。不知哪里的蛙群齐心协力地干号，像声浪给火煮得发沸。几星萤火优游来去，不像飞行，像在厚密的空气里漂浮，月光不到的阴黑处，一点萤火忽明，像夏夜的一只微绿的小眼睛。这景色是鸿渐出国前看惯的，可是这时候见了，忽然心挤紧作痛，眼酸得要流泪。他才领会到生命的美善、回国的快乐，《沪报》上的新闻和纱窗外的嗡嗡蚊声一样不足介怀。鸿渐舒服地叹口气，又打个大呵欠。

方鸿渐在本县火车站下车，方老先生、鸿渐的三弟凤仪，还有七八个堂房叔伯兄弟和方老先生的朋友们，都在月台上迎接。他十分过意不去，一个个上前招呼，说："这样大热天，真对不住！"看父亲胡子又花白了好些，说："爸爸，你何必来呢！"

方遯翁把手里的折扇给鸿渐道："你们西装朋友是不用这老古董的，可是总比拿草帽扇着好些。"又看儿子坐的是二等车,夸奖他道:"这孩子不错!他回国船坐二等,我以为他火车一定坐头等,他还是坐二等车,不志高气满,改变本色,他已经懂做人的道理了。"大家也附和赞美一阵。前簇后拥,出了查票口,忽然一个戴蓝眼镜穿西装的人拉住鸿渐道:"请别动!照个相。"鸿渐莫名其妙,正要问他缘故,只听得照相机咯嗒声,蓝眼镜放松手,原来迎面还有一个人把快镜对着自己。蓝眼镜一面掏名片说:"方博士昨天回到祖国的?"拿快镜的人走来了,也掏出张名片,鸿渐一瞧,是本县两张地方日报的记者。那两位记者都说:"今天方博士舟车劳顿,明天早晨到府聆教。"便转身向方老先生恭维,陪着一路出车站。凤仪对鸿渐笑道:"大哥,你是本县的名人了。"鸿渐虽然嫌那两位记者口口声声叫"方博士",刺耳得很,但看人家这样郑重地当自己是一尊人物,身心庞然膨胀,人格伟大了好些。他才知道住在小地方的便宜,只恨今天没换身比较新的西装,没拿根手杖,手里又挥着大折扇,满脸的汗,照相怕不会好。

到家见过母亲和两位弟媳妇,把带回来的礼物送了。母亲笑说:"是要出洋的,学得这样周到,女人用的东西都会买了。"

父亲道:"鹏图昨天电话里说起一位苏小姐,是怎么一回事?"

方鸿渐恼道:"不过是同坐一条船,全没有什么。鹏图总——喜欢多嘴。"他本要骂鹏图好搬是非,但当着鹏图太太的面,所以没讲出来。

父亲道:"你的婚事也该上劲了,两个兄弟都早娶了媳妇,孩子都有了。做媒的有好几起,可是,你现在不用我们这种老厌物来替你做主了。苏鸿业呢,人倒有点名望,从前好像做过几任实缺官——"鸿渐暗想,为什么可爱的女孩子全有父亲呢？她孤独的一个人可以藏匿在心里温存,拖泥带水地牵上了父亲、叔父、兄弟之类,这女孩子就不伶俐洒脱,心里不便窝藏她了,她的可爱里也就搀和渣滓了。许多人谈婚姻,语气仿佛是同性恋爱,不是看中女孩子本人,是羡慕她的老子或她的哥哥。

母亲道："我不赞成！官小姐是娶不得的,要你服侍她,她不会服侍你。并且娶媳妇要同乡人才好,外县人脾气总有点不合适,你娶了不受用。这位苏小姐是留学生,年龄怕不小了。"她那两位中学没毕业,而且本县生长的媳妇都有赞和的表情。

父亲道："人家不但留学,而且是博士呢。所以我怕鸿渐吃不消她。"——好像苏小姐是砖石一类的硬东西,非鸵鸟或者火鸡的胃消化不掉的。

母亲不服气道："咱们鸿渐也是个博士,不输给她,为什么配不过她？"

父亲捻着胡子笑道："鸿渐,这道理你娘不会懂了——女人念了几句书最难驾驭。男人非比她高一层,不能和她平等匹配。所以大学毕业生才娶中学女生,留学生娶大学女生。女人留洋得了博士,只有洋人才敢娶她,否则男人至少是双料博士。鸿渐,我这话没说错罢？这跟'嫁女必须胜吾家,娶妇必须不若吾家',一个道理。"

母亲道："做媒的几起里,许家的二女儿最好,回头我给你看照相。"

　　方鸿渐想这事严重了。生平最恨小城市的摩登姑娘，落伍的时髦，乡气的都市化，活像那第一套中国裁缝仿制的西装，把做样子的外国人旧衣服上两方补钉，也照式在衣袖和裤子上做了。现在不必抗议，过几天向上海溜之大吉。方老先生又说，接风的人很多，天气太热，叫鸿渐小心别贪嘴，亲近的尊长家里都得去拜访一下，自己的包车让给他坐，等天气稍凉，亲带他到祖父坟上行礼。方老太太说，明天叫裁缝来做他的纺绸大褂和里衣裤，凤仪有两件大褂，暂时借一件穿了出门拜客。吃晚饭的时候，有方老太太亲手做的煎鳝鱼丝、酱鸡翅、西瓜煨鸡、酒煮虾，都是大儿子爱吃的乡味。方老太太挑好的送到他饭碗上，说："我想你在外国四年真可怜，什么都没得吃！"大家都笑说她又来了，在外国不吃东西，岂不饿死。她道："我就不懂洋鬼子怎样活的！什么面包、牛奶，送给我都不要吃。"鸿渐忽然觉得，在这种家庭空气里，战争是不可相信的事，好比光天化日之下没人想到有鬼。父亲母亲的计划和希望，丝毫没为意外事故留个余地。看他们这样稳定地支配着未来，自己也胆壮起来，想上海的局势也许会和缓，战事不会发生，真发生了也可以置之不理。

　　明天方鸿渐才起床，那两位记者早上门了。鸿渐看到他们带来的报上，有方博士回乡的新闻，嵌着昨天照的全身像，可怕得自惭形秽。蓝眼镜拉自己右臂的那只手也清清楚楚地照进去了，加上自己侧脸惊愕的神情，宛如小偷给人捉住的摄影。那蓝眼镜是个博闻多识之士，说久闻克莱登大学是全世界最有名的学府,地位仿佛清华大学。那背照相机的记者问鸿渐对世界大势有什么观察、中日战争会不会爆发。方鸿渐好容易打发他们走了,还为蓝眼镜的报纸写"为民喉舌"、照相机的报纸写"直笔谠论"两句赠言。正想出门拜客,父亲老朋友本县省立中学吕校长来了,约方氏父子三人明晨茶馆吃早点,吃毕请鸿渐向暑期学校学生演讲"西洋文化在中国历史上之影响及其检讨"。鸿渐最怕演讲,要托词谢绝,谁知道父亲代他一口答应下来。他只好私下咽冷气,想这样热天,穿了袍儿套儿,讲废话,出臭汗,不是活受罪是什么?教育家的心理真与人不同!方老先生希望人家赞儿子"家学渊源",向箱里翻了几部线装书出来,什么《问字堂集》、《癸巳类稿》、《七经楼集》、《谈瀛录》之类,吩咐鸿渐细看,搜集演讲材料。鸿渐一下午看得津津有味,识见大长,明白中国人品性方正所以说地是方的,洋人品性圆滑,所以主张地是圆的;中国人的心位置正中,西洋人的心位置偏左;西洋进口的鸦片有毒,非禁不可,中国地土性质和平,出产的鸦片,吸食也不会上瘾;梅毒即是天化,来自西洋等等。只可惜这些事实虽然有趣,演讲时用不着它们,该另抱佛脚。所以当天从大伯父家吃晚饭回来,他醉眼迷离,翻了三五本历史教科书,凑满一千多字的讲稿,插穿了两个笑话。这种预备并不费心血,身血倒赔了些,因为蚊子多。

  明早在茶馆吃过第四道照例点心的汤面,吕校长付账,催鸿渐起身,匆匆各从跑堂手里接过长衫穿上走了,凤仪陪着方老先生喝茶。学校礼堂里早坐满学生,男男女女有二百多人,方鸿渐由吕校长陪了上讲台,只觉许多眼睛注视得浑身又麻又痒,脚走路都不方便。到上台坐定,眼前的湿雾消散,才见第一排坐的都像本校教师,紧靠讲台的记录席上是一个女学生,新烫头发的浪纹板得像漆出来的。全礼堂的人都在交头接耳,好奇地评赏着自己。他默默分付两颊道:"不要烧盘!脸红不得!"懊悔进门时不该脱太阳眼镜,眼前两片黑玻璃,心理上也好像隐蔽在浓阴里面,不怕羞些。吕校长已在致辞介绍,鸿渐忙伸手到大褂口袋里去摸演讲稿子,只摸个空,慌得一身冷汗。想糟了!糟了!怎会把要紧东西遗失?家里出来时,明明搁在大褂袋里的。除掉开头几句话,其余全吓忘了。拼命追忆,只像把筛子去盛水。一着急,注意力集中不起来,思想的线索要打成结又松散了。隐约还有些事实的影子,但好比在热闹地方等人,瞥眼人堆里像是他,走上去找,又不见了。心里正在捉着迷藏,吕校长鞠躬请他演讲,下面一阵鼓掌。他刚站起来,瞧凤仪气急败坏赶进礼堂,看见演讲已开始,便绝望地找个空位坐下。鸿渐恍然大悟,出茶馆时,不小心穿错了凤仪的衣服,这两件大褂原全是凤仪的,颜色材料都一样,事到如此,只有大胆老脸胡扯一阵。

掌声住了。方鸿渐强作笑容说:"吕校长,诸位先生,诸位同学:诸位的鼓掌虽然出于好意,其实是最不合理的。因为鼓掌表示演讲听得满意,现在鄙人还没开口,诸位已经满意得鼓掌,鄙人何必再讲什么呢?诸位应该先听演讲,然后随意鼓几下掌,让鄙人有面子下台。现在鼓掌在先,鄙人的演讲当不起那样热烈的掌声,反觉到一种收了款子交不出货色的惶恐。"听众大笑,那记录的女孩也含着笑,走笔如飞。方鸿渐踌躇,下面讲些什么呢？线装书上的议论和事实还记得一二,晚饭后翻看的历史教科书,影踪都没有了。该死的教科书,当学生的时候,真亏自己会读熟了应考的！有了,有了！总比无话可说好些："西洋文化在中国历史上的影响,各位在任何历史教科书里都找得到,不用我来重述。各位都知道欧洲思想正式跟中国接触,是在明朝中叶。所以天主教徒常说那时候是中国的文艺复兴。不过明朝天主教士带来的科学现在早过时了,他们带来的宗教从来没有合时过。海通几百年来,只有两件西洋东西在整个中国社会里长存不灭。一件是鸦片,一件是梅毒,都是明朝所吸收的西洋文明。"听众大多数笑,少数都张了嘴惊骇；有几个教师皱着眉头,那记录的女生涨红脸停笔不写,仿佛听了鸿渐最后的一句,处女的耳朵已经当众丧失贞操；吕校长在鸿渐背后含有警告意义地咳嗽。方鸿渐那时候宛如隆冬早晨起床的人,好容易用最大努力跳出被窝,只有熬着冷穿衣下床,断无缩回去的道理。"鸦片本来又叫洋烟——"鸿渐看见教师里一个像教国文的老头子一面扇扇子,一面摇头,忙说："这个'洋'当然指'三保太监下西洋'的'西洋'而说,因为据《大明会典》,鸦片是暹罗和爪哇的进贡品。可是在欧洲最早的文学作品荷马史诗《十年归》Odyssey里——"那老头子的秃顶给这个外国字镇住不敢摇动——"据说就有这东西。至于梅毒——"吕校长连声咳嗽——"更无疑是舶来品洋货。叔本华早说近代欧洲文明的特点,第一是杨梅疮。诸位假如没机会见到外国原本书,那很容易,只要看徐志摩先生译的法国小说《戆第德》,就可略知梅毒的渊源。明朝正德以后,这病由洋人带来。这两件东西当然流毒无穷,可是也不能一概抹煞。鸦片引发了许多文学作品,古代诗人向酒里找灵感,近代欧美诗人都从鸦片里得灵感。梅毒在遗传上产生白痴、疯狂和残疾,但据说也能刺激天才。例如——"吕校长这时候嗓子都咳破了,到鸿渐讲完,台下拍手倒还有劲,吕校长板脸哑声致谢词道:"今天承方博士讲给我们听许多新奇的议论,我们感觉浓厚的兴趣。方博士是我世侄,我自小看他长大,知道他爱说笑话,今天天气很热,所以他有意讲些幽默的话。我希望将来有机会听到他的正经严肃的弘论。但我愿意告诉方博士:我们学校图书馆充满新生活的精神,绝对没有法国小说——"说时手打着空气。鸿渐羞得不敢看台下。

不到明天,好多人知道方家留洋回来的儿子公开提倡抽烟狎妓。这话传进方老先生耳朵里,他不知道这就是自己教儿子翻线装书的结果,大不以为然,只不好发作。紧跟着八月十三日淞沪战事的消息,方鸿渐闹的笑话没人再提起。但那些有女儿要嫁他的人,忘不了他的演讲;猜想他在外国花天酒地,若为女儿嫁他的事,到西湖月下老人祠去求签,难保不是第四签:"斯人也而有斯疾也!"这种青年做不得女婿,便陆续借口时局不靖,婚事缓议,向方家把女儿的照相、庚帖要了回去。方老太太非常懊丧,念念不忘许家二小姐,鸿渐倒若无其事。战事已起,方老先生是大乡绅,忙着办地方公安事务。县里的居民记得"一·二八"那一次没受敌机轰炸,这次想也无事,还不甚惊恐。

方鸿渐住家一个星期,感觉出国这四年光阴,对家乡好像荷叶上泻过的水,留不下一点痕迹。回来所碰见的还是四年前那些人,那些人还是做四年前所做的事,说四年前所说的话。甚至认识的人里一个也没死掉;只有自己的乳母,从前常说等自己结婚养了儿子来抱小孩的,现在病得不能起床。这四年在家乡要算白过了,博不到归来游子的一滴眼泪、一声叹息。开战后第六天日本飞机第一次来投弹,炸坍了火车站,大家才认识战争真打上门来了,就有搬家到乡下避难的人。以后飞机接连光顾,大有绝世佳人一顾倾城、再顾倾国的风度。周经理拍电报,叫鸿渐快到上海,否则交通断绝,要困守在家里。方老先生也觉得在这种时局里,儿子该快出去找机会,所以让鸿渐走了。以后这四个月里的事,从上海撤退到南京陷落,历史该如洛高(Fr. von Logau)所说,把刺刀磨尖当笔,蘸鲜血当墨水,写在敌人的皮肤上当纸。方鸿渐失神落魄,一天看十几种报纸,听十几次无线电报告,疲乏垂绝的希望披沙拣金似的要在消息罅缝里找个苏息处。他和鹏图猜想家已毁了,家里人不知下落。阴历年底才打听出他们踪迹,方老先生的上海亲友便设法花钱接他们出来,为他们租定租界里的房子。一家人见了面唏嘘对泣。方老先生和凤仪嚷着买鞋袜;他们坐小船来时,路上碰见两个溃兵,抢去方老先生的钱袋,临走还逼方氏父子把脚上羊毛袜和绒棉鞋脱下来,跟他们的臭布袜子、破帆布鞋交换。方氏全家走个空身,只有方老太太棉袄里缝着两三千块钱的钞票,没给那两个兵摸到。旅沪同乡的商人素仰方老先生之名,送钱的不少,所以门户又可重新撑持。方鸿渐看家里人多房子小,仍住在周家,隔一两天到父母处请安。每回家,总听他们讲逃难时可怕可笑的经历;他们叙述描写的艺术似乎讲一次进步一次,鸿渐的注意和同情却听一次减退一些。方老先生因为拒绝了本县汉奸的引诱,有家难归,而政府并没给他什么名义,觉得他爱国而国不爱他,大有青年守节的孀妇不见宠于翁姑的怨抑。鸿渐在点金银行里气闷得很,上海又没有多大机会,想有便到内地去。

阴历新年来了。上海租界寓公们为国家担惊受恐够了,现在国家并没有亡,不必做未亡人,所以又照常热闹起来。一天,周太太跟鸿渐说,有人替他做媒,就是有一次鸿渐跟周经理出去应酬,同席一位姓张的女儿。据周太太说,张家把他八字要去了,请算命人排过,跟他们小姐的命"天作之合,大吉大利"。鸿渐笑说:"在上海这种开通地方,还请算命人来支配婚姻么?"周太太说,命是不可不信的,张先生请他去吃便晚饭,无妨认识那位小姐。鸿渐有点儿战前读书人的标劲,记得那姓张的在美国人洋行里做买办,不愿跟这种俗物往来,但转念一想,自己从出洋到现在,还不是用的市侩的钱?反正去一次无妨,结婚与否,全看自己中意不中意那女孩子,旁人勉强不来,答应去吃晚饭。这位张先生是浙江沿海人,名叫吉民,但他喜欢人唤他 Jimmy。他在美国人花旗洋行里做了二十多年的事,从"写字"(小书记)升到买办,手里着实有钱。只生一个女儿,不惜工本地栽培,教会学校里所能传授熏陶的洋本领、洋习气,美容院理发铺所能制造的洋时髦、洋姿态,无不应有尽有。这女儿刚十八岁,中学尚未毕业,可是张先生夫妇保有他们家乡的传统思想,以为女孩子到二十岁就老了,过二十还没嫁掉,只能进古物陈列所供人凭吊了。张太太择婿很严,说亲的虽多,都没成功。有一个富商的儿子,也是留学生,张太太颇为赏识,婚姻大有希望,但一顿饭后这事再不提起。吃饭时大家谈到那几天因战事关系,租界封锁,蔬菜来源困难,张太太便对那富商儿子说:"府上人多,每天伙食账不会小罢?"那人说自己不清楚,想来是多少钱一天。张太太说:"那么府上的厨子一定又老实,又能干!像我们人数不到府上一半,每天厨房开销也要那个数目呢!"那人听着得意,张太太等他饭毕走了,便说:"这种人家排场太小了!只吃那么多钱一天的菜!我女儿舒服惯的,过去吃不来苦!"婚事从此作罢。夫妇俩磋商几次,觉得宝贝女儿嫁到人家去,总不放心,不如招一个女婿到自己家里来。那天张先生跟鸿渐同席,回家说起,认为颇合资格:家世头衔都不错,并且现在没真做到女婿已住在挂名丈人家里,将来招赘入门,易如反掌。更妙是方家经这番战事,摆不起乡绅人家臭架子了,这女婿可以服服帖帖地养在张府上。结果张太太要鸿渐来家相他一下。

方鸿渐因为张先生请他早到谈谈,下午银行办公完毕就去。马路上经过一家外国皮货铺子看见獭绒西装外套,新年廉价,只卖四百元。鸿渐常想有这样一件外套,留学时不敢买。譬如在伦敦,男人穿皮外套而没有私人汽车,假使不像放印子钱的犹太人或打拳的黑人,人家就疑心是马戏班的演员,再不然就是开窑子的乌龟;只有在维也纳,穿皮外套是常事,并且有现成的皮里子卖给旅客衬在外套里。他回国后,看穿的人很多,现在更给那店窗里的陈列撩得心动。可是盘算一下,只好叹口气。银行里薪水一百块钱已算不薄,零用尽够。丈人家供吃供住,一个钱不必贴,怎好向周经理要钱买奢侈品? 回国所余六十多镑,这次孝敬父亲四十镑添买些家具,剩下不过折合四百余元。东凑西挪,一股脑儿花在这件外套上面,不大合算。国难时期,万事节约,何况天气不久回暖,就省了罢。到了张家,张先生热闹地欢迎道:"Hello! Doctor 方①,好久不见!"张先生跟外国人来往惯了,说话有个特征——也许在洋行、青年会、扶轮社等圈子里,这并没有什么奇特——喜欢中国话里夹无谓的英文字。他并无中文难达的新意,需要借英文来讲;所以他说话里嵌的英文字,还比不得嘴里嵌的金牙,因为金牙不仅妆点,尚可使用,只好比牙缝里嵌的肉屑,表示饭菜吃得好,此外全无用处。他仿美国人读音,惟妙惟肖,也许鼻音学得太过火了,不像美国人,而像伤风塞鼻子的中国人。他说"very well"②二字,声音活像小洋狗在咕噜——"vurry wul"。可惜罗马人无此耳福,否则决不单说 R 是鼻音的狗字母。当时张先生跟鸿渐拉手,问他是不是天天"go downtown"③。鸿渐寒暄已毕,瞧玻璃橱里都是碗、瓶、碟子,便说:"张先生喜欢收藏磁器?"

"Sure! have a look see!"④张先生打开橱门,请鸿渐赏鉴。

---

① 唵!方博士!
② 很好。
③ 到银行、商业地区去。
④ 当然!你瞧一瞧罢!

鸿渐拿了几件,看都是"成化"、"宣德"、"康熙",也不识真假,只好说:"这东西很值钱罢?"

"Sure!值不少钱呢,Plenty of dough。并且这东西不比书画。买书画买了假的,一文不值,只等于 waste paper。磁器假的,至少还可以盛菜盛饭。我有时请外国 friends 吃饭,就用那个康熙窑'油底蓝五彩'大盘做 salad dish,他们都觉得古色古香,菜的味道也有点 old-time。"①

方鸿渐道:"张先生眼光一定好,不会买假东西。"

张先生大笑道:"我不懂什么年代花纹,事情忙,也没工夫翻书研究。可是我有 hunch;看见一件东西,忽然 what d'you call 灵机一动,买来准 O.K.。他们古董掮客都佩服我,我常对他们说:'不用拿假货来 fool 我。O yeah,我姓张的不是 sucker,休想骗我!'"②关上橱门,又说:"咦,headache——"便捺电铃叫用人。

鸿渐不懂,忙问道:"张先生不舒服,是不是?"

张先生惊奇地望着鸿渐道:"谁不舒服?你?我?我很好呀!"

鸿渐道:"张先生不是说'头痛'么?"

张先生呵呵大笑,一面分付进来的女佣说:"快去跟太太小姐说,客人来了,请她们出来。make it snappy!"③说时右手大拇指从中指弹在食指上"啪"的一响。他回过来对鸿渐笑道:"headache 是

---

① 当然!不少钱呢。只等于废纸。外国朋友们。做沙拉冷盘。有点古意。
② 我有预感。所谓灵机一动。准不会错。来教我上当。听着,我不是傻瓜。
③ 快一点!

美国话,指'太太'而说,不是'头痛'！你没到 States 去过罢!"①

方鸿渐正自惭寡陋,张太太张小姐出来了,张先生为鸿渐介绍。张太太是位四十多岁的胖女人,外国名字是小巧玲珑的 Tessie。张小姐是十八岁的高大女孩子,着色鲜明,穿衣紧俏,身材将来准会跟她老太爷那洋行的资本一样雄厚。鸿渐没听清她名字,声音好像"我你他",想来不是 Anita,就是 Juanita,她父母只缩短叫她 Nita。张太太上海话比丈夫讲得好,可是时时流露本乡土音,仿佛罩褂太小,遮不了里面的袍子。张太太信佛,自说天天念十遍"白衣观世音咒",求菩萨保佑中国军队打胜;又说这观音咒灵验得很,上海打仗最紧急时,张先生到外滩行里去办公,自己在家里念咒,果然张先生从没遭到流弹。鸿渐暗想,享受了最新的西洋科学设备,而竟抱这种信仰,坐在热水管烘暖的客堂里念佛,可见"西学为用,中学为体"并非难事。他和张小姐没有多少可谈,只好问她爱看什么电影。跟着两个客人来了,都是张先生的结义弟兄。一个叫陈士屏,是欧美烟草公司的高等职员,大家唤他 Z.B.,仿佛德文里"有例为证"的缩写。一个叫丁讷生,外国名字倒不是诗人 Tennyson 而是海军大将 Nelson,也在什么英国轮船公司做事。张太太说,人数凑得起一桌麻将,何妨打八圈牌再吃晚饭。方鸿渐赌术极幼稚,身边带钱又不多,不愿参加,宁可陪张小姐闲谈。经不起张太太再三怂恿,只好入局。没料到四圈之后,自己独赢一百余元,心中一动,想

---

① 到合众国去过。

假如这手运继续不变,那獭绒大衣便有指望了。这时候,他全忘了在船上跟孙先生讲的法国迷信,只要赢钱。八圈打毕,方鸿渐赢了近三百块钱。同局的三位,张太太、"有例为证"和"海军大将"一个子儿不付,一字不提,都站起来准备吃饭。鸿渐唤醒一句道:"我今天运气太好了!从来没赢过这许多钱。"

张太太如梦初醒道:"咱们真糊涂了!还没跟方先生清账呢。陈先生,丁先生,让我一个人来付他,咱们回头再算得了。"便打开钱袋把钞票一五一十点交给鸿渐。

吃的是西菜。"海军大将"信基督教,坐下以前,还向天花板眨白眼,感谢上帝赏饭。方鸿渐因为赢了钱,有说有笑。饭后散坐抽烟喝咖啡,他瞧见沙发旁一个小书架,猜来都是张小姐的读物。一大堆《西风》、原文《读者文摘》之外,有原文小字白文《莎士比亚全集》、《新旧约全书》、《家庭布置学》、翻版的《居里夫人传》、《照相自修法》、《我国与我民》等不朽大著,以及电影小说十几种,里面不用说有《乱世佳人》。① 一本小蓝书,背上金字标题道:《怎样去获得丈夫而且守住他》(How to gain a Husband and keep him)。鸿渐忍不住抽出一翻,只见一节道:"对男人该温柔甜蜜,才能在他心的深处留下好印象。女孩子们,别忘了脸上常带光明的笑容。"看到这里,这笑容从书上移到鸿渐脸上了。再看书面作者是个女人,不知出嫁没有,该写明"某某夫人",这书便见得切身阅历之谈,想着笑容更廓大了。抬头忽见

---

① 《我国与我民》是林语堂的英文著作,《乱世佳人》即《飘》的电影译名。

张小姐注意自己,忙把书放好,收敛笑容。"有例为证"要张小姐弹钢琴,大家同声附和。张小姐弹完,鸿渐要补救这令她误解的笑容,抢先第一个称"好",求她再弹一曲。他又坐一会,才告辞出门。洋车到半路,他想起那书名,不禁失笑。丈夫是女人的职业,没有丈夫就等于失业,所以该牢牢捧住这饭碗。哼!我偏不愿意女人读了那本书当我是饭碗,我宁可他们瞧不起我,骂我饭桶。"我你他"小姐,咱们没有"举碗齐眉"的缘分,希望另有好运气的人来爱上您。想到这里,鸿渐顿足大笑,把天空月亮当作张小姐,向她挥手作别。洋车夫疑心他醉了,回头叫他别动,车不好拉。

客人全散了,张太太道:"这姓方的不合式,气量太小,把钱看得太重,给我一试就露出本相。他那时候好像怕我们赖账不还的,可笑不可笑?"

张先生道:"德国货总比不上美国货呀。什么博士!还算在英国留过学,我说的英文,他好多听不懂。欧战以后,德国落伍了。汽车、飞机、打字机、照相机,哪一件不是美国花样顶新!我不爱欧洲留学生。"

张太太道:"Nita,你看这姓方的怎么样?"

张小姐不能饶恕方鸿渐看书时的微笑,干脆说:"这人讨厌!你看他吃相多坏!全不像在外国住过的。他喝汤的时候,把面包去蘸!他吃铁排鸡,不用刀叉,把手拈了鸡腿起来咬!我全看在眼睛里。吓!这算什么礼貌?我们学校里教社交礼节的 Miss Prym 瞧见了准会骂他猪猡相 piggy wiggy!"

当时张家这婚事一场没结果，周太太颇为扫兴。可是方鸿渐小时是看《三国演义》、《水浒》、《西游记》那些不合教育原理的儿童读物的；他生得太早，还没福气捧读《白雪公主》、《木偶奇遇记》这一类好书。他记得《三国演义》里的名言："妻子如衣服"，当然衣服也就等于妻子；他现在新添了皮外套，损失个把老婆才不放在心上呢。

## 三

也许因为战事中死人太多了,枉死者没消磨掉的生命力都迸作春天的生意。那年春天,气候特别好。这春气鼓动得人心像婴孩出齿时的牙龈肉,受到一种生机透芽的痛痒。上海是个暴发都市,没有山水花柳作为春的安顿处。公园和住宅花园里的草木,好比动物园里铁笼子关住的野兽,拘束、孤独,不够春光尽情的发泄。春来了只有向人的身心里寄寓,添了疾病和传染,添了奸情和酗酒打架的案件,添了孕妇。最后一桩倒不失为好现象,战时人口正该补充。但据周太太说,本年生的孩子,大半是枉死鬼阳寿未尽,抢着投胎,找足前生年龄数目,只怕将来活不长。

这几天来,方鸿渐白天昏昏想睡,晚上倒又清醒。早晨方醒,听见窗外树上鸟叫,无理由地高兴,无目的地期待,心似乎减轻重量,直升上去。可是这欢喜是空的,像小孩子放的气球,上去不到几尺,便爆裂归于乌有,只留下忽忽若失的无名怅惘。他坐立不安地要活动,却颓唐使不出劲来,好比杨花在春风里飘荡,而身轻无力,终飞不远。他自觉这种惺忪迷懵的心绪,完全像填词里所写幽闺伤春的情境。现在女人都不屑伤春了,自己枉为男人,还脱不了此等刻板情感,岂不可笑!譬如鲍小姐那类女人,决没工夫伤春,但是苏小姐呢?她就难说了;她像是多愁善感的古美人模型。船上一别,不知她近来怎样。自己答应过去看她,何妨去一次呢?明知也许从此多事,可是实在生活太无聊,现成的女朋友太缺乏了!好比睡不着的人,顾不得安眠药片的害处,先要图眼前的舒服。

方鸿渐到了苏家,理想苏小姐会急忙跑进客堂,带笑带嚷,骂自己怎不早去看她。门房送上茶说:"小姐就出来。"苏家园里的桃花、梨花、丁香花都开得正好,鸿渐想现在才阴历二月底,花已经赶早开了,不知还剩些什么,留作清明春色。客堂一扇窗开着,太阳烘焙的花香,浓得塞鼻子,暖得使人头脑迷倦。这些花的香味,跟葱蒜的臭味一样,都是植物气息而有荤腥的肉感,像从夏天跳舞会上头发里发泄出来的。壁上挂的字画里有沈子培所写屏条,录的黄山谷诗,第一句道:"花气熏人欲破禅。"鸿渐看了,会心不远,觉得和尚们闻到窗外这种花香,确已犯戒,与吃荤相去无几了。他把客堂里的书画古玩反复看了三遍,正想沈子培写"人"字的捺脚活像北平老妈子缠的小脚,上面那样粗挺的腿,下面忽然微乎其微的一顿,就完事了,也算是脚的!苏小姐才出来。她冷淡的笑容,像阴寒欲雪天的淡日,拉拉手,说:"方先生好久不见,今天怎么会来?"鸿渐想去年分别时拉手,何等亲热;今天握她的手像捏着冷血的鱼翅。分别时还是好好的,为什么重见面变得这样生分?这时候他的心理,仿佛临考抱佛脚的学生睡了一晚,发现自以为温熟的功课,还是生的,只好撒谎说,到上海不多几天,特来拜访。苏小姐礼貌周到地谢他"光临",问他"在什么地方得意"。他嗫嚅说,还没找事,想到内地去,暂时在亲戚组织的银行里帮忙。苏小姐看他一眼道:"是不是方先生岳家开的银行?方先生,你真神秘!你什么时候吃喜酒的?咱们多年老同学了,你还瞒得一字不提。是不是得了博士回来结婚的?真是金榜挂名,洞房花烛,要算得双喜临门了。我们就没福气瞻仰瞻仰方太太呀!"

方鸿渐羞愧得无地自容,记起《沪报》那节新闻,忙说,这一定从《沪报》看来的。便痛骂《沪报》一顿,把干丈人和假博士的来由用春秋笔法叙述一下,买假文凭是自己的滑稽玩世,认干亲戚是自己的和同随俗。还说:"我看见那消息,第一个就想到你,想到你要笑我,瞧不起我。我为这事还跟我那挂名岳父闹得很不欢呢。"

苏小姐脸色渐转道:"那又何必呢!他们那些俗不可耐的商人,当然只知道付了钱要交货色,不会懂得学问是不靠招牌的。你跟他们计较些什么!那位周先生总算是你的尊长,待你也够好,他有权利在报上登那段新闻。反正谁会注意那段新闻,看到的人转背就忘了。你在大地方已经玩世不恭,倒向小节上认真,矛盾得太可笑了。"

方鸿渐诚心佩服苏小姐说话漂亮,回答道:"给你这么一讲,我就没有亏心内愧的感觉了。我该早来告诉你的,你说话真通达!你说我在小节上看不开,这话尤其深刻。世界上大事情像可以随便应付,偏是小事倒丝毫假借不了。譬如贪官污吏,纳贿几千万,而决不肯偷人家的钱袋。我这幽默的态度,确不彻底。"

苏小姐想说:"这话不对。不偷钱袋是因为钱袋不值得偷;假如钱袋里容得上几千万,偷了跟纳贿一样的安全,他也会偷。"可是她这些话不说出来,只看了鸿渐一眼,又注视地毯上的花纹道:"亏得你那玩世的态度不彻底,否则跟你做朋友的人都得寒心,怕你也不过面子上敷衍,心里在暗笑他们了。"

鸿渐忙言过其实地担保,他怎样把友谊看得重。这样谈着,苏小姐告诉他,她父亲已随政府入蜀,她哥哥也到香港做事,上海家里只剩她母亲、嫂子和她,她自己也想到内地去。方鸿渐说,也许他们俩又可以同路。苏小姐说起有位表妹,在北平他们的母校里读了一年,大学因战事内迁,她停学在家半年,现在也计划复学。这表妹今天恰到苏家来玩,苏小姐进去叫她出来,跟鸿渐认识,将来也是旅行伴侣。

苏小姐领了个二十左右的娇小女孩子出来,介绍道:"这是我表妹唐晓芙。"唐小姐妩媚端正的圆脸,有两个浅酒涡。天生着一般女人要花钱费时、调脂和粉来仿造的好脸色,新鲜得使人见了忘掉口渴而又觉嘴馋,仿佛是好水果。她眼睛并不顶大,可是灵活温柔,反衬得许多女人的大眼睛只像政治家讲的大话,大而无当。古典学者看她说笑时露出的好牙齿,会诧异为什么古今中外诗人,都甘心变成女人头插的钗,腰束的带,身体睡的席,甚至脚下践踏的鞋袜,可是从没想到化作她的牙刷。她头发没烫,眉毛不镊,口红也没有擦,似乎安心遵守天生的限止,不要弥补造化的缺陷。总而言之,唐小姐是摩登文明社会里那桩罕物——一个真正的女孩子。有许多都市女孩子已经是装模做样的早熟女人,算不得孩子;有许多女孩子只是浑沌痴顽的无性别孩子,还说不上女人。方鸿渐立刻想在她心上造个好印象。唐小姐尊称他为"同学老前辈",他抗议道:"这可不成!你叫我'前辈',我已经觉得像史前原人的遗骸了。你何必又加上'老'字?我们不幸生得太早,没福气跟你同时同学,这是恨事。你再叫我'前辈',就是有意提醒我是老大过时的人,太残忍了!"

唐小姐道:"方先生真会挑眼!算我错了,'老'字先取消。"

苏小姐同时活泼地说:"不羞!还要咱们像船上那些人叫你'小方'么?晓芙,不用理他。他不受抬举,干脆什么都不叫他。"

方鸿渐看唐小姐不笑的时候,脸上还依恋着笑意,像音乐停止后袅袅空中的余音。许多女人会笑得这样甜,但她们的笑容只是面部肌肉柔软操,仿佛有教练在喊口令:"一!"忽然满脸堆笑,"二!"忽然笑不知去向,只余个空脸,像电影开映前的布幕。他找话出来跟她讲,问她进的什么系。苏小姐不许她说,说:"让他猜。"

方鸿渐猜文学不对,猜教育也不对,猜化学物理全不对,应用张吉民先生的话道:"Search me!① 难道读的是数学?那太利害了!"

唐小姐说出来,原来极平常的是政治系。苏小姐注一句道:

---

① 把我考倒了。

"这才利害呢。将来是我们的统治者,女官。"

方鸿渐说:"女人原是天生的政治动物。虚虚实实,以退为进,这些政治手腕,女人生下来全有。女人学政治,那真是以后天发展先天,锦上添花了。我在欧洲,听过 Ernst Bergmann 先生的课。他说男人有思想创造力,女人有社会活动力,所以男人在社会上做的事该让给女人去做,男人好躲在家里从容思想,发明新科学,产生新艺术。我看此话甚有道理。女人不必学政治,而现在的政治家要成功,都得学女人。政治舞台上的戏剧全是反串。"

苏小姐道:"这是你那位先生故作奇论,你就喜欢那一套。"

方鸿渐道:"唐小姐,你表姐真不识抬举,好好请她女子参政,她倒笑我故作奇论!你评评理看。老话说,要齐家而后能治国平天下。请问有多少男人会管理家务的?管家要仰仗女人,而自己吹牛说大丈夫要治国平天下,区区家务不屑理会,只好比造房子要先向半空里盖个屋顶。把国家社会全部交给女人有许多好处,至少可以减少战争。外交也许更复杂,秘密条款更多,可是女人因为身体关系,并不擅长打仗。女人对于机械的头脑比不上男人,战争起来或者使用简单的武器,甚至不过捋头发、抓脸皮、拧肉这些本位武化,损害不大。无论如何,如今新式女人早不肯多生孩子了,到那时候她们忙着干国事,更没工夫生产,人口稀少,战事也许根本不会产生。"

唐小姐感觉方鸿渐说这些话,都为着引起自己对他的注意,心中暗笑,说:"我不知道方先生是侮辱政治还是侮辱女人,至少都不是好话。"

苏小姐道:"好哇!拐了弯拍了人家半天的马屁,人家非但不领情,根本就没有懂!我劝你少开口罢。"

唐小姐道:"我并没有不领情。我感激得很,方先生肯为我表演口才。假使我是学算学的,我想方先生一定另有议论,说女人是天生的计算动物。"

苏小姐道:"也许说你这样一个人肯念算学,他从此不厌恨算学了。反正翻来覆去,强词夺理,全是他的话。我从前并不知道他这样油嘴。这次同回国算领教了。大学同学的时候,他老远看见我们脸就涨红,愈走近脸愈红,红得我们瞧着都身上发热难过。我们背后叫他'寒暑表',因为他脸色忽升忽降,表示出他跟女学生距离的远近,真好玩儿!想不到外国去了一趟,学得这样厚皮老脸,也许混在鲍小姐那一类女朋友里训练出来的。"

方鸿渐慌忙说:"别胡说!那些事提它干吗?你们女学生真要不得!当了面假正经,转背就挖苦得人家体无完肤,真缺德!"

苏小姐看他发急,刚才因为他对唐小姐卖弄的不快全消散了,笑道:"瞧你着急得那样子!你自己怕不是当面花言巧语,背后刻薄人家。"

这时候进来一个近三十岁,身材高大、神气轩昂的人。唐小姐叫他"赵先生",苏小姐说:"好,你来了,我跟你们介绍:方鸿渐,赵辛楣。"赵辛楣和鸿渐拉拉手,傲兀地把他从头到脚看一下,好像鸿渐是页一览而尽的大字幼稚园读本,问苏小姐道:

"是不是跟你同船回国的那位?"

鸿渐诧异,这姓赵的怎会知道自己,忽然想也许这人看过《沪报》那条新闻,立刻局促难受。那赵辛楣本来就神气活现,听苏小姐说鸿渐确是跟她同船回国的,他的表情就仿佛鸿渐化为稀淡的空气,眼睛里没有这人。假如苏小姐也不跟他讲话,鸿渐真要觉得自己子虚乌有,像五更鸡啼时的鬼影,或道家"视之不见,抟之不得"的真理了。苏小姐告诉鸿渐,赵辛楣和她家是世交,美国留学生,本在外交公署当处长,因病未随机关内迁,如今在华美新闻社做政治编辑。可是她并没向赵辛楣叙述鸿渐的履历,好像他早已知道,无需说得。

赵辛楣躺在沙发里,含着烟斗,仰面问天花板上挂的电灯道:"方先生在什么地方做事呀?"

方鸿渐有点生气,想不理他不可能,"点金银行"又叫不响,便含糊地说:"暂时在一家小银行里做事。"

赵辛楣鉴赏着口里吐出来的烟圈道:"大材小用,可惜可惜!方先生在外国学的是什么呀?"

鸿渐没好气道:"没学什么。"

苏小姐道:"鸿渐,你学过哲学,是不是?"

赵辛楣喉咙里干笑道:"从我们干实际工作的人的眼光看来,学哲学跟什么都不学全没两样。"

"那么得赶快找个眼科医生,把眼光验一下;会这样看东西的眼睛,一定有毛病。"方鸿渐为掩饰斗口的痕迹,有意哈哈大笑。赵辛楣以为他讲了俏皮话而自鸣得意,一时想不出回答,只好狠命抽烟。苏小姐忍住笑,有点不安。只唐小姐云端里看厮杀似的,悠远淡漠地笑着。鸿渐忽然明白,这姓赵的对自己无礼,是在吃醋,当自己是他的情敌。苏小姐忽然改口不叫"方先生"而叫"鸿渐",也像有意要姓赵的知道她跟自己的亲密。想来这是一切女人最可夸傲的时候,看两个男人为她争斗。自己何苦空做冤家,让赵辛楣去爱苏小姐得了!苏小姐不知道方鸿渐这种打算;她喜欢赵方二人斗法比武抢自己,但是她担心交战得太猛烈,顷刻就分胜负,二人只剩一人,自己身边就不热闹了。她更担心败走的偏是方鸿渐;她要借赵辛楣来激发方鸿渐的勇气,可是方鸿渐也许像这几天报上战事消息所说的,"保持实力,作战略上的撤退。"

赵辛楣的父亲跟苏文纨的父亲从前是同僚,民国初元在北京合租房子住。辛楣和苏小姐自小一起玩儿。赵老太太肚子里怀着他,人家以为她准生双胞。他到四五岁时身体长大得像七八岁,用人每次带他坐电车,总得为"五岁以下孩童免票"的事跟卖票人吵嘴。他身大而心不大,像个空心大萝卜。在小学里,他是同学们玩笑的目标,因为这样庞大的箭垛子,放冷箭没有不中的道理。他和苏小姐兄妹们游戏"官打捉贼",苏小姐和她现在已出嫁的姐姐,女孩子们跑不快,拈着"贼"也硬要做"官"或"打",苏小姐哥哥做了"贼"要抗不受捕,只有他是乖乖挨"打"的好"贼"。玩红帽儿那故事,他老做狼;他吃掉苏小姐姊妹的时候,不过抱了她们睁眼张口做个怪样,到猎人杀狼破腹,苏小姐哥哥按他在泥里,要抠他肚子,有一次真用剪刀把他衣服都剪破了。他脾气虽好,头脑并不因此而坏。他父亲信算命相面,他十三四岁时带他去见一个有名的女相士,那女相士赞他:"火星方,土形厚,木声高,牛眼,狮鼻,棋子耳,四字口,正合《麻衣相法》所说南方贵宦之相,将来名位非凡,远在老子之上。"从此他自以为政治家。他小时候就偷偷喜欢苏小姐,有一年苏小姐生病很危险,他听父亲说:"文纨的病一定会好,她是官太太的命,该有二十五年'帮夫运'呢。"他武断苏小姐命里该帮助的丈夫,就是自己,因为女相士说自己要做官的。这次苏小姐回国,他本想把儿时友谊重新温起,时机成熟再向她求婚。苏小姐初到家,开口闭口都是方鸿渐,第五天后忽然绝口不提,缘故是她发现了那张旧《沪报》,眼明心细,注意到旁人忽略过的事实。她跟辛楣的长期认识并不会日积月累地成为恋爱,好比冬季每天的气候罢,你没法把今天的温度加在昨天的上面,好等明天积成个和暖的春日。他最擅长用外国话演说,响亮流利的美国话像天心里转滚的雷,擦了油,打上蜡,一滑就是半个上空。不过,演讲是站在台上,居高临下的;求婚是矮着半身子,仰面恳请的。苏小姐不是听众,赵辛楣有本领使不出来。

赵辛楣对方鸿渐虽有醋意,并无什么你死我活的仇恨。他的傲慢无礼,是学墨索里尼和希特勒接见小国外交代表开谈判时的态度。他想用这种独裁者的威风,压倒和吓退鸿渐。给鸿渐顶了一句,他倒不好像意国统领的拍桌大吼,或德国元首的扬拳示威。幸而他知道外交家的秘诀,一时上对答不来,把嘴里抽的烟卷作为遮掩的烟幕。苏小姐忙问他战事怎样,他便背诵刚做好的一篇社论,眼里仍没有方鸿渐,但又提防着他,恰像慰问害传染病者的人对细菌的态度。鸿渐没兴趣听,想跟唐小姐攀谈,可是唐小姐偏听得津津有味。鸿渐准备等唐小姐告辞,自己也起身,同出门时问她住址。辛楣讲完时局,看手表说:"现在快五点了,我到报馆溜一下,回头来接你到峨嵋春吃晚饭。你想吃川菜,这是最好的四川馆子,跑堂都认识我——唐小姐,请你务必也赏面子——方先生有兴致也不妨来凑热闹,欢迎得很。"

苏小姐还没回答,唐小姐和方鸿渐都说时候不早,该回家了,谢辛楣的盛意,晚饭心领。苏小姐说:"鸿渐,你坐一会,我还有几句话跟你讲——辛楣,我今儿晚上要陪妈妈出去应酬,咱们改天吃馆子,好不好?明天下午四点半,请你们都来喝茶,陪陪新回国的沈先生沈太太,大家可以谈谈。"

赵辛楣看苏小姐留住方鸿渐,奋然而出。方鸿渐站起来,原想跟他拉手,只好又坐下去。"这位赵先生真怪!好像我什么地方开罪了他似的,把我恨得形诸词色。"

"你不是也恨着他么?"唐小姐狡猾地笑说。苏小姐脸红,骂她:"你这人最坏!"方鸿渐听了这句话,要否认他恨赵辛楣也不敢了,只好说:"苏小姐,明天茶会谢谢罢。我不想来。"

唐小姐没等苏小姐开口,便说:"那不成!我们看戏的人可以不来;你是做戏的人,怎么好不来?"

苏小姐道:"晓芙!你再胡说,我从此不理你。你们两个明天都得来!"

唐小姐坐苏家汽车走了。鸿渐跟苏小姐两人相对,竭力想把话来冲淡、疏通这亲密得使人窒息的空气："你表妹说话很利害,人也好像非常聪明。"

"这孩子人虽小,本领大得很,她抓一把男朋友在手里玩弄着呢!"——鸿渐脸上遮不住的失望看得苏小姐心里酸溜溜的——"你别以为她天真,她才是满肚子鬼主意呢!我总以为刚进大学就谈恋爱的女孩子,不会有什么前途。你想,跟男孩子们混在一起,搅得昏天黑地,哪有工夫念书。咱们同班的黄璧、蒋孟媞,你不记得么?现在都不知道哪里去了!"

方鸿渐忙说记得："你那时候也红得很,可是你自有那一种高贵的气派,我们只敢远远的仰慕着你。我真梦想不到今天会和你这样熟。"

苏小姐心里又舒服了。谈了些学校旧事,鸿渐看她并没有重要的话跟自己讲,便说："我该走了,你今天晚上还得跟伯母出去应酬呢。"

苏小姐道："我并没有应酬,那是托词,因为辛楣对你太无礼了,我不愿意长他的骄气。"

鸿渐惶恐道："你对我太好了!"

苏小姐瞥他一眼低下头道："有时候我真不应该对你那样好。"这时候空气里蠕动着他该说的情话,都扑凑向他嘴边要他说。他不愿意说,而又不容静默。看见苏小姐搁在沙发边上的手,便伸手拍她的手背。苏小姐把手缩回,柔声道："你去罢。明天下午早点来。"苏小姐送到客堂门口,鸿渐下阶,她唤"鸿渐",鸿渐回来问她有什么事,她笑道："没有什么。我在这儿望你,你为什么直往前跑,头都不回?哈哈,我真是没道理的女人,要你背后生眼睛了——明天早些来。"

方鸿渐出了苏家,自觉已成春天的一部分,沉酣一气,不是两小时前的春天门外汉了。走路时身体轻得好像地面在浮起来。只有两件小事梗在心里消化不了。第一,那时候不该碰苏小姐的手,应该假装不懂她言外之意的;自己总太心软,常迎合女人,不愿触犯她们,以后言动要斩截些,别弄假成真。第二,唐小姐的男朋友很多,也许已有爱人。鸿渐气得把手杖残暴地打道旁的树。不如趁早死了心罢,给一个未成年的女孩子甩了,那多丢脸!这样悒悒不甘地跳上电车,看见邻座一对青年男女喁喁情话。男孩子身上放着一堆中学教科书,女孩子的书都用电影明星照相的包书纸包着。那女孩子不过十六七岁,脸化妆得就像搓油摘粉调胭脂捏出来的假面具。鸿渐想上海不愧是文明先进之区,中学女孩子已经把门面油漆粉刷,招徕男人了,这是外国也少有的。可是这女孩子的脸假得老实,因为决没人相信贴在她脸上的那张脂粉薄饼会是她的本来面目。他忽然想唐小姐并不十分妆饰。刻意打扮的女孩子,或者是已有男朋友,对自己的身体发生了新兴趣,发现了新价值,或者是需要男朋友,挂个鲜明的幌子,好刺眼射目,不致遭男人忽略。唐小姐无意修饰,可见她心里并没有男人。鸿渐自以为这结论有深刻的心理根据,合严密的逻辑推理,可以背后批 Q. E. D. 的[①]。他快活得

---

[①] 几何学惯用语:证明完毕。

坐不安位。电车到站时，他没等车停就抢先跳下来，险些摔一跤，亏得撑着手杖，左手推在电杆木上阻住那扑向地的势头。吓出一身冷汗，左手掌擦去一层油皮，还给电车司机训了几句。回家手心涂了红药水，他想这是唐晓芙害自己的，将来跟她细细算账，微笑从心里泡沫似地浮上脸来，痛也忘了。他倒不想擦去皮是这只手刚才按在苏小姐手上的报应。

明天他到苏家，唐小姐已先到了。他还没坐定，赵辛楣也来了，招呼后说："方先生，昨天去得迟，今天来得早。想是上银行办公养成的好习惯，勤勉可嘉，佩服佩服！"

"过奖，过奖！"方鸿渐本想说辛楣昨天早退，今天迟到，是学衙门里上司的官派，一转念，忍住不说，还对辛楣善意地微笑。辛楣想不到他会这样无抵抗，反有一拳打个空的惊慌。唐小姐藏不了脸上的诧异。苏小姐也觉得奇怪，但忽然明白这是胜利者的大度，鸿渐知道自己爱的是他，所以不与辛楣计较了。沈氏夫妇也来了。乘大家介绍寒暄的时候，赵辛楣拣最近苏小姐的一张沙发坐下，沈氏夫妇合坐一张长沙发，唐小姐坐在苏小姐和沈先生坐位中间一个绣垫上，鸿渐孤零零地近沈太太坐了。一坐下去，他后悔无及，因为沈太太身上有一股味道，文言里的雅称跟古罗马成语都借羊来比喻："愠羝。"这暖烘烘的味道，搀了脂粉香和花香，熏得方鸿渐要泛胃，又不好意思抽烟解秽。心里想这真是从法国新回来的女人，把巴黎大菜场的"臭味交响曲"都带到中国来了。自己在巴黎从没碰见过她，今天偏避免不了，可见巴黎大而天下小。沈太太生得怪样，打扮得妖气。她眼睛下两个黑袋,像圆壳行军热水瓶,想是储蓄着多情的热泪,嘴唇涂的浓胭脂给唾沫带进了嘴,把黯黄崎岖的牙齿染道红痕,血淋淋的像侦探小说里谋杀案的线索,说话常有"Tiens!""O la,la!"那些法文慨叹,把自己身躯扭摆出媚态柔姿。她身体动一下,那气味又添了新的一阵。鸿渐恨不能告诉她,话用嘴说就够了,小心别把身体一扭两段。沈先生下唇肥厚倒垂,一望而知是个说话多而快像嘴里在泻肚子下痢的人。他在讲他怎样向法国人作战事宣传,怎样博得不少人对中国的同情:"南京撤退以后,他们都说中国完了。我对他们说:'欧洲大战的时候,你们政府不是也迁都离开巴黎么?可是你们是最后的胜利者。'他们没有话讲,唉,他们没有话讲。"鸿渐想政府可以迁都,自己倒不能换座位。

赵辛楣专家审定似的说:"回答得好!你为什么不做篇文章?"

"薇蕾在《沪报》上发表的外国通讯里,就把我这一段话记载进去,赵先生没看见么?"沈先生稍微失望地问。

沈太太扭身子向丈夫做个挥手姿势,娇笑道:"提我那东西干吗?有谁会注意到!"

辛楣忙说:"看见,看见!佩服得很。想起来了,通讯里是有迁都那一段话——"

鸿渐道:"我倒没有看见,叫什么题目?"

辛楣说:"你们这些哲学家研究超时间的问题,当然不看报的。题目是——咦,就在口边,怎么一时想不起?"他根本没看那篇通讯,不过他不愿放弃这个扫鸿渐面子的机会。

苏小姐道："你不能怪他，他那时候也许还逃难躲在乡下，报都看不见呢。鸿渐，是不是？题目很容易记的：《给祖国姊妹们的几封信》，前面还有大字标题，好像是：《亚洲碧血中之欧洲青岛》。沈太太，我没记错罢？"

辛楣拍大腿道："对，对，对！《给祖国姊妹们的几封信》，《亚洲碧血中之欧洲青岛》，题目美丽极了！文纨，你记性真好！"

沈太太道："这种见不得人的东西都亏你记得。无怪认识的人都推你是天才。"

苏小姐道："好东西不用你去记，它自会留下很深的印象。"

唐小姐对鸿渐道："那是沈太太写给我们女人看的，你是'祖国的兄弟们'，没注意到，可以原谅。"沈太太年龄不小，她这信又不是写给"祖国的外甥女、侄女、侄孙女"的，唐小姐去看它，反给她攀上姊妹。

辛楣为补救那时候的健忘，恭维沈太太，还说华美新闻社要发行一种妇女刊物，请她帮忙。沈氏夫妇跟辛楣愈亲热了。用人把分隔餐室和客堂的幔拉开，苏小姐请大家进去用点心，鸿渐如罪人蒙赦。他吃完回到客堂里，快傍着唐小姐坐了，沈太太跟赵辛楣谈得拆不开；辛楣在伤风，鼻子塞着，所以敢接近沈太太。沈先生向苏小姐问长问短，意思要"苏老伯"为他在香港找个位置。方鸿渐自觉本日运气转好，苦尽甘来，低低问唐小姐道："你方才什么都不吃，好像身子不舒服，现在好了没有？"

唐小姐道："我吃得很多，并没有不舒服呀！"

"我又不是主人，你不用向我客套。我明看见你喝了一口汤,就皱眉头把匙儿弄着,没再吃东西。"

"吃东西有什么好看?老瞧着人,好意思么?我不愿意吃给你看,所以不吃,这是你害我的——哈哈,方先生,别当真,我并没知道你在看旁人吃。我问你,你那时候坐在沈太太身边,为什么别着脸,紧闭了嘴,像在受罪?"

"原来你也是这个道理!"方鸿渐和唐小姐亲密地笑着,两人已成了患难之交。

唐小姐道:"方先生,我今天来了有点失望——"

"失望!你希望些什么?那味道还不够利害么?"

"不是那个。我以为你跟赵先生一定很热闹,谁知道什么都没有。"

"抱歉得很,没有好戏做给你看。赵先生误解了我跟你表姐的关系——也许你也有同样的误解——所以我今天让他挑战,躲着不还手,让他知道我跟他毫无利害冲突。"

"这话真么?只要表姐有个表示,这误解不是就弄明白了?"

"也许你表姐有她的心思,遣将不如激将,非有大敌当前,赵先生的本领不肯显出来。可惜我们这种老弱残兵,不经打,并且不愿打——"

"何妨做志愿军呢?"

"不,简直是拉来的伕子。"说着,方鸿渐同时懊恼这话太轻佻了,唐小姐难保不讲给苏小姐听。

"可是,战败者常常得到旁人更大的同情——"唐小姐觉得这话会引起误会,红着脸——"我意思说,表姐也许是赞助弱小民族的。"

鸿渐快乐得心少跳了一跳:"那就顾不得了。唐小姐,我想请你跟你表姐明天吃晚饭,就在峨嵋春,你肯不肯赏脸?"唐小姐踌躇还没答应,鸿渐继续说:"我知道我很大胆冒昧。你表姐说你朋友很多,我不配高攀,可是很想在你的朋友里凑个数目。"

"我没有什么朋友,表姐在胡说——她跟你怎么说呀?"

"她并没讲什么,她只讲你善于交际,认识不少人。"

"这太怪了!我才是不见世面的乡下女孩子呢。"

"别客气,我求你明天来。我想去吃,对自己没有好借口,借你们二位的名义,自己享受一下,你就体贴下情,答应了罢!"

唐小姐笑道:"方先生,你说话里都是文章。这样,我准来。明天晚上几点钟?"

鸿渐告诉了她钟点,身心舒泰,只听沈太太朗朗说道:"我这次出席世界妇女大会,观察出来一种普遍动态:全世界的女性现在都趋向男性方面——"鸿渐又惊又笑,想这是从古已然的道理,沈太太不该到现在出席了妇女大会才学会——"从前男性所做的职业,像国会议员、律师、报馆记者、飞机师等等,女性都会做,而且做得跟男性一样好。有一位南斯拉夫的女性社会学家在大会里演讲,说除掉一部分甘心做贤妻良母的女性以外,此外的职业女性可以叫'第三性'。女性解放还是新近的事实,可是已有这样显著的成绩。我敢说,在不久的将来,男女两性的分别要成为历史上的名词。"赵辛楣道:"沈太太,你这话对。现在的女人真能干!文纨,就像徐宝琼徐小姐,沈太太认识她罢?

她帮她父亲经营那牛奶场,大大小小的事,全是她一手办理,外表斯文柔弱,全看不出来!"鸿渐跟唐小姐说句话,唐小姐忍不住笑出声来。苏小姐本在说:"宝琼比她父亲还精明,简直就是牛奶场不出面的经理——"看不入眼鸿渐和唐小姐的密切,因说:"晓芙,有什么事那样高兴?"

唐小姐摇头只是笑。苏小姐道:"鸿渐,有笑话讲出来大家听听。"

鸿渐也摇头不说,这更显得他跟唐小姐两口儿平分着一个秘密,苏小姐十分不快。赵辛楣做出他最成功的轻鄙表情道:"也许方大哲学家在讲解人生哲学里的乐观主义,所以唐小姐听得那么乐。对不对,唐小姐?"

方鸿渐不理他,直接对苏小姐说:"我听赵先生讲,他从外表上看不出那位徐小姐是管理牛奶场的,我说,也许赵先生认为她应该头上长两只牛角,那就一望而知是什么人了。否则,外表上无论如何看不出来的。"

赵辛楣道:"这笑话讲得不通,头上长角,本身就变成牛了,怎会表示出是牛奶场的管理人!"说完,四顾大笑。他以为方鸿渐又给自己说倒,想今天得再接再厉,决不先退,盘桓到那姓方的走了才起身,所以他身子向沙发上坐得更深陷些。方鸿渐目的已达,不愿逗留,要乘人多,跟苏小姐告别容易些。苏小姐因为鸿渐今天没跟自己亲近,特送他到走廊里,心里好比冷天出门,临走还要向火炉前烤烤手。

鸿渐道:"苏小姐,今天没机会多跟你讲话。明天晚上你有空么？我想请你吃晚饭,就在峨嵋春,我不希罕赵辛楣请！只恨我比不上他是老主顾,菜也许不如他会点。"

苏小姐听他还跟赵辛楣在怄气,心里宽舒,笑说:"好！就咱们两个人么？"问了有些害羞,觉得这无需问得。

方鸿渐讷讷道:"不,还有你表妹。"

"哦,有她。你请她了没有？"

"请过她了,她答应来——来陪你。"

"好罢,再见。"

苏小姐临别时的态度,冷缩了方鸿渐的高兴。他想这事势难两全,只求做得光滑干净,让苏小姐的爱情好好地无疾善终。他叹口气,怜悯苏小姐。自己不爱她,而偏为她弄得心软,这太不公道！她太取巧了！她不应当这样容易受伤,她该熬住不叫痛。为什么爱情会减少一个人心灵的抵抗力,使人变得软弱,被摆布呢？假如上帝真是爱人类的,他决无力量做得起主宰。方鸿渐这思想若给赵辛楣知道,又该挨骂"哲学家闹玄虚"了。他那天晚上的睡眠,宛如粳米粉的线条,没有粘性,拉不长。他的快乐从睡梦里冒出来,使他醒了四五次,每醒来,就像唐晓芙的脸在自己眼前,声音在自己耳朵里。他把今天和她谈话时一字一句、一举一动都将心熨贴着,迷迷糊糊地睡去,一会儿又惊醒,觉得这快乐给睡埋没了,忍住不睡,重新温一遍白天的景象。最后醒来,起身一看,是个嫩阴天。他想这请客日子拣得不安全,恨不能用吸墨水纸压干了天空淡淡的水云。今天星期一是银行里照例的忙日子,他要到下午六点多钟,才下办公室,没工夫回家换了衣服再上馆子,所以早上出门前就打扮好了。设想自己是唐小姐,用她的眼睛来审定着衣镜里自己的仪表。回国不到一年,额上添了许多皱纹,昨天没睡好,脸色眼神都萎靡黯淡。他这两天有了意中人以后,对自己外表上的缺点,知道得不宽假地详尽,仿佛只有一套出客衣服的穷人知道上面每一个斑渍和补钉。其实旁人看来,他脸色照常,但他自以为今天特别难看,花领带补得脸黄里泛绿,换了三次领带才下去吃早饭。周先生每天这时候还不起床,只有他跟周太太、效成三人吃着。将要吃完,楼上电话铃响,这电话就装在他卧室外面,他在家时休想耳根清净。他常听到心烦,以为他那未婚妻就给这电话的"盗魂铃"送了性命。这时候,女用人下来说:"方少爷电话,姓苏,是个女人。"女用说着,她和周太太、效成三人眼睛里来往的消息,忙碌得能在空气里起春水的縠纹。鸿渐想不到苏小姐会来电话,周太太定要问长问短了,三脚两步上去接,只听效成大声道:"我猜就是那苏文纨。"这孩子前天在本国史班上,把清朝国姓"爱新觉罗"错记作"亲爱保罗",给教师痛骂一顿,气得今天赖学在家,偏是苏小姐的名字他倒过目不忘。

鸿渐拿起听筒,觉得整个周家都在屏息旁听,轻声道:"苏小姐哪?我是鸿渐。"

"鸿渐,我想这时候你还不会出门,打个电话给你。我今天身体不舒服,晚上峨嵋春不能去了,抱歉得很!你不要骂我。"

"唐小姐去不去呢?"鸿渐话出口就后悔。

斩截地:"那可不知道。"又幽远地:"她自然去呀!"

"你害的什么病,严重不严重?"鸿渐知道已经问得迟了。

"没有什么,就觉得累,懒出门。"这含意是显然了。

"我放了心了。你好好休养罢,我明天一定来看你。你爱吃什么东西?"

"谢谢你,我不要什么——"顿一顿——"那么明天见。"

苏小姐那面电话挂上,鸿渐才想起他在礼貌上该取消今天的晚饭,改期请客的。要不要跟苏小姐再通个电话,托她告诉唐小姐晚饭改期?可是心里实在不愿意。正考虑着,效成带跳带跑,尖了嗓子一路叫上来道:"亲爱的蜜斯苏小姐,生的是不是相思病呀?'你爱吃什么东西?''我爱吃大饼、油条、五香豆、鼻涕干、臭咸鲞'——"鸿渐大喝一声拖住,截断了他代开的食单,吓得他讨饶。鸿渐轻打一拳,放他走了,下去继续吃早饭。周太太果然等着他,盘问个仔细,还说:"别忘了要拜我做干娘。"鸿渐忙道:"我在等你收干女儿呢。多收几个有挑选些。这苏小姐不过是我的老同学,并无什么关系,你放着心。"

天气渐转晴朗,而方鸿渐因为早晨那电话,兴致大减,觉得这样好日子撑负不起,仿佛篷帐要坍下来。苏小姐无疑地在捣乱,她不来更好,只剩自己跟唐小姐两人。可是没有第三者,唐小姐肯来么?昨天没向她要住址和电话号数,无法问她知道不知道苏小姐今晚不来。苏小姐准会通知她,假使她就托苏小姐转告也不来呢?那就糟透了!他在银行里帮王主任管文书,今天满腹心事,拟的信稿子里出了几处毛病,王主任动笔替他改了,呵呵笑说:"鸿渐兄,咱们老公事的眼光不错呀!"到六点多钟,唐小姐毫无音信,他慌起来了,又不敢打电话问苏小姐。七点左右,一个人怏怏地踱到峨嵋春,要了间房间,预备等它一个半钟头,到时唐小姐还不来,只好独吃。他虽然耐心等着,早已不敢希望。点了一支烟,又捺灭了;晚上凉不好大开窗子,怕满屋烟味,唐小姐不爱闻。他把带到银行里偷空看的书翻开,每个字都认识,没一句有意义。听见外面跑堂招呼客人的声音,心就直提上来。约她们是七点半,看表才七点四十分,决不会这时候到——忽然门帘揭开,跑堂站在一旁,进来了唐小姐。鸿渐心里,不是快乐,而是感激,招呼后道:"扫兴得很,苏小姐今天不能来。"

"我知道。我也险的不来,跟你打电话没打通。"

"我感谢电话公司,希望它营业发达,电线忙得这种临时变卦的电话都打不通。你是不是打到银行里去的?"

"不,打到你府上去的。是这么一回事。一清早表姐就来电话说她今天不来吃晚饭,已经通知你了。我说那么我也不来,她要我自己跟你讲,把你的电话号数告诉了我。我摇通电话,问:'是不是方公馆?'那面一个女人声音,打着你们家乡话说——唉,我学都学不来——说:'我们这儿是周公馆,只有一个姓方的住在这儿。你是不是苏小姐,要找方鸿渐?鸿渐出门啦,等他回来,我叫他打电话给你。苏小姐,有空到舍间来玩儿啊,鸿渐常讲起你是才貌双全——'一口气讲下去,我要分辩也插不进嘴。我想这迷汤灌错了耳朵,便不客气把听筒挂上了。这一位是谁?"

"这就是我亲戚周太太,敝银行的总经理夫人。你表姐在我出门前刚来过电话,所以周太太以为又是她打的。"

"啊哟,不得了!她一定要错怪我表姐无礼了。我听筒挂上不到五分钟,表姐又来电话,问我跟你讲了没有,我说你不在家,她就把你银行里的电话号数又告诉我。我想你那时候也许还在路上,索性等一会再打。谁知道十五分钟以后,表姐第三次来电话,我有点生气了。她知道我还没有跟你通话,催我快打电话,说趁早你还没有定座,我说定了座就去吃,有什么大关系。她说不好,叫我上她家去吃晚饭。我回她说,我也不舒服,什么地方都不去。后来想想,表姐太可笑了!我偏来吃你的饭,所以电话没有打。"

鸿渐道:"唐小姐,你今天简直是救苦救难,不但赏面子。我做主人的感恩不尽,以后要好好的多请几次。请的客一个都不来,就无异主人在社交生活上被判死刑。今天险透了!"

方鸿渐点了五六个人吃的菜。唐小姐问有旁的客人没有,两个人怎吃得下这许多东西。方鸿渐说菜并不多。唐小姐道:"你昨天看我没吃点心,是不是今天要试验我吃不吃东西?"

鸿渐知道她不是装娇样的女人,在宴会上把嘴收束得像眼药水瓶口那样的小,回答说:"我吃这馆子是第一次,拿不稳什么菜最配胃口。多点两样,尝试的范围广些,这样不好吃,还有那一样,不致饿了你。"

"这不是吃菜,这像神农尝百草了。不太浪费么?也许一切男人都喜欢在陌生的女人面前浪费。"

"也许,可是并不在一切陌生的女人面前。"

"只在傻女人面前,是不是?"

"这话我不懂。"

"女人不傻决不因为男人浪费摆阔而对他有好印象——可是,你放心,女人全是傻的,恰好是男人所希望的那样傻,不多不少。"

鸿渐不知道这些话是出于她的天真直率,还是她表姐所谓手段老辣。到菜上了,两人吃着,鸿渐向她要住址,请她写在自己带着看的那本书后空页上,因为他从来不爱带记事小册子。他看她写了电话号数,便说:"我决不跟你通电话。我最恨朋友间通电话,宁可写信。"

唐小姐:"对了,我也有这一样感觉。做了朋友应当彼此爱见面;通个电话算接触过了,可是面没有见,所说的话又不能像信那样留着反复看几遍。电话是偷懒人的拜访,吝啬人的通信,最不够朋友!并且,你注意到么?一个人的声音往往在电话里变得认不出,变得难听。"

"唐小姐,你说得痛快。我住在周家,房门口就是一架电话,每天吵得头痛。常常最不合理的时候,像半夜清早,还有电话来,真讨厌!亏得'电视'没普遍利用,否则更不得了,你在澡盆里、被窝里都有人来窥看了。教育愈普遍,而写信的人愈少;并非商业上的要务,大家还是怕写信,宁可打电话。我想这因为写信容易出丑,地位很高,讲话很体面的人往往笔动不来。可是,电话可以省掉面目可憎者的拜访,文理不通者的写信,也算是个功德无量的发明。"

方鸿渐谈得高兴,又要劝唐小姐吃,自己反吃得很少。到吃完水果,才九点钟,唐小姐要走,鸿渐不敢留她,算过账,分付跑堂打电话到汽车行放辆车来,让唐小姐坐了回家。他告诉她自己答应苏小姐明天去望病,问她去不去。她说她也许去,可是她不信苏小姐真害病。鸿渐道:"咱们的吃饭要不要告诉她?"

"为什么不告诉她?——不,不,我刚才发脾气,对她讲过今天什么地方都不去的。好,随你斟酌罢。反正你要下银行办公室才去,我去得更迟一点。"

"我后天想到府上来拜访,不挡驾吗?"

"非常欢迎,就只舍间局促得很,不比表姐家的大花园洋房。你不嫌简陋,尽管来。"

鸿渐说:"老伯可以见见么?"

唐小姐笑道:"你除非有法律问题要请教他,并且他常在他那法律事务所里,到老晚才回来。爸爸妈妈对我姐妹们绝对信任,从不干涉,不检定我们的朋友。"

说着,汽车来了,鸿渐送她上车。在回家的洋车里,想今天真是意外的圆满,可是唐小姐临了"我们的朋友"那一句,又使他作酸泼醋的理想里,隐隐有一大群大男孩子围绕着唐小姐。

唐小姐到家里,她父母都打趣她说:"交际明星回来了!"她回房间正换衣服,女用人来说苏小姐来电话。唐小姐下去接,到半楼梯,念头一转,不下去了,分付用人去回话道:"小姐不舒服,早睡了。"唐小姐气愤地想,这准是表姐来查探自己是否在家。她太欺负人了!方鸿渐又不是她的,要她这样看管着?表姐愈这样干预,自己偏让他亲近。自己决不会爱方鸿渐,爱是又曲折又伟大的情感,决非那么轻易简单。假使这样就会爱上一个人,那么,爱情容易得使自己不相信,容易得使自己不心服了。

明天下午,鸿渐买了些花和水果到苏家来。一见苏小姐,他先声夺人地嚷道:"昨天是怎么一回事?你也病,她也病,这病是传染的?还是怕我请客菜里下毒药?真气得我半死!我一个人去吃了,你们不来,我满不在乎。好了,好了,总算认识了你们这两位大架子小姐,以后不敢碰钉子了。"

苏小姐抱歉道:"我真病了,到下半天才好,不敢打电话给你,怕你怪我跟你开玩笑,一会儿这样,一会儿那样。我昨天通知晓芙的时候,并没有叫她不去。让我现在打电话请她过来。这次都是我不好,下次我做主人。"便打电话问唐小姐病好了没有,请她就来,说鸿渐也在这里。苏小姐打完电话,捧了鸿渐送的花嗅着,叫用人去插在卧室中瓶里,回头问鸿渐道:"你在英国,认识有一位曹元朗么?"鸿渐摇头。"——他在剑桥念文学,是位新诗人,新近回国。他家跟我们世交,他昨天来看我,今天还要来。"

鸿渐道:"好哇!怪不得昨天不赏面子了,原来跟人谈诗去了,我们是俗物呀!根本就不配认识你。那位曹先生堂堂剑桥出身,我们在后起大学里挂个名,怎会有资格结交他?我问你,你的《十八家白话诗人》里好像没讲起他,是不是准备再版时补他进去?"

苏小姐似嗔似笑,左手食指在空中向他一点道:"你这人就爱吃醋,吃不相干的醋。"她的表情和含意吓得方鸿渐不敢开口,只懊悔自己气愤装得太像了。一会儿,唐小姐来了。苏小姐道:"好架子!昨天晚上我打电话问候你,你今天也没回电话。这时候又要我请了才来。方先生在问起你呢。"

唐小姐道:"我们配有架子么?我们是听人家叫来唤去的。就算是请了才来,那有什么希奇?要请了还不肯去,才够得上伟大呢!"

苏小姐怕她讲出昨天打三次电话的事来,忙勾了她腰,抚慰她道:"瞧你这孩子,讲句笑话,就要认真。"便剥个鸿渐送的桔子,跟她同吃。门房领了个滚圆脸的人进来,说"曹先生"。鸿渐吓了一跳,想去年同船回国那位孙太太的孩子怎长得这样大了,险的叫他"孙世兄"。天下竟有如此相像的脸!做诗的人似乎不宜肥头胖耳,诗怕不会好。忽然记起唐朝有名的寒瘦诗人贾岛也是圆脸肥短身材,曹元朗未可貌相。介绍寒暄已毕,曹元朗从公事皮包里拿出一本红木夹板的法帖,郑重递给苏小姐道:"今天特带来请教。"鸿渐才知道不是法帖,是荣宝斋精制蓑衣裱的宣纸手册。苏小姐接过来,翻了翻,说:"曹先生,让我留着细看,下星期奉还,好不好?——鸿渐,你没读过曹先生的大作罢?"

鸿渐正想,什么好诗,要录在这样讲究的本子上。便恭敬地捧过来,打开看见毛笔写的端端正正宋体字,第一首十四行诗的题目是《拼盘姘伴》,下面小注个"一"字。仔细研究,他才发现第二页有作者自注,这"一""二""三""四"等等是自注的次序。自注"一"是:"Mélange abultére"①。这诗一起道:

　　昨夜星辰今夜摇漾于飘至明夜之风中(二)

　　圆满肥白的孕妇肚子颤巍巍贴在天上(三)

　　这守活寡的逃妇几时新有了个老公？(四)

　　Jug! Jug!(五)污泥里——E fango è il mondo!(六)——夜莺歌唱②(七)……

鸿渐忙跳看最后一联:

　　雨后的夏夜,灌饱洗净,大地肥而新的,

　　最小的一棵草参加无声的呐喊:"Wir sind!"③(三十)

诗后细注着字句的出处,什么李义山、爱利恶德(T. S. Eliot)、拷背延耳(Tristan Corbiére)、来屋拜地(Leopardi)、肥儿飞儿(Franz Werfel)的诗篇都有。鸿渐只注意到"孕妇的肚子"指满月,"逃妇"指嫦娥,"泥里的夜莺"指蛙。他没脾胃更看下去,便把诗稿搁在茶几上,说:"真是无字无来历,跟做旧诗的人所谓'学人之诗'差不多了。这作风是不是新古典主义？"

曹元朗点头,说"新古典的"那个英文字。苏小姐问是什么一首,便看《拼盘姘伴》一遍,看完说:"这题目就够巧妙了。一结尤其好;'无声的呐喊'五个字真把夏天蠢动怒发的生机全传

---

① 杂拌。
② Jug! Jug! 是爱略脱诗里夜莺的啼声;——世界只是泥淖。
③ 我们存在着。

达出来了。Tout y fourmille de vie①,亏曹先生体会得出。"诗人听了,欢喜得圆如太极的肥脸上泛出黄油。鸿渐忽然有个可怕的怀疑,苏小姐是大笨蛋,还是撒谎精。唐小姐也把那诗看了,说:"曹先生,你对我们这种没有学问的读者太残忍了。诗里的外国字,我一个都不认识。"

曹元朗道:"我这首诗的风格,不认识外国字的人愈能欣赏。题目是杂拌儿、十八扯的意思,你只要看忽而用这个人的诗句,忽而用那个人的诗句,中文里夹了西文,自然有一种杂凑乌合的印象。唐小姐,你领略到这个拉杂错综的印象,是不是?"唐小姐只好点头。曹元朗脸上一圈圈的笑痕,像投了石子的水面,说:"那就是捉摸到这诗的精华了,不必去求诗的意义。诗有意义是诗的不幸!"

苏小姐道:"对不住,你们坐一会,我去拿件东西来给你们看。"苏小姐转了背,鸿渐道:"曹先生,苏小姐那本《十八家白话诗人》再版的时候,准会添进了你算十九家了。"

曹元朗道:"那决不会,我跟他们那些人太不同了,合不起来。昨天苏小姐就对我说,她为了得学位写那本书,其实她并不瞧得起那些人的诗。"

"真的么?"

"方先生,你看过那本书没有?"

"看过忘了。"鸿渐承苏小姐送了一本,只略翻一下,看十八

---

① 一切充满了生命。

家是些什么人。

"她序上明明引着 Jules Tellier 的比喻,说有个生脱发病的人去理发,那剃头的对他说不用剪发,等不了几天,头毛压根儿全掉光了;大部分现代文学也同样的不值批评。这比喻还算俏皮。"

鸿渐只好说:"我倒没有留心到。"想亏得自己不要娶苏小姐,否则该也把苏小姐的书这样熟读。可惜赵辛楣法文程度不够看书,他要像曹元朗那样,准会得苏小姐欢心。

唐小姐道:"表姐书里讲的诗人是十八根脱下的头发,将来曹先生就像一毛不拔的守财奴的那根毛。"

大家笑着,苏小姐拿了一只紫檀扇匣进来,对唐小姐做个眼色,唐小姐微笑点头。苏小姐抽开匣盖,取出一把雕花沉香骨的女用折扇,递给曹元朗道:"这上面有首诗,请你看看。"

元朗摊开扇子,高声念了一遍,音调又像和尚施食,又像戏子说白。鸿渐一字没听出来,因为人哼诗跟临死呓语,二者都用乡音。元朗朗诵以后,又猫儿念经似的,嘴唇翻拍着默诵一遍,说:"好,好!素朴真挚,有古代民歌的风味。"

苏小姐似有忸怩之色,道:"曹先生眼光真利害,你老实说,那诗还过得去么?"

方鸿渐同时向曹元朗手里接过扇子,一看就心中作恶。好好的飞金扇面上,歪歪斜斜地用紫墨水钢笔写着——

难道我监禁你?

还是你霸占我?

你闯进我的心，

关上门又扭上锁。

丢了锁上的钥匙，

是我，也许你自己。

从此无法开门，

永远，你关在我心里。

诗后小字是："民国二十六年秋，为文纨小姐录旧作。王尔恺。"这王尔恺是个有名的青年政客，在重庆做着不大不小的官。两位小姐都期望地注视方鸿渐，他放下扇子，撇嘴道："写这种字就该打手心！我从没看见用钢笔写的折扇，他倒不写一段洋文！"

苏小姐忙道："你不要管字的好坏，你看诗怎样？"

鸿渐道："王尔恺那样热中做官的人还会做好诗么？我又不向他谋差使，没有恭维歪诗的义务。"他没注意唐小姐向自己皱眉摇头。

苏小姐怒道："你这人最讨厌，全是偏见，根本不配讲诗。"便把扇子收起来。

鸿渐道："好，好，让我平心静气再看一遍。"苏小姐虽然撇嘴说："不要你看了。"仍旧让鸿渐把扇子拿去。鸿渐忽然指着扇子上的诗大叫道："不得了！这首诗是偷来的。"

苏小姐铁青着脸道："别胡说！怎么是偷的？"唐小姐也睁大了眼。

"至少是借的，借的外债。曹先生说它有古代民歌的风味，一点儿不错。苏小姐,你记得么?咱们在欧洲文学史班上就听见先生讲起这首诗。这是德国十五六世纪的民歌,我到德国去以前,跟人补习德文,在初级读本里又念过它,开头说:'我是你的,你是我的,'后面大意说:'你已关闭,在我心里;钥匙遗失,永不能出。'原文字句记不得了,可是意思决不会弄错。天下断没有那样暗合的事。"

苏小姐道:"我就不记得欧洲文学史班上讲过这首诗。"

鸿渐道:"怎么没有呢?也许你上课的时候没留神,没有我那样有闻必录。这也不能怪你,你们上的是本系功课,不做笔记只表示你们学问好;先生讲的你们全知道了。我们是中国文学系来旁听的,要是课堂上不动笔呢,就给你们笑程度不好,听不懂,做不来笔记。"

苏小姐说不出话,唐小姐低下头。曹元朗料想方鸿渐认识的德文跟自己差不多,并且是中国文学系学生,更不会高明——因为在大学里,理科学生瞧不起文科学生,外国语文系学生瞧不起中国文学系学生,中国文学系学生瞧不起哲学系学生,哲学系学生瞧不起社会学系学生,社会学系学生瞧不起教育系学生,教育系学生没有谁可以给他们瞧不起了,只能瞧不起本系的先生。曹元朗顿时胆大说:"我也知道这诗有来历,我不是早说古代民歌的作风么?可是方先生那种态度,完全违反文艺欣赏的精神。你们弄中国文学的,全有这个'考据癖'的坏习气。诗有出典,给识货人看了,愈觉得滋味浓厚,读着一首诗就联想到无数诗来烘云托月。方先生,你该念念爱利恶德的诗,你就知道现代西洋诗人的东西,也是句句有来历的,可是我们并不说他们抄袭。苏小姐,是不是?"

方鸿渐恨不能说:"怪不得阁下的大作也是那样斑驳陆离。你们内行人并不以为奇怪,可是我们外行人要报告捕房捉贼起赃了。"只对苏小姐笑道:"不用扫兴。送给女人的东西,很少是真正自己的,拆穿了都是借花献佛。假如送礼的人是个做官的,那礼物更不用说是从旁人身上剥削下来的了。"说着,奇怪唐小姐何以不甚理会。

苏小姐道:"我顶不爱听你那种刻薄话。世界上就只你方鸿渐一个人聪明!"

鸿渐略坐一下,瞧大家讲话不起劲,便告辞先走,苏小姐也没留他。他出门后浮泛地不安,知道今天说话触犯了苏小姐,那王尔恺一定又是个她的爱慕者。但他想到明天是访唐小姐的日子,兴奋得什么都忘了。

明天方鸿渐到唐家,唐小姐教女用人请他在父亲书房里坐。见面以后就说:"方先生,你昨天闯了大祸,知道么?"

方鸿渐想一想,笑道:"是不是为了我批评那首诗,你表姐跟我生气?"

"你知道那首诗是谁做的?"她瞧方鸿渐瞪着眼,还不明白——"那首诗就是表姐做的,不是王尔恺的。"

鸿渐跳起来道:"呀?你别哄我,扇子上不是明写着'为文纨小姐录旧作'么?"

"录的就是文纨小姐的旧作。王尔恺跟表伯有往来,还是赵辛楣的上司,家里有太太。可是去年表姐回国,他就讨好个不休不歇,气得赵辛楣人都瘦了。论理,肚子里有大气,应该人膨胀得胖些,你说对不对?后来行政机关搬进内地,他做官心热,才撇下表姐也到里头去了。赵辛楣不肯到内地,也是这个缘故。这扇子就是他送给表姐的,他特请了一个什么人雕刻扇骨子上的花纹,那首诗还是表姐得意之作呢。"

"这文理不通的无聊政客,扇子上落的款不明不白,害我出了岔子,该死该死!怎么办呢?"

"怎么办呢?好在方先生口才好,只要几句话就解释开了。"

鸿渐被赞,又得意,又谦逊道:"这事弄得太糟了,怕不容易转圜。我回去赶快写封信给你表姐,向她请罪。"

"我很愿意知道这封信怎样写法,让我学个乖,将来也许应用得着。"

"假使这封信去了效果很好,我一定把稿子抄给你看。昨天我走了以后,他们骂我没有?"

"那诗人说了一大堆话,表姐倒没有讲什么,还说你国文很好。那诗人就引他一个朋友的话,说现代人要国文好,非研究外国文学不可;从前弄西洋科学的人该通外国语文,现在弄中国文学的人也该先精通洋文。那个朋友听说不久要回国,曹元朗要领他来见表姐呢。"

"又是一位宝贝!跟那诗人做朋友的,没有好货。你看他那首什么《拼盘姘伴》,简直不知所云。而且他并不是老实安分的不通,他是仗势欺人,有恃无恐的不通,不通得来头大。"

"我们程度幼稚,不配开口。不过,我想留学外国有名大学的人不至于像你所说那样糟罢。也许他那首诗是有意开玩笑。"

"唐小姐,现在的留学跟前清的科举功名一样,我父亲常说,从前人不中进士,随你官做得多么大,总抱着终身遗憾。留了学也可以解脱这种自卑心理,并非为高深学问。出洋好比出痘子,出痧子,非出不可。小孩子出过痧痘,就可以安全长大,以后碰见这两种毛病,不怕传染。我们出过洋,也算了了一桩心愿,灵魂健全,见了博士硕士们这些微生虫,有抵抗力来自卫。痘出过了,我们就把出痘这一回事忘了;留过学的人也应说把留学这事忘了。像曹元朗那种人念念不忘是留学生,到处挂着牛津剑桥的幌子,就像甘心出天花变成麻子,还得意自己的脸像好文章加了密圈呢。"

唐小姐笑道:"人家听了你的话,只说你嫉妒他们进的大学比你进的有名。"

鸿渐想不出话来回答,对她傻笑。她倒愿意他有时对答不来,问他道:"我昨天有点奇怪,你怎会不知道那首诗是表姐做的。你应该看过她的诗。"

"我和你表姐是这一次回国船上熟起来的,时间很短。以前话都没有谈过。你记得那一天她讲我在学校里的外号是'寒暑表'么?我对新诗不感兴趣,为你表姐的缘故而对新诗发生兴趣,我觉得犯不着。"

"哼,这话要给她知道了——"

"唐小姐,你听我说。你表姐是个又有头脑又有才学的女人,可是——我怎么说呢？有头脑有才学的女人是天生了教愚笨的男人向她颠倒的,因为他自己没有才学,他把才学看得神秘,了不得,五体投地地爱慕,好比没有钱的穷小子对富翁的崇拜——"

"换句话说,像方先生这样聪明,是喜欢目不识丁的笨女人。"

"女人有女人特别的聪明,轻盈活泼得跟她的举动一样。比了这种聪明,才学不过是沉淀渣滓。说女人有才学,就仿佛赞美一朵花,说它在天平上称起来有白菜番薯的斤两。真聪明的女人决不用功要做成才女,她只巧妙地偷懒——"

唐小姐笑道:"假如她要得博士学位呢?"

"她根本不会想得博士,只有你表姐那样的才女总要得博士。"

"可是现在普通大学毕业亦得做论文。"

"那么,她毕业的那一年,准有时局变动,学校提早结束,不用交论文,就送她毕业。"

唐小姐摇头不信,也不接口。应酬时小意儿献殷勤的话,一讲就完,经不起再讲;恋爱时几百遍讲不厌、听不厌的话,还不到讲的程度;现在所能讲的话,都讲得极边尽限,礼貌不容许他冒昧越分。唐小姐看他不作声,笑道:"为什么不说话了?"他也笑道:"咦,你为什么不说话了?"唐小姐告诉他,本乡老家天井里有两株上百年的老桂树,她小时候常发现树上成群聒噪的麻雀忽然会一声不响,稍停又忽然一齐叫起来,人谈话时也有这景象。

方鸿渐回家路上,早有了给苏小姐那封信的腹稿,他觉得用文言比较妥当,词意简约含混,是文过饰非轻描淡写的好工具。吃过晚饭,他起了草,同时惊骇自己撒谎的本领会变得这样伟大,怕这玩笑开得太大了,写了半封信又搁下笔。但想到唐小姐会欣赏,会了解,这谎话要博她一笑,他又欣然续写下去,里面说什么:"昨天承示扇头一诗,适意有所激,见名章隽句,竟出诸伧夫俗吏之手,惊极而恨,遂厚诬以必有蓝本,一时取快,心实未安。叨在知爱,或勿深责。"

信后面写了昨天的日期,又补两行道:

"此书成后,经一日夜始肯奉阅,当曹君之面而失据败绩,实所不甘。恨恨!又及。"写了当天的日期。他看了两遍,十分得意;理想中倒不是苏小姐读这封信,而是唐小姐读它。明天到银行,交给收发处专差送去。傍晚回家,刚走到卧室门口,电话铃响。顺手拿起听筒说:"这儿是周家,你是什么地方呀?"只听见女人声答道:"你猜猜看,我是谁?"鸿渐道:"苏小姐,对不对?"

"对了。"清脆的笑声。

"苏小姐,你收到我的信没有?"

"收到了。你这人真孩子气,我并不怪你呀!你的脾气,我哪会不知道?"

"你肯原谅我,我不能饶恕我自己。"

"吓,为了那种小事犯得着这样严重么?我问你,你真觉得那首诗好么?"

方鸿渐竭力不让脸上的笑漏进说话的声音里道:"我只恨

这样好诗偏是王尔恺做的,太不公平了!"

"我告诉你,这首诗并不是王尔恺做的。"

"那么,谁做的?"

"是我做着玩儿的。"

"呀!是你做的?我真该死!"方鸿渐这时候亏得通的是电话而不是电视,否则他脸上的快乐跟他声音的惶怕相映成趣,准会使苏小姐猜疑。

"你说这首诗有蓝本也不冤枉。我在一本谛尔索(Tirsot)收集的法国古跳舞歌里,看见这个意思,觉得新鲜有趣,也仿做一首。据你讲,德文里也有这个意思。可见这是很平常的话。"

"你做得比德文那首诗灵活。"

"你别当面奉承我,我不相信你的话!"

"这不是奉承的话。"

"你明天下午来不来呀?"

方鸿渐忙说"来",听那面电话还没挂断,自己也不敢就挂断。

"你昨天说,男人不把自己东西给女人,是什么意思呀?"

方鸿渐赔笑说:"因为自己东西太糟了,拿不出手,不得已只能借旁的好东西来贡献。譬如请客,家里太局促,厨子手段太糟,就不得不上馆子,借它的地方跟烹调。"

苏小姐格格笑道:"算你有理,明天见。"方鸿渐满头微汗,不知道急出来的,还是刚到家里,赶路的汗没有干。

那天晚上方鸿渐就把信稿子录出来,附在一封短信里,寄给唐小姐。他恨不能用英文写信,因为文言信的语气太生分,白话信的语气容易变成讨人厌的亲热；只有英文信容许他坦白地写"我的亲爱的唐小姐"、"你的极虔诚的方鸿渐"。这些西文书函的平常称呼在中文里就刺眼肉麻。他深知自己写的英文富有英国人言论自由和美国人宣言独立的精神，不受文法拘束的，不然真想仗外国文来跟唐小姐亲爱，正像政治犯躲在外国租界里活动。以后这一个多月里，他见了唐小姐七八次，写给她十几封信，唐小姐也回了五六封信。他第一次收到唐小姐的信，临睡时把信看一遍，搁在枕边，中夜一醒，就开电灯看信，看完关灯躺好，想想信里的话，忍不住又开灯再看一遍。以后他写的信渐渐变成一天天的随感杂记，随身带到银行里，碰见一桩趣事，想起一句话，他就拿笔在纸上跟唐小姐切切私语，有时无话可说，他还要写，例如："今天到行起了许多信稿子，到这时候才透口气，伸个懒腰，a－a－a－ah！听得见我打呵欠的声音么？茶房来请吃午饭了，再谈。你也许在吃饭，祝你'午饭多吃口，活到九千九百九十九'；"又如："这封信要寄给你了，还想写几句话。可是你看纸上全写满了，只留这一小方，刚挤得进我心里那一句话，它还怕羞不敢见你的面呢。哎哟，纸——"写信的时候总觉得这是慰情聊胜于无，比不上见面，到见了面，许多话倒讲不出来，想想还不如写信。见面有瘾的；最初，约着见一面就能使见面的前后几天都沾着光，变成好日子。渐渐地恨不能天天见面了；到后来，恨不能刻刻见面了。写好信发出，他总担心这信像支火箭，到落地时，火已熄了，对方收到的只是一段枯炭。

唐小姐跟苏小姐的来往也比从前减少了，可是方鸿渐迫于苏小姐的恩威并施,还不得不常向苏家走动。苏小姐只等他正式求爱,心里怪他太浮太慢。他只等机会向她声明并不爱她,恨自己心肠太软,没有快刀斩乱丝的勇气。他每到苏家一次,出来就懊悔这次多去了,话又多说了。他渐渐明白自己是个西洋人所谓"道义上的懦夫",只怕唐小姐会看破了自己品格上的大弱点。一个星期六下午他请唐小姐喝了茶回家,看见桌子上赵辛楣明天请吃晚饭的帖子,大起惊慌,想这也许是他的订婚喜酒,那就糟了,苏小姐更要爱情专注在自己身上了。苏小姐打电话来问他收到请帖没有,说辛楣托她转邀,还叫他明天上午去谈谈。明天苏小姐见了面,说辛楣请他务必光临,大家叙叙,别无用意。他本想说辛楣怎会请到自己,这话在嘴边又缩回去了;他现在不愿再提起辛楣对自己的仇视,怕又加深苏小姐的误解。他改口问有没有旁的客人。苏小姐说,听说还有两个辛楣的朋友。鸿渐道:"小胖子大诗人曹元朗是不是也请在里面?有他,菜可以省一点;看见他那个四喜丸子的脸,人就饱了。"

"不会有他罢。辛楣不认识他,我知道辛楣跟你一对小心眼儿,见了他又要打架,我这儿可不是战场,所以我不让他们两人碰头。元朗这人顶有意思的,你全是偏见,你的心我想也偏在夹肢窝里。自从那一次后,我也不让你和元朗见面,免得冲突。"

鸿渐本想说:"其实全没有关系。"可是在苏小姐抚爱的眼光下,这话不能出口。同时知道到苏家来朝参的又添了个曹元朗,心放了许多。苏小姐忽然问道:"你看赵辛楣这人怎么样?"

"他本领比我大,仪表也很神气,将来一定得意。我看他倒是个理想的——呃——人。"

假如上帝赞美魔鬼,社会主义者歌颂小布尔乔亚,苏小姐听了也不会这样惊奇。她准备鸿渐嘲笑辛楣,自己主持公道,为辛楣辩护。她便冷笑道:"请客的饭还没吃到口呢,已经恭维主人了!他三天两天写信给我,信上的话我也不必说,可是每封信都说他失眠,看了讨厌!谁叫他失眠的,跟我有什么关系?我又不是医生!"苏小姐深知道他失眠跟自己大有关系,不必请教医生。

方鸿渐笑道:"《毛诗》说:'窈窕淑女,寤寐求之;求之不得,寤寐思服。'他写这种信,是地道中国文化的表现。"

苏小姐瞪眼道:"人家可怜,没有你这样运气呀!你得福不知,只管口轻舌薄取笑人家,我不喜欢你这样。鸿渐,我希望你做人厚道些,以后我真要好好地劝劝你。"

鸿渐吓得哑口无言。苏小姐家里有事,跟他约晚上馆子里见面。他回到家整天闷闷不乐,觉得不能更延宕了,得赶快表明态度。

方鸿渐到馆子,那两个客人已经先在。一个躬背高额,大眼睛,苍白脸,戴夹鼻金丝眼镜,穿的西装袖口遮没手指,光光的脸,没胡子也没皱纹,而看来像个幼稚的老太婆或者上了年纪的小孩子。一个气概飞扬,鼻子直而高,侧望像脸上斜搁了一张梯,颈下打的领结饱满齐整得使鸿渐绝望地企羡。辛楣见了鸿渐,热烈欢迎。彼此介绍之后,鸿渐才知道那位躬背的是哲学家褚慎明。另一位叫董斜川,原任捷克中国公使馆军事参赞,内调回国,尚未到部,善做旧诗,是个大才子。这位褚慎明原名褚家宝,成名以后,嫌"家宝"这名字不合哲学家身份,据斯宾诺沙改名的先例,换称"慎明",取"慎思明辨"的意思。他自小负神童之誉,但有人说他是神经病。他小学、中学、大学都不肯毕业,因为他觉得没有先生配教他考他。他最恨女人,眼睛近视得利害而从来不肯配眼镜,因为怕看清楚了女人的脸,又常说人性里有天性跟兽性两部分,他自己全是天性。他常翻外国哲学杂志,查出世界大哲学家的通信处,写信给他们,说自己如何爱读他们的书,把哲学杂志书评栏里赞美他们著作的话,改头换面算自己的意见。外国哲学家是知识分子里最牢骚不平的人,专门的权威没有科学家那样高,通俗的名气没有文学家那样大,忽然几万里外有人写信恭维,不用说高兴得险的忘掉了哲学。他们理想中国是个不知怎样闭塞落伍的原始国家,而这个中国人信里说几句话,倒有分寸,便回信赞褚慎明是中国新哲学的创始人,还有送书给他的。不过褚慎明再写信去,就收不到多少复信,缘故是那些虚荣的老头子拿了他第一封信向同行卖弄,不料彼此都收到他的这样一封信,彼此都是他认为"现代最伟大的哲学家",不免扫兴生气了。褚慎明靠着三四十封这类回信,吓倒了无数人,有位爱才的阔官僚花一万金送他出洋。西洋大哲学家不回他信的只有柏格森;柏格森最怕陌生人去缠他,住址严守秘密,电话簿上都没有他名字。褚慎明到了欧洲,用尽心思,写信到柏格森寓处约期拜访,谁知道原信退回,他从此对直觉主义痛心疾首。柏格森的敌人罗素肯敷衍中国人,请他喝过一次茶,他从此研究数理逻辑。他出洋时,为方便起见,不得不戴眼镜,对女人的态度逐渐改变。杜慎卿厌恶女人，跟她们隔三间屋还闻着她们的臭气，褚慎明要女人，所以鼻子同样的敏锐。他心里装满女人，研究数理逻辑的时候，看见 a posteriori① 那个名词会联想到 posterior②，看见 × 记号会联想到 kiss③，亏得他没细读柏拉图的太米蔼斯对话（Timaeus），否则他更要对着 × 记号出神。他正把那位送他出洋的大官僚讲中国人生观的著作翻为英文，每月到国立银行里领一笔生活费，过极闲适的日子。董斜川的父亲董沂孙是个老名士，虽在民国做官，而不忘前清。斜川才气甚好，跟着老子做旧诗。中国是出儒将的国家，不比法国有一两个提得起笔的将军，就要请进国家学院去高供着。斜川的将略跟一般儒将相去无几，而他的诗即使不是儒将做的，也算得好了。文能穷人，所以他官运不好，这对于士兵，倒未始非福。他做军事参赞，不去讲武，倒批评上司和同事们文理不通，因此内调。他回国不多几天，想另谋个事。

方鸿渐见董斜川像尊人物，又听赵辛楣说他是名父之子，不胜倾倒，说："老太爷沂孙先生的诗，海内闻名。董先生不愧家学渊源，更难得是文武全才。"他自以为这算得恭维周到了。

董斜川道："我做的诗，路数跟家严不同。家严年轻时候的诗取径没有我现在这样高。他到如今还不脱黄仲则、龚定盦那

---

① 从后果推测前因。
② 后臀。
③ 接吻。

些乾嘉人习气,我一开笔就做的同光体。"

方鸿渐不敢开口。赵辛楣向跑堂要了昨天开的菜单,予以最后审查。董斜川也问跑堂的要了一枝秃笔,一方砚台,把茶几上的票子飞快地书写着,方鸿渐心里诧异。褚慎明危坐不说话,像内视着潜意识深处的趣事而微笑,比了他那神秘的笑容,蒙娜丽萨(Mona Lisa)的笑算不得什么一回事。鸿渐攀谈道:"褚先生最近研究些什么哲学问题?"

褚慎明神色慌忙,瞥了鸿渐一眼,别转头叫赵辛楣道:"老赵,苏小姐该来了。我这样等女人,生平是破例。"

辛楣把菜单给跑堂,回头正要答应,看见董斜川在写,忙说:"斜川,你在干什么?"

董斜川头都不抬道:"我在写诗。"

辛楣释然道:"快多写几首,我虽不懂诗,最爱看你的诗。我那位朋友苏小姐,新诗做得非常好,对旧诗也很能欣赏。回头把你的诗给她看。"

斜川停笔,手指拍着前额,像追思什么句子,又继续写,一面说:"新诗跟旧诗不能比!我那年在庐山跟我们那位老世伯陈散原先生聊天,偶尔谈起白话诗,老头子居然看过一两首新诗。他说还算徐志摩的诗有点意思,可是只相当于明初杨基那些人的境界,太可怜了。女人做诗,至多是第二流,鸟里面能唱的都是雄的,譬如鸡。"

辛楣大不服道:"为什么外国人提起夜莺,总说它是雌的?"

褚慎明对雌雄性别,最有研究,冷冷道:"夜莺雌的不会唱,会唱的是雄夜莺。"

说着,苏小姐来了。辛楣利用主人职权,当鸿渐的面向她专利地献殷勤。斜川一拉手后,正眼不瞧她,因为他承受老派名士对女人的态度;或者谑浪玩弄,这是对妓女的风流;或者眼观鼻,鼻观心,不敢平视,这是对朋友内眷的礼貌。褚哲学家害馋痨地看着苏小姐,大眼珠仿佛哲学家谢林的"绝对观念",像"手枪里弹出的子弹",险的突破眼眶,迸碎眼镜。辛楣道:"今天本来也请董太太,董先生说她有事不能来。董太太是美人,一笔好中国画,跟我们这位斜川兄真是珠联璧合。"

斜川客观地批判说:"内人长得相当漂亮,画也颇有家法。她画的《斜阳萧寺图》,在很多老辈的诗集里见得到题咏。她跟我逛龙树寺,回家就画这个手卷,我老太爷题两首七绝,有两句最好:'贞元朝士今谁在,无限僧寮旧夕阳!'的确,老辈一天少似一天,人才好像每况愈下,'不须上溯康乾世,回首同光已惘然!'"说时摇头慨叹。

方鸿渐闻所未闻,甚感兴味,只奇怪这样一个英年洋派的人,何以口气活像遗少,也许是学同光体诗的缘故。辛楣请大家入席,为苏小姐杯子里斟满了法国葡萄汁,笑说:"这是专给你喝的,我们另有我们的酒。今天席上慎明兄是哲学家,你跟斜川兄都是诗人,方先生又是哲学家又是诗人,一身兼两长,更了不得。我一无所能,只会喝两口酒,方先生,我今天陪你喝它两斤酒,斜川兄也是洪量。"

方鸿渐吓得跳起来道:"谁讲我是哲学家和诗人?我更不

会喝酒,简直滴酒不饮。"

辛楣按住酒壶,眼光向席上转道:"今天谁要客气推托,我们就罚他两杯,好不好?"

斜川道:"赞成!这样好酒,罚还是便宜。"

鸿渐拦不住道:"赵先生,我真不会喝酒,也给我葡萄汁,行不行?"

辛楣道:"哪有不会喝酒的留法学生?葡萄汁是小姐们喝的。慎明兄因为神经衰弱戒酒,是个例外。你别客气。"

斜川呵呵笑道:"你既不是文纨小姐的'倾国倾城貌',又不是慎明先生的'多愁多病身',我劝你还是'有酒直须醉'罢。好,先干一杯,一杯不成,就半杯。"

苏小姐道:"鸿渐好像是不会喝酒——辛楣这样劝你,你就领情稍微喝一点罢。"辛楣听苏小姐护惜鸿渐,恨不得鸿渐杯里的酒滴滴都化成火油。他这愿望没实现,可是鸿渐喝一口,已觉一缕火线从舌尖伸延到胸膈间。慎明只喝茶,酒杯还空着。跑堂拿上一大瓶叵耐牌 A 字牛奶,说已经隔水温过。辛楣把瓶给慎明道:"你自斟自酌罢,我不跟你客气了。"慎明倒了一杯,尖着嘴唇尝了尝,说:"不凉不暖,正好。"然后从口袋里掏出个什么外国补药瓶子,数四粒丸药,搁在嘴里,喝一口牛奶咽下去。苏小姐道:"褚先生真知道养生!"慎明透口气道:"人没有这个身体,全是心灵,岂不更好;我并非保重身体,我只是哄乖了它,好不跟我捣乱——辛楣,这牛奶还新鲜。"

辛楣道:"我没哄你罢?我知道你的脾气,这瓶奶送到我家以后,我就搁在电气冰箱里冻着。你对新鲜牛奶这样认真,我有机会带你去见我们相熟的一位徐小姐,她开牛奶场,请她允许你每天凑着母牛的奶直接吸一个饱——今天的葡萄汁、酒、牛奶都是我带来的,没叫馆子里预备。文纨,吃完饭,我还有一匣东西给你。你爱吃的。"

苏小姐道:"什么东西?——哦,你又要害我头痛了。"

方鸿渐道:"我就不知道你爱吃什么东西,下次也可以买来孝敬你。"

辛楣又骄又妒道:"文纨,不要告诉他。"

苏小姐为自己的嗜好抱歉道:"我在外国想吃广东鸭肫肝,不容易买到。去年回来,大哥买了给我吃,咬得我两太阳酸痛了好几天。你又要来引诱我了。"

鸿渐道:"外国菜里从来没有鸡鸭肫肝,我在伦敦看见成箱的鸡鸭肫肝贱得一钱不值,人家买了给猫吃。"

辛楣道:"英国人吃东西远比不上美国人花色多。不过,外国人的吃胆总是太小,不敢冒险,不像我们中国人什么肉都敢吃。并且他们的烧菜原则是'调',我们是'烹',所以他们的汤菜尤其不够味道。他们白煮鸡,烧了一滚,把汤丢了,只吃鸡肉,真是笑话。"

鸿渐道:"这还不算冤呢!茶叶初到外国,那些外国人常把整磅的茶叶放在一锅子水里,到水烧开,泼了水,加上胡椒和盐,专吃那叶子。"

大家都笑。斜川道:"这跟樊樊山把鸡汤来沏龙井茶的笑话相同。我们这位老世伯光绪初年做京官的时候,有人外国回来送给他一罐咖啡,他以为是鼻烟,把鼻孔里的皮都擦破了。他集子里有首诗讲这件事。"

鸿渐道:"董先生不愧系出名门!今天听到不少掌故。"

慎明把夹鼻眼镜按一下,咳声嗽,说:"方先生,你那时候问我什么一句话?"

鸿渐糊涂道:"什么时候?"

"苏小姐还没来的时候,"——鸿渐记不起——"你好像问我研究什么哲学问题,对不对?"对这个照例的问题,褚慎明有个刻板的回答,那时候因为苏小姐还没来,所以他留到现在表演。

"对,对。"

"这句话严格分析起来,有点毛病。哲学家碰见问题,第一步研究问题:这成不成问题,不成问题的是假问题 pseudoquestion,不用解决,也不可解决。假使成问题呢,第二步研究解决:相传的解决正确不正确,要不要修正。你的意思恐怕不是问我研究什么问题,而是问我研究什么问题的解决。"

方鸿渐惊奇,董斜川厌倦,苏小姐迷惑,赵辛楣大声道:"妙,妙,分析得真精细,了不得!了不得!鸿渐兄,你虽然研究哲学,今天也甘拜下风了,听了这样好的议论,大家得干一杯。"

鸿渐经不起辛楣苦劝,勉强喝了两口,说:"辛楣兄,我只在哲学系混了一年,看了几本指定参考书。在褚先生前面只能虚心领教做学生。"

褚慎明道:"岂敢,岂敢!听方先生的话好像把一个个哲学家为单位,来看他们的著作。这只算研究哲学家,至多是研究哲学史,算不得研究哲学。充乎其量,不过做个哲学教授,不能成为哲学家。我喜欢用自己的头脑,不喜欢用人家的头脑来思想。科学文学的书我都看,可是非万不得已决不看哲学书。现在许多号称哲学家的人,并非真研究哲学,只研究些哲学上的人物文献。严格讲起来,他们不该叫哲学家 philosophers,该叫'哲学家学家'philophilosophers。"

鸿渐说:"philophilosophers 这个字很妙,是不是先生用自己头脑想出来的?"

"这个字是有人在什么书上看见了告诉 Bertie,Bertie 告诉我的。"

"谁是 Bertie?"

"就是罗素了。"

世界有名的哲学家,新袭勋爵,而褚慎明跟他亲狎得叫他乳名,连董斜川都羡服了,便说:"你跟罗素很熟?"

"还够得上朋友,承他瞧得起,请我帮他解答许多问题。"天知道褚慎明并没吹牛,罗素确问过他什么时候到英国、有什么计划、茶里要搁几块糖这一类非他自己不能解答的问题——"方先生,你对数理逻辑用过功没有?"

"我知道这东西太难了,从没学过。"

"这话有语病,你没学过,怎会'知道'它难呢?你的意思是:'听说这东西太难了。'"

辛楣正要说"鸿渐兄输了,罚一杯",苏小姐为鸿渐不服气道:"褚先生可真精明利害哪!吓得我口都不敢开了。"

慎明说:"不开口没有用,心里的思想照样的混乱不合逻辑,这病根还没有去掉。"

苏小姐撅嘴道:"你太可怕了!我们心里的自由你都要剥夺了。我瞧你就没本领钻到人心里去。"

褚慎明有生以来,美貌少女跟他讲"心",今天是第一次。他非常激动,夹鼻眼镜泼剌一声直掉在牛奶杯子里,溅得衣服上桌布上都是奶,苏小姐胳膊上也沾润了几滴。大家忍不住笑。赵辛楣捺电铃叫跑堂来收拾。苏小姐不敢皱眉,轻快地拿手帕抹去手臂上的飞沫。褚慎明红着脸,把眼镜擦干,幸而没破,可是他不肯就戴上,怕看清了大家脸上逗留的余笑。

董斜川道:"好,好,虽然'马前泼水',居然'破镜重圆',慎明兄将来的婚姻一定离合悲欢,大有可观。"

辛楣道:"大家干一杯,预敬我们大哲学家未来的好太太。方先生,半杯也喝半杯。"——辛楣不知道大哲学家从来没娶过好太太,苏格拉底的太太就是泼妇,褚慎明的好朋友罗素也离了好几次婚。

鸿渐果然说道:"希望褚先生别像罗素那样的三四次闹离婚。"

慎明板着脸道:"这就是你所学的哲学!"苏小姐道:"鸿渐,我看你醉了,眼睛都红了。"斜川笑得前仰后合。辛楣嚷道:"岂有此理!说这种话非罚一杯不可!"本来敬一杯,鸿渐只需要喝一两口,现在罚一杯,鸿渐自知理屈,挨了下去,渐渐觉得另有一个自己离开了身子在说话。

慎明道:"关于 Bertie 结婚离婚的事,我也和他谈过。他引一句英国古话,说结婚仿佛金漆的鸟笼,笼子外面的鸟想住进去,笼内的鸟想飞出来;所以结而离,离而结,没有了局。"

苏小姐道:"法国也有这么一句话。不过,不说是鸟笼,说是被围困的城堡 fortresse assiégée,城外的人想冲进去,城里的人想逃出来。鸿渐,是不是?"鸿渐摇头表示不知道。

辛楣道:"这不用问,你还会错么!"

慎明道:"不管它鸟笼罢,围城罢,像我这种一切超脱的人是不怕围困的。"

鸿渐给酒摆布得失掉自制力道:"反正你会摆空城计。"结果他又给辛楣罚了半杯酒,苏小姐警告他不要多说话。斜川像在寻思什么,忽然说道:"是了,是了。中国哲学家里,王阳明是怕老婆的。"——这是他今天第一次没有叫"老世伯"的人。

辛楣抢说:"还有什么人没有?方先生,你说,你念过中国文学的。"

鸿渐忙说:"那是从前的事,根本没有念通。"辛楣欣然对苏小姐做个眼色,苏小姐忽然变得很笨,视若无睹。

"大学里教你国文的是些什么人?"斜川无兴趣地问。

鸿渐追想他的国文先生都叫不响,不比罗素、陈散原这些名字,像一支上等哈瓦那雪茄烟,可以挂在口边卖弄,便说:"全是些无名小子,可是教我们这种不通的学生,已经太好了。斜川兄,我对诗词真的一窍不通,偶尔看看,叫我做呢,一个字都做不出。"苏小姐嫌鸿渐太没面子了,心痒痒地要为他挽回体面。

斜川冷笑道:"看的是不是燕子龛、人境庐两家的诗?"

"为什么?"

"这是普通留学生所能欣赏的二毛子旧诗。东洋留学生捧苏曼殊,西洋留学生捧黄公度。留学生不知道苏东坡、黄山谷,心目间只有这一对苏黄。我没说错罢?还是黄公度好些,苏曼殊诗里的日本味儿,浓得就像日本女人头发上的油气。"

苏小姐道:"我也是个普通留学生,就不知道近代的旧诗谁算顶好。董先生讲点给我们听听。"

"当然是陈散原第一。这五六百年来,算他最高。我常说唐以后的大诗人可以把地理名词来包括,叫'陵谷山原'。三陵:杜少陵,王广陵——知道这个人么?——梅宛陵;二谷:李昌谷,黄山谷;四山:李义山,王半山,陈后山,元遗山;可是只有一原,陈散原。"说时,翘着左手大拇指。鸿渐懦怯地问道:"不能添个'坡'么?"

"苏东坡,他差一点。"

鸿渐咋舌不下,想东坡的诗还不入他法眼,这人做的诗不知怎样好法,便问他要刚才写的诗来看。苏小姐知道斜川写了诗,也向他讨;因为只有做旧诗的人敢说不看新诗,做新诗的人从不肯说不懂旧诗的。斜川把四五张纸,分发同席,傲然靠在椅背上,但觉得这些人都不懂诗,决不能领略他句法的妙处,就是赞美也不会亲切中肯。这时候,他等待他们的恭维,同时知道这恭维不会满足自己,仿佛鸦片瘾发的时候只找到一包香烟的心理。

纸上写着七八首近体诗,格调很老成。辞军事参赞回国那首诗有:"好赋归来看妇鬜,大惭名字止儿啼";愤慨中日战事的诗有:"直疑天尚醉,欲与日偕亡";此外还有:"清风不必一钱买,快雨端宜万户封";"石齿漱寒濑,松涛泻夕风";"未许避人思避世,独扶残醉赏残花"。可是有几句像:"泼眼空明供睡鸭,蟠胸秘怪媚潜虬";"数子提携寻旧迹,哀芦苦竹照凄悲";"秋气身轻一雁过,鬓丝摇影万鸦窥";意思非常晦涩。鸿渐没读过《散原精舍诗》,还竭力思索这些字句的来源。他想芦竹并没起火,照东西不甚可能,何况"凄悲"是探海灯都照不见的。"数子"明明指朋友并非小孩子,朋友怎可以"提携"?一万只乌鸦看中诗人几根白头发,难道"乱发如鸦窠",要宿在他头上?心里疑惑,不敢发问,怕斜川笑自己外行人不通。

大家照例称好,斜川客气地淡漠,仿佛领袖受民众欢迎时的表情。辛楣对鸿渐道:"你也写几首出来,让我们开开眼界。"鸿渐极口说不会做诗。斜川说鸿渐真的不能做诗,倒不必勉强。辛楣道:"那么,大家喝一大杯,把斜川兄的好诗下酒。"鸿渐要喉舌两关不留难这口酒,溜税似地直咽下去,只觉胃里的东西给这口酒激得要冒上来,好比已塞的抽水马桶又经人抽一下水的景象。忙搁下杯子,咬紧牙齿,用坚强的意志压住这阵泛溢。

苏小姐道:"我没见过董太太,可是我想像得出董太太的美。董先生的诗'好赋归来看妇鬜',活画出董太太的可爱的笑容,两个深酒涡。"

赵辛楣道:"斜川有了好太太不够,还在诗里招摇,我们这些光杆看了真眼红。"说时,仗着酒勇,涎着脸看苏小姐。

褚慎明道:"酒涡生在他太太脸上,只有他一个人看。现在写进诗里,我们都可以仔细看个饱了。"

斜川生气不好发作,板着脸说:"跟你们这种不通的人,根本不必谈诗。我这一联是用的两个典,上句梅圣俞,下句杨大眼,你们不知道出处,就不要穿凿附会。"

辛楣一壁斟酒道:"抱歉抱歉!我们罚自己一杯。方先生,你应该知道出典,你不比我们呀!为什么也一窍不通?你罚两杯,来!"

鸿渐生气道:"你这人不讲理,为什么我比你们应当知道?"

苏小姐因为斜川骂"不通",有自己在内,甚为不快,说:"我也是一窍不通的,可是我不喝这杯罚酒。"

辛楣已有酒意,不受苏小姐约束道:"你可以不罚,他至少也得还喝一杯,我陪他。"说时,把鸿渐杯子里的酒斟满了,拿起自己的杯子来一饮而尽,向鸿渐照着。

鸿渐毅然道:"我喝完这杯,此外你杀我头也不喝了。"举酒杯直着喉咙灌下去,灌完了,把杯子向辛楣一扬道:"照——"他"杯"字没出口,紧闭嘴,带跌带撞赶到痰盂边,"哇"的一声,菜跟酒冲口而出,想不到肚子里有那些呕不完的东西,只吐得上气不接下气,鼻涕眼泪胃汁都赔了。心里只想:"大丢脸!亏得唐小姐不在这儿。"胃里呕清了,恶心不止,旁茶几坐下,抬不起头,衣服上都溅满脏沫。苏小姐要走近身,他疲竭地做手势阻止她。辛楣在他吐得厉害时,为他敲背。斜川叫跑堂收拾地下,拿手巾,自己先倒杯茶给他漱口。褚慎明掩鼻把窗子全打开,满脸鄙厌,可是心上高兴,觉得自己泼的牛奶,给鸿渐的呕吐在同席者的记忆里冲掉了。

斜川看鸿渐好了些,笑说:"'凭阑一吐,不觉箜篌',怎么饭没吃完,已经忙着还席了!没有关系,以后拼着吐几次,就学会喝酒了。"

辛楣道:"酒,证明真的不会喝了。希望诗不是真的不会做,哲学不是真的不懂。"

苏小姐发狠道:"还说风凉话呢!全是你不好,把他灌到这样,明天他真生了病,瞧你做主人的有什么脸见人?——鸿渐,你现在觉得怎么样?"把手指按鸿渐的前额,看得辛楣悔不曾学过内功拳术,为鸿渐敲背的时候,使他受致命伤。

鸿渐头闪开说:"没有什么,就是头有点痛。辛楣兄,今天真对不住你,各位也给我搅得扫兴,请继续吃罢。我想先回家去了,过天到辛楣兄府上来谢罪。"

苏小姐道:"你多坐一会,等头不痛了再走。"

辛楣恨不能立刻撵鸿渐滚蛋,便说:"谁有万金油?慎明,你随身带药的,有没有万金油?"

慎明从外套和裤子袋里掏出一大堆瓶儿盒儿,保喉、补脑、强肺、健胃、通便、发汗、止痛的药片、药丸、药膏全有。苏小姐拣出万金油,伸指蘸了些,为鸿渐擦在两太阳。辛楣一肚皮的酒,几乎全成酸醋,忍了一会,说:"好一点没有?今天我不敢留你,改天补请。我分付人叫车送你回去。"

苏小姐道:"不用叫车,他坐我的车,我送他回家。"

辛楣惊骇得睁大了眼,口吃说:"你,你不吃了?还有菜呢。"鸿渐有气无力地恳请苏小姐别送自己。

苏小姐道:"我早饱了,今天菜太丰盛了。褚先生,董先生请慢用,我先走一步。辛楣,谢谢你。"

辛楣哭丧着脸,看他们俩上车走了。他今天要鸿渐当苏小姐面出丑的计划,差不多完全成功,可是这成功只证实了他的失败。鸿渐斜靠着车垫,苏小姐问他要不要把领结解松,他摇摇头,苏小姐叫他闭上眼歇一会。在这个自造的昏天黑地里,他觉得苏小姐凉快的手指摸他的前额,又听她用法文低声自语:"pauvre petit!"①他力不从心,不能跳起来抗议。汽车到周家,苏小姐命令周家的门房帮自己汽车夫扶鸿渐进去。到周先生周太太大惊小怪赶出来认苏小姐,要招待她进去小坐,她汽车早开走了。老夫妇的好奇心无法满足,又不便细问蒙头躺着的鸿渐,只把门房考审个不了,还嫌他没有观察力,骂他有了眼睛不会用,为什么不把苏小姐看个仔细。

明天一早方鸿渐醒来,头里还有一条锯齿线的痛,舌头像进门擦鞋底的棕毯。躺到下半天才得爽朗,可以起床。写了一封信给唐小姐,只说病了,不肯提昨天的事。追想起来,对苏小姐真过意不去,她上午下午都来过电话问病。吃了晚饭,因为镇天没活动,想踏月散步,苏小姐又来电话,问他好了没有,有没有兴

---

① 可怜的小东西。

致去夜谈。那天是旧历四月十五,暮春早夏的月亮原是情人的月亮,不比秋冬是诗人的月色,何况月亮团圆,鸿渐恨不能去看唐小姐。苏小姐的母亲和嫂子上电影院去了,用人们都出去逛了,只剩她跟看门的在家。她见了鸿渐,说本来自己也打算看电影去的,叫鸿渐坐一会,她上去加件衣服,两人同到园里去看月。她一下来,鸿渐先闻着刚才没闻到的香味,发现她不但换了衣服,并且脸上唇上都加了修饰。苏小姐领他到六角小亭子里,两人靠栏杆坐了。他忽然省悟这情势太危险,今天不该自投罗网,后悔无及。他又谢了苏小姐一遍,苏小姐又问了他一遍昨晚的睡眠,今天的胃口,当头皎洁的月亮也经不起三遍四遍的赞美,只好都望月不作声。鸿渐偷看苏小姐的脸,光洁得像月光泼上去就会滑下来,眼睛里也闪活着月亮,嘴唇上月华洗不淡的红色变为滋润的深暗。苏小姐知道他在看自己,回脸对他微笑,鸿渐要抵抗这媚力的决心,像出水的鱼,头尾在地上拍动,可是挣扎不起。他站起来道:"文纨,我要走了。"

苏小姐道:"时间早呢,忙什么?还坐一会。"指着自己身旁,鸿渐刚才坐的地方。

"我要坐远一点——你太美了!这月亮会作弄我干傻事。"

苏小姐的笑声轻腻得使鸿渐心里抽痛:"你就这样怕做傻子么?坐下来,我不要你这样正襟危坐,又不是礼拜堂听说教。我问你这聪明人,要什么代价你才肯做傻子?"转脸向他顽皮地问。

鸿渐低头不敢看苏小姐,可是耳朵里、鼻子里,都是抵制不了的她,脑子里也浮着她这时候含笑的印象,像漩涡里的叶子在打转:"我没有做傻子的勇气。"

苏小姐胜利地微笑,低声说:"Embrasse-moi!"①说着一壁害羞,奇怪自己竟有做傻子的勇气,可是她只敢躲在外国话里命令鸿渐吻自己。鸿渐没法推避,回脸吻她。这吻的分量很轻,范围很小,只仿佛清朝官场端茶送客时的把嘴唇抹一抹茶碗边,或者从前西洋法庭见证人宣誓时的把嘴唇碰一碰《圣经》,至多像那些信女们吻西藏活佛或罗马教皇的大脚指,一种敬而远之的亲近。吻完了,她头枕在鸿渐肩膀上,像小孩子甜睡中微微叹口气。鸿渐不敢动,好一会,苏小姐梦醒似的坐直了,笑说:"月亮这怪东西,真教我们都变了傻子了。"

"并且引诱我犯了不可饶赦的罪!我不能再待了。"鸿渐这时候只怕苏小姐会提起订婚结婚,跟自己讨论将来的计划。他不知道女人在恋爱胜利快乐的时候,全想不到那些事的,要有了疑惧,才会要求男人赶快订婚结婚,爱情好有保障。

"我偏不放你走——好,让你走,明天见。"苏小姐看鸿渐脸上的表情,以为他情感冲动得利害,要失掉自主力,所以不敢留他了。鸿渐一溜烟跑出门,还以为刚才唇上的吻,轻松得很,不当作自己爱她的证据。好像接吻也等于体格检验,要有一定斤两,才算合格似的。

苏小姐目送他走了,还坐在亭子里。心里只是快活,没有一个成轮廓的念头。想着两句话:"天上月圆,人间月半。"不知是

---

① 吻我。

旧句,还是自己这时候的灵感。今天是四月半,到八月半不知怎样。"孕妇的肚子贴在天上",又记起曹元朗的诗,不禁一阵厌恶。听见女用人回来了,便站起来,本能地掏手帕在嘴上抹了抹,仿佛接吻会留下痕迹的。觉得剩余的今夜只像海水浴的跳板,自己站在板的极端,会一跳冲进明天的快乐里,又兴奋,又战栗。

方鸿渐回家,锁上房门,撕了五六张稿子,才写成下面的一信:

文纨女士:

我没有脸再来见你,所以写这封信。从过去直到今夜的事,全是我不好。我没有借口,我无法解释。我不敢求你谅宥,我只希望你快忘记我这个软弱、没有坦白的勇气的人。因为我真心敬爱你,我愈不忍糟蹋你的友谊。这几个月来你对我的恩意,我不配受,可是我将来永远作为宝贵的回忆。祝你快乐。

惭悔得一晚没睡好,明天到银行叫专差送去。提心吊胆,只怕还有下文。十一点钟左右,一个练习生来请他听电话,说姓苏的打来的,他腿都软了,拿起听筒,预料苏小姐骂自己的话,全行的人都听见。

苏小姐声音很柔软:"鸿渐么?我刚收到你的信,还没有拆呢。信里讲些什么?是好话我就看,不是好话我就不看;留着当了你面拆开来羞你。"

鸿渐吓得头颅几乎下缩齐肩,眉毛上升入发,知道苏小姐误会这是求婚的信,还要撒娇加些波折,忙说:"请你快看这信,我求你。"

"这样着急！好,我就看。你等着,不要挂电话——我看了,不懂你的意思。回头你来解释罢。"

"不,苏小姐,不,我不敢见你——"不能再遮饰了,低声道:"我另有——"怎么说呢?糟透了!也许同事们全在偷听——"我另外有——有个人。"说完了如释重负。

"什么?我没听清楚。"

鸿渐摇头叹气,急得说抽去了脊骨的法文道:"苏小姐,咱们讲法文。我——我爱一个人,——爱一个女人另外,懂?原谅,我求你一千个原谅。"

"你——你这浑蛋!"苏小姐用中文骂他,声音似乎微颤。鸿渐好像自己耳颊上给她这骂沉重地打一下耳光,自卫地挂上听筒,苏小姐的声音在意识里搅动不住。午时一个人到邻近小西菜馆里去吃饭,怕跟人谈话。忽然转念,苏小姐也许会失恋自杀,慌得什么都吃不进。忙赶回银行,写信求她原谅,请她珍重,把自己作践得一文不值,哀恳她不要留恋。发信以后,心上稍微宽些,觉得饿了,又出去吃东西。四点多钟,同事都要散,他想今天没兴致去看唐小姐了。收发处给他一封电报,他惊惶失措,险以为苏小姐的死信,有谁会打电报来呢?拆开一看,"平成"发出的,好像是湖南一个县名,减少了恐慌,增加了诧异。忙讨本电报明码翻出来是:"敬聘为教拇月薪三百四十元酌送路费盼电霸国立三闾大学校长高松年。""教拇"即"教授"的错误,"电霸"准是"电复"。从没听过三闾大学,想是个战后新开的大学,高松年也不知道是谁,更不知道他聘自己当什么系的教授。不过有国立大学不远千里来聘请,终是增添身价的事,因为战事起了只一年,国立大学教授还是薪水阶级里可企羡的地位。问问王主任,平成确在湖南,王主任要电报看了,赞他实至名归,说点金银行是小地方,蛟龙非池中之物,还说什么三年国立大学教授就等于简任官的资格。鸿渐听得开心,想这真是转运的消息,向唐小姐求婚一定也顺利。今天太值得纪念了,绝了旧葛藤,添了新机会。他晚上告诉周经理夫妇,周经理也高兴,只说平成这地方太僻远了。鸿渐说还没决定答应。周太太说,她知道他先要请苏文纨小姐的许可。她又说老式男女要好得像鸿渐跟苏小姐那样,早结婚了,新式男女没结婚就"心呀,肉呀"的亲密,只怕甜头吃完了,结婚后反而不好。鸿渐笑她只知道个苏小姐。她道:"难道还有旁人么?"鸿渐得意头上,口快说三天告诉她确实消息。她为她死掉的女儿吃醋道:"瞧不出你这样一个人倒是你抢我夺的一块好肥肉!"鸿渐不屑计较这些粗鄙的话,回房间写如下的一封信:

晓芙:

  前天所发信,想已寓目。我病全好了;你若补写信来慰问,好比病后一帖补药,还是欢迎的。我今天收到国立三闾大学电报,聘我当教授。校址好像太偏僻些,可是还不失为一个机会。我请你帮我决定去不去。你下半年计划怎样?你要到昆明去复学,我也可以在昆明谋个事,假如你进上海的学校,上海就变成我惟一依恋的地方。总而言之,我魔住你,缠着你,冤魂作祟似的附上你,不放你清静。我久想跟我——啊呀!"你"错写了"我",可是这笔误很有道理,你想想为什么——讲句简单的话,这话在我心里已经复习了几千遍。我深恨发明不来一个新鲜飘忽的说法,只有我可以说,只有你可以听,我说过,你听过,这说法就飞了,过去,现在和未来没有第二个男人好对第二个女人这样说。抱歉得很,对绝世无双的你,我只能用几千年经人滥用的话来表示我的情感。你允许我说那句话么?我真不敢冒昧,你不知道我怎样怕你生气。

明天一早鸿渐分付周经理汽车夫送去,下午出银行就上唐家。洋车到门口,看见苏小姐的汽车也在,既窘且怕。苏小姐汽车夫向他脱帽,说:"方先生来得巧,小姐来了不多一会。"鸿渐胡扯道:"我路过,不进去了。"便转个弯回家。想这是撒一个玻璃质的谎,又脆薄,又明亮,汽车夫定在暗笑。苏小姐会不会大讲坏话,破人好事?但她未必知道自己爱唐小姐,并且,这半年来的事讲出来只丢她的脸。这样自譬自慰,他又不担忧了。他明天白等了一天,唐小姐没信来。后天去看唐小姐,女用人说她不在家。到第五天还没信,他两次拜访都扑个空。鸿渐急得眠食都废,把自己的信背了十几遍,字字推敲,自觉并无开罪之处。也许她还要读书,自己年龄比她大八九岁,谈恋爱就得结婚,等不了她大学毕业,她可能为这事迟疑不决。只要她答应爱自己,随她要什么时候结婚都可以,自己一定守节。好,再写封信去,说明天礼拜日求允许面谈一次,万事都由她命令。

当夜刮大风,明天小雨接大雨,一脉相延,到下午没停过。

鸿渐冒雨到唐家,小姐居然在家;他微觉女用人的态度有些异常,没去理会。一见唐小姐,便知道她今天非常矜持,毫无平时的笑容,出来时手里拿个大纸包。他勇气全漏泄了,说:"我来过两次,你都不在家,礼拜一的信收到没有?"

"收到了。方先生,"——鸿渐听她恢复最初的称呼,气都不敢透——"方先生听说礼拜二也来过,为什么不进来,我那天倒在家。"

"唐小姐,"——也还她原来的称呼——"怎么知道我礼拜二来过?"

"表姐的车夫看见方先生,奇怪你过门不入,他告诉了表姐,表姐又告诉我。你那天应该进来,我们在谈起你。"

"我这种人值得什么讨论!"

"我们不但讨论,并且研究你,觉得你行为很神秘。"

"我有什么神秘?"

"还不够神秘么?当然我们不知世事的女孩子,莫测高深。方先生的口才我早知道,对自己所作所为一定有很满意中听的解释。大不了,方先生只要说:'我没有借口,我无法解释。'人家准会原谅。对不对?"

"怎么?"鸿渐直跳起来,"你看见我给你表姐的信?"

"表姐给我看的,她并且把从船上到那天晚上的事全告诉了我。"

唐小姐脸上添了愤恨,鸿渐不敢正眼瞧她。

"她怎样讲?"鸿渐嗫嚅说;他相信苏文纨一定加油加酱,说自己引诱她、吻她,准备据实反驳。

"你自己做的事还不知道么?"

"唐小姐,让我解释——"

"你'有法解释',先对我表姐去讲。"方鸿渐平日爱唐小姐聪明,这时候只希望她拙口钝腮,不要这样咄咄逼人。"表姐还告诉我几件关于方先生的事,不知道正确不正确。方先生现在住的周家,听说并不是普通的亲戚,是贵岳家,方先生以前结过婚——"鸿渐要插嘴,唐小姐不愧是律师的女儿,知道法庭上盘问见证的秘诀,不让他分辨——"我不需要解释,是不是岳家?是就好了。你在外国这几年有没有恋爱,我不知道。可是你在回国的船上,就看中一位鲍小姐,要好得寸步不离,对不对?"鸿渐低头说不出话——"鲍小姐走了,你立刻追求表姐,直到——我不用再说了。并且,据说方先生在欧洲念书,得到过美国学位——"

鸿渐顿足发恨道:"我跟你吹过我有学位没有?这是闹着玩儿的。"

"方先生人聪明,一切逢场作戏,可是我们这种笨蛋,把你开的玩笑都得认真——"唐小姐听方鸿渐嗓子哽了,心软下来,可是她这时候愈心疼,愈心恨,愈要责罚他个痛快——"方先生的过去太丰富了!我爱的人,我要能够占领他整个生命,他在碰见我以前,没有过去,留着空白等待我——"鸿渐还低头不响——"我只希望方先生前途无量。"

鸿渐身心仿佛通电似的发麻,只知道唐小姐在说自己,没心思来领会她话里的意义,好比头脑里蒙上一层油纸,她的话雨点似的渗不进,可是油纸震颤着雨打的重量。他听到最后一句话,绝望地明白,抬起头来,两眼是泪,像大孩子挨了打骂,咽泪入心的脸。唐小姐鼻子忽然酸了。"你说得对。我是个骗子,我不敢再辩,以后决不来讨厌了。"站起来就走。

唐小姐恨不能说:"你为什么不辩护呢?我会相信你。"可是只说:"那么再会。"她送着鸿渐,希望他还有话说。外面雨下得正大,她送到门口,真想留他等雨势稍杀再走。鸿渐披上雨衣,看看唐小姐,瑟缩不敢拉手。唐小姐见他眼睛里的光亮,给那一阵泪滤干了,低眼不忍再看,机械地伸手道:"再会——"有时候,"不再坐一会么?"可以撵走人,有时候"再会"可以挽留人;唐小姐挽不住方鸿渐,所以加一句"希望你远行一路平安"。她回卧室去,适才的盛气全消灭了,疲乏懊恼。女用人来告诉道:"方先生怪得很,站在马路那一面,雨里淋着。"她忙到窗口一望,果然鸿渐背马路在斜对面人家的篱笆外站着,风里的雨线像水鞭子正侧横斜地抽他漠无反应的身体。她看得心溶化成苦水,想一分钟后他再不走,一定不顾笑话,叫用人请他回来。这一分钟好长,她等不及了,正要分付女用人,鸿渐忽然回过脸来,狗抖毛似的抖擞身子,像把周围的雨抖出去,开步走了。唐小姐抱歉过信表姐,气愤时说话太决绝,又担忧鸿渐失神落魄,别给汽车电车撞死了。看了几次表,过一个钟头,打电话到周家问,鸿渐还没回去,她惊惶得愈想愈怕。吃过晚饭,雨早止了,她不愿意家里人听见,溜出门到邻近糖果店借打电话,心乱性急,第一次打错了,第二次打过了只听对面铃响,好久没人来接。周经理一家三口都出门应酬去了,鸿渐在小咖啡馆里呆坐到这时候才回家,一进门用人便说苏小姐来过电话,他火气直冒,倒从麻木里苏醒过来,他正换干衣服,电话铃响,置之不理,用人跑上来接,一听便说:"方少爷,苏小姐电话。"鸿渐袜子没穿好,赤了左脚,跳出房门,拿起话筒,不管用人听见不听见,厉声——只可惜他淋雨受了凉,已开始塞鼻伤风,嗓子没有劲——说:"咱们已经断了,断了! 听见没有? 一次两次来电话干吗? 好不要脸,你捣得好鬼! 我瞧你一辈子嫁不了人——"忽然发现对方早挂断了,险的要再打电话给苏小姐,逼她听完自己的臭骂。那女用人在楼梯转角听得有趣,赶到厨房里去报告。唐小姐听到"好不要脸",忙挂上听筒,人都发晕,好容易制住眼泪,回家。

这一晚,方鸿渐想着白天的事,一阵阵的发烧,几乎不相信是真的,给唐小姐一条条说破了,觉得自己可鄙可贱得不成为人。明天,他刚起床,唐家包车夫送来一个纸包,说小姐分付要回件。他看这纸包,昨天见过的,上面没写字,猜准是自己写给她的信。他明知唐小姐不会,然而还希望她会写几句话,借决绝的一刹那让交情多延一口气,忙拆开纸包,只有自己的旧信。他垂头丧气,原纸包了唐小姐的来信,交给车夫走了。唐小姐收到那纸包的匣子,好奇拆开,就是自己送给鸿渐吃的夹心朱古力糖金纸匣子。她知道匣子里是自己的信,不愿意打开,似乎匣子不打开,自己跟他还没有完全破裂,一打开便证据确凿地跟他断了。这样痴坐了不知多久——也许只是几秒钟——开了匣盖,看见自己给他的七封信,信封都破了,用玻璃纸衬补的,想得出他急于看信,撕破了信封又手指笨拙地补好。唐小姐心里一阵难受。更发现盒子底衬一张纸,上面是家里的住址跟电话号数,记起这是跟他第一次吃饭时自己写在他书后空页上的,他剪下来当宝贝似的收藏着。她对了发怔,忽然想昨天他电话里的话,也许并非对自己说的;一月前第一次打电话,周家的人误会为苏小姐,昨天两次电话,那面的人一听,就知道是找鸿渐的,毫不问姓名。彼此决裂到这个田地,这猜想还值得证实么?把方鸿渐忘了就算了。可是心里忘不了他,好比牙齿钳去了,齿腔空着作痛,更好比花盆里种的小树,要连根拔它,这花盆就得迸碎。唐小姐脾气高傲,宁可忍痛至于生病。病中几天,苏小姐天天来望她陪她,还告诉她已跟曹元朗订婚,兴头上偷偷地把曹元朗求婚的事告诉她。据说曹元朗在十五岁时早下决心不结婚,一见了苏小姐,十五年来的人生观像大地震时的日本房屋。因此,"他自己说,他最初恨我怕我,想躲着我,可是——"苏小姐笑着扭身不说完那句话。求婚是这样的,曹元朗见了面,一股怪可怜的样子,忽然把一个丝绒盒子塞在苏小姐手里,神色仓皇地跑了。苏小姐打开,盒子里盘一条金挂链,头上一块大翡翠,链下压一张信纸。唐小姐问她信上说些什么,苏小姐道:"他说他最初恨我,怕我,可是现在——唉,你这孩子最顽皮,我不告诉你。"唐小姐病愈,姊姊姊夫邀她到北平过夏。阳历八月底她回上海,苏小姐恳请她做结婚时的傧相。男傧相就是曹元朗那位留学朋友。他见了唐小姐,大献殷勤,她厌烦不甚理他。他撇着英国腔向曹元朗说道:"Dash it! That girl is forget-me-not and touch-me-not in one, a red rose which has somehow turned into the blue flower."①曹元朗赞他语妙天下,他自以为这句话会传到唐小姐耳朵里。可是唐小姐在吃喜酒后第四天,跟她父亲到香港转重庆去了。

---

① 真的! 那个女孩子是"无忘我草"和"别碰我花"的结合,是红玫瑰变成了蔚蓝花——"蔚蓝花"是浪漫主义遥远理想的象征。

# 四

　　方鸿渐把信还给唐小姐时,痴钝并无感觉。过些时,他才像从昏厥里醒过来,开始不住地心痛,就像因蜷曲而麻木的四肢,到伸直了血脉流通,就觉得刺痛。昨天囫囵吞地忍受的整块痛苦,当时没工夫辨别滋味,现在,牛反刍似的,零星断续,细嚼出深深没底的回味。卧室里的沙发书桌,卧室窗外的树木和草地,天天碰见的人,都跟往常一样,丝毫没变,对自己伤心丢脸这种大事全不理会似的。奇怪的是,他同时又觉得天地惨淡,至少自己的天地变了相。他个人的天地忽然从世人公共生活的天地里分出来,宛如与活人幽明隔绝的孤鬼,瞧着阳世的乐事,自己插不进,瞧着阳世的太阳,自己晒不到。人家的天地里,他进不去,而他的天地里,谁都可以进来,第一个拦不住的就是周太太。一切做长辈的都不愿意小辈瞒着自己有秘密;把这秘密哄出来,逼出来,是长辈应尽的责任。唐家车夫走后,方鸿渐上楼洗脸,周太太半楼梯劈面碰见,便想把昨夜女用人告诉的话问他,好容易忍住了,这证明她不但负责任,并且有涵养。她先进餐室,等他下来。效成平日吃东西极快,今天也慢条斯理地延宕着,要听母亲问鸿渐话。直到效成等不及,上学校去了,她还没见鸿渐来吃早点,叫用人去催,才知道他早偷偷出门了。周太太因为枉费了克己工夫,脾气发得加倍的大,骂鸿渐混账,说:"就是住旅馆,出门也得分付茶房一声。现在他吃我周家的饭,住周家的房子,赚我周家的钱,瞒了我外面去胡闹,一早出门,也不来请安,目无尊长,成什么规矩!他还算是念书人家的儿子!书上说的:'清早起,对父母,行个礼。'他没念过?他给女人迷昏了头,全没良心,他不想想不靠我们周家的栽培,什么酥小姐、糖小姐会看中他!"周太太并不知道鸿渐认识唐小姐,她因为"芝麻酥糖"那现成名词,说"酥"顺口带说了"糖";信口胡扯,而偏能一语道破,天下未卜先知的预言家都是这样的。

方鸿渐不吃早点就出门,确为了躲避周太太。他这时候怕人盘问,更怕人怜悯或教训。他心上的新创口,揭着便痛。有人失恋了,会把他们的伤心立刻像叫化子的烂腿,血淋淋地公开展览,博人怜悯,或者事过境迁,像战士的金疮旧斑,脱衣指示,使人惊佩。鸿渐只希望能在心理的黑暗里隐蔽着,仿佛害病的眼睛避光,破碎的皮肉怕风。所以他本想做得若无其事,不让人看破自己的秘密,瞒得过周太太,便不会有旁人来管闲事了。可是,心里的痛苦不露在脸上,是桩难事。女人有化妆品的援助,胭脂涂得浓些,粉擦得厚些,红白分明会掩饰了内心的凄黯。自己是个男人,平日又不蓬首垢面,除了照例的梳头刮脸以外,没法用非常的妆饰来表示自己照常。仓卒间应付不来周太太,还是溜走为妙。鸿渐到了银行,机械地办事,心疲弱得没劲起念头。三闾大学的电报自动冒到他记忆面上来,他叹口气,毫无愿力地复电应允了。他才分付信差去拍电报,经理室派人来请。周经理见了他,皱眉道:"你怎么一回事?我内人在发肝胃气,我出门的时候,王妈正打电话请医生呢。"

鸿渐忙申辩,自己一清早到现在没碰见过她。

周经理哭丧着脸道:"我也弄不清你们的事。可是你丈母自从淑英过世以后,身体老不好。医生量她血压高,叮嘱她动不得气,一动气就有危险,所以我总让她三分,你——你不要拗她顶她。"说完如释重负地吐口气。周经理见了这位挂名姑爷,乡绅的儿子,留洋学生,有点畏闪,今天的谈话,是义不容辞,而心非所乐。他跟周太太花烛以来,一向就让她。当年死了女儿,他想娶个姨太太来安慰自己中年丧女的悲哀,给周太太知道了,生病求死,嚷什么"死了干净,好让人家来填缺",吓得他安慰也不需要了,对她更短了气焰。他所说的"让她三分",不是"三分流水七分尘"的"三分",而是"天下只有三分月色"的"三分"。

鸿渐勉强道:"我记着就是了。不知道她这时候好了没有?要不要我打个电话问问?"

"你不要打!她跟你生的气,你别去自讨没趣。我临走分付家里人等医生来过,打电话报告我的。你丈母是上了年纪了!二十多年前,我们还没有来上海,那时候她就有肝胃气病。发的时候,不请医生打针,不吃止痛药片,要吃也没有!有人劝她抽两口鸦片,你丈母又不肯,怕上瘾。只有用我们乡下土法,躺在床上,叫人拿了门闩,周身捶着。捶她的人总是我,因为这事要亲人干,旁人不知痛痒,下手太重,变成把棒打了。可是现在她吃不消了。这方法的确很灵验,也许你们城里人不相信的。"

鸿渐正在想未成婚的女婿算不算"亲人",忙说:"相信!相信!这也是一种哄骗神经的方法,分散她对痛处的集中注意力,很有道理。"

周经理承认他解释得对。鸿渐回到办公桌上,满肚子不痛快,想周太太的态度一天坏似一天,周家不能长住下去了,自己得赶早离开上海。周经理回家午饭后到行,又找鸿渐谈话,第一句便问他复了三闾大学的电报没有。鸿渐忽然省悟,一股怒气使心从痴钝里醒过来,回答时把身子挺足了以至于无可更添的高度。周经理眼睛躲避着鸿渐的脸,只瞧见写字桌前鸿渐胸脯上那一片白衬衫慢慢地饱满扩张,领带和腰带都在离桌上升,便说:"你回电应聘了最好,在我们这银行里混,也不是长久的办法。"还请他"不要误会"。鸿渐刺耳地冷笑,问是否从今天起自己算停职了。周经理软弱地摆出尊严道:"鸿渐,我告诉你别误会!你不久就远行,当然要忙着自己的事,没工夫兼顾行里——好在行里也没有什么事,我让你自由,你可以不必每天到行。至于薪水呢,你还是照支——"

"谢谢你,这钱我可不能领。"

"你听我说,我教会计科一起送你四个月的薪水,你旅行的费用,不必向你老太爷去筹——"

"我不要钱,我有钱。"鸿渐说话时的神气,就仿佛国立四大银行全在他随身口袋里,没等周经理说完,高视阔步出经理室去了。只可惜经理室太小,走不上两步,他那高傲的背影已不复能供周经理瞻仰。而且气愤之中,精神照顾不周,皮鞋直踏在门外听差的脚上,鸿渐只好道歉,那听差提起了腿满脸苦笑,强说:"没有关系。"

周经理摇摇头,想女人家不懂世事,只知道家里大发脾气,叫丈夫在外面做人为难。自己惨淡经营了一篇谈话腹稿,本想从鸿渐的旅行费说到鸿渐的父亲,承着鸿渐的父亲,语气捷转说:"你回国以后,没有多跟你老太爷老太太亲热,现在你又要出远门了,似乎你应该回府住一两个月,伺候伺候二老。我跟我内人很喜欢你在舍间长住,效成也舍不得你去;可是我扣留住你,不让你回家做孝顺儿子,亲家、亲家母要上门来'探亲相骂'了——"说到此地,该哈哈大笑,拍着鸿渐的手或臂或肩或背,看他身体上什么可拍的部分那时候最凑手方便——"反正你常到我家里来玩儿,可不是一样?要是你老不来,我也不答应的。"自信这一席话委婉得体,最后那一段尤其接得天衣无缝,曲尽文书科王主任所谓"顺水推舟"之妙,王主任起的信稿子怕也不过如此。只可恨这篇好谈话一讲出口全别扭了,自己先发了慌,态度局促,鸿渐那混小子一张没好气挨打嘴巴的脸,好好给他面子下台,他偏愿意抓破了面子顶撞自己,真不识抬举,莫怪太太要厌恶他。那最难措辞的一段话还闷在心里,像喉咙里咳不出来的粘痰,搅得奇痒难搔。周经理象征地咳一声无谓的嗽,清清嗓子。鸿渐这孩子,自己白白花钱栽培了他,看来没有多大出息。方才听太太说,新近请人为他评命,命硬得很,婚姻不会到头,淑英没过门就给他克死了!现在正交着桃花运,难保不出乱子,让他回家给方乡绅严加管束也好,自己卸了做长辈的干系。可是今天突然撵他走,终不大好意思——唉,太太仗着发病的脾气,真受不了! 周经理叹口气,把这事搁在一边,拿起桌子上的商业信件,一面捺电铃。

方鸿渐不愿意脸上的羞愤给同僚们看见,一口气跑出了银行。心里咒骂着周太太,今天的事准是她挑拨出来的,周经理那种全听女人作主的丈夫,也够可鄙了! 可笑的是,到现在还不明白为什么周太太忽然在小茶杯里兴风作浪,自忖并没有开罪她什么呀! 不过,那理由不用去追究,他们要他走,他就走,决不留连,也不屑跟他们计较是非。本来还想买点她爱吃的东西晚上回去孝敬她,讨她喜欢呢! 她知道了苏小姐和自己往来,就改变态度,常说讨厌话。效成对自己本无好感,好像为他补习就该做他的枪手的,学校里的功课全要带回家来代做,自己不答应,他就恨。并且那小鬼爱管闲事,亏得防范周密,来往信札没落在他手里。是了! 是了! 一定是今天早晨唐家车夫来取信,她起了什么疑心,可是她犯不着发那么大的脾气呀? 真叫人莫名其妙! 好! 好! 运气坏就坏个彻底,坏个痛快。昨天给情人甩了,今天给丈人撵了,失恋继以失业,失恋以致失业,真是摔了仰天跤还会跌破鼻子!"没兴一齐来",来就是了,索性让运气坏得它一个无微不至。周家一天也不能住了,只有回到父亲母亲那儿挤几天再说,像在外面挨了打的狗夹着尾巴窜回家。不过向家里承认给人撵回来,脸上怎下得去? 这两天来,人都气笨了,后脑里像棉花裹的鼓槌在打布蒙的鼓,模糊地沉重,一下一下地跳痛,想不出圆满的遮羞方式,好教家里人不猜疑自己为什么突然要回家过不舒服的日子。三闾大学的电报,家里还没知道,报告了父亲母亲,准使他们高兴,他们高兴头上也许心气宽和,不会细密地追究盘问。自己也懒得再想了,依仗这一个好消息,硬着头皮回家去相机说话。跟家里讲明白了,盘桓到老晚才回周家去睡,免得见周经理夫妇的面,把三件行李收拾好,明天一早就溜走,留封信告别,反正自己无面目见周经理周太太,周经理周太太也无面目见自己,这倒省了不少麻烦。搬回家也不会多住,只等三闾大学旅费汇来,便找几个伴侣上路。上路之前不必到银行去,乐得逍遥几天,享点清闲之福。不知怎样,清闲之福会牵起唐小姐,忙把念头溜冰似的滑过,心也虚闪了闪幸未发作的痛。

鸿渐四点多钟到家,老妈子一开门就嚷:"大少爷来了,太太,大少爷来了,不要去请了。"鸿渐进门,只见母亲坐在吃饭的旧圆桌侧面,抱着阿凶,喂他奶粉,阿丑在旁吵闹。老妈子关上门赶回来逗阿丑,教他"不要吵,乖乖的叫声'大伯伯',大伯伯给糖你吃"。阿丑停嘴,光着眼望了望鸿渐,看不像有糖会给他,又向方老太太跳嚷去了。

这阿丑是老二鹏图的儿子,年纪有四岁了,下地的时候,相貌照例丑的可笑。鹏图还没有做惯父亲,对那一团略具五官七窍的红肉,并不觉得创造者的骄傲和主有者的偏袒,三脚两步到老子书房里去报告:"生下来一个妖怪。"方遯斋老先生抱孙心切,刚占了个周易神卦,求得☰☰,是"小畜"卦,什么"密云不雨",

"舆脱辐,夫妻反目","血去惕出无咎"。他看了《易经》的卦词纳闷,想莫非媳妇要难产或流产,正待虔诚再卜一卦,忽听儿子没头没脑的来一句,吓得直跳起来:"别胡说!小孩子下地没有?"鹏图瞧老子气色严重,忙规规矩矩道:"是个男孩子,母子都好。"方遯翁强忍着喜欢,教训儿子道:"已经是做父亲的人了,讲话还那样不正经,瞧你将来怎么教你儿子!"鹏图解释道:"那孩子的相貌实在丑——请爸爸起个名字。""好,你说他长得丑,就叫他'丑儿'得了。"方遯翁想起《荀子·非相篇》说古时大圣大贤的相貌都是奇丑,便索性跟孙子起个学名叫"非相"。方老太太也不懂什么非相是相,只嫌"丑儿"这名字不好,说:"小孩子相貌很好——初生的小孩子全是那样的,谁说他丑呢?你还是改个名字罢。"这把方遯翁书袋底的积年陈货全掏出来了:"你们都不懂这道理,要鸿渐在家,他就会明白。"一壁说,到书房里架子上拣出两三部书,翻给儿子看,因为方老太太识字不多。方鹏图瞧见书上说:"人家小儿要易长育,每以贱名为小名,如犬羊狗马之类",又知道司马相如小字犬子,桓熙小字石头,范晔小字砖儿,慕容农小字恶奴,元叉小字夜叉,更有什么斑兽、秃头、龟儿、獾郎等等,才知道儿子叫"丑儿"还算有体面的。方遯翁当天上茶馆跟大家谈起这事,那些奉承他的茶友满口道贺之外,还恭维他取的名字又别致,又浑成,不但典雅,而且洪亮。只有方老太太弄孙的时候,常常脸摩着脸,代他抗议道:"咱们相貌多漂亮!咱们是标致小宝贝心肝,为什么冤枉咱们丑?爷爷顶不讲道理,去拉掉他胡子。"方鸿渐在外国也写信回来,对侄儿的学名发表意见,说《封神榜》里的两个开路鬼,哥哥叫方弼,兄弟叫方相,"方非相"的名字好像在跟鬼兄弟抬杠,还是趁早换了。方遯翁置之不理。去年战事起了不多几天,老三凤仪的老婆也养个头胎儿子,方遯翁深有感于"兵凶战危",触景生情,叫他"阿凶",根据《墨子·非攻篇》为他取学名"非攻"。遯翁题名字上了瘾,早想就十几个排行的名字,只等媳妇们连一不二养下孩子来顶领,譬如男叫"非熊",用姜太公的故事,女叫"非烟",用唐人传奇。

  这次逃难时,阿丑阿凶两只小东西真累人不浅。鸿渐这个不近人情的鳏夫听父母讲逃难的苦趣,便心中深怪两位弟妇不会领孩子,害二老受罪。这时候阿丑阿凶缠着祖母,他们的娘连影子都不见,他就看不入眼。方老太太做孝顺媳妇的年分太长了,忽然轮到自己做婆婆,简直做不会,做不像。在西洋家庭里,丈母娘跟女婿间的争斗,是至今保存的古风,我们中国家庭里婆婆和媳妇的敌视,也不输他们那样悠久的历史。只有媳妇怀孕,婆婆要依仗了她才能荣升祖母,于是对她开始迁就。到媳妇养了个真实不假的男孩子,婆婆更加让步。方老太太生性懦弱,两位少奶倒着实利害,生阿丑的时候,方家已经二十多年没听见小孩子哭声了,老夫妇不免溺爱怂恿,结果媳妇的气焰暗里增高,孙子的品性显然恶化。凤仪老婆肚子争气,头胎也是男孩子,从此妯娌间暗争愈烈。老夫妇满脸的公平待遇,两儿子媳妇背后各怨他们的偏袒。鸿渐初回国,家里房子大,阿丑有奶妈领着,所以还不甚碍眼讨厌。逃难以后,阿丑的奶妈当然可以省掉了;

三奶奶因为阿凶是开战时生的,一向没用奶妈,到了上海,要补用一个,好跟二奶奶家的阿丑扯直。依照旧家庭的不成文法,孙子的乳母应当由祖父母出钱雇的。方遯翁逃难到上海,景况不比从前,多少爱惜小费,不肯为二孙子用乳母。可是他对三奶奶谈话,一个字也没提起经济,他只说上海不比家乡,是个藏垢纳污之区,下等女人少有干净的;女用人跟汽车夫包车夫养了孩子,便出来做奶妈,这种女人全有毒,喂不得小孩子,而且上海风气太下流了,奶妈动不动要请假出去过夜,奶汁起了变化,小孩子吃着准不相宜,说不定有终身之恨。三奶奶瞧公婆要她自己领这孩子,一口闷气胀得肚子都渐渐大了,吃东西没胃口,四肢乏力,请医服药,同时阿凶只能由婆婆帮着带领。医生一星期前才证明她不是病,是怀近四个月的孕。二奶奶腆着颤巍巍有六个月孕的肚子,私下跟丈夫冷笑道:"我早猜到那么一着,她自己肚子里全明白什么把戏。只好哄你那位糊涂娘,什么臌胀,气痞,哼,想瞒得了我!"大家庭里做媳妇的女人平时吃饭的肚子要小,受气的肚子要大;一有了胎,肚子真大了,那时吃饭的肚子可以放大,受气的肚子可以缩小。这两位奶奶现在的身体像两个吃饱苍蝇的大蜘蛛,都到了显然减少屋子容量的状态,忙得方老太太应接不暇,那两个女用人也乘机吵着,长过一次工钱。

方遯翁为了三媳妇的病,对家庭医药大起研究的兴趣。他在上海,门上冷落,不比从前居乡的时候。同乡一位庸医是他邻居,仰慕他的名望,杀人有暇,偶来陪他闲谈。这位庸医在本乡真的是"三世行医,一方尽知",总算那一方人抵抗力强,没给他祖父父亲医绝了种,把四方剩了三方。方遯翁正如一切老辈读书人,自信"不为良相,便为良医",懂得医药。那庸医以为他广通声气,希望他介绍生意,免不了灌他几回迷汤。这迷汤好比酒,被灌者的量各各不同;遯翁的迷汤量素来不大,给他灌得酒醉似的忘其所以。恰好三媳妇可以供给他做试验品,他便开了不少方子。三奶奶觉得公公和邻居医生的药吃了无效,和丈夫吵,要去请教西医。遯翁知道了这事,心里先不高兴,听说西医断定媳妇不是病,这不高兴险的要发作起来。可是西医说她有孕,是个喜讯,自己不好生气,只得隐忍,另想方法来挽回自己医道的体面,洗涤中国医学的耻辱。方老太太带鸿渐进他卧室,他书桌上正摊着《镜花缘》和商务印书馆第十版的《增广校正验方新编》,他想把《镜花缘》里的奇方摘录在《验方新编》的空白上。遯翁看见儿子,便道:"你来了,我正要叫你来,跟你说话。你有个把月没来了,家里也该常来走走。我做父亲的太放纵你们了,你们全不知道规矩礼节——"翻着《验方新编》对方老太太道:"娘,三媳妇既然有喜,我想这张方子她用得着。每天两次,每次豆腐皮一张,不要切碎,酱油麻油冲汤吞服。这东西味道不苦。可以下饭,最好没有,二媳妇也不妨照办。这方子很有道理:豆腐皮是滑的,麻油也是滑的,在胎里的孩子胞衣滑了,容易下地,将来不致难产,你把这方子给她们看看。不要去,听我跟鸿渐讲话——鸿渐,你近三十岁的人了,自己该有分寸,照理用不到我们背时的老古董来多嘴。可是——娘,咱们再不管教儿子,人家要代咱们管教他了,咱们不能丢这个脸,对不对——你丈母早晨来个电话,说你在外面荒唐,跟女人胡闹,你不要辩,我不是糊涂人,并不全相信她——"遯翁对儿子伸着左手,掌心向下,做个压止他申辩的信号——"可是你一定有行迹不检的地方,落在她眼里。你这年龄自然规规矩矩地结了婚完事;是我不好,一时姑息着你,以后一切还是我来替你作主。我想你搬回家住罢,免得讨人家厌,同时好有我来管教你。家里粗茶淡饭的苦生活,你也应该过过;年轻人就贪舒服,骨头松了,一世没有出息。"

方鸿渐羞愤头上,几十句话同时涌到嘴边,只挣扎出来:"我是想明天搬回来,我丈母在发神经病,她最爱无事生风,真混账——"

遯翁怫然道:"你这态度就不对,我看你愈变愈野蛮无礼了。就算她言之过甚,也是她做长辈的一片好意,你们这些年轻人——"方遯翁话里留下空白,表示世间无字能形容那些可恶无礼的年轻人。

方老太太瞧鸿渐脸色难看,怕父子俩斗口,忙怯懦地、狡猾地问儿子道:"那位苏小姐怎么样了?只要你真喜欢她,爸爸和我总照着你意思办,只要你称心。"

方鸿渐禁不住脸红道:"我和她早不往来了。"

这脸红逃不过老夫妇的观察,彼此做个眼色,遯翁彻底了解地微笑道:"是不是吵嘴闹翻了?这也是少年男女间常有的事,吵一次,感情好一次。双方心里都已经懊悔了,面子上还负气谁也不理谁。我讲得对不对?这时候要有个第三者,出来转圜,你不肯受委屈认错,只有我老头子出面做和事佬,给她封宛转的信,她准买我这面子。"遯翁笑容和语气里的顽皮,笨重得可以压坍楼板。

鸿渐宁可父亲生气,最怕他的幽默,慌得信口胡说道:"她早和人订婚了。"

老夫妇眼色里的含意愈深了。遯翁肃然改容道:"那么,你是——是所谓'失恋'了。唔,那也犯不着糟蹋自己呀!日子长着呢。"遯翁不但饶赦,而且怜惜遭受女人欺侮的这个儿子了。

鸿渐更局促了。不错,自己是"失恋"——这两个字在父亲嘴里,生涩拗口得很——可是,并非为了苏文纨。父母的同情施错了地方,仿佛身上受伤有创口,而同情者偏向皮肉完好处去敷药包布。要不要告诉他们唐小姐的事?他们决不会了解,说不定父亲就会大笔一挥,直接向唐小姐替自己求婚,他会闹这种笑话的。鸿渐支吾掩饰了两句,把电报给遯翁看了。不出所料,周太太的事果然撇在一边。遯翁说,这才是留学生干的事,比做小银行职员混饭强多了;平成那地方确偏僻些,叫是"咱们方家在自由区该有个人,我和后方可以通通声气,我自从地方沦陷后一切行动,你可以进去向有关方面讲讲。"过一会,遯翁又说:"你将来应该按月寄三分之一的薪水给我,并不是我要你的钱,是训练你对父母的责任心,你两个兄弟都分担家里开销的。"吃晚饭桌上,遯翁夫妇显然偏袒儿子了,怪周家小气,容不下人,要借口撵走鸿渐:"商人终是商人,他们看咱们方家现在失势了。这种鄙吝势利的暴发户,咱们不希罕和他们做亲家。"二老议决鸿渐今夜回周家去收拾行李,明天方老太太去访问周太太的病,替鸿渐谢打扰,好把行李带走。

　　鸿渐吃完晚饭,不愿意就到周家,便一个人去看电影。电影散场,又延宕了一会,料想周经理夫妇都睡了,才慢慢回去。一进卧室,就见桌上有效成的英文文法教科书,书里夹着字条:"鸿渐哥:我等不及你了,要去睡觉了。文法练习第三十四到三十八,请你快快一做。还有国文自由命题一篇,随便做二百字,肯做三百字更好,马马虎虎,文章不要太好。明天要交卷也。Thank You Very Much。①"书旁一大碟枇杷和皮核,想是效成等自己时消闲吃的。鸿渐哼了一声,把箱子整理好,朦胧略睡,一清早离开周家。周太太其实当天下午就后悔,感觉到胜利的空虚了,只等鸿渐低心下气来赔罪,就肯收回一切成命。明早发现鸿渐不告而别,儿子又在大跳大骂要逃一天学,她气得唠叨不了,方老太太来时,险的客串"探亲相骂"。午饭时,点金银行差人把鸿渐四个月薪水送到方家;方遯翁代儿子收下了。

　　方鸿渐住在家里,无聊得很。他天天代父亲写信、抄药方,一有空,便上街溜达。每出门,心里总偷偷希望,在路上,在车子里,在电影院门口,会意外碰见唐小姐。碰见了怎样呢?有时理想自己冷淡、骄傲,对她视若无睹,使她受不了。有时理想中的自己是微笑地镇静,挑衅地多礼,对她客气招呼,她倒窘得不知所措。有时他的想像力愈雄厚了,跟一个比唐小姐更美的女人

---

① 多谢。

勾手同行，忽与尚无男友的唐小姐劈面相逢；可是，只要唐小姐有伤心绝望的表示，自己立刻甩了那女人来和她言归于好。理想里的唐小姐时而骂自己"残忍"，时而强抑情感，别转了脸，不让睫毛上眼泪给自己看见。

　　家里住近十天，已过端午，三闾大学毫无音信，鸿渐开始焦急。一天清早，专差送封信来，是赵辛楣写的，说昨天到点金银行相访未晤，今天下午四时后有暇请来舍一谈，要事面告。又说："以往之事，皆出误会，望勿介意。"顶奇怪的是称自己为："鸿渐同情兄。"鸿渐看后，疑团百出。想现在赵辛楣娶定苏小姐了，还来找自己干吗，终不会请去当他们结婚的傧相。等一会，报纸来了，三奶奶抢着看，忽然问："大哥的女朋友是不是叫苏文纨？"鸿渐恨自己脸红，知道三奶奶兴趣浓厚地注视自己的脸，含糊反问她为什么。三奶奶指报纸上一条启事给他看，是苏鸿业、曹元真两人具名登的，要读报者知道姓苏的女儿和姓曹的兄弟今天订婚。鸿渐惊异得忍不住叫"咦"！想来这就是赵辛楣信上所说的"要事"了。苏小姐会嫁给曹元朗，女人傻起来真没有底的！可怜的是赵辛楣。他没知道，苏小姐应允曹元朗以后，也说："赵辛楣真可怜，他要怨我忍心了。"曹诗人高兴头上，平时对女人心理的细腻了解忘掉个干净，冒失地说："那不用愁，他会另找到对象。我希望人像我一样快乐，愿意他也快快恋爱成功。"苏小姐沉着脸不响，曹元朗才省悟话说错了。一向致力新诗，没留心到元微之的两句："曾经沧海难为水，除却巫山不是云"，后悔不及。苏小姐当然以为看中自己的人，哪能轻易赏识旁的女人？她不嫁赵辛楣，可是她潜意识底，也许要赵辛楣从此不娶，耐心等曹元朗死了候补。曹元朗忙回家做了一首情诗送来，一以志喜，二以补过。这诗的大意表示了破除财产私有的理想，说他身心一切都与苏小姐共有。他情感热烈，在初夏的骄阳下又多跑了几次，头上正生着两个小疖，脸上起了一层红疙瘩，这些当然也跟苏小姐共有的。

方鸿渐准五点钟找到赵辛楣住的洋式公寓，没进门就听见公寓里好几家正开无线电，播送风行一时的《春之恋歌》，空气给那位万众倾倒的国产女明星的尖声撕割得七零八落——

春天，春天怎么还不来？

我心里的花儿早已开！

唉！！！我的爱——

逻辑的推论当然是：夏天没到，她身体里就结果子了。那女明星的娇声尖锐里含着浑浊，一大半像鼻子里哼出来的，又腻又粘，又软懒无力，跟鼻子的主产品鼻涕具有同样品性。可是，至少该有像鼻子那么长短，才包涵得下这弯绕连绵的声音。走到二层楼赵家门外，里面也播着这歌呢。他一面按铃，想该死！该死！听这种歌好比看淫书淫画，是智力落后、神经失常的表示，不料赵辛楣失恋了会堕落至此！用人开门接名片进去，无线电就止声了。用人出来请进小客室，布置还精致，壁上挂好几个大镜框。有赵辛楣去世的父亲的大照相、赵辛楣硕士制服手执文凭的大照相、赵辛楣美国老师的签字照相。留美学生夏令会的团体照相里赵辛楣第一排席地坐着，为教观者容易识别起见，他在自己头顶用红墨水做个"+"号,正画在身后站的人的胸腹上,大有替他用日本方法"切腹"之观。最刺眼的是一张彩色的狭长照相,内容是苏小姐拿棍子赶一群白羊,头上包块布,身上穿的想是牧装,洋溢着古典的、浪漫的、田园诗的、牧歌的种种情调。可惜这牧羊女不像一心在管羊,脸朝镜框外面,向观者巧笑。据照相边上两行字,这是苏小姐在法国乡下避暑时所摄,回国后放大送给辛楣的。鸿渐竟会轻快地一阵嫉妒,想苏小姐从未给自己看过这张好照相。在这些亲、师、友、妇等三纲五常摄影之外,有一副对、一幅画,落的都是辛楣的款。对是董斜川写的《九成宫》体:"阙尚鸳鸯社;闹无鹅鸭邻。辛楣二兄,三十不娶,类李东川诗所谓'有道者',迁居索句,戏撰疥壁。"那幅画是董斜川夫人手笔,标题《结庐人境图》。鸿渐正待细看,辛楣出来了,急忙中穿的衣服,钮子还没有扣好,天气热,内心也许有点羞愧,脸涨红得有似番茄。鸿渐忙说:"我要脱衣服,请你做主人的赞同。"辛楣道:"好,好。"女用人把两人衣服拿去挂了,送上茶烟,辛楣分付她去取冷饮。鸿渐称赞他房子精致,问他家里有多少人。辛楣说只有他跟他老太太,此外三个用人,他哥哥嫂嫂都住在天津。他看了鸿渐一眼,关切地说:"鸿渐兄,你瘦得多了。"

鸿渐苦笑说:"都是你那一天灌醉了我,害我生的病。"

辛楣惶恐道:"那许多请你别再提了!咱们不打不成相识,以后相处的日子正长,要好好的交个朋友。我问你,你什么时候知道苏小姐爱上曹元朗的?"

"今天早晨看见报上订婚启事,我才知道。"

"嗳!"——声音里流露出得意——"我大前天清早就知道了。她自己告诉我的,还劝我许多好意的话。可是我到现在不知道那姓曹的是什么样儿的人。"

"我倒看见过这人,可是我想不到苏小姐会看中他。我以为她一定嫁给你。"

"可不是么!我以为她一定嫁给你。谁知道还有个姓曹的!这妞儿的本领真大,咱们俩都给她玩弄得七颠八倒。客观地讲起来,可不得不佩服她。好了,好了,咱们俩现在是同病相怜,将来是同事——"

"什么?你也到三闾大学去?"

于是,辛楣坦白地把这事的前因后果讲出来。三闾大学是今年刚着手组织的大学,高松年是他的先生。本来高松年请他去当政治系主任,他不愿意撇下苏小姐,忽然记起她说过鸿渐急欲在国立大学里谋个事,便偷偷拍电报介绍鸿渐给高松年,好教苏小姐跟鸿渐疏远。可是高松年不放松他,函电络绎地请他去,他大前天从苏小姐处奉到遣散命令,一出来就回电答应了。高松年上次来信,托他请鸿渐开履历寄去,又说上海有一批应聘的同人,将来由他约齐同行,旅费和路程单都先寄给他。

鸿渐恍然大悟道:"我该好好地谢你,为我找到饭碗。"

辛楣道:"哪里的话!应当同舟共济。"

鸿渐道:"我忘掉问你,你信上叫我'同情兄',那是什么意思?"

辛楣笑道:"这是董斜川想出来的,他说,同跟一个先生念书的叫'同师兄弟',同在一个学校的叫'同学',同有一个情人的该叫'同情'。"

鸿渐忍不住笑道:"这名字好妙。可惜你的'同情者'是曹元朗,不是我。"

辛楣道:"你这人太不坦白!咱们现在是同病相怜,我失恋,你也失恋,当着我,你不用装假挣面子。难道你就不爱苏小姐?"

"我不爱她。我跟你同病,不是'同情'。"

"那么,谁甩了你?你可以告诉我么?"

掩抑着的秘密再也压不住了:"唐小姐。"鸿渐垂首低声说。

"唐晓芙!好眼力,好眼力!我真是糊涂到底了。"本来辛楣仿佛跟鸿渐同遭丧事,竭力和他竞赛着阴郁沉肃的表情,不敢让他独得伤心之名。这时候他知道鸿渐跟自己河水不犯井水,态度轻松了许多,嗓子已恢复平日的响朗。他留住鸿渐,打电话叫董斜川来,三人同上馆子吃晚饭。辛楣的失恋,斜川全知道的。饭后谈起苏小姐和曹元朗订婚的事,辛楣宽宏大度地说:"这样最好。他们志同道合,都是研究诗的。"鸿渐、斜川一致反对,说同行最不宜结婚,因为彼此是行家,谁也哄不倒谁,丈夫不会莫测高深地崇拜太太,太太也不会盲目地崇拜丈夫,婚姻的基础就不牢固。辛楣笑道:"这些话跟我说没有用。我只希望他们俩快乐。"大家都说辛楣心平气和得要成"圣人"了。圣人笑而不答,好一会,取出烟斗,眼睛顽皮地闪光道:"曹元朗的东西,至少有苏小姐读;苏小姐的东西,至少有曹元朗读。彼此都不会没有读者,还不好么?"大家笑说辛楣还不是圣人,还可以做朋友。

以后鸿渐就不寂寞了,三人常常来往。三星期后,辛楣请新同事上茶室早餐,大家好认识。鸿渐之外,还有三位。中国文学系主任李梅亭是高松年的老同事,四十来岁年纪,戴副墨晶眼镜,神情傲兀,不大理会人,并且对天气也鄙夷不理,因为这是夏历六月中旬,他穿的还是黑呢西装外套。辛楣请他脱衣服,他死不肯;辛楣倒替他出汗,自己的白衬衫像在害黄热病。一位顾尔谦,是高松年的远亲,好像没梦想到会被聘为历史系副教授的,快乐像沸水似的洋溢满桌,对赵李两位尤为殷勤。他虽是近五十岁的干瘪男人,绰有天真妩媚小姑娘的风致,他的笑容比他的脸要年轻足足三十年,口内两只金门牙使他的笑容尤其辉煌耀目。一位孙柔嘉女士,是辛楣报馆同事前辈的女儿,刚大学毕业,青年有志,不愿留在上海,她父亲恳求辛楣为她谋得外国语文系助教之职。孙小姐长圆脸,旧象牙色的颧颊上微有雀斑,两眼分得太开,使她常带着惊异的表情;打扮甚为素净,怕生得一句话也不敢讲,脸上滚滚不断的红晕。她初来时叫辛楣"赵叔叔",辛楣忙教她别这样称呼,鸿渐暗笑。

辛楣送老太太到天津去后回来,已是阳历九月初,该动身了,三闾大学定十月初开学的。辛楣又想招大家吃饭商定行期。辛楣爱上馆子吃饭,动不动借小事请客,朋友有事要求他,也得在饭桌上跟他商量,仿佛他在外国学政治和外交,只记着两句,拿破仑对外交官的训令："请客菜要好"，和斯多威尔侯爵（Lord Stowell）的办事原则："请吃饭能使事务滑溜顺利"。可是这一次鸿渐抗议说，这是大家的事，不该老让辛楣一个人破钞，结果改为聚餐。吃饭时议定九月二十日坐意大利公司的船到宁波。辛楣说船票五张由他去买，都买大菜间，将来再算账。李顾两位没说什么。吃完饭，侍者送上账单，顾先生抢着归他一个人付账，还说他久蓄此心，要请诸同人一聚，今天最巧没有了。大家都说岂有此理，顾先生眼瞥账单，也就不再坚持，只说："这小数目，何必分摊？其实让我作东得了。"辛楣一总付了钱，等柜台上找。顾先生到厕所去，李先生也跟去了。出馆子门分手的时候，李先生问辛楣是否轮船公司有熟人，买票方便。辛楣道，托中国旅行社去办就行。李先生道："我有个朋友在轮船公司做事，要不要我直接托他买？我们已经种种费先生的心，这事兄弟可以效劳。"辛楣道："那最好没有。五张大菜间，拜托拜托！"

当天下午，鸿渐拉了辛楣、斜川坐咖啡馆，谈起这次同行的三个人，便说："我看李梅亭这讨厌家伙，肚子里没有什么货，怎么可以当中国文学系主任，你应当介绍斜川去。"

辛楣吐舌道："斜川？他肯去么？你不信，问他自己。只有我们一对失恋的废物肯到那地方去，斜川家里有年轻美貌的太太。"

斜川笑道："别胡闹，我对教书没有兴趣。'若有水田三百亩，来年不作猢狲王'；你们为什么不陪我到香港去找机会？"

鸿渐道："对呀，我呢，回国以后等于失业，教书也无所谓。

辛楣出路很多,进可以做官,退可以办报,也去坐冷板凳,我替他惋惜。"

辛楣道:"办报是开发民智,教书也是开发民智,两者都是'精神动员',无分彼此。论影响的范围,是办报来得广;不过,论影响的程度,是教育来得深。我这次去也是添一个人生经验。"

斜川笑道:"这些大帽子活该留在你的社论里去哄你的读者的。"

辛楣发急道:"我并非大话欺人,我真的相信。"

鸿渐道:"说大话哄人惯了,连自己也哄相信——这是极普通的心理现象。"

辛楣道:"你不懂这道理。教书也可以干政治,你看现在许多中国大政客,都是教授出身,在欧洲大陆上也一样,譬如捷克的第一任总统跟法国现在的总理。干政治的人先去教书,一可以把握青年心理;二可以训练自己的干部人才,这跟报纸的制造舆论是一贯的。"

鸿渐道:"这不是大教授干政治,这是小政客办教育。从前愚民政策是不许人民受教育,现代愚民政策是只许人民受某一种教育。不受教育的人,因为不识字,上人的当,受教育的人,因为识了字,上印刷品的当,像你们的报纸宣传品、训练干部讲义之类。"

辛楣冷笑道:"大家听听,方鸿渐方先生的议论多透辟呀!他年龄刚二十八岁,新有过一次不幸的恋爱经验,可是他看破了教育,看破了政治,看破了一切,哼!我也看破了你!为了一个黄毛丫头,就那么愤世嫉俗,真是小题大做!"

鸿渐把杯子一顿道:"你说谁?"

辛楣道:"我说唐晓芙,你的意中人,她不是黄毛丫头么?"

鸿渐气得脸都发白,说苏文纨是半老徐娘。

辛楣道:"她半老不半老,和我不相干,我总不像你那样袒护着唐晓芙,她知道你这样余情未断,还会覆水重收呢——斜川,对不对?——真没有志气!要不要我替你通个消息?"

鸿渐说不出话,站起来了,斜川拉他坐下去,说:"别吵!别吵!人家都在看咱们了。我替你们难为情,反正你们是彼此彼此。鸿渐近来呢,是好像有点反常,男子汉,大丈夫,为一个女孩子——"

鸿渐愤然走出咖啡馆,不去听他。回到家里,刚气鼓鼓地坐着,电话来了,是斜川的声音:"何必生那么大的气?"鸿渐正待回答,那一头换辛楣在说话:"哙,老方呀,我道歉可以,可是你不要假生气溜呀!今天你作主人,没付账就跑,我们做客人的身上没带钱,扣在咖啡馆里等你来救命呢!S.O.S.①快来!晚上水酒一杯谢罪。"鸿渐忍不住笑道:"我就来了。"

十九日下午辛楣把李梅亭代买的船票交给鸿渐,说船公司改期到二十二日下午六点半开船,大家六点正上船。在西洋古代,每逢有人失踪,大家说:"这人不是死了,就是教书去了。"方鸿渐虽然不至于怕教书像怕死,可是觉得这次教书是坏运气的

---

① 国际通用的呼救信号。

一部分,连日无精打采,对于远行有说不出的畏缩,能延宕一天是一天。但船公司真的宽限两天,他又恨这事拖着不痛快,倒不如早走干脆。他带三件行李:一个大箱子,一个铺盖袋,一个手提箱。方老太太替他置备衣服被褥,说:"到你娶了媳妇,这些事就不用我来管了。"方遯翁道:"恐怕还得要你操心,现在那些女学生只会享现成,什么都不懂的。"方老太太以为初秋天气,变化不测,防儿子路上受寒,要他多带一个小铺盖卷,把晚上用得着的薄棉被和衣服捆在里面,免得天天打开大铺盖。鸿渐怕行李多了累赘,说高松年信上讲快则一星期,迟则十天,准能到达,天气还不会冷,手提箱里搁条薄羊毛毯就够了。方遯翁有许多临别赠言分付儿子记着,成双作对地很好听,什么"咬紧牙关,站定脚跟","可长日思家,而不可一刻恋家",等等。鸿渐知道这些话虽然对自己说,而主要是记载在日记和回忆录里给天下后世看方遯翁怎样教子以义方的。因为遯翁近来闲着无事,忽然发现了自己,像小孩子对镜里的容貌,摇头侧目地看得津津有味。这种精神上的顾影自怜使他写自传、写日记,好比女人穿中西各色春夏秋冬的服装,做出支颐扭颈、行立坐卧种种姿态,照成一张张送人留念的照相。这些记载从各个方面,各种事实来证明方遯翁的高人一等。他现在一言一动,同时就想日记里、言行录里如何记法。记载并不完全凿空,譬如水泡碰破了总剩下一小滴水。研究语言心理学的人一望而知是"语文狂";有领袖欲的人,不论是文武官商,全流露这种病态。朋友来了,遯翁常把日记给他们看;邻居那位庸医便知道端午节前方家大儿子滥交女友,给遯翁训斥了一顿,结果儿子"为之悚然感悟,愧悔无已"。又如前天的日记写他叫鸿渐到周家去辞行,鸿渐不肯,骂周太太鄙吝势利,他怎样教训儿子"君子躬自厚而薄责于人,亲无失亲,故无失故",结果儿子怎样帖然"无词"。其实鸿渐并没骂周太太。是遯翁自己对她不满意,所以用这种皮里阳秋的笔法来褒贬。鸿渐起初确不肯去辞行,最后还是去了,一个人没见到,如蒙大赦。过一天,周家送四色路菜来。鸿渐这不讲理的人,知道了非常生气,不许母亲受。方老太太叫儿子自己下去对送礼的人说,他又不肯见周家的车夫。结果周家的车夫推来推去,扔下东西溜了。鸿渐牛性,不吃周家送来的东西。方遯翁日记上添了一条,笑儿子要做"不食周粟"的伯夷叔齐。

## 五

鸿渐想叫辆汽车上轮船码头。精明干练的鹏图说,汽车价钱新近长了好几倍,鸿渐行李简单,又不匆忙,不如叫两辆洋车,反正有凤仪相送。二十二日下午近五点,兄弟俩出门,车拉到法租界边上,有一个法国巡捕领了两个安南巡捕在搜检行人,只有汽车容易通过。鸿渐一瞧那法国巡捕,就是去年跟自己同船来上海的,在船上讲过几次话,他也似乎还认识鸿渐,一挥手,放鸿渐车子过去。鸿渐想同船那批法国警察,都是乡下人初出门,没一个不寒窘可怜。曾几何时,适才看见的一个已经着色放大了。本来苍白的脸色现在红得像生牛肉,两眼里新织满红丝,肚子肥凸得像青蛙在鼓气。法国人在国际上的绰号是"虾蟆",真正名副其实,可惊的是添了一团凶横的兽相。上海这地方比得上希腊神话里的魔女岛,好好一个人来了就会变成畜生。至于那安南巡捕更可笑了。东方民族没有像安南人那样形状委琐不配穿制服的。日本人只是腿太短,不宜挂指挥刀。安南人鸠形鹄面,皮焦齿黑,天生的鸦片鬼相,手里的警棍,更像一支鸦片枪。鸿渐这些思想,安南巡捕仿佛猜到,他拦住落后的凤仪那辆车子,报复地搜检个不了。他把饼干匣子,肉松罐头全划破了,还偷偷伸手要了三块钱,终算铺盖袋保持完整。鸿渐管着大小两个箱子,路上不便回头,到码头下车,找不见凤仪,倒发了好一会的急。

　　鸿渐辛楣是同舱,孙小姐也碰见了,只找不着李顾两人。船开了还不见他们踪迹,辛楣急得满头大汗,鸿渐孙小姐也帮着他慌。正在烦恼,茶房跑来说,三等舱有位客人要跟辛楣谈话,不能上头等舱来,只可以请辛楣下去。鸿渐跟辛楣去一看,就是顾先生,手舞足蹈地叫他们下来。两人忙问:"李先生呢?"顾先生道:"他和我同舱,在洗脸。李先生的朋友只买到三张大菜间,所以李先生和我全让给你们,改坐房舱。"两人听了,很过意不去。顾先生道:"房舱也够舒服了,我领两位去参观参观。"两人跟他进舱,满舱是行李,李先生在洗脚。辛楣和鸿渐为舱位的事,向他郑重道谢。顾先生插口道:"本来只有两张大菜间,李先生再三恳求他那位朋友,总算弄到第三张。"辛楣道:"其实那两张,你们两位老先生一人一张,我们年轻人应当苦一点。"李先生道:"大不了十二个钟点的事,算不得什么。大菜间我也坐过,并不比房舱舒服多少。"

　　晚饭后,船有点晃。鸿渐和辛楣并坐在钉牢甲板上的长椅子上。鸿渐听风声水声,望着海天一片昏黑,想起去年回国船上好多跟今夜仿佛一胎孪生的景色,感慨无穷。辛楣抽着鸿渐送他的大烟斗,忽然说:"鸿渐,我有一个猜疑。可是这猜疑太卑鄙了;假如猜疑得不对,反而证明我是小人,以小人之心度人。"

　　"你说——只要猜疑的不是我。"

　　"我觉得李和顾都在撒谎。五张大菜间一定全买得到,他们要省钱,所以凭空造出这许多话来。你看,李梅亭那一天拦着要去办理票子,上船以前,他一字没提起票子难买的事。假如他提起,我就会派人去办。这中间准有鬼。我气的是,他们捣了鬼,还要赚我们的感激。"

"我想你猜得很对。要省钱为什么不老实说?我们也可以坐房舱。并且,学校不是汇来每人旅费一百元么?高松年来信说旅费绰乎有余,还省什么小钱?"

辛楣道:"那倒不然。咱们俩没有家累;他们都是上了年纪,有小孩子的人,也许家用需要安排。高松年的话也做不得准。现在走路不比太平时候,费用是估计不定的,宁可多带些钱好。你带多少?"

鸿渐道:"我把口袋里用剩的钱全带在身边,加上汇来的旅费,有一百六七十元。"

辛楣道:"够了。我带了二百元。我只怕李和顾把学校旅费大部分留在家里,带的行李又那么大一堆,万一路上钱不够起来,岂不耽误大家的事。"

鸿渐笑道:"我看他们把全家都装在行李里了,老婆、儿子、甚至住的房子。你看李梅亭的铁箱不是有一个人那么高么?他们不必留钱在家里。"

辛楣也笑了一笑,说:"鸿渐,我在路上要改变作风了。我比你会花钱,贪嘴、贪舒服。在李和顾的眼睛里,咱们俩也许是一对无知小子,不识物力艰难,不体谅旁人。从今以后,我不作主了,膳宿一切,都听他们支配。免得我们挑了贵的旅馆饭馆,勉强他们陪着花钱。这次买船票,是个好教训。"

"老赵,你了不起！真有民主精神,将来准做大总统。这次买船票,咱们已经带累了孙小姐,她是脸皮嫩得很的女孩子,话说不出口,你做'叔叔'的更该替她设想。"

"是呀。并且孙小姐是学校没有给旅费的,我忘掉告诉你。"

"为什么？"

"我不知道为什么。高松年信上明说要她去,可是汇款只给我四个人分。也许助教的职位太小了,学校觉得不配津贴旅费,反正这种人才有的是。"

"这太岂有此理了。我们已经在赚钱,倒可以不贴旅费,孙小姐第一次出来做事,哪里可以叫她赔本？你到了学校,一定要为她向当局去争。"

"我也这样想,补领总不成问题。"

"辛楣,我有句笑话,你别生气。这条路我们第一次走,交通并不方便。我们这种毫无旅行经验的人,照管自己都照管不来,你为什么带一个娇弱的上海小姐同走？假如她吃苦不来,半路病倒,不是添个累赘么？除非你别有用意,那就——"

"胡闹,胡闹！我何尝不知道路上麻烦,只是情面难却呀！她是外国语文系,我是政治系,将来到了学校,她是旁人的 office wife①,跟我道不同不相为谋。并且我事先告诉这女孩子,路上很辛苦,不比上海,她讲她吃得起苦。"

---

① 办公室里的妻子。

"她吃得起苦,你路上就甜了。"

辛楣作势把烟斗烫鸿渐的脸道:"你要我替你介绍,是不是?那容易得很!"

鸿渐手护着脸笑道:"老实对你说,我没有正眼瞧过她,她脸圆脸扁都没看清楚呢。真是,我们太无礼了!吃饭的时候,我们讲我们的话,没去理她,吃了饭就向甲板上跑,撇下她一个人。她第一次离开家庭,冷清清的更觉得难受了。"

"我们新吃过女人的亏,都是惊弓之鸟,看见女人影子就怕了。可是你这一念温柔,已经心里下了情种。让我去报告孙小姐,说:'方先生在疼你呢!'"

"你放心,我决不做你的'同情者';你有酒,留到我吃你跟孙小姐喜酒的时候再灌。"

"别胡说!人家听见了好意思么?我近来觉悟了,决不再爱大学出身的都市女人。我侍候苏文纨够苦了,以后要女人来侍候我。我宁可娶一个老实、简单的乡下姑娘,不必受高深的教育,只要身体健康、脾气服从,让我舒舒服服做她的 Lord and Master①。我觉得不必让恋爱在人生里占据那么重要的地位。许多人没有恋爱,也一样地生活。"

"你这话给我父亲听见,该说'孺子可教'了。可是你将来要做官,这种乡下姑娘做官太太是不够料的,她不会帮你应酬,替你拉拢。"

---

① 主人公。

"宁可我做了官,她不配做官太太;不要她想做官太太,逼得我非做官、非做贪官不可。譬如娶了苏文纨,我这次就不能跟你同到三闾大学去了,她要强着我到她爱去的地方去。"

"你真爱到三闾大学去么?"鸿渐不由惊奇地问,"我佩服你的精神,我不如你。你对结婚和做事,一切比我有信念。我还记得那一次褚慎明还是苏小姐讲的什么'围城'。我近来对人生万事,都有这个感想。譬如我当初很希望到三闾大学去,所以接了聘书,近来愈想愈乏味,这时候自恨没有勇气原船退回上海。我经过这一次,不知道何年何月会结婚,不过我想你真娶了苏小姐,滋味也不过尔尔。狗为着追求水里肉骨头的影子,丧失了到嘴的肉骨头!跟爱人如愿以偿结了婚,恐怕那时候肉骨头下肚,倒要对水怅惜这不可再见的影子了。我问你,曹元朗结婚以后,他太太勉强他做什么事,你知道不知道?"

"他在'战时物资委员会'当处长,是新丈人替他谋的差使,这算得女儿嫁妆的一部分。"

"好哇!国家,国家,国即是家!你娶了苏小姐,这体面差使可不就是你的?"

"呸!要靠了裙带得意,那人算没有骨气了。"

"也许人家讲你像狐狸,吃不到葡萄就说葡萄酸。"

"我一点儿不嫉妒。我告诉你罢,苏小姐结婚那一天,我去观礼的——"鸿渐只会说:"啊?"——"苏家有请帖来,我送了礼——"

"送的什么礼?"

"送的大花篮。"

"什么花?"

"反正分付花店送就是了,管它什么花。"

"应当是杏花,表示你爱她,她不爱你;还有水仙花,表示她心肠太硬;外加艾草,表示你为了她终身痛苦。另外要配上石竹花来加重这涵意的力量。"

"胡说!夏天哪里有杏花水仙花,你是纸上谈兵。好,你既然内行,你自己——将来这样送人结婚罢。我那天去的用意,就是试验我有没有勇气,去看十几年心爱的女人跟旁人结婚。咦!去了之后,我并不触目伤心。我没见过曹元朗,最初以为苏小姐赏识他,一定他比我强;我给人家比下去了,心上很难过。那天看见这样一个怪东西,苏小姐竟会看中他!老实说,眼光如此的女人就不配嫁我赵辛楣,我也不希罕她。"

鸿渐拍辛楣的大腿道:"痛快!痛快!"

"他们俩订婚了不多几天,苏老太太来看家母,说了许多好话,说文纨这孩子脾气执拗,她自己劝过女儿没用,还说不要因为这事坏了苏家跟赵家两代交情。更妙的是——我说出来你要笑的——她以后每天早晨在菩萨前面点香的时候,替我默祷幸福——"鸿渐忍不住笑了——"我对我母亲说,她为什么不念几卷经超度我呢?我母亲以为我很关心,还打听了好些无聊的事告诉我。这次苏鸿业在重庆有事,不能赶回来,写信说一切由女儿作主,只要她称心。这一对新人都洋气得很,反对旧式结婚的挑黄道吉日,主张挑洋日子。说阳历五月最不利结婚,阳历六月最宜结婚,可是他们订婚已经在六月里了,所以延期到九月初结婚。据说日子也大有讲究,星期一二三是结婚的好日子,尤其是星期三;四五六一天坏似一天,结果他们挑的是星期三——"

鸿渐笑道:"这准是曹元朗那家伙想出来的花样。"

辛楣笑道:"总而言之,你们这些欧洲留学生最讨厌,花样名目最多。偏偏结婚的那个星期三,天气是秋老虎,热得利害。我在路上就想,侥天之幸,今天不是我做新郎。礼堂里虽然有冷气,曹元朗穿了黑呢礼服,忙得满头是汗,我看他带的白硬领圈,给汗浸得又黄又软。我只怕他整个胖身体全化在汗里,像洋蜡烛化成一摊油。苏小姐也紧张难看。行婚礼的时候,新郎新娘脸哭不出笑不出的表情,全不像在干喜事,倒像——不,不像上断头台,是了,是了,像公共场所'谨防弄手'牌子下面那些积犯的相片里的表情。我忽然想,就是我自己结婚行礼,在万目睽睽之下,也免不了像个被破获的弄手。因此我恍然大悟,那种眉花眼笑的美满结婚照相,全不是当时照的。"

"大发现!大发现!我有兴趣的是,苏小姐当天看见你怎么样。"

"我躲着没给她看见,只跟唐小姐讲几句话——"鸿渐的心那一跳的沉重,就好像货车卸货时把包裹向地下一掼,只奇怪辛楣会没听见——"她那天是女傧相,看见了我,问我是不是来打架的,还说行完仪式,大家向新人身上撒五色纸条的时候,只有我不准动手,怕我借机会掷手榴弹、洒硝镪水。她问我将来的计划,我告诉她到三闾大学去。我想她也许不愿意听见你的名字,所以我一句话没提到你。"

"那最好！不要提起我，不要提起我。"鸿渐嘴里机械地说着，心里仿佛黑牢里的禁锢者摸索着一根火柴，刚划亮，火柴就熄了，眼前没看清的一片又滑回黑暗里。譬如黑夜里两条船相迎擦过，一个在这条船上，瞥见对面船舱的灯光里正是自己梦寐不忘的脸，没来得及叫唤，彼此早距离远了。这一刹那的接近，反见得暌隔的渺茫。鸿渐这时候只暗恨辛楣糊涂。

"我也没跟她多说话。那个做男傧相的人，曹元朗的朋友，缠住她一刻不放松，我看他对唐晓芙很有意思。"

鸿渐忽然恨唐小姐，恨得心像按在棘刺上的痛，抑止着声音里的战栗说："关于这种人的事，我不爱听，别去讲他们。"

辛楣听这话来得突兀，呆了一呆，忽然明白，手按鸿渐肩上道："咱们坐得够了。这时候海风大得很，回舱睡罢，明天一清早要上岸的。"说时，打个呵欠。鸿渐跟着他，刚转弯，孙小姐从凳上站起招呼。辛楣吓了一大跳，忙问她一个人在甲板上多少时候了，风大得很，不怕冷么。孙小姐说，同舱女人带的孩子哭吵得心烦，所以她出来换换空气。辛楣说："这时候有点风浪，你晕船不晕船？"孙小姐道："还好。赵先生和方先生出洋碰见的风浪一定比这个利害得多。"辛楣道："利害得很呢。可是我和方先生走的不是一条路。"说时把手碰鸿渐一下，暗示他开口，不要这样无礼貌地哑默。鸿渐这时候，心像和心里的痛在赛跑，要跑得快，不让这痛赶上，胡扯些不相干的话，仿佛抛掷些障碍物，能暂时拦阻这痛的追赶，所以讲了一大堆出洋船上的光景。他讲到飞鱼,孙小姐闻所未闻,问见过大鲸鱼没有。辛楣觉得这问题无可猜疑地幼稚。鸿渐道:"看见,多的是。有一次,我们坐的船险的嵌在鲸鱼的牙齿缝里。"灯光照着孙小姐惊奇的眼睛张得像吉沃吐(Giotto)画的"○"一样圆,辛楣的猜疑深了一层,说:"你听他胡说!"鸿渐道:"我讲的话千真万确。这条鱼吃了中饭在睡午觉。孙小姐,你知道有人听说话跟看东西全用嘴的,他们张开了嘴听,张开了嘴看,并且张开了嘴睡觉。这条鱼伤风塞鼻子,所以睡觉的时候,嘴是张开的。亏得它牙缝里塞得结结实实的都是肉屑,否则我们这条船真危险了。"孙小姐道:"方先生在哄我,赵叔叔,是不是?"辛楣鼻子里做出鄙夷的声音。鸿渐道:"鱼的牙齿缝里溜得进一条大海船,真有这事。你不信,我可以翻——"

辛楣道:"别胡闹了,咱们该下去睡了。孙小姐,你爸爸把你交给我的,我要强迫你回舱了,别着了凉——"鸿渐笑道:"真是好'叔叔'!"辛楣乘孙小姐没留意,狠狠地在鸿渐背上打一下道:"这位方先生最爱撒谎,把童话里的故事来哄你。"

睡在床上,鸿渐觉得心里的痛直逼上来,急救地找话来说:"辛楣,你打得我到这时候还痛!"

辛楣道:"你这人没良心!方才我旁观者看得清清楚楚,孙小姐——唉!这女孩子刁滑得很,我带她来,上了大当——孙小姐就像那条鲸鱼,张开了口,你这糊涂虫就像送上门去的那条船。"

鸿渐笑得打滚道:"神经过敏!神经过敏!"真笑完了,继以假笑,好把心里的痛吓退。

"我相信我们讲的话,全给这女孩子听去了。都是你不好,嗓子提得那么高——"

"你自己,我可没有。"

"你想,一个大学毕业生会那样天真幼稚么?'方先生在哄我,是不是?'"——辛楣逼尖喉咙,自信模仿得惟妙惟肖——"我才不上她当呢!只有你这傻瓜!我告诉你,人不可以貌相。你注意到我跟她说你讲的全是童话么?假使我不说这句话,她一定要问你借书看——"

"要借我也没有。"

"不是这么说。女人不肯花钱买书,大家都知道的。男人肯买糖、衣料、化妆品,送给女人,而对于书只肯借给她,不买了送她,女人也不要他送。这是什么道理?借了要还的,一借一还,一本书可以做两次接触的借口,而且不着痕迹。这是男女恋爱必然的初步,一借书,问题就大了。"

鸿渐笑道:"你真可怕!可是你讲孙小姐的话完全是痴人说梦。"

辛楣对舱顶得意地笑道:"那也未见得。好了,不要再讲话了,我要睡了。"鸿渐知道今天的睡眠像唐晓芙那样的不可追求,想着这难度的长夜,感到一种深宵旷野独行者的恐怯。他竭力寻出话来跟辛楣说,辛楣不理他,鸿渐无抵抗、无救援地让痛苦蚕食虫蚀着他的心。

明天一清早,船没进港就老远停了。磨到近中午,船公司派两条汽油船来,摆渡客人上岸。头二等跟一部分三等乘客先上第一条船。这船的甲板比大轮船三等舱的甲板低五六尺,乘客得跳下去,水一荡漾,两船间就距离着尺把的海,像张了口等人掉进去。乘客同声骂船公司混账,可是人人都奋不顾身地跳了,居然没出岔子。跳痛了肚子的人想来不少,都手按肚子,眉头皱着,一声不响。鸿渐只担心自己要生盲肠炎。船小人挤,一路上只听见嚷:"船侧了,左面的人到右面去几个。""不好了!右面人太多了!大家要不要性命?"每句话全船传喊着,雪球似的在各人嘴边滚过,轮廓愈滚愈臃肿。鸿渐和人攀谈,知道上了岸旅馆难找,十家九家客满。辛楣说,同船来的有好几百个客人,李和顾在第二条船上,要等齐了他们再去找旅馆,怕今天只能露宿了。船靠岸,辛楣和孙小姐带着行李去找旅馆,鸿渐留在码头上等李顾两位,辛楣住定了旅馆会来接他们。辛楣等刚走,忽然发出空袭警报,鸿渐着急起来,想坏运气是结了伴来的,自己正在倒霉,难保不炸死,更替船上的李顾担忧。转念一想,这船是日本盟邦意大利人的财产,不会被炸,倒是自己逃命要紧。后来瞧码头上的人并不跑,鸿渐就留下来,侥幸没放紧急警报。一个多钟头后,警报解除了,辛楣也赶来。不多一会,第二条船黑压压、闹哄哄地近岸。鸿渐一眼瞧见李先生的大铁箱,衬了狭小的船首,仿佛大鼻子阔嘴生在小脸上,使人起局部大于全体的惊奇,似乎推翻了几何学上的原则。那大箱子能从大船上运下,更是物理学的奇迹。李先生脸上少了那副黑眼镜,两只大白眼睛像剥掉壳的煮熟鸡蛋。辛楣忙问眼镜哪里去了,李先生从口袋里掏出戴上,说防跳船的时候,万一眼镜从鼻子上滑下来摔破了。

　　李先生们因为行李累赘,没赶上第一条船。可是李梅亭语气里,俨然方才船上遭遇空袭的恐怖是代替辛楣等受的;假如他没把大菜间让给辛楣们,他也有上摆渡船的优先权,不会夹在水火中间,"神经受打击"了。辛楣俩假装和应酬的本领到此简直破产,竟没法表示感谢。顾尔谦的兴致倒没减低,嚷成一片道:"今天好运气,真是死里逃生哪!那时候就想不到还会跟你们两位相见。我想今天全船的人都靠李先生的福——李先生,有你在船上,所以飞机没光顾。这话并不荒谬,我相信命运的。曾文正公说:'不信天,信运气。'"李先生本来像冬蛰的冷血动物,给顾先生当众恭维得春气入身,蠕蠕欲活,居然赏脸一笑道:"做大事业的人都相信命运的。我这次出门以前,有朋友跟我排过八字,说现在正转运,一路逢凶化吉。"顾先生拍手道:"可不是么?我一点儿没有错。"鸿渐忍不住道:"我也算过命,今年运气坏得很,各位不怕连累么?"顾先生头摆得像小孩子手里的摇鼓道:"哪里的话!哪里的话!唉!今天太运气了!他们住在上海的人真是醉生梦死,怎知道出门有这样的危险。内地是不可不来的。咱们今儿晚上得找个馆子庆祝一下,兄弟作小东。"大家在旅馆休息一会,便出去聚餐。李梅亭多喝了几杯酒,人全活过来,适才不过是立春时的爬虫,现在竟是端午左右的爬虫了。他向孙小姐问长问短,讲了许多风话。

　　辛楣跟鸿渐同房间,回旅馆后,两人躺在床上闲话。鸿渐问辛楣注意到李梅亭对孙小姐的丑态没有。辛楣道:"我早看破他是个色鬼。他上岸时没戴墨晶眼镜,我留心看他眼睛,白多黑少,是个淫邪之相,我小时候听我老太爷讲过好多次。"鸿渐道:"我宁可他好色,总算还有点人气,否则他简直没有人味儿。"正说着,忽听见隔壁李顾房里有女人沙嗓子的声音;原来一般中国旅馆的壁,又薄又漏,身体虽住在这间房里,耳朵像住在隔壁房里的。旅馆里照例有瞎眼抽大烟的女人,排房间兜揽生意,请客人点唱绍兴戏。李先生在跟她们讲价钱,顾先生敲板壁,请辛楣鸿渐过去听戏。辛楣说隔了板壁一样听得见,不过来了。顾先生笑道:"这太便宜了你们,也得出钱哪。啊啊!两位先生,这是句笑话。"辛楣跟鸿渐同时努嘴做个鬼脸,没说什么。鸿渐昨晚没睡好,今天又累了,邻室虽然弦歌交作,睡眠漆黑一团,当头罩下来,他一忽睡到天明,觉得身体里纤屑蜷伏的疲倦,都给睡眠熨平了,像衣服上的皱纹折痕经过烙铁一样。他忽然想,要做个地道的失恋者,失眠绝食,真是不容易的。前天的痛苦似乎利害得把遭损伤的情感痛绝了根,所有的痛苦全提出来了,现在他顽钝软弱,没余力再为唐晓芙心痛。辛楣在床上欠伸道:"活受罪!隔壁绍兴戏唱完了,你就打鼾,好利害!屋顶没给你鼻子吹掉就算运气了。我到天快亮才睡熟的。"鸿渐一向自以为睡得很文静,害羞道:"真的么?我不信,我从来不打鼾的。也许是隔壁人打鼾,你误会是我了。你知道,这壁脆薄得很。"辛楣生气道:"你这人真无赖!你倒不说是我自己打鼾,赖在你身上?我只恨当时没法请唱片公司的人把你的声音灌成片子。"假使真灌成片子,那声气哗啦哗啦,又像风涛澎湃,又像狼吞虎咽,中间还夹着一丝又尖又细的声音，忽高忽低，袅袅不绝。有时这一条丝高上去、高上去，细得、细得像放足的风筝线要断了，不知怎么像过一个峰尖，又降落安稳下来。赵辛楣刺激得神经给它吊上去，掉下来，这时候追想起还恨得要扭断鸿渐的鼻子，警告他下次小心。鸿渐道："好了，别再算账了。我昨天累了，可是你这样不饶人，天罚你将来娶一个鼻息如雷的老婆，每天晚上在你枕头边吹喇叭。"辛楣笑道："老实告诉你，我昨天听你打鼾，想到跟你在船上讲的择配标准里，该添一条：睡时不得打鼾。"鸿渐笑道："这在结婚以前倒没法试验出来，——"辛楣道："请你别说了。我想一个人打鼾不打鼾，相貌上看得出来。"鸿渐道："那当然。娶一个烂掉鼻子的女人，就不成问题了。"辛楣从床上跳起来，要拧鸿渐的鼻子。

那天的路程是从宁波到溪口，先坐船，然后换坐洋车。他们上了船，天就微雨。时而一点两点，像不是头顶这方天下的，到定睛细看，又没有了。一会儿，雨点密起来，可是还不像下雨，只仿佛许多小水珠在半空里顽皮，滚着跳着，顽皮得够了，然后趁势落地。鸿渐等都挤在船头上看守行李，纷纷拿出雨衣来穿，除掉李先生，他说这雨下不大，不值得打开箱子取雨衣。这雨愈下愈老成，水点贯串作丝，河面上像出了痘，无数麻瘢似的水涡，随生随灭，息息不停，到雨线更密，又仿佛光滑的水面上在长毛。李先生爱惜新买的雨衣，舍不得在旅行中穿，便自怨糊涂，说不该把雨衣搁在箱底，这时候开箱，衣服全会淋湿的。孙小姐知趣得很，说自己有雨帽，把手里的绿绸小伞借给他。这原是把有天没日头的伞,孙小姐用来遮太阳的,怕打在行李里压断了骨子,所以手里常提着。上了岸,李先生进茶馆,把伞收起,大家吓了一跳,又忍不住笑。这绿绸给雨淋得脱色,李先生的脸也回黄转绿,胸口白衬衫上一摊绿渍,仿佛水彩画的残稿。孙小姐红了脸,慌忙道歉。李先生勉强说没有关系,顾先生一连声叫跑堂打洗脸水。辛楣跟洋车夫讲价钱,鸿渐替孙小姐爱惜这顶伞,分付茶房拿去挤了水,放在茶炉前面烘。李先生望着灰色的天,说雨停了,路上不用撑伞了。

  吃完点心,大家上车。茶房把伞交还孙小姐,湿漉漉加了热气腾腾。这时候已经下午两点钟,一行人催洋车夫赶路。走不上半点钟,有一个很陡的石子坡,拉李先生那只大铁箱的车夫,载重路滑,下坡收脚不住,摔了一跤,车子翻了。李先生急得跳下自己坐的车,嚷:"箱子给你摔坏了。"又骂那车夫是饭桶。车夫指着血淋淋的膝盖请他看,他才不说话。好容易打发了这车夫,叫到另一辆车。走到那顶藤条扎的长桥,大家都下车步行。那桥没有栏杆,两边向下塌,是瘦长的马鞍形。辛楣抢先上桥,走了两步,便缩回来,说腿都软了。车夫们笑他,鼓励他。顾先生道:"让我走个样子给你们看。"从容不迫过了桥,站在桥堍,叫他们过来。李先生就抖擞精神,脱了眼镜,步步小心,到了那一头,叫:"赵先生,快过来,不要怕。孙小姐,要不要我回来搀你过桥?"辛楣自从船上那一夜以后,对孙小姐疏远得很。这时候,他深恐济危扶困,做"叔叔"的责无旁贷,这侠骨柔肠的好差使让给鸿渐罢,便提心吊胆地先过去了。鸿渐知道辛楣的用意,急得暗骂自己胆小,搀她怕反而误事,只好对孙小姐苦笑道:"只剩下咱们两个胆子小的人了。"孙小姐道:"方先生怕么?我倒不在乎。要不要我走在前面?你跟着我走,免得你望出去,空荡荡地,愈觉得这桥走不完,胆子愈小。"鸿渐只有感佩,想女人这怪东西,要体贴起人来,真是无微不至,汗毛孔的折叠里都给她温存到。跟了上桥,这滑滑的桥面随足微沉复起,数不清的藤缝里露出深深在下墨绿色的水,他命令眼睛只注视着孙小姐旗袍的后襟,不敢瞧旁处。幸而这桥也有走完的时候,孙小姐回脸,胜利地微笑,鸿渐跳下桥堍,嚷道:"没进地狱,已经罚走奈何桥了!前面还有这种桥没有?"顾尔谦正待说:"你们出洋的人走不惯中国路的。"李梅亭用剧台上的低声问他看过《文章游戏》么,里面有篇"扶小娘儿过桥"的八股文,妙得很。辛楣笑说:"孙小姐,是你在前面领着他?还是他在后面照顾你?"鸿渐恍然明白,人家未必看出自己的懦怯无用,跟在孙小姐后面可以有两种解释,忙抢说:"是孙小姐领我过桥的。"这对孙小姐是老实话,不好辩驳,而旁人听来,只觉得鸿渐在客气。鸿渐的虚荣心支使他把真话来掩饰事实;孙小姐似乎看穿他的用心,只笑笑,不说什么。

　　天色渐昏,大雨欲来,车夫加劲赶路,说天要变了。天仿佛听见了这句话,半空里轰隆隆一声回答,像天宫的地板上滚着几十面铜鼓。从早晨起,空气闷塞得像障碍着呼吸,忽然这时候天不知哪里漏了个洞,天外的爽气一阵阵冲进来,半黄落的草木也自昏沉里一时清醒,普遍地微微叹息,瑟瑟颤动,大地像蒸笼揭去了盖。雨跟着来了,清凉畅快,不比上午的雨只仿佛天空郁热出来的汗。雨愈下愈大,宛如水点要抢着下地,等不及排行分列,我挤了你,你拼上我,合成整块的冷水,没头没脑浇下来。车夫们跑几步把淋湿的衣襟拖脸上的水,跑路所生的热度抵不过雨力,彼此打寒噤说,等会儿要好好喝点烧酒,又请乘客抬身子好从车座下拿衣服出来穿。坐车的缩作一团,只恨手边没衣服可添,李先生又向孙小姐借伞。这雨浓染着夜,水里带了昏黑下来,天色也陪着一刻暗似一刻。一行人众像在一个机械画所用的墨水瓶里赶路。夜黑得太周密了,真是伸手不见五指!在这种夜里,鬼都得要碰鼻子拐弯,猫会自恨它的一嘴好胡子当不了昆虫的触须。车夫全有火柴,可是只有两辆车有灯。密雨里点灯大非易事,火柴都湿了,连划几根只引得心里的火直冒。此时此刻的荒野宛如燧人氏未生以前的世界。鸿渐忙叫:"我有个小手电。"打开身上的提箱掏它出来,向地面一射,手掌那么大的一圈黄光,无数的雨线飞蛾见火似的匆忙扑向这光圈里来。孙小姐的大手电雪亮地光射丈余,从黑暗的心脏里挖出一条隧道。于是辛楣下车向孙小姐要了手电,叫鸿渐也下车,两人一左一右参差照着,那八辆车送出殡似的跟了田岸上的电光走。走了半天,李顾两人下车替换。鸿渐回到车上,倦得瞌睡,忽然吵醒,睁眼望出去,白光一道躺在地上,只听得李先生直声嚷。车子都停下来。原来李先生左手撑伞,右手拿手电,走了些路,胳膊酸了,换手时,失足掉在田里,挣扎不起。大家从泥水里拉他上来,叫他坐车,仍由鸿渐照路。不知走了多少时候,只觉雨下不住,路走不完,鞋子愈走愈重,困倦得只继续机械地走,不敢停下来,因为一停下来,这两条腿就再走不动。辛楣也替了顾先生。久而久之,到了镇上,投了村店,开发了车夫,四个人脱下鞋子来,上面的泥就抵得贪官刮的地皮。李梅亭像洗了个泥澡,其余三人裤子前后和背心上,纵横斑点,全是泥泪。大家疲乏的眼睛给雨淋得粉红,孙小姐冷得嘴唇淡紫。外面雨停了,头脑里还在刮风下雨,一片声音。鸿渐吃些热东西,给辛楣强着喝点烧酒,要热水洗完脚,倒头就睡熟了。辛楣也累得很,只怕鸿渐鼾声打搅,正在担心,没提防睡眠闷棍似的忽然一下子打他入黑暗底,滤清了梦,纯粹、完整的睡眠。

　　一觉醒来,天气若无其事的晴朗,只是黄泥地表示夜来有雨,面粘心硬,像夏天热得半溶的太妃糖,走路容易滑倒。大家说,昨天走得累了,湿衣服还没干,休息一天,明早上路。顾尔谦的兴致像水里浮的软木塞,倾盆大雨都打它不下,就提议午后游雪窦山。游山回来,辛楣打听公共汽车票的买法。旅店主人说,这车票难买得很,天没亮就得上车站去挤,还抢买不到,除非有证件的机关人员,可以通融早买票子。五个人都没有证件,因为他们根本没想到旅行时需要这东西。那时候从上海深入内地的人,很少走这条路,大多数从香港转昆明;所以他们动身以前,也没有听见人提起,只按照高松年开的路程走。孙小姐带着她的毕业文凭,那全无用处。李先生回房开箱子拿出一匣名片道:"这不知道算得证件么?"大家争看,上面并列着三行衔头:"国立三闾大学主任"、"新闻学研究所所长",还有一条是一个什么县党部的前任秘书。这片子纸质坚致,字体古雅,一点不含糊是中华书局聚珍版精印的。背面是花体英文字:"Professor May Din Lea"①。李先生向四人解释,"新闻学研究所"是他跟几位朋友在上海办的补习学校;第一行头衔省掉"中国语文系"五个字可以跟第二三行字数相等。鸿渐问他,为什么不用外国现成姓 Lee。李梅亭道:"我请教过精通英文的朋友,托他挑英文里声音相同而有意义的字。中国人姓名每字有本身的意义,把字母拼音出来,毫无道理,外国人看了,不容易记得。好比外国名字译成中文,'乔治'没有'佐治'好记,'芝加哥'没有'诗家谷'好记;就因为一个专切音,一个切音而有意义。"顾先生点头称叹。辛楣狠命把牙齿咬嘴唇,因为他想着"Mating"②跟"梅亭"也是同音而更有意义。鸿渐说:"这片子准有效,会吓倒这公路站长。我陪李先生就去。"辛楣看鸿渐一眼,笑道:"你这样子去不得,还是我陪李先生去。我上去换身衣服。"鸿渐两天没剃胡子梳头,昨天给雨淋透的头发,东结一团,西刺一尖,一个个崇山峻岭,西装湿了,身上穿件他父亲的旧夹袍,短仅过膝,露出半尺有零的裤筒。大家看了鸿渐笑。李梅亭道:"辛楣就那么要面子!我这身衣服更糟,我尽它去。"他的旧法兰绒外套经过浸湿烤干这两重水深火热的痛苦,疲软肥肿,又添上风瘫病;下身的裤管,肥粗圆满,毫无折痕,可以无需人腿而卓立地上,像一对空

---

① 李梅亭教授。那三个拼音字在英语里都自有意义:五月、吵闹、草地。
② 交配。

心的国家柱石;那根充羊毛的"不皱领带",给水洗得缩了,瘦小蜷曲,像前清老人的辫子。辛楣换了衣履下来,李先生叹惜他衣锦夜行,顾先生啧啧称羡,还说:"有劳你们两位,咱们这些随员只能叨光了。真是能者多劳!希望两位马到成功。"辛楣顽皮地对鸿渐说:"好好陪着孙小姐。"鸿渐一时无词可对。孙小姐的脸红忽然使他想起在法国时饭桌上冲酒的凉水;自己不会喝酒,只在水里冲一点点红酒,常看这红液体在白液体里泛布缓磲,做出云雾状态,顿刻间整杯的水变成淡红色。他想也许女孩子第一次有男朋友的心境也像白水冲了红酒,说不上爱情,只是一种温淡的兴奋。

辛楣俩去了一个多钟点才回来。李梅亭绷着脸,辛楣笑容可掬,说明天站长特留两张票,后天留三张票,五人里谁先走。结果议决李顾两位明天先到金华。吃晚饭时,梅亭喝了几杯酒,脸色才平和下来。原来他们到车站去见站长,传递片子的人好一会才把站长找来。他跑得满头大汗,一来就赶着辛楣叫"李先生"、"李所长",撇下李梅亭不理,还问辛楣是否也当"报馆"主笔。辛楣据实告诉他,在《华美新闻》社当编辑。那站长说:"那也是张好报纸,我常看。我们这车站管理有未善之处,希望李先生指教。"说着,把自己姓名写给辛楣,言外有要求他在报上揄扬之意。辛楣讲起这事,忍不住笑,说他为车票关系,不得不冒充李先生一下。顾尔谦愤然道:"这种势利小鬼,只重衣衫不重人——当然赵先生也是位社会上有名人物,可是李先生没有他那样挺的西装,所以吃了亏了。"李梅亭道:"我并不是没有新衣服,可是路上风尘仆仆,我觉得犯不着糟蹋。"辛楣忙说:"没有李先生这张片子,衣服再新也没有用。咱们敬李先生一杯。"

明天早晨,大家送李顾上车,梅亭只关心他的大铁箱,车临开,还从车窗里伸头叫辛楣鸿渐仔细看这箱子在车顶上没有。脚夫只摇头说,今天行李多,这狼犺家伙搁不下了,明天准到,反正结行李票的,不会误事。孙小姐忙向李先生报告,李先生皱了眉头正有嘱咐,这汽车头轰隆隆掀动了好一会,突然鼓足了气开发,李先生头一晃,所说的话仿佛有手一把从他嘴边夺去向半空中扔了,孙小姐侧着耳朵全没听到。鸿渐们看了乘客的扰乱拥挤,担忧着明天,只说:"李顾今天也挤得上车,咱们不成问题。"明天三人领到车票,重赏管行李的脚夫,叮嘱他务必把他们的大行李搁在这班车上,每人手提只小箱子,在人堆里等车,时时刻刻鼓励自己,不要畏缩。第一辆新车来了,大家一拥而上,那股蛮劲儿证明中国大有冲锋敢死之士,只没上前线去。鸿渐们瞧人多挤不进,便想冲上这时候开来的第二辆车,谁知道总有人抢在前头。总算三人都到得车上,有个立足之地,透了口气,彼此会心苦笑,才有工夫出汗。人还不断地来。气急败坏的。带笑软商量的:"对不住,请挤一挤!"以大义晓谕的:"出门出路,大家方便,来,挤一挤!好了!好了!"眼前指点的:"朋友,让一让,里面有的是地方,拦在门口好傻!"其势汹汹的:"我有票子,为什么不能上车?这车是你包的?哼!"结果,买到票子的那一堆人全上了车,真料不到小车厢会像有弹性,容得下这许多人。

这车厢仿佛沙丁鱼罐,里面的人紧紧的挤得身体都扁了。可是沙丁鱼的骨头,深藏在自己身里,这些乘客的肘骨膝骨都向旁人的身体里硬嵌。罐装的沙丁鱼条条挺直,这些乘客都蜷曲波折,腰跟腿弯成几何学上有名目的角度。辛楣的箱子太长,横放不下,只能在左右两行坐位中间的过道上竖直,自己高高坐在上面。身后是个小提篮,上面跨坐着抽香烟的女主人,辛楣回头请她抽烟小心,别烧到人衣服,倒惹那女人说:"你背后不生眼睛,我眼睛可是好好的,决不会抽烟抽到你裤子上,只要你小心别把屁股撞我的烟头。"那女人的同乡都和着她欢笑。鸿渐挤得前,靠近汽车夫,坐在小提箱上。孙小姐算在木板搭的长凳上有个坐位,不过也够不舒服了,左右两个男人各移大腿让出来一角空隙,只容许猴子没进化成人以前生尾巴那小块地方贴凳。在旅行的时候,人生的地平线移近;坐汽车只几个钟点,而乘客仿佛下半世全在车里消磨的,只要坐定了,身心像得到归宿,一劳永逸地看书、看报、抽烟、吃东西、瞌睡,路程以外的事暂时等于身后身外的事。

汽车夫把私带的东西安置了,入坐开车。这辆车久历风尘,该庆古稀高寿,可是抗战时期,未便退休。机器是没有脾气癖性的,而这辆车倚老卖老,修炼成桀骜不驯、怪僻难测的性格,有时标劲像大官僚,有时别扭像小女郎,汽车夫那些粗人休想驾驭了解。它开动之际,前头咳嗽,后面泄气,于是掀身一跳,跳得乘客东倒西撞,齐声叫唤,孙小姐从座位上滑下来,鸿渐碰痛了头,辛楣差一点向后跌在那女人身上。这车声威大震,一口气走了一二十里,忽然要休息了,汽车夫强它继续前进。如是者四五次,这车觉悟今天不是逍遥散步,可以随意流连,原来真得走路,前面路还走不完呢!它生气不肯走了,汽车夫只好下车,向车头疏通了好一会,在路旁拾了一团烂泥,请它享用,它喝了酒似的,欹斜摇摆地缓行着。每逢它不肯走,汽车夫就破口臭骂,此刻骂得更利害了。骂来骂去,只有一个意思:汽车夫愿意跟汽车的母亲和祖母发生肉体恋爱。骂的话虽然欠缺变化,骂的力气愈来愈足。汽车夫身后坐的是个穿制服的公务人员和一个十五六岁的女孩子,像是父女。那女孩子年纪虽小,打扮得脸上颜色赛过雨后虹霓、三棱镜下日光或者姹紫嫣红开遍的花园。她擦的粉不是来路货,似乎泥水匠粉饰墙壁用的,汽车颠动利害,震得脸上粉粒一颗颗参加太阳光里飞舞的灰尘。她听汽车夫愈骂愈坦白了,天然战胜人工,涂抹的红色里泛出羞恶的红色来,低低跟老子说句话。公务员便叫汽车夫道:"朋友,说话请斯文点,这儿是女客,啊!"汽车夫变了脸,正待回嘴,和父女俩同凳坐的军官夫妇也说:"你骂有什么用?汽车还是要抛锚。你这粗话人家听了刺耳朵。"汽车夫本想一撒手,说"老子不开了"!一转念这公务员和军官都是站长领到车房里先上车占好座位的,都有簇新的公事皮包,听说上省政府公干,自己斗不过他们,只好忍着气,自言自语说:"咱老子偏爱骂,不干你事!怕刺耳朵,塞了它做聋子!"车夫没好气,车开得更暴厉了,有一次险的撞在对面来的车上。那军官的老婆怕闻汽油味儿,给车一颠,连打恶心,嘴里一口口浓厚的气息里有作酸的绍兴酒味、在腐化中的大葱和萝卜味。鸿渐也在头晕胃泛,闻到这味道,再忍不住了,冲口而出的吐,忙掏手帕按住。早晨没吃东西,吐的只是酸水,手帕吸不尽,手指缝里汪出来,淋在衣服上,亏得自己抑住没多吐。又感觉坐得不舒服,箱子太硬太低,身体嵌在人堆里,脚不能伸,背不能弯,不容易改变坐态,只有轮流地侧重左右屁股坐着,以资调节,左倾坐了不到一分钟,臀骨酸痛,忙换为右倾,百无是处。一刻难受似一刻,几乎不相信会有到站的时候。然而抛描三次以后,居然到了一个小站,汽车夫要吃午饭了,客人也下去在路旁的小饭店里吃饭。鸿渐等三人如蒙大赦,下车伸伸腰,活动活动腿,饭是没胃口吃了,泡壶茶,吃几片箱子里带的饼干。休息一会,又有精力回车受罪,汽车夫说,这车机器坏了,得换辆车。大家忙上原车拿了随身行李,抢上第二辆车。鸿渐等意外地在车梢占有好座位。原车有座位而现在没座位的那些人,都振振有词说:该照原车的位子坐,中华民国不是强盗世界,大家别讲抢。有位子坐的人,不但身体安稳,心理也占优势;他们可以冷眼端详那些没座位的人,而那些站的人只望着窗外,没勇气回看他们。这是辆病车,正害疟疾,走的时候,门窗无不发抖,坐在车梢的人更给它震动得骨节松脱、腑脏颠倒,方才吃的粳米饭仿佛在胃里玎琮跳碰,有如赌场中碗里的骰子。天黑才到金华,结票的行李没从原车上搬过来,要等明天的车运送。鸿渐等疲乏地出车站,就近一家小旅馆里过夜。今天的苦算吃完了,明天的苦还远得很,这一夜的身心安适是向不属今明两天的中立时间里的躲避。

旅馆名叫"欧亚大旅社"。虽然直到现在欧洲人没来住过,但这名称不失为一种预言,还不能断定它是夸大之词。后面两进中国式平屋,木板隔成五六间卧室,前面黄泥地上搭了一个席棚,算是饭堂,要凭那股酒肉香、炒菜的刀锅响、跑堂们的叫嚷,来引诱过客进去投宿。席棚里电灯辉煌,扎竹涂泥的壁上贴满了红绿纸条,写的是本店拿手菜名,什么"清蒸甲鱼"、"本地名腿"、"三鲜米线"、"牛奶咖啡"等等。十几张饭桌子一大半有人占了。掌柜写账的桌子边坐个胖女人坦白地摊开白而不坦的胸膛,喂孩子吃奶;奶是孩子吃的饭,所以也该在饭堂里吃,证明这旅馆是科学管理的。她满腔都是肥腻腻的营养,小孩子吸的想是加糖的溶化猪油。她那样肥硕,表示这店里的饭菜也营养丰富;她靠掌柜坐着,算得不落言诠的好广告。鸿渐等看定房间,洗了脸,出来吃饭,找个桌子坐下。桌面就像《儒林外史》里范进给胡屠户打了耳光的脸,刮得下斤把猪油。大家点了菜,鸿渐和孙小姐都说胃口不好,要吃清淡些,便一人叫了个米线。辛楣不爱米线,要一客三鲜糊涂面。鸿渐忽然瞧见牛奶咖啡的粉红纸条,诧异道:"想不到这里会有这东西,真不愧'欧亚大旅社'了!咱们先来一杯醒醒胃口,饭后再来一杯,做它一次欧洲人,好不好?"孙小姐无可无不可,辛楣道:"我想不会好吃,叫跑堂来问问。"跑堂一口担保是上海来的好东西,原封没打开过。鸿渐问什么牌子,跑堂不知道什么牌子,反正又甜又香的顶刮刮货色,一纸包冲一杯。辛楣恍然大悟道:"这是哄小孩子的咖啡方糖——"鸿渐高兴头上,说:"别讲究了,来三杯试试再说,多少总有点咖啡香味儿。"跑堂应声去了。孙小姐说:"这咖啡糖里没有牛奶成分,怎么叫牛奶咖啡,一定是另外把奶粉调进去的。"鸿渐向那位胖女人歪歪嘴道:"只要不是她的奶,什么都行。"孙小姐皱眉努嘴做个颇可爱的厌恶表情。辛楣红了脸忍笑道:"该死!该死!你不说好话。"咖啡来了,居然又黑又香,面上浮一层白沫,鸿渐问跑堂是什么,跑堂说是牛奶,问什么牛奶,说是牛奶的脂膏。辛楣道:"我看像人的唾沫。"鸿渐正要喝,恨得推开杯子说:"我不要喝了!"孙小姐也不肯喝,辛楣一壁笑,一壁道歉,可是自己也不喝,顽皮地向杯子里吐一口,果然很像那浮着的白沫。鸿渐骂他糟蹋东西,孙小姐只是笑,像母亲旁观孩子捣乱,宽容地笑。跑堂上了菜跟辛楣的面。面烧得太烂了,又腻又粘,像一碗浆糊,面上堆些鸡颈骨、火腿皮。辛楣见了,大不高兴,鸿渐笑道:"你讲咖啡里有唾沫,我看你这碗面里有人的鼻涕。"辛楣把面碗推向他道:"请你吃。"叫跑堂来拿去换,跑堂不肯,只得另要碗米线来吃了。吃完算账时,辛楣说:"咱们今天亏得没有李梅亭跟顾尔谦,要了东西不吃,给他们骂死了。可是这面我实在吃不下,这米线我也不敢仔细研究。"卧房里点的是油灯,没有外面亮,三人就坐着不进去,闲谈一回。都有些疲乏过度的兴奋,孙小姐也有说有笑,但比了辛楣鸿渐的胡闹,倒是这女孩子老成。

这时候,有个三四岁的女孩子两手向头发里乱爬,嚷到那胖女店主身边。胖女人一手拍怀里睡熟的孩子,一手替那女孩子搔痒。她手上生的五根香肠,灵敏得很,在头发里抓一下就捉到个虱,掐死了,叫孩子摊开手掌受着,陈尸累累。女孩子把另一手指着死虱,口里乱数:"一,二,五,八,十……"孙小姐看见了告诉辛楣鸿渐,大家都觉得身上痒起来,便回卧室睡觉。可是方才的景象使他们对床铺起了戒心,孙小姐借手电给他们在床上照一次,偏偏电用完了,只好罢休。辛楣道:"不要害怕,疲倦会战胜一切小痛痒,睡一晚再说。"鸿渐上床,好一会没有什么,正放心要睡去,忽然发痒,不能忽略的痒,一处痒,两处痒,满身痒,心窝里奇痒。蒙马脱尔(Monmartre)的"跳蚤市场"和耶路撒冷圣庙的"世界蚤虱大会"全像在这欧亚大旅社里举行。咬得体无完肤,抓得指无余力。每一处新鲜明确的痒,手指迅雷闪电似的捺住,然后谨慎小心地拈起,才知道并没捉到那咬人的小东西,白费了许多力,手指间只是一小粒皮肤屑。好容易捺死一个臭虫,宛如报了仇那样的舒畅,心安理得,可以入睡,谁知道杀一并未儆百,周身还是痒。到后来,疲乏不堪,自我意识愈缩愈小,身体只好推出自己之外,学我佛如来舍身喂虎的榜样,尽那些蚤虱去受用。外国人说听觉敏锐的人能听见跳蚤的咳嗽;那一晚上,这副尖耳朵该听得出跳蚤们吃饱了噫气。早晨清醒,居然自己没给蚤虱吃个精光,收拾残骸剩肉还够成个人,可是并没有成佛。只听辛楣在床上狠声道:"好呀!又是一个!你吃得我舒服呀?"鸿渐道:"你在跟跳蚤谈话,还是在捉虱?"辛楣道:"我在自杀。我捉到两个臭虫、一个跳蚤,捺死了,一点一点红,全是我自己的血,这不等于自杀——咦,又是一个!啊哟,给它溜了——鸿渐,我奇怪这家旅馆里有这许多吃血动物,而女掌柜还会那样肥胖。"鸿渐道："也许这些蚤虱就是女掌柜养着，叫它们吸了客人的血来供给她的。我劝你不要捉了，回头她叫你一一偿命，怎么得了！赶快起床，换家旅馆罢。"两人起床，把内衣脱个精光，赤身裸体，又冷又笑，手指沿衣服缝掏着捻着，把衣服抖了又抖，然后穿上。出房碰见孙小姐，脸上有些红点，扑鼻的花露水香味，也说痒了一夜。三人到汽车站"留言板"上看见李顾留的纸条，说住在火车站旁一家旅馆内，便搬去了。跟女掌柜算账的时候，鸿渐说这店里跳蚤太多。女掌柜大不答应，说她店里的床铺最干净，这臭虫跳蚤准是鸿渐们随身带来的。

行李陆续运来，今天来个箱子，明天来个铺盖，他们每天下午，得上汽车站去领。到第五天，李梅亭的铁箱还没影踪，急得他直嚷直跳，打了两次长途电话，总算来了。李梅亭忙打开看里面东西有没有损失，大家替他高兴，也凑着看。箱子内部像口橱，一只只都是小抽屉，拉开抽屉，里面是排得整齐的白卡片，像图书馆的目录。他们失声奇怪，梅亭面有得色道："这是我的随身法宝。只要有它，中国书全烧完了，我还能照样在中国文学系开课程。"这些卡片照四角号码排列，分姓名题目两种。鸿渐好奇，拉开一只抽屉，把卡片一拨，只见那张片子天头上红墨水横写着"杜甫"两字，下面紫墨水写的标题，标题以后，蓝墨水细字的正文。鸿渐觉得梅亭的白眼睛在黑眼镜里注视着自己的表情，便说："精细极了！了不得——"自知语气欠强，哄不过李梅亭，忙加一句："顾先生，辛楣，你们要不要来瞧瞧？真正是科学方法！"顾尔谦说："我是要广广眼界，学是学不来的了！"不怕嘴酸舌干地连声赞叹："李先生,你的钢笔书法也雄健得很,并且一手能写好几体字,变化百出,佩服佩服！"李先生笑道："我字写得很糟,这些片子都是我指导我的学生写的,有十几个人的手笔在里面。"顾先生摇头道："唉！名师必出高徒！名师必出高徒！"这样上下左右打开了几只抽屉,李梅亭道："下面全是一样的,没有什么可看了。"顾尔谦道："包罗万象！我真恨不能偷了去——"李梅亭来不及阻止,他早拉开近箱底两只抽屉——"咦！这不是卡片——"孙小姐凑上去瞧,不肯定地说："这像是西药。"李梅亭冰冷地说："这是西药,我备着路上用的。"顾尔谦这时候给好奇心支使得没注意主人表情,又打开两只抽屉,一瓶瓶紧暖稳密地躺在棉花里,露出软木塞的,可不是西药？李梅亭忍不住挤开顾尔谦道："东西没有损失,让我合上箱子罢。"鸿渐恶意道："东西是不会有人偷的,只怕脚夫手脚粗,扔箱子的时候,把玻璃瓶震碎了,你应该仔细检点一下。"李梅亭嘴里说："我想不会,我棉花塞得好好的。"手本能地拉抽屉了。这箱子里一半是西药,原瓶封口的消治龙、药特灵、金鸡纳霜、福美明达片,应有尽有。辛楣道："李先生,你一个人用不了这许多呀！是不是高松年托你替学校带的?"梅亭像淹在水里的人,忽然有人拉他一把,感激地不放松道："对了！对了！内地买不到西药,各位万一生起病来,那时候才知道我李梅亭的功劳呢！"辛楣笑道："预谢,预谢！有了上半箱的卡片,中国书烧完了,李先生一个人可以教中国文学；有了下半箱的药,中国人全病死了,李先生还可以活着。"顾尔谦道："哪里的话！李先生不但是学校的功臣,并且是我们的救命恩人——"亚当和夏娃为好奇心失去了天堂,顾尔谦也为好奇心失去了李梅亭安放他的天堂,恭维都挽回不来了,跟着的几句话险的使他进地狱——"我这两天冷热不调,嗓子有点儿痛——可是没有关系,到利害的时候,我问你要三五片福美明达来含。"

辛楣说在金华耽误这好几天,钱花了不少,大家把身上的余钱摊出来,看共有多少。不出他在船上所料,李顾都没有把学校给的旅费全数带上。这时候两人也许又留下几元镇守口袋的钱,作香烟费,只合交出来五十余元;辛楣等三人每人剩八十余元。所住的旅馆账还没有付,无论如何,到不了学校。大家议决拍电报给高松年,请他汇笔款子到吉安的中央银行里。辛楣道,大家身上的钱在到吉安以前,全部充作公用,一个子儿不得浪费。李先生问,香烟如何。辛楣道,以后香烟也不许买,大家得戒烟。鸿渐道:"我早戒了,孙小姐根本不抽烟。"辛楣道:"我抽烟斗,带着烟草,路上不用买,可是我以后也不抽,免得你们瞧着眼红。"李先生不响,忽然说:"我昨天刚买了两罐烟,路上当然可以抽,只要不再买就是了。"当天晚上,一行五人买了三等卧车票在金华上火车,明天一早可到鹰潭,有几个多情而肯远游的蚤虱一路陪着他们。

火车一清早到鹰潭,等行李领出,公路汽车早开走了。这镇上惟一像样的旅馆挂牌"客满",只好住在一家小店里。这店楼上住人,楼下卖茶带饭。窄街两面是房屋,太阳轻易不会照进楼下的茶座。门口桌子上,一叠饭碗,大碟子里几块半生不熟的肥肉,原是红烧,现在像红人倒运,又冷又黑。旁边一碟馒头,远看也像玷污了清白的大闺女,全是黑斑点,走近了,这些黑点飞升而消散于周遭的阴暗之中,原来是苍蝇。这东西跟蚊子臭虫算得小饭店里的岁寒三友,现在刚是深秋天气,还显不出它们的后凋劲节。楼只搁着一张竹梯子,李先生的铁箱无论如何运不上去,店主拍胸担保说放在楼下就行,李先生只好自慰道:"譬如这箱子给火车耽误了没运到,还不是一样的人家替我看管,我想东西不会走漏的。在金华不是过了好几天才到么?"大家赞他想得通。辛楣由伙计陪着先上楼去看卧室,楼板给他们践踏得作不平之鸣,灰尘扑簌簌地掉下来,顾先生笑道:"赵先生的身体真重!"店主瞧孙小姐掏手帕出来拂灰,就说:"放心,这楼板牢得很。楼板要响的好,晚上贼来,客人会惊醒。我们这店里贼从没来过,他不敢来,就因为我们这楼板会响。吓!耗子走动,我这楼板也报信的。"伙计下梯来招呼客人上去,李梅亭依依不舍地把铁箱托付给店主。楼上只有三间房还空着,都是单铺,伙计在赵方两人的房间里添张竹榻,要算双铺的价钱。辛楣道:"咱们这间房最好,沿街,光线最足,床上还有帐子。可是,我不愿睡店里的被褥,回头得另想办法。"鸿渐道:"好房间为什么不让给孙小姐?"辛楣指壁上道:"你瞧罢。"只见剥落的白粉壁上歪歪斜斜地写着淡墨字:"路过鹰潭与王美玉女士恩爱双双题此永久纪念济南许大隆题。"记着中华民国年月日,一算就是昨天晚上写的。后面也像许大隆的墨迹,是首诗:"酒不醉人人自醉色不迷人人自迷今朝有缘来相会明日你东我向西。"又写着:

"大爷去也！"那感叹记号使人想出这位许先生撇着京剧说白的调儿，挥着马鞭子，慷慨激昂的神气。此外有些铅笔小字，都是讲王美玉的，想来是许先生酒醉色迷那一夜以前旁人的手笔，因为许先生的诗就写在"孤王酒醉鹰潭宫王美玉生来好美容"那几个铅笔字身上。又有新式标点的铅笔字三行："注意！王美玉有毒！抗战时期，凡我同胞，均须卫生为健国之本，万万不可传染！而且她只认洋钱没有情！过来人题！"旁边许大隆的淡墨批语道："毁坏名誉该当何罪？"鸿渐笑道："这位姓许的倒有情有义得很！"辛楣也笑道："孙小姐这房间住得么？李梅亭更住不得——"

正说着，听得李顾那面嚷起来，顾先生在和伙计吵，两人跑去瞧。那伙计因为店里的竹榻全为添铺用完了，替顾先生把一扇板门搁在两张白木凳上，算是他的床。顾尔谦看见辛楣和鸿渐，声势大振，张牙舞爪道："二位瞧他可恶不可恶？这是搁死人尸首用的，他不是欺负我么？"伙计道："店里只有这块板了，你们穿西装的文明人，要讲理。"顾尔谦拍自己青布大褂胸脯上一片油腻道："我不穿西装的就不讲理？为什么旁人有竹榻睡，我没有？我不是照样付钱的？我并不是迷信，可是出门出路，也讨个利市，你这家伙全不懂规矩。"李梅亭自从昨天西药发现以后，对顾尔谦不甚庇护，冷眼瞧他们吵架，这时候插嘴道："你把这板搬走就是了。吵些什么！你想法把我的箱子搬上来，那箱子可以当床，我请你抽支香烟。"伸出左手的食指摇动着仿佛是香烟的样品。伙计看只是给烟熏黄的指头，并非香烟，光着眼道:"香烟在哪里?"李梅亭摇头道:"哼,你这人笨死了!香烟我自然有,我还会骗你?你把我这铁箱搬上来,我请你抽。"伙计道:"你有香烟就给我一根,你真要我搬箱子,那不成。"李先生气得只好笑,顾先生胜利地教大家注意这伙计蛮不讲理。结果鸿渐睡的竹榻跟这扇门对换了。

  孙小姐来了,辛楣问到何处吃早点。李梅亭道:"就在本店罢。省得上街去找,也许价钱便宜些。"辛楣不便出主意,伙计恰上来沏茶,便问他店里有什么东西吃。伙计说有大白馒头、四喜肉、鸡蛋、风肉。鸿渐主张切一碟风肉夹了馒头吃,李顾赵三人赞成,说是"本位文化三明治",要分付伙计下去准备。孙小姐说:"我进来的时候,看见这店里都是苍蝇,馒头和肉尽苍蝇叮着,恐怕不大卫生。"李梅亭笑道:"孙小姐毕竟是深闺娇养的,不知道行路艰难,你要找一家没有苍蝇的旅馆,只能到外国去了!我担保你吃了不会生病,就是生病,我箱子里有的是药。"说时做个鬼脸,倒比他本来的脸合适些。辛楣正在喝李梅亭房里新沏的开水,喝了一口,皱眉头道:"这水愈喝愈渴,全是烟火气,可以代替火油点灯的——我看这店里的东西靠不住,冬天才有风肉,现在只是秋天,知道这风肉是什么年深月久的古董。咱们别先叫菜,下去考察一下再决定。"伙计取下壁上挂的一块乌黑油腻的东西,请他们赏鉴,嘴里连说:"好味道!"引得自己口水要流,生怕经这几位客人的馋眼睛一看,肥肉会减瘦了。肉上一条蛆虫从腻睡里惊醒,载蠕载袅,李梅亭眼快,见了恶心,向这条蛆远远地尖了嘴做个指示记号道:"这要不得!"伙计忙伸指头按着这嫩肥软白的东西,轻轻一捺,在肉面的尘垢上划了一条乌光油润的痕迹,像新浇的柏油路,一壁说:"没有什么呀!"顾尔谦冒火,连声质问他:"难道我们眼睛是瞎的?"大家也说:"岂有此理!"顾尔谦还唠唠叨叨地牵涉适才床板的事。这一吵吵得店主来了,肉里另有两条蛆也闻声探头出来。伙计再没法毁尸灭迹,只反复说:"你们不吃,有人要吃——我吃给你们看——"店主拔出嘴里的旱烟筒,劝告道:"这不是虫呀,没有关系的,这叫'肉芽'——'肉'——'芽'。"方鸿渐引申说:"你们这店里吃的东西都会发芽,不但是肉。"店主不懂,可是他看见大家都笑,也生气了,跟伙计用土话咕着。结果,五人出门上那家像样旅馆去吃饭。

李梅亭的片子没有多大效力,汽车站长说只有照规矩登记,按次序三天以后准有票子。五人大起恐慌:三天房饭好一笔开销,照这样耽误,怕身上的钱到不了吉安。大家没精打采地走回客栈,只见对面一个女人倚门抽烟。这女人尖颧削脸,不知用什么东西烫出来的一头鬈发,像中国写意画里的满树梅花,颈里一条白丝围巾,身上绿绸旗袍,光华夺目,可是那面子亮得像小家女人衬旗袍里子用的作料。辛楣拍鸿渐的膊子道:"这恐怕就是'有美玉于斯'了。"鸿渐笑道:"我也这样想。"顾尔谦听他们背诵《论语》,不懂用意,问:"什么?"李梅亭聪明,说:"尔谦,你想这种地方怎会有那样打扮的女子——你们何以背《论语》?"鸿渐道:"你到我们房里来看罢。"顾尔谦听说是妓女,呆呆地观之不足,那女人本在把孙小姐从头到脚地打量,忽然发现顾先生的注意,便对他一笑,满嘴鲜红的牙根肉,块垒不平像侠客的胸襟,上面疏疏地缀几粒娇羞不肯露出头的黄牙齿。顾先生倒臊得脸红,自幸没人瞧见,忙跟孙小姐进店。辛楣和鸿渐一夜在火车里没睡好,回房躺着休息,李梅亭打门进来了,问有什么好东西给他看。两人懒起床,叫他自己看墙壁上的文献。李梅亭又向窗外一望,回头直嚷道:"你们两个年轻人不怀好意呀!怪不得你们要占据这间房,对面一定就是那王美玉的卧房,相去只四五尺的距离,跳都跳得过去。你们起来瞧,床上是红被,桌子上有大镜子,还有香水瓶儿——唉!你们没结婚的人太不老实。这事开不得玩笑的——咦,她上来了!"两人从床上伸头一瞧,果然适才倚门抽烟的女人对窗立着,慌忙缩头睡下。李先生若无其事地靠窗昂首抽烟,黑眼镜里欣赏对面的屋顶,两人在床上等得不耐烦,正想叫李梅亭出去,忽听那女人说话了:"你们哪块来的啥。"李先生如梦初醒地一跳道:"你问谁呀?我呀?我们是上海来的。"这话并不可笑,而两人笑得把被蒙住头,又赶快揭开被,要听下文。那女人道:"我也是上海来的,逃难来这块的——你们干什么的?"李先生下意识地伸手到口袋里去掏片子,省悟过来,尊严地道:"我们都是大学教授。"那女人道:"教书的?教书的没有钱,为什么不走私做买卖?"两人又蒙上被。李先生只鼻子里应一声。那女人道:"我爹也教书的——"两人笑得蒙着头叫痛——"那个跟你们一起的女人是谁?她也是教书的?"李先生道:"是的。"那女人道:"我也进过学堂——她赚多少钱啥?"辛楣怕这女人笑孙小姐赚的钱没有她多,大声咳嗽,李先生只说:"很多,很多——抽支烟罢?哪,接好——"两人紧张得不敢吐气,李先生下面的话更使他们不能相信自己的耳朵——"我问你,公共汽车的票子难买得很,你——你熟人多,有没有法子想一个?我们好好地谢你。"那女人讲了一大串话,又快又脆,像钢刀削萝卜片,大意是:公路车票买不到,可以搭军用运货汽车,她认识一位侯营长,一会儿来看她,到时李先生过去当面接洽。李先生千谢万谢。那女人走了,李先生回身向赵方二人得意地把头转个圈儿,一言不发,望着他们。二人都钦佩他异想天开,真有本领。李先生恨不能身外化身,拍着自己肩膀,说:"老李,真有你!"所以也不谦虚说:"我知道这种女人路数多,有时用得着她们,这就是孟尝君结交鸡鸣狗盗的用意。"

　　李先生去后,辛楣和鸿渐睡熟了。鸿渐睡梦里,觉得有东西在撞这肌理稠密的睡,只破了一个小孔,而整个睡都退散了,像一道滚水似的注射冰面,醒过来只听见:"哙!哙!"昏头昏脑下床一看,王美玉在向这面叫,正要关窗不理她,忽想起李梅亭跟她的接洽。辛楣也惊醒了,王美玉道:"那戴黑眼镜的呢?侯营长来了。"李梅亭得到通知,忙把压在褥子下的西装裤子和领带取出,早刮过脸,皮破了好几处,倒也红光满面。临走时,李梅亭说妓女家里不能白去的,去了要开销,这笔交际费如何算法,自己方才已经赔了一支香烟。大家担保他,只要交涉顺利,不但费用公担,还有酬劳。李梅亭问他们要不要到辛楣房间里去隔窗旁听,"反正没有什么秘密的事。"余人无此雅兴,说现在四点钟,上街溜达,六点钟在吃早点那馆子里聚会。到时候,李梅亭兴冲冲来了。大家忙问事情怎样,李梅亭道:"明天正午开车。"大家还问长问短,李梅亭说这位侯营长晚上九点钟要来看行李,有问题可以面询。这些军用货车每辆搭客一人和行李一件或两件,开向韶关去的,到了韶关再坐火车进湖南。一算费用比坐公共汽车贵一倍,"可是,"李梅亭说,"到处等汽车票,一等就是几天,这房饭钱全省下来了。"辛楣踌躇说:"好是很好,可是学校汇到吉安的钱怎么办?"李梅亭道:"那很容易,去个电报请高校长汇到韶关得了。"鸿渐道:"到韶关折回湖南,那不是兜远路么?"李梅亭怫然道:"我能力有限,只能办到这样。方先生有面子,也许侯营长为你派专车直放学校。"顾尔谦忙说:"李先生办事不会错。明天一早拍个电报,中午上车走它妈的,要教我在这个鬼地方等五天,头发都白了。"李梅亭还悻悻道:"今天王美玉家打茶围的钱将来归我一个人出得了。"鸿渐忍着气道:"就是不坐军车,交际费也该大家出的,这是绝对两回事。"辛楣桌下踢鸿渐一脚,嘴里胡扯一阵,总算双方没有吵起来,孙小姐睁大的眼睛也恢复了常态。

回旅馆不多一会,伙计在梯子下口里含着饭嚷:"侯营长来了!"大家赶下来。侯营长有个桔皮大鼻子,鼻子上附带一张脸,脸上应有尽有,并未给鼻子挤去眉眼,鼻尖生几个酒刺,像未熟的草莓,高声说笑,一望而知是位豪杰。侯营长瞧见李梅亭,笑说:"怎么我回到小王那里,你已经溜了?什么时候走的?"李梅亭支吾着忙把同行三人介绍,孙小姐还没下来。侯营长演说道:"我们这货车不能私带客人的,带客人违犯军法,懂不懂?可是我看你们在国立学校教书,总算也是公务机关人员,所以冒险行个方便,懂不懂?我一个钱不要你们的,你们也清苦得很,我不在乎这几个钱,懂不懂?可是我手下开车的、押车的弟兄要几个香烟钱,钱少了你们拿不出去,懂不懂?我并不要钱,你们行李不多罢?里面没有上海带来的私货罢?哈哈,你们念书人有时候很贪小便宜的!"笑得两颊肌肉把鼻孔牵得更大了。大家同声说不带私货,李梅亭指着自己的铁箱道:"这是一件行李,楼上还有——"侯营长的眼睛忽然变成近视,努目注视了好一会才似乎看清了,放机关枪似的说:"好家伙!这是谁的?里面什么东西?这不能带——"忽然又近视了,睁眼望着刚下梯来的孙小姐——"这也是你们同走的?这——这我也不能带。方才跟你讲不到几句话,我就给人叫走了,没交代清楚,女人不带。要是女人可以带,我早带小王一二一,开步走了,哈哈。"孙小姐气得嘤然作声,鸿渐等侯营长进了对门,向他已消灭的阔背出声骂:"浑蛋!"辛楣和顾先生劝孙小姐不要介意,"这种人嘴里没有好话。"孙小姐道:"都是我一个人妨碍了你们搭车——"鸿渐道:"还有李先生这只八宝箱呢!李先生你——"李梅亭向孙小姐道歉道:"我事情没办好,带累你受侮辱。"这样一说,鸿渐倒没法损他了。

这事不成,李梅亭第一个说"侥幸",还说:"失马安知非福。带枪杆的人不讲理的,我们同走有孙小姐,一切该慎重。而且到韶关转湖南,冤枉路走得太多,花的钱也不合算,方先生说话对极了。"在鹰潭这几天里,李梅亭对鸿渐刮目相看,特别殷勤,可是鸿渐愈嫌恶他,背后跟辛楣笑说:"为了打茶围那几块钱,怕我挑眼,就这样没志气。我做了他,宁可掏腰包的。"鸿渐晚上睡不着的时候,自惜自怜,愈想愈懊悔这次的来。与李梅亭顾尔谦等为伍,就是可耻的堕落。这十来天的旅行磨得一个人志气消沉。一天他跟辛楣散步,听见一个卖花生的小贩讲家乡话,问起来果然是同乡,逃难流落在此的。这小贩只淡淡说声住在本县城里哪条街,并不向他诉苦经,借回乡盘缠,鸿渐又放心、又感慨道:"这人准碰过不知多少同乡的钉子,所以不再开口了。我真不敢想要历过多少挫折,才磨练到这种死心塌地的境界。"辛楣笑他颓丧,说:"你这样经不起打击,一辈子恋爱不会成功。"鸿渐道:"谁像你肯在苏小姐身上花二十年的工夫。"辛楣道:"我这几天来心里也闷,昨天半夜醒来,忽然想苏文纨会不会有时候想到我。"鸿渐想起唐晓芙和自己,心像火焰的舌头突跳而起,说:"想到你还是想你?我们一天要想到不知多少人,亲戚、朋友、仇人、以及不相干的见过面的人。真正想一个人,记挂着他,希望跟他接近,这少得很。人事太忙了,不许我们全神贯注,无间断地怀念一个人。我们一生对于最亲爱的人的想念,加起来恐怕不到一点钟,此外不过是念头在他身上瞥过,想到而已。"辛楣笑道:"我总希望,你将来会分几秒钟给我。告诉你罢,我第一次碰到你以后,倒常常想你,念念不释地恨你,可惜我没有看表,计算时间。"鸿渐道:"你看,情敌的彼此想念,比情人的彼此想念还要多——那时候也许苏小姐真在梦见你,所以你会忽然想到她。"辛楣道："人家哪里有工夫梦见我们这种孤魂野鬼。并且她已经是曹元朗的人了，要梦见我就是对她丈夫不忠实。"鸿渐瞧他的正经样儿，笑得打跌道："你这位政治家真是独裁的作风！谁做你的太太，做梦也不能自由，你要派特务工作人员去侦察她的潜意识。"

三天后到南城去的公路汽车照例是挤得仅可容足，五个人都站在人堆里，交相安慰道："半天就到南城了，站一会儿没有关系。"一个穿短衣服、满脸出油的汉子摆开两膝，像打拳里的四平势，牢实地坐在位子上，仿佛他就是汽车配备的一部分，前面放个滚圆的麻袋，里面想是米。这麻袋有坐位那么高，刚在孙小姐身畔。辛楣对孙小姐道："为什么不坐呀？比坐位舒服多了。"孙小姐也觉得站着摇摇撞撞地不安，向那油脸汉子道声歉，要坐下去。那油脸汉子直跳起来，双手拦着，翻眼嚷："这是米，你知道不知道？吃的米！"孙小姐窘得说不出话，辛楣怒容相向道："是米又怎么样？她这样一个女人坐一下也不会压碎你的米。"那汉子道："你做了男人也不懂道理，米是要吃到嘴里去的呀——"孙小姐羞愤顿足道："我不要坐了！赵先生，别理他。"辛楣不答应，方李顾三人也参加吵嘴，骂这汉子蛮横，自己占了坐位，还把米袋妨碍人家，既然不许人家坐米袋，自己快把位子让出来。那汉子看他们人多气壮，态度软下来了，说："你们男人坐，可以，你们这位太太坐，那不行！这是米，吃到嘴里去的。"孙小姐第二次申明愿意一路站到南城。辛楣等说："我们偏不要坐，是这位小姐要坐，你又怎样？"那汉子没法，怒目打量孙小姐一下,把垫坐的小衣包拿出来,捡一条半旧的棉裤,盖在米袋上,算替米戴上防毒面具,厉声道:"你坐罢!"孙小姐不要坐,但经不起汽车的颠簸和大家的劝告,便坐了。斜对着孙小姐有位子坐的是个年轻白净的女人,戴着孝,可是嘴唇和眼皮擦得红红的,纤眉细眼小鼻子,五官平淡得像一把热手巾擦脸就可以抹而去之的,说起话来,扭头撅嘴。她本在看热闹,此时跟孙小姐攀谈,一口苏州话,问孙小姐是不是上海来的,骂内地人凶横,和他们没有理讲。她说她丈夫在浙江省政府当科员,害病新死,她到桂林投奔夫兄去的。她知道孙小姐有四个人同走,十分忻羡,自怨自怜说:"我是孤苦零丁,路上只有一个用人陪了我,没有你福气!"她还表示愿意同走到衡阳,有个照应。正讲得热闹,汽车停了打早尖,客人大半下车吃早点。那女人不下车,打开提篮,强孙小姐吃她带的米粉糕,赵方二人怕寡妇分糕为难,也下车散步去了。顾尔谦瞧他们下去,掏出半支香烟大吸。李梅亭四顾少人,对那寡妇道:"你那时候不应该讲你是寡妇单身旅行的,路上坏人多,车子里耳目众多,听了你的话要起邪念的。"那寡妇向李梅亭眼珠一溜,嘴一扯道:"倷先生真是好人!"那女人叫坐在她左边的二十多岁的男人道:"阿福,让这位先生坐。"这男人油头滑面,像浸油的枇杷核,穿件青布大褂,跟女人并肩而坐,看不出是用人。现在他给女人揭破身份,又要让位子,骨朵着嘴只好站起来。李先生假客套一下,便挨挨擦擦地坐下。孙小姐看不入眼,也下车去。到大家回车,汽车上路,李先生在咀嚼米糕,寡妇和阿福在吸香烟。鸿渐用英文对辛楣道:

"你猜一猜,这香烟是谁的?"辛楣笑道:"我有什么不知道!这人是个撒谎精,他那两罐烟到现在还没抽完,我真不相信。"鸿渐道:"他的烟味难闻,现在三张嘴同时抽,真受不了,得戴防毒口罩。请你抽一会烟斗罢,解解他的烟毒。"

到了南城,那寡妇主仆两人和他们五人住在一个旅馆里。依李梅亭的意思,孙小姐与寡妇同室,阿福独睡一间。孙小姐口气里决不肯和那寡妇作伴,李梅亭却再三示意,余钱无多,旅馆费可省则省。寡妇也没请李梅亭批准,就主仆俩开了一个房间。大家看了奇怪,李梅亭尤其义愤填胸,背后咕了好一阵:"男女有别,尊卑有分。"顾尔谦借到一张当天的报,看不上几行,直嚷:"不好了!赵先生,李先生,不好了!孙小姐。"原来日本人进攻长沙,形势危急得很。五人商议一下,觉得身上盘费决不够退回去,只有赶到吉安,领了汇款,看情形再作后图。李梅亭忙把长沙紧急的消息告诉寡妇,加油加酱,如火如荼,就仿佛日本军部给他一个人的机密情报,吓得那女人不绝地娇声说:"啊呀!李先生,个末那亨呢!"李梅亭说自己这种上等人到处有办法,会相机行事,绝处逢生,"用人们就靠不住了,没有知识——他有知识也不做用人了!跟着他走,准闯祸。"李梅亭别了寡妇不多时,只听她房里阿福厉声说话:"潘科长派我送你的,你路上见一个好一个,知道他是什么人?潘科长那儿我将来怎样交代?"那妇人道:"吃醋也轮得到你?我要你来管?给你点面子,你就封了王了!不识抬举、忘恩负义的王八蛋!"阿福冷笑道:"王八是谁挑我做的?害了你那位死鬼男人做王八不够还要害我——啊呀呀——"一溜烟跑出房来。那女人在房里狠声道："打了你耳光,还要教你向我烧路头!你放肆,请你尝尝滋味,下次你别再想——"李先生听他们话中有因,作酸得心似绞汁的青梅,恨不能向那寡妇问个明白,再痛打阿福一顿。他坐立不定地向外探望,阿福正躲在寡妇房外,左手抚摩着红肿的脸颊,一眼瞥见李梅亭,自言自语:"不向尿缸里照照自己的脸!想吊膀子揩油——"李先生再有涵养工夫也忍不住了,冲出房道："猪猡!你骂谁?"阿福道:"骂你这猪猡。"李先生道:"猪猡骂我。"阿福道:"我骂猪猡。"两人"鸡生蛋""蛋生鸡"的句法练习没有了期,反正谁嗓子高,谁的话就是真理。顾先生怕事,拉李先生进去,说:"这种小人跟他计较什么呢?"阿福威风百倍道："你有种出来!别像乌龟躲在洞里,我怕了你——"李先生果然又要夺门而出,辛楣鸿渐听不过了,也出来喝阿福道:"人家不理你了,你还嘴里不清不楚干什么?"阿福有点气馁,还嘴硬道："笑话!我骂我的,不干你们的事。"辛楣嘴里的烟斗高翘着像老式军舰上一尊炮的形势,对擦大手掌,响脆地拍一下,握着拳头道:"我旁观抱不平,又怎么样?"阿福眼睛里全是恐惧,可是辛楣话没说完,那寡妇从房里跳出道:"谁敢欺负我的用人?两欺一,不要脸!枉做了男人,欺负我寡妇,没有出息!"辛楣鸿渐慌忙逃走。那寡妇得意地冷笑,海骂几句,拉阿福回房去了。辛楣教训了李梅亭一顿,鸿渐背后对辛楣道:"那雌老虎跳出来的时候,我们这方面该孙小姐出场,就抵得住了。"下半天寡妇碰见他们五人,佯佯不睬,阿福不顾坟起的脸,对李梅亭挤眼撇嘴。那寡妇有事叫"阿福",声音里滴得下蜜糖。李梅亭叹了半夜的气。

旅馆又住了一天。在这一天里,孙小姐碰到那寡妇还点头微笑,假如辛楣等不在旁,也许彼此应酬几句,说车票难买,旅馆里等得气闷。可是辛楣等四人就像新学会了隐身法似的,那寡妇路上遇到,眼睛里没有他们。明天上车,辛楣等把行李全结了票,手提的东西少,挤上去都抢到坐位。寡妇带的是些不结票的小行李;阿福上车的时候,正像欢迎会上跟来宾拉手的要人,恨不能向千手观音菩萨分几双手来才够用。辛楣瞧他们俩没位子坐,笑说:"亏得昨天闹翻了,否则这时候还要让位子呢,我可不肯。""我"字说得有意义地重,李梅亭脸红了,大家忍住笑。那寡妇远远地望着孙小姐,使她想起牛或马的瞪眼向人请求,因为眼睛就是不会说话的动物的舌头。孙小姐心软了,低头不看,可是觉得坐着不安,直到车开,偷眼望见那寡妇也有了位子,才算心定。

车下午到宁都。辛楣们忙着领行李,大家一点,还有两件没运来,同声说:"晦气!这一等不知道又是几天。"心里都担忧着钱。上车站对面的旅馆一问,只剩两间双铺房了。辛楣道:"这哪里行?孙小姐一个人一间房,单铺的就够了,我们四个人,要有两间房。"孙小姐不踌躇说:"我没有关系,在赵先生方先生房里添张竹铺得了,不省事省钱么?"看了房间,搁了东西,算了今天一路上的账,大家说晚饭只能将就吃些东西了,正要叫伙计,忽然一间房里连嚷:"伙计!伙计!"带咳带呛,正是那寡妇的声音,跟着大吵起来。仔细一听,那寡妇叫了旅馆里的饭,吃不到几筷菜就恶心,这时候才知道菜是用桐油炒的;阿福这粗货,没理会味道,一口气吞了两碗饭,连饭连菜吐个干净,"隔夜吃的饭都吐出来了!"寡妇如是说,仿佛那顿在南城吃的饭该带到桂林去的。李梅亭拍手说:"这真是天罚他,瞧这浑蛋还要撒野不撒野。这旅馆里的饭不必请教了,他们俩已经替咱们做了试验品。"五人出旅馆的时候,寡妇房门大开,阿福在床上哼哼唧唧,她手扶桌子向痰盂恶心,伙计一手拿杯开水,一手拍她背。李先生道:"咦,她也吐了!"辛楣道:"呕吐跟打呵欠一样,有传染性的。尤其晕船的时候,看不得人家呕。"孙小姐弯着含笑的眼睛说:"李先生,你有安定胃神经的药,送一片给她,她准——"李梅亭在街上装腔跳嚷道:"孙小姐,你真坏!你也来开我的玩笑。我告诉你的赵叔叔。"

晚上为了谁睡竹榻的问题,辛楣等三人又谦让了一阵。孙小姐给辛楣和鸿渐强逼着睡床,好像这不是女人应享的权利,而是她应尽的义务。辛楣人太高大,竹榻容不下。结果鸿渐睡了竹榻,刚夹在两床之间,躺了下去,局促得只想翻来覆去,又拘谨得动都不敢动。不多时,他听辛楣呼吸和匀,料已睡熟,想便宜了这家伙,自己倒在这两张不挂帐子的床中间,做了个屏风,替他隔离孙小姐。他又嫌桌上的油灯太亮,忍了好一会,熬不住了,轻轻地下床,想喝口冷茶,吹灭灯再睡。沿床缝里挨到桌子前,不由自主望望孙小姐,只见睡眠把她的脸洗濯得明净滋润,一堆散发不知怎样会覆在她脸上,使她脸添了放任的媚姿,鼻尖上的发梢跟着鼻息起伏,看得代她脸痒,恨不能伸手替她掠好。灯光里她睫毛仿佛微动,鸿渐一跳,想也许自己眼错,又似乎她忽然呼吸短促,再一看,她睡着不动的脸像在泛红。慌忙吹灭了灯,溜回竹榻,倒惶恐了半天。

明天一早起,李先生在账房的柜台上看见昨天的报,第一道消息就是长沙烧成白地,吓得声音都遗失了,一分钟后才找回来,说得出话。大家焦急得没工夫觉得饿,倒省了一顿早点。鸿渐毫没主意,但仿佛这不是自己一个人的事,跟着人走,总有办法。李梅亭唉声叹气道:"倒霉!这一次出门,真是倒足了霉!上海好几处留我的留我,请我的请我,我鬼迷昏了头,却不过高松年的情面,吃了许多苦,还要半途而废,走回头路!这笔账向谁去算?"辛楣道:"要走回头路也没有钱。我的意思是,到吉安领了学校汇款再看情形,现在不用计划得太早。"大家吐口气,放了心。顾尔谦忽然聪明地说:"假如学校款子没有汇,那就糟透了。"四人不耐烦地同声说他过虑,可是意识里都给他这话唤起了响应,彼此举的理由,倒不是驳斥顾尔谦,而是安慰自己。顾尔谦忙想收回那句话,仿佛给人拉住的蛇尾巴要缩进洞,道:"我也知道这事不可能,我说一声罢了。"鸿渐道:"我想这问题容易解决。我们先去一个人。吉安有钱,就打电报叫大家去;吉安没有钱,也省得五个人全去扑个空,白费了许多车钱。"

辛楣道:"着呀!咱们分工,等行李的等行李,领钱的领钱,行动灵活点,别大家拼在一起老等。这钱是汇给我的,我带了行李先上吉安,鸿渐陪我走,多个帮手。"

孙小姐温柔而坚决道："我也跟赵先生走,我行李也来了。"

李梅亭尖利地给辛楣一个 X 光的透视道："好,只剩我跟顾先生。可是我们的钱都充了公了,你们分多少钱给我们?"

顾尔谦向李梅亭抱歉地笑道："我行李全到了,我想跟他们同去,在这儿住下去没有意义。"

李梅亭脸上升火道："你们全去了,撇下我一个人,好!我无所谓。什么'同舟共济'!事到临头,还不是各人替自己打算?说老实话,你们到吉安领了钱,干脆一个子儿不给我得了,难不倒我李梅亭。我箱子里的药要在内地卖千把块钱,很容易的事。你们瞧我讨饭也讨到了上海。"

辛楣诧异说："咦!李先生,你怎么误会到这个地步!"

顾尔谦抚慰地说："梅亭先生,我决不先走,陪你等行李。"

辛楣道："究竟怎么办?我一个人先去,好不好?李先生,你总不疑心我会吞灭公款——要不要我留下行李作押!"说完加以一笑,减低语意的严重,可是这笑生硬倔强宛如干浆糊粘上去的。

李梅亭摇手连连道："笑话!笑话!我也决不是以'小人之心'推测人的——"鸿渐自言自语道："还说不是!"——"我觉得方先生的提议不切实际——方先生,抱歉抱歉,我说话一向直率的。譬如赵先生,你一个人到吉安领了钱,还是向前进呢?向后转呢?你一个人作不了主,还要大家就地打听消息共同决定的——"鸿渐接嘴道："所以我们四个人先去呀。服从大多数的决定,我们不是大多数么?"李梅亭说不出话,赵顾两人忙劝开了,说:"大家患难之交,一致行动。"

午饭后,鸿渐回到房里,埋怨辛楣太软,处处让着李梅亭:"你这委曲求全的气量真不痛快!做领袖有时也得下辣手。"孙小姐笑道:"我那时候瞧方先生跟李先生两人睁了眼,我看着你,你看着我,气呼呼的,真好玩儿!像互相要吞掉彼此的。"鸿渐笑道:"糟糕!丑态全落在你眼里了。我并不想吞他,李梅亭这种东西,吞下去要害肚子的——并且我气呼呼了没有?好像我没有呀。"孙小姐道:"李先生是嘴里的热气,你是鼻子里的冷气。"辛楣在孙小姐背后向鸿渐翻白眼儿伸舌头。

向吉安去的路上,他们都恨汽车又笨又慢,把他们跃跃欲前的心也拖累了不能自由,同时又怕到了吉安一场空,愿意这车走下去,走下去,永远在开动,永远不到达,替希望留着一线生机。住定旅馆以后,一算只剩十来块钱,笑说:"不要紧,一会儿就富了。"向旅馆账房打听,知道银行怕空袭,下午四点钟后才开门,这时候正办公。五个人上银行,一路留心有没有好馆子,因为好久没痛快吃了。银行里办事人说,钱来了好几天了,给他们一张表格去填。辛楣向办事人讨过一支毛笔来填写,李顾两位左右夹着他,怕他不会写字似的。这支笔写秃了头,需要蘸的是生发油,不是墨水,辛楣一写一堆墨,李顾看得满心不以为然。那办事人说:"这笔不好写,你带回去填得了。反正你得找铺保盖图章——可是,我告诉你,旅馆不能当铺保的。"这把五人吓坏了,跟办事员讲了许多好话,说人地生疏,铺保无从找起,可否通融一下。办事员表示同情和惋惜,可是公事公办,得照章程做,劝他们先去找。大家出了银行,大骂这章程不通,骂完了,又互相安慰说:"无论如何,钱是来了。"明天早上,辛楣和李梅亭吃几颗疲乏的花生米,灌半壶冷淡的茶,同出门找本地教育机关去了。下午两点多钟,两人回来,头垂气丧,精疲力尽,说中小学校全疏散下乡,什么人都没找到,"吃了饭再说罢,你们也饿晕了。"几口饭吃下肚,五人精神顿振,忽想起那银行办事员倒很客气,听他口气,好像真找不到铺保,钱也许就给了,晚上去跟他软商量罢。到五点钟,孙小姐留在旅馆,四人又到银行。昨天那办事员早忘记他们是谁了,问明白之后,依然要铺保,教他们到教育局去想办法,他听说教育局没有搬走。大家回旅馆后,省钱,不吃东西就睡了。

  鸿渐饿得睡不熟,身子像没放文件的公事皮包,几乎腹背相贴,才领略出法国人所谓"长得像没有面包吃的日子"还不够亲切;长得像没有面包吃的日子,长得像失眠的夜,都比不上因没有面包吃而失眠的夜那样漫漫难度。东方未明,辛楣也醒,咂嘴舐舌道:"气死我了,梦里都没有东西吃,别说醒的时候了。"他做梦在"都会饭店"吃中饭,点了汉堡牛排和柠檬甜点,老等不来,就饿醒了。鸿渐道:"请你不要说了,说得我更饿了。你这小气家伙,梦里吃东西有我没有?"辛楣笑道:"我来不及通知你,反正我没有吃到!现在把李梅亭烤熟了给你吃,你也不会嫌了罢。"鸿渐道:"李梅亭没有肉呀,我看你又白又胖,烤得火工到了,蘸甜面酱、椒盐——"辛楣笑里带呻吟道:"饿的时候不能笑,一笑肚子愈掣痛。好家伙!这饿像有牙齿似的从里面咬出来,啊呀呀——"鸿渐道:"愈躺愈受罪,我起来了。上街溜达一下,活动活动,可以忘掉饿。早晨街上清静,出去呼吸点新鲜空气。"辛楣道:"要不得!新鲜空气是开胃健脾的,你真是自讨苦吃。我省了气力还要上教育局呢。我劝你——"说着又笑得嚷痛——"你别上毛厕,熬住了,留点东西维持肚子。"鸿渐出门前,辛楣问他要一大杯水喝了充实肚子,仰天躺在床上,动也不动,一转侧身体里就有波涛汹涌的声音。鸿渐拿了些公账里的余钱,准备买带壳花生回来代替早餐,辛楣警告他不许打偏手偷吃。街上的市面,仿佛缩在被里的人面,还没露出来,卖花生的杂货铺也关着门。鸿渐走前几步,闻到一阵烤山薯的香味,鼻子渴极喝水似的吸着,饥饿立刻把肠胃加紧地抽。烤山薯这东西,本来像中国谚语里的私情男女,"偷着不如偷不着",香味比滋味好;你闻的时候,觉得非吃不可,真到嘴,也不过尔尔。鸿渐看见一个烤山薯的摊子,想这比花生米好多了,早餐就买它罢。忽然注意有人正作成这个摊子的生意,衣服体态活像李梅亭;仔细一瞧,不是他是谁,买了山薯脸对着墙壁在吃呢。鸿渐不好意思撞破他,忙向小弄里躲了。等他去后,鸿渐才买了些回去,进旅馆时,遮遮掩掩的深怕落在掌柜或伙计的势利眼里,给他们看破了寒窘,催算账,赶搬场。辛楣见是烤山薯,大赞鸿渐的采办本领,鸿渐把适才的事告诉辛楣,辛楣道:"我知他没把钱全交出来。他慌慌张张地偷吃,别梗死了。烤山薯吃得快,就梗喉咙,而且滚热的,真亏他!"孙小姐李先生顾先生来了,都说:"咦!怎么找到这东西?妙得很!"

顾先生跟着上教育局,说添个人,声势壮些。鸿渐也要去,辛楣嫌他十几天不梳头剃胡子,脸像刺猬,头发像准备母鸡在里面孵蛋,不许他去。近中午,孙小姐道:"他们还不回来,不知道有希望没有?"鸿渐道:"这时候不回来,我想也许事情妥了。假如干脆拒绝了,他们早会回来,教育局路又不远。"辛楣到旅馆,喝了半壶水,喘口气,大骂那教育局长是糊涂鸡子儿,李顾也说"岂有此理"。原来那局长到局很迟,好容易来了,还不就见,接见时口风比装食品的洋铁罐还紧,不但不肯作保,并且怀疑他们是骗子,两个指头拈着李梅亭的片子仿佛是捡的垃圾,眼睛瞟着片子上的字说:"我是老上海,上海滩上什么玩意儿全懂,这种新闻学校都是挂空头招牌的——诸位不要误会,我是论个大概。'国立三闾大学'?这名字生得很!我从来没听见过。新立的?那我也该知道呀!"可怜他们这天饭都不敢多吃,吃的饭并不能使他们不饿,只滋养栽培了饿,使饿在他们身体里长存,而他们不至于饿死了不再饿。辛楣道:"这样下去,钱到手的时候,我们全死了,只能买棺材下殓了。"顾先生忽然眼睛一亮道:"你们两位路上看见那'妇女协会'没有?我看见的。我想女人心肠软,请孙小姐去走一趟,也许有点门路——这当然是不得已的下策。"孙小姐一诺无辞道:"我这时候就去。"辛楣满脸不好意思,望着孙小姐道:"这怎么行?你父亲把你交托给我的,我事做不好,怎么拖累你?"孙小姐道:"我一路上已经承赵先生照应——"辛楣不愿意听她感谢自己,忙说:"好,你试一试罢,希望你运气比我们好。"孙小姐到妇女协会没碰见人,说明早再去。鸿渐应用心理学的知识,道:"再去碰见人也没有用。女人的性情最猜疑,最小气。叫女人去求女人,准碰钉子。"辛楣因为旅馆章程是三天一清账,发愁明天付不出钱,李先生豪爽地说:"假使明天还没有办法,而旅馆逼钱,我卖掉药得了。"明天孙小姐去了不到一个钟点,就带一个灰布军装的女同志回来。在她房里叽叽咕咕了一会儿,孙小姐出来请辛楣等进去。那女同志正细看孙小姐的毕业文凭——上面有孙小姐戴方帽子的漂亮照相。孙小姐一一介绍了,李先生又送上片子。她肃然起敬,说她有个朋友在公路局做事,可能帮些忙,她下半天来给回音。大家千恩万谢,又不敢留她吃饭,恭送出门时,孙小姐跟她手勾手,尤其亲热。吃那顿中饭的时候,孙小姐给她的旅伴们恭维得脸像东方初出的太阳。

直到下午五点钟,那女同志影踪全无,大家又饿又急,问了孙小姐好几次,也问不出个道理。鸿渐觉得冥冥中有个预兆,这钱是拿不到的了,不干不脆地拖下去,有劲使不出来,仿佛要把转动弹簧门碰上似的无处用力。晚上八点钟,大家等得心都发霉,安定地绝望,索性不再愁了,准备睡觉。那女同志跟她的男朋友宛如诗人"尽日觅不得,有时还自来"的妙句,忽然光顾,五个人欢喜得像遇见久别的情人,亲热得像狗迎接回家的主人。那男人大剌剌地坐了,每问句话,大家殷勤抢答,引得他把手一拦道:"一个人讲话够了。"他向孙小姐要了文凭,细细把照相跟孙小姐本人认着,孙小姐微微疑心他不是对照相,是在鉴赏自己,倒难为情起来。他又盘问赵辛楣一下,怪他们不带随身证明文件。他女朋友在旁说了些好话，他才态度和缓，说他并非猜疑，很愿意交朋友，但不知用公路局名义铺保，是否有效，教他们先向银行问明白了，通知他再盖章。所以他们又多住了一天，多上了一次银行。那天晚上，大家睡熟了还觉得饿，仿佛饿宣告独立，具体化了，跟身子分开似的。

两天后，他们领到钱；旅馆与银行间这条路径，他们的鞋子也走熟得不必有脚而能自身来回了。银行里还交给他们一个高松年新拍来的电报，请他们放心到学校，长沙战事并无影响。当天晚上，他们借酬谢和庆祝为名，请女同志和她朋友上馆子放量大吃一顿。顾先生三杯酒下肚，嘻开嘴，千金一笑地金牙灿烂，酒烘得发亮的脸探海灯似的向全桌照一周，道："我们这位李先生离开上海的时候，曾经算过命，说有贵人扶持，一路逢凶化吉，果然碰见了你们两位，萍水相逢，做我们的保人。两位将来大富大贵，未可限量——赵先生，李先生，咱们五个人公敬他们两位一杯，孙小姐，你，你，你也喝一口。"孙小姐满以为"贵人"指的自己，早低着头，一阵红的消息在脸上透漏，后来听见这话全不相干，这红像暖天向玻璃上呵的气，没成晕就散了。那位女同志跟她的朋友虽然是民主国家的公民，知道民为贵的道理，可是受了这封建思想的恭维，也快乐得两张酒脸像怒放的红花。辛楣顽皮道："要讲贵人，咱们孙小姐也是贵人，没有她——"李梅亭不等他说完，就敬孙小姐酒。鸿渐道："我最惭愧了，这次我什么事都没有做，真是饭桶。"李梅亭道："是呀！小方是真正的贵人，坐在旅馆里动也不动，我们替他跑腿。辛楣，咱们虽然一无结果,跑是跑得够苦的,啊?"当晚临睡,辛楣道:"今天可以舒舒服服地睡了。鸿渐,你看那位女同志长得真丑,喝了酒更吓得死人,居然也有男人爱她。"鸿渐道:"我知道她难看,可是因为她是我们的恩人,我不忍细看她。对于丑人,细看是一种残忍——除非他是坏人,你要惩罚他。"

明天上午,他们到了界化陇,是江西和湖南的交界。江西公路车不开过去了,他们该换坐中午开的湖南公路车。他们一路来坐车,到站从没有这样快的,不计较路走得少,反觉得净赚了半天,说休息一夜罢,今天不赶车了。这是片荒山冷僻之地,车站左右面公路背山,有七八家小店。他们投宿的店里,厨房设在门口,前间白天是过客的餐堂,晚上是店主夫妇的洞房,后间隔为两间暗不见日、漏雨透风、夏暖冬凉、顺天应时的客房。店周围浓烈的尿屎气,仿佛这店是棵菜,客人有出肥料灌溉的义务。店主当街炒菜,只害得辛楣等在房里大打喷嚏;鸿渐以为自己着了凉,李先生说:"谁在家里惦记我呢!"到后来才明白是给菜里的辣椒薰出来的。饭后,四个男人全睡午觉,孙小姐跟辛楣鸿渐同房,只说不困,坐在外间的竹躺椅里看书,也睡着了。她醒来头痛,身上冷,晚饭时吃不下东西。这是暮秋天气,山深日短,云雾里露出一线月亮,宛如一只挤着的近视眼睛。少顷,这月亮圆滑得什么都粘不上,轻盈得什么都压不住,从蓬松如絮的云堆下无牵挂地浮出来,原来还有一边没满,像被打耳光的脸肿着一边。孙小姐觉得胃里不舒服,提议踏月散步。大家沿公路走,满地枯草,不见树木,成片像样的黑影子也没有,夜的文饰遮掩全给月亮剥光了,不留体面。

　　那一晚,山里的寒气把旅客们的睡眠冻得收缩,不够包裹整个身心,五人只支离零碎地睡到天明。照例辛楣和鸿渐一早溜出去,让孙小姐房里从容穿衣服。两人回房拿手巾牙刷,看孙小姐还没起床,被蒙着头呻吟。他们忙问她身体有什么不舒服,她说头晕得身不敢转侧,眼不敢睁开。辛楣伸手按她前额道:"热度像没有。怕是累了,受了些凉。你放心好好休息一天,咱们三人明天走。"孙小姐嘴里说不必,作势抬头,又倒下去,良久吐口气,请他们在她床前放个痰盂。鸿渐问店主要痰盂,店主说,这样大的地方还不够吐痰?要痰盂有什么用?半天找出来一个洗脚的破木盆。孙小姐向盆里直吐,吐完躺着。鸿渐出去要开水,辛楣说外间有太阳,并且竹躺椅的枕头高,睡着舒服些,教她试穿衣服,自己抱条被先替她在躺椅上铺好。孙小姐不肯让他们扶,垂头闭眼,摸着壁走到躺椅边颓然倒下。鸿渐把辛楣的橡皮热水袋冲满了,给她暖胃,问她要不要喝水。她喝了一口又吐出来,两人急了,想李梅亭带的药里也许有仁丹,隔门问他讨一包。李梅亭因为车到中午才开,正在床上懒着呢。他的药是带到学校去卖好价钱的,留着原封不动,准备十倍原价去卖给穷乡僻壤的学校医院。一包仁丹打开了不过吃几粒,可是封皮一拆,余下的便卖不了钱,又不好意思向孙小姐算账。虽然仁丹值钱无几,他以为孙小姐一路上对自己的态度也不够一包仁丹的交情;而不给她药呢,又显出自己小气。他在吉安的时候,三餐不全,担心自己害营养不足的病,偷打开了一瓶日本牌子的鱼肝油丸,每天一餐以后,吃三粒聊作滋补。鱼肝油丸当然比仁丹贵,但已打开的药瓶,好比嫁过的女人,减低了市价。李先生披衣出房一问,知道是胃里受了冷,躺一下自然会好的,想鱼肝油丸吃下去没有关系,便说:"你们先用早点罢,我来服侍孙小姐吃药。"辛楣鸿渐都避嫌疑,不愿意李梅亭说他们冒他的功,真吃早点去了。李梅亭回房取一粒丸药,讨杯开水;孙小姐懒张眼,随他摆布咽了下去。鸿渐吃完早点,去看孙小姐,只闻着一阵鱼腥,想她又吐了,怎会有这样怪味儿,正想问她,忽见她两颊全是湿的,一部分泪水从紧闭的眼梢里流过耳边,滴湿枕头。鸿渐慌得手足无措,仿佛无意中撞破了自己不该看的秘密,忙偷偷告诉辛楣。辛楣也想这种哭是不许给陌生人知道的,不敢向她问长问短。两人参考生平关于女人的全部学问,来解释她为什么哭。结果英雄所见略同,说她的哭大半由于心理的痛苦;女孩子千里辞家,半途生病,举目无亲,自然要哭。两人因为她哭得不敢出声,尤其可怜她,都说要待她好一点,轻轻走去看她。她像睡着了,脸上泪渍和灰尘,结成几道黑痕;幸亏年轻女人的眼泪还不是秋冬的雨点,不致把自己的脸摧毁得衰败,只像清明时节的梦雨,浸肿了地面,添了些泥。

从界化陇到邵阳这四五天里,他们的旅行顺溜像缎子,他们把新发现的真理挂在嘴上说:"钱是非有不可的。"邵阳到学校全是山路,得换坐轿子。他们公共汽车坐腻了,换新鲜坐轿子,喜欢得很。坐了一会,才知道比汽车更难受,脚趾先冻得痛,宁可下轿走一段再坐。一路上崎岖缭绕,走不尽的山和田,好像时间已经遗忘了这条路途。走了七十多里,时间仿佛把他们收回去了,山雾渐起,阴转为昏,昏凝为黑,黑得浓厚的一块,就是他们今晚投宿的小村子。进了火铺,轿夫和挑夫们生起火来,大家围着取暖,一面烧菜做饭。火铺里晚上不点灯,把一长片木柴烧着了一头,插在泥堆上,苗条的火焰摇摆伸缩,屋子里东西的影子跟着活了。辛楣等睡在一个统间里,没有床铺,只是五叠干草。他们倒宁可睡稻草,胜于旅馆里那些床,或像凹凸地图,或像肺病人的前胸。鸿渐倦极,迷迷糊糊要睡,心终放不平稳,睡四面聚近来,可是合不拢,仿佛两半窗帘要接缝了,忽然拉链梗住,还漏进一线外面的世界。好容易睡熟了,梦深处一个小声音带哭嚷道:"别压住我的红棉袄!别压住我的红棉袄!"鸿渐本能地身子滚开,意识跳跃似的清醒过来,头边一声叹息,轻微得只像被遏抑的情感偷偷在呼吸。他吓得汗毛直竖,黑暗里什么都瞧不见,想划根火柴,又怕真照见了什么东西,辛楣正打鼾,远处一条狗在叫。他定一定神,笑自己活见鬼,又神经松懈要睡,似乎有什么力量拒绝他睡,把他的身心撑起,撑起,不让他安顿下去,半睡半醒间瑷瑷地感到醒的时候,一个人是轻松悬空的,一睡熟就沉重了。正挣扎着,他听邻近孙小姐呼吸颤促像欲哭不能,注意力警醒一集中,睡又消散了,耳边清清楚楚地一声叹息,仿佛工作完毕的吐口气。鸿渐头一侧,躲避那张叹气的嘴,喉舌都给恐怖干结住了,叫不出"谁呀"两字,只怕那张嘴会凑耳朵告诉自己他是谁,忙把被蒙着头,心跳得像胸膛里容不下。隔被听见辛楣睡觉中咬牙,这声音解除了他的恐怖,使他觉得回到人的世界,探出头来,一件东西从他头边跑过,一阵老鼠叫。他划根火柴,那神经质的火焰一跳就熄了,但他已瞥见表上正是十二点钟。孙小姐给火光耀醒翻身,鸿渐问她是不是梦魇,孙小姐告诉他,她梦里像有一双小孩子的手推开她的身体,不许她睡。鸿渐也说了自己的印象,劝她不要害怕。

　　早晨不到五点钟,轿夫们淘米煮饭。鸿渐和孙小姐两人下半夜都没有睡,也跟着起来,到屋外呼吸新鲜空气。才发现这屋背后全是坟,看来这屋就是铲平坟墓造的。火铺屋后不远矗立一个破门框子,屋身烧掉了,只剩这个进出口,两扇门也给人搬走了。鸿渐指着那些土馒头问:"孙小姐,你相信不相信有鬼?"孙小姐自从梦魇以后,跟鸿渐熟多了,笑说:"这话很难回答。有时候,我相信有鬼;有时候,我决不相信有鬼。譬如昨天晚上,我觉得鬼真可怕。可是这时候虽然四周围全是坟墓,我又觉得鬼绝对没有这东西了。"鸿渐道:"这意思很新鲜。鬼的存在的确有时间性的,好像春天有的花,到夏天就没有。"孙小姐道:"你说你听见的声音像小孩子的,我梦里的手也像是小孩子的,这太怪了。"鸿渐道:"也许我们睡的地方本来是小孩子的坟,你看这些坟都很小,不像是大人的。"孙小姐天真地问道:"为什么鬼不长大的?小孩子死了几十年还是小孩子?"鸿渐道:"这就是生离死别比百年团聚好的地方,它能使人不老。不但鬼不会长大,不见了好久的朋友,在我们心目里,还是当年的丰采,尽管我们自己已经老了——喂,辛楣。"辛楣呵呵大笑道:"你们两人一清早到这鬼窝里来谈些什么?"两人把昨天晚上的事告诉他,他冷笑道:"你们两人真是魂梦相通,了不得!我一点没感觉什么;当然我是粗人,鬼不屑拜访的——轿夫说今天下午可以到学校了。"

方鸿渐在轿子里想,今天到学校了,不知是什么样子。反正自己不存奢望。适才火铺屋后那个破门倒是好象征。好像个进口,背后藏着深宫大厦,引得人进去了,原来什么没有,一无可进的进口、一无可去的去处。"撇下一切希望罢,你们这些进来的人!"虽然这么说,按捺不下的好奇心和希冀像火炉上烧滚的水,勃勃地掀动壶盖。只嫌轿子走得不爽气,宁可下了轿自己走。辛楣也给这心理鼓动得在轿子里坐不定,下轿走着,说:"鸿渐,这次走路真添了不少经验。总算功德圆满,取经到了西天,至少以后跟李梅亭、顾尔谦两位可以敬而远之了。李梅亭不用说,顾尔谦胁肩谄笑的丑态,也真叫人吃不消。"

鸿渐道:"我发现拍马屁跟恋爱一样,不容许有第三者冷眼旁观。咱们以后恭维人起来,得小心旁边没有其他的人。"

辛楣道:"像咱们这种旅行,最试验得出一个人的品性。旅行是最劳顿,最麻烦,叫人本相毕现的时候。经过长期苦旅行而彼此不讨厌的人,才可以结交作朋友——且慢,你听我说——结婚以后的蜜月旅行是次序颠倒的,应该先同旅行一个月,一个月舟车仆仆以后,双方还没有彼此看破,彼此厌恶,还没有吵嘴翻脸,还要维持原来的婚约,这种夫妇保证不会离婚。"

"你这话为什么不跟曹元朗夫妇去讲?"

"我这句话是专为你讲的,sonny①。孙小姐经过这次旅行并不使你讨厌罢?"辛楣说着,回头望望孙小姐的轿子,转过脸来,呵呵大笑。

"别胡闹。我问你,你经过这次旅行,对我的感想怎么样?觉得我讨厌不讨厌?"

"你不讨厌,可是全无用处。"

鸿渐想不到辛楣会这样干脆地回答,气得只好苦笑。兴致扫尽,静默地走了几步,向辛楣一挥手说:"我坐轿子去了。"上了轿子,闷闷不乐,不懂为什么说话坦白算是美德。

---

① 小子。

# 六

　　三闾大学校长高松年是位老科学家。这"老"字的位置非常为难，可以形容科学，也可以形容科学家。不幸的是，科学家跟科学大不相同，科学家像酒，愈老愈可贵，而科学像女人，老了便不值钱。将来国语文法发展完备，总有一天可以明白地分开"老的科学家"和"老科学的家"，或者说"科学老家"和"老科学家"。现在还早得很呢，不妨笼统称呼。高校长肥而结实的脸像没发酵的黄面粉馒头，"馋嘴的时间"咬也咬不动他，一条牙齿印或皱纹都没有。假使一个犯校规的女学生长得非常漂亮，高校长只要她向自己求情认错，也许会不尽本于教育精神地从宽处分。这证明这位科学家还不老。他是二十年前在外国研究昆虫学的；想来二十年前的昆虫都进化成为大学师生了，所以请他来表率多士。他在大学校长里，还是前途无量的人。大学校长分文科出身和理科出身两类。文科出身的人轻易做不到这位子，做到了也不以为荣，准是干政治碰壁下野，仕而不优则学，借诗书之泽、弦诵之声来休养身心。理科出身的人呢，就全然不同了。中国是世界上最提倡科学的国家，没有旁的国家肯这样给科学家大官做的。外国科学进步，中国科学家晋爵。在外国，研究人情的学问始终跟研究物理的学问分歧；而在中国，只要你知道水电、土木、机械、动植物等等，你就可以行政治人——这是"自然齐一律"最大的胜利。理科出身的人当个把校长，不过是政治生涯的开始；从前大学之道在治国平天下，现在治国平天下在大学之道，并且是条坦道大道。对于第一类，大学是张休息的摇椅；对于第二类，它是个培养的摇篮——只要他小心别摇摆得睡熟了。

高松年发奋办公，亲兼教务长，精明得真是睡觉还睁着眼睛，戴着眼镜，做梦都不含糊的。摇篮也挑选得很好，在平成县乡下一个本地财主的花园里，面溪背山。这乡镇绝非战略上必争之地，日本人惟一豪爽不吝啬的东西——炸弹——也不会浪费在这地方。所以，离开学校不到半里的镇上，一天繁荣似一天，照相铺、饭店、浴室、地方戏院、警察局、中小学校，一应俱全。今年春天，高松年奉命筹备学校，重庆几个老朋友为他饯行。席上说起国内大学多而教授少，新办尚未成名的学校，地方偏僻，怕请不到名教授。高松年笑道："我的看法跟诸位不同。名教授当然很好，可是因为他的名望，学校沾着他的光，他并不倚仗学校里的地位。他有架子，有脾气，他不会全副精神为学校服务，更不会绝对服从当局的指挥。万一他闹别扭，你不容易找替人，学生又要借题目麻烦。我以为学校不但造就学生，并且应该造就教授。找一批没有名望的人来，他们要借学校的光，他们要靠学校才有地位，而学校并非非有他们不可，这种人才真能跟学校合为一体，真肯出力为公家做事。学校也是个机关，机关当然需要科学管理,在健全的机关里,决没有特殊人物,只有安分受支配的一个个分子。所以,找教授并非难事。"大家听了,倾倒不已。高松年事先并没有这番意见,临时信口胡扯一阵。经朋友们这样一恭维,他渐渐相信这真是至理名言,也对自己倾倒不已。他从此动不动发表这段议论,还加上个帽子道:"我是研究生物学的。学校也是个有机体,教职员之于学校,应当像细胞之于有机体——"这至理名言更变而为科学定律了。

亏得这一条科学定律,李梅亭、顾尔谦,还有方鸿渐会荣任教授。他们那天下午两点多钟到学校;高松年闻讯匆匆到教员宿舍里应酬一下,回到办公室,一月来的心事不能再搁在一边不想了。自从长沙危急,聘好的教授里十个倒有九个打电报来托故解约,七零八落,开不出班,幸而学生也受战事影响,只有一百五十八人。今天一来就是四个教授,军容大震,向部里报上去也体面些。只是怎样对李梅亭和方鸿渐解释呢?部里汪次长介绍汪处厚来当中国文学系主任,自己早写信聘定李梅亭了——可是汪处厚是汪次长的伯父,论资格也比李梅亭好,那时候给教授陆续辞聘的电报吓昏了头,怕上海这批人会半路打回票,只好先敷衍汪次长。汪处厚这人不好打发,李梅亭是老朋友,老朋友总讲得开,就怕他的脾气难对付,难对付!这姓方的青年人是容易对付的。他是赵辛楣的来头,辛楣最初不肯来,介绍了他,说他是留学德国的博士,真糊涂透顶!他自己开来的学历,并没有学位,只是个各国游荡的"游学生",并且并非学政治的,聘他当教授太冤枉了!至多做副教授,循序渐升,年轻人做事不应该爬得太高,这话可以叫辛楣对他说。为难的还是李梅亭——无论如何,他千辛万苦来了,决不会一翻脸就走的;来得困难,去也没有那么容易,空口允许他些好处就是了。他从私立学校一跳而进国立学校,还不是自己提拔他的?做人总要有良心。这些反正是明天的事,别去想它,今天——今天晚上还有警察局长的晚饭呢。这晚饭是照例应酬,小乡镇上的盛馔,翻来覆去,只有那几样,高松年也吃腻了,可是这时候四点钟已过,肚子有点饿,所以想到晚饭,嘴里一阵潮润。

同路的人,一到目的地,就分散了,好像一个波浪里的水打到岸边,就四面溅开。可是鸿渐们四个男人,当天还一起到镇上去理发洗澡。回校只见告白板上贴着粉红纸的布告,说中国文学系同学今晚七时半在联谊室举行茶会,欢迎李梅亭先生。梅亭欢喜得直说:"讨厌,讨厌!我累得很,今天还想早点睡呢!这些孩子热心得不懂道理。赵先生,他们消息真灵呀!"

辛楣道:"岂有此理!政治系学生为什么不开会欢迎我呀?"

梅亭道:"忙什么?今天的欢迎会,你代我去,好不好?我宁可睡觉。"

顾尔谦点头叹道:"念中国书的人,毕竟知礼,我想旁系的学生决不会这样尊师重道的。"说完笑眯眯地望着李梅亭,这时候,上帝会懊悔没在人身上添一条能摇的狗尾巴,因此减低了不知多少表情的效果。

鸿渐道:"你们都什么系,什么系,我还不知道是哪一系的教授呢。高校长给我的电报没有说明白。"

辛楣忙说："那没有关系。你可以教哲学,教国文——"

梅亭狞笑道："教国文是要得我许可的,方先生,你好好地巴结我一下,什么都可以商量。"

说着,孙小姐来了,说住在女生宿舍里,跟女生指导范小姐同室,也把欢迎会这事来恭维李梅亭。梅亭轻佻地笑道："孙小姐,你改了行罢,不要到外国语文系办公室去了,当我的助教,今天晚上,咱们俩同去开会。"五人同在校门口小馆子吃晚饭的时候,李梅亭听而不闻,食而不知其味,大家笑他准备欢迎会上演讲稿,梅亭极口分辩道："胡说!这要什么准备!"

晚上近九点钟,方鸿渐在赵辛楣房里讲话,连打呵欠,正要回房去睡,李梅亭打门进来了。两人想打趣他,但瞧他脸色不正,便问："怎么欢迎会完得这样早?"梅亭一言不发,向椅子里坐下,鼻子里出气像待开发的火车头。两人忙问他怎么啦。他拍桌大骂高松年混账,说官司打到教育部去,自己也不会输的;高松年身为校长,出去吃晚饭,这时候还不回来,影子也找不见,这种玩忽职守,就该死。原来,今天欢迎会是汪处厚安排好的,兵法上有名的"敌人喘息未定,即予以迎头痛击"。先来校的四个中国文学系讲师和助教早和他打成一片,学生也唯命是听。他知道高松年跟李梅亭有约在先,自己迹近乘虚篡窃,可是当系主任和结婚一样,"先进门三日就是大"。这开会不是欢迎,倒像新姨太太的见礼。李梅亭跟随学生代表一进会场,便觉空气两样,听得同事和学生一连声叫"汪主任",已经又疑又慌。汪处厚见了他,热烈地双手握着他手,好半天搓摩不放,仿佛捉搦了情妇的手,一壁似怨似慕地说:"李先生,你真害我们等死了,我们天天在望你来——张先生,薛先生,咱们不是今天早晨还讲起他的——我们今天早晨还讲起你。路上辛苦啦?好好休息两天再上课,不忙。我把你的功课全排好了。李先生,咱们俩真是神交久矣。高校长拍电报到成都要我组织中国文学系,我想年纪老了,路又不好走,换生不如守熟,所以我最初实在不想来。高校长,他可真会磨人哪!他请舍侄——"张先生、薛先生、黄先生同声说:"汪先生就是汪次长的令伯。"——"请舍侄再三劝驾,我却不过情,我内人身体不好,也想换换空气。到这儿来了,知道有你先生,我真高兴,我想这系办得好了——"李梅亭一篇主任口气的训话闷在心里讲不出口,忍住气,搭讪了几句,喝了杯茶,只推头痛,早退席了。

辛楣和鸿渐安慰李梅亭一会,劝他回房睡,有话明天跟高松年去说。梅亭临走说:"我跟老高这样的交情,他还会耍我,他对你们两位一定也有把戏。瞧着罢,咱们采取一致行动,怕他什么!"梅亭去后,鸿渐看着辛楣道:"这不成话说!"辛楣皱眉道:"我想这里面有误会,这事的内幕我全不知道。也许李梅亭压根儿在单相思,否则太不像话了!不过,像李梅亭那种人,真要当主任,也是个笑话,他那些印头衔的讲究名片,现在可不能用了,哈哈。"鸿渐道:"我今年反正是倒霉年,准备到处碰钉子的。也许明天高松年不认我这个蹩脚教授。"辛楣不耐烦道:"又来了!你好像存着心非倒霉不痛快似的。我告诉你,李梅亭的话未可全信——而且,你是我面上来的人,万事有我。"鸿渐虽然抱最大决意来悲观,听了又觉得这悲观不妨延期一天。

明天上午,辛楣先上校长室去,说把鸿渐的事讲讲明白,叫鸿渐等着,听了回话再去见高松年。鸿渐等了一个多钟点,不耐烦了,想自己真是神经过敏,高松年直接打电报来的,一个这样机关的首领好意思说话不作准么?辛楣早尽了介绍人的责任,现在自己就去正式拜会高松年,这最干脆。

高松年看方鸿渐和颜悦色,不相信世界上会有这样脾气好或城府深的人,忙问:"碰见赵先生没有?"

"还没有。我该来参见校长,这是应当的规矩。"方鸿渐自信说话得体。

高松年想糟了!糟了!辛楣一定给李梅亭缠住不能脱身,自己跟这姓方的免不了一番唇舌:"方先生,我是要跟你谈谈——有许多话我已经对赵先生说了——"鸿渐听口风不对,可是脸上的笑容一时不及收敛,怪不自在地停留着,高松年看得恨不能把手指为他撮去——"方先生,你收到我的信没有?"一般人撒谎,嘴跟眼睛不能合作,嘴尽管雄赳赳地胡说,眼睛懦怯不敢平视对方。高松年老于世故,并且研究生物学的时候,学到西洋人相传的智慧,那就是:假使你的眼光能与狮子或老虎的眼光相接,彼此怒目对视,那野兽给你催眠了不敢扑你。当然野兽未必肯在享用你以前,跟你飞眼送秋波,可是方鸿渐也不是野兽,至多只能算是家畜。

他给高松年三百瓦特的眼光射得不安,觉得这封信不收到是自己的过失,这次来得太冒昧了,果然高松年写信收回成命,同时有一种不出所料的满意,惶遽地说:"没有呀!我真没收到呀!重要不重要?高先生什么时候发的?"倒像自己撒谎,收到了信在抵赖。

"咦!怎么没收到?"高松年直跳起来,假惊异的表情做得惟妙惟肖,比方鸿渐的真惊惶自然得多;他没演话剧,是话剧的不幸而是演员们的大幸——"这信很重要。唉!现在抗战时间的邮政简直该死。可是你先生已经来了,好得很,这些话可以面谈了。"

鸿渐稍微放心,迎合道:"内地去上海的信,常出乱子。这次长沙的战事恐怕也有影响,一大批信会遗失,高先生给我的信假如寄出得早——"

高松年做个一切撇开的手势,宽宏地饶赦那封自己没写、方鸿渐没收到的信:"信就不用提了,我深怕方先生看了那封信,会不肯屈就,现在你来了,你就别想跑,呵呵!是这么一回事,你听我说,我跟你先生虽然素昧平生,可是我听辛楣讲起你的学问人品种种,我真高兴,立刻就拍电报请先生来帮忙,电报上说——"高松年顿一顿,试探鸿渐是不是善办交涉的人,因为善办交涉的人决不这时候替自己说许下的条件的。

可是方鸿渐像鱼吞了饵,一钓就上,急接口说:"高先生电报上招我来当教授,可是没说明白什么系的教授,所以我想问一问。"

"我原意请先生来当政治系的教授,因为先生是辛楣介绍的,说先生是留德的博士。可是先生自己开来的履历上并没有学位——"鸿渐的脸红得像有一百零三度寒热的病人——"并且不是学政治的,辛楣全搞错了。先生跟辛楣的交情本来不很深罢?"鸿渐脸上表示的寒热又升了华氏表上一度,不知怎样对答,高松年看在眼里,胆量更大——"当然,我决不计较学位,我只讲真才实学。不过部里定的规矩呆板得很,照先生的学历,至多只能当专任讲师,教授待遇呈报上去一定要驳下来的。我相信辛楣的保荐不会错,所以破格聘先生为副教授,月薪二百八十元,下学年再升。快信给先生就是解释这一回事,我以为先生收到信的。"

鸿渐只好第二次声明没收到信,同时觉得降级为副教授已经天恩高厚了。

"先生的聘书,我方才已经托辛楣带去了。先生教授什么课程,现在很成问题。我们暂时还没有哲学系,国文系教授已经够了,只有一班文法学院一年级学生共修的论理学,三个钟点,似乎太少一点,将来我再想办法罢。"

鸿渐出校长室,灵魂像给蒸汽碌碡滚过,一些气概也无。只觉得自己是高松年大发慈悲收留的一个弃物,满肚子又羞又恨,却没有个发泄的对象。回到房里,辛楣赶来,说李梅亭的事总算帮高松年解决了,要谈鸿渐的事。他知道鸿渐已经跟高松年谈过话,忙道:"你没有跟他翻脸罢? 这都是我不好。我有个印象以为你是博士,当初介绍你到这儿来,只希望这事快成功——""好让你去专有苏小姐。"——"不用提了,我把我的薪水,——好,好! 我不,我不!"辛楣打拱赔笑地道歉,还称赞鸿渐有涵养,说自己在校长室讲话,李梅亭直闯进来,咆哮得不成体统。鸿渐问梅亭的事怎样了的。辛楣冷笑道:"高松年请我劝他,纠缠了半天,他说除非学校照他开的价钱买他带的西药——唉,我还要给高松年回音呢。我心上牵挂着你的事,所以先赶回来看你。"鸿渐本来气倒平了,知道高松年真依李梅亭讨的价钱替学校买他带的私货,又气闷起来,想李梅亭就有补偿,只自己一个人吃亏。高松年下帖子当天晚上替新来的教授接风,鸿渐闹别扭要辞,经不起辛楣苦劝,并且傍晚高松年亲来回拜,总算有了面子,还是去了。

辛楣虽然不像李梅亭有提炼成丹、旅行便携的中国文学精华片,也随身带着十几本参考书。方鸿渐不知道自己会来教论理学的,携带的《西洋社会史》、《原始文化》、《史学丛书》等等一本也用不着。他仔细一想,慌张得没工夫生气了,希望高松年允许自己改教比较文化史和中国文学史,可是前一门功课现在不需要,后一门功课有人担任。叫化子只能讨到什么吃什么,点菜是轮他不着的。辛楣安慰他说:"现在的学生程度不比从前——"学生程度跟世道人心好像是在这装了橡皮轮子的大时代里仅有的两件退步的东西——"你不要慌,无论如何对付得过。"鸿渐上图书馆找书,馆里通共不上一千本书,老的、糟的、破旧的中文教科书居其大半,都是因战事而停办的学校的遗产。一千年后,这些书准像敦煌石室的卷子那样名贵,现在呢,它们古而不稀,短见浅识的藏书家还不知道收买。一切图书馆本来像死用功人大考时的头脑,是学问的坟墓;这图书馆倒像个敬惜字纸的老式慈善机关,若是天道有知,办事人今世决不遭雷打,来生一定个个聪明、人人博士。鸿渐翻找半天,居然发现一本中文译本的《论理学纲要》,借了回房,大有唐三藏取到佛经回长安的快乐。他看了几页《论理学纲要》,想学生在这地方是买不到教科书的,要不要把这本书公开或油印了发给大家。又一转念,这事不必。从前先生另有参考书作枕中秘宝,所以肯用教科书;现在没有参考书,只靠这本教科书来灌输知识,宣扬文化,万不可公诸大众,还是让学生们莫测高深,听讲写笔记罢。自己大不了是个副教授,犯不着太卖力气的。上第一堂先对学生们表示同情,慨叹后方书籍的难得,然后说在这种环境之下,教授才不过是个赘疣,因为教授讲学是印刷术没发明以前的应急办法,而今不比中世纪,大家有书可看,照道理不必在课堂上浪费彼此的时间——鸿渐自以为这话说出去准动听,又高兴得坐不定,预想着学生的反应。

鸿渐等是星期三到校的,高松年许他们休息到下星期一才上课。这儿大里,辛楣是校长的红人,同事拜访他的最多,鸿渐处就少人光顾。这学校草草创办,规模不大;除掉女学生跟少数带家眷的教职员以外,全住在一个大园子里。世态炎凉的对照,愈加分明。星期日下午,鸿渐正在预备讲义,孙小姐来了,脸色比路上红活得多。鸿渐要去叫辛楣,孙小姐说她刚从辛楣那儿来,政治系的教授们在开座谈会呢,满屋子的烟,她瞧人多有事,就没有坐下。

方鸿渐笑道:"政治家聚在一起,当然是乌烟瘴气。"

孙小姐笑了一笑,说:"我今天来谢谢方先生和赵先生。昨天下午,学校会计处把我的旅费补送来了。"

"还是赵先生替你去争来的,跟我无关。"

"不,我知道,"孙小姐温柔地固执着,"这是你提醒赵先生的。你在船上——"孙小姐省悟多说了半句话,涨红脸,那句话也遭了腰斩。

鸿渐猛记得船上的谈话,果然这女孩子全听在耳朵里了,看她那样子,自己也窘起来。害羞脸红和打呵欠或口吃一样有传染性,情况粘滞,仿佛像穿橡皮鞋走泥淖,踏不下而又拔不出。他支吾开玩笑说:"好了,好了。你回家的旅费有了。还是趁早回家罢,这儿没有意思。"

孙小姐小孩子般撅嘴道:"我真想回家!我天天想家,我给爸爸写信也说我想家。到明年暑假那时候太远了,我想着就心焦。"

"第一次出门总是这样的,过几时就好了。你对你们那位系主任谈过没有?"

"怕死我了!刘先生要我教一组英文,我真不会教呀!刘先生说四组英文应当各有一个教师,系里连他只有三个先生,非我担任一组不可。我真不知道怎样教法,学生个个比我高大,看上去全凶得很。"

"教教就会教了。我也从来没教过书。我想学生程度不会好,你用心准备一下,教起来绰绰有余。"

"我教的一组是入学考试英文成绩最糟的一组,可是,方先生,你不知道我自己多少糟,我想到这儿来好好用一两年功。有外国人不让她教,倒要我去丢脸!"

"这儿有什么外国人呀?"

"方先生不知道么?历史系主任韩先生的太太,我也没看见过,听范小姐说,瘦得全是骨头,难看得很。有人说她是白俄,有人说她是奥国归并给德国以后流亡出来的犹太人,她丈夫说她是美国人。韩先生要她在外国语文系当教授,刘先生不答应,说她没有资格,英文都不会讲,教德文俄文现在用不着。韩先生生了气,骂刘先生自己没有资格,不会讲英文,编了几本中学教科书,在外国暑期学校里混了张证书,算什么东西——话真不好听,总算高先生劝开了,韩先生在闹辞职呢。"

"怪不得前天校长请客他没有来。咦!你本领真大,你这许多消息,什么地方听来的?"

孙小姐笑道:"范小姐告诉我的。这学校像个大家庭,除非你住在校外,什么秘密都保不住,并且口舌多得很。昨天刘先生的妹妹从桂林来了,听说是历史系毕业的。大家都说,刘先生跟韩先生可以讲和了,把一个历史系的助教换一个外文系的教授。"

鸿渐掉文道:"妹妹之于夫人,亲疏不同;助教之于教授,尊卑不敌。我做了你们的刘先生,决不肯吃这个亏的。"

说着,辛楣进来了,说:"好了,那批人送走了——孙小姐,我知道你不会就去的。"他说这句话全无用意,可是孙小姐脸红。鸿渐忙把韩太太这些事告诉他,还说:"怎么学校里还有这许多政治暗斗？倒不如进官场爽气。"

辛楣宣扬教义似的说:"有群众生活的地方全有政治。"孙小姐坐一会去了。辛楣道:"我写信给她父亲,声明把保护人的责任移交给你,好不好?"

鸿渐道:"我看这题目已经像教国文的老师所谓'做死'了,没有话可以说了,你换个题目来开玩笑,行不行?"辛楣笑他扯淡。

上课一个多星期,鸿渐跟同住一廊的几个同事渐渐熟了。历史系的陆子潇曾作敦交睦邻的拜访,所以一天下午鸿渐去回看他。陆子潇这人刻意修饰,头发又油又光,深恐为帽子埋没,与之不共戴天,深冬也光着顶。鼻子短而阔,仿佛原有笔直下来的趋势,给人迎鼻孔打了一拳,阻止前进,这鼻子后退不迭,向两旁横溢。因为没结婚,他对自己年龄的态度,不免落在时代的后面;最初他还肯说外国算法的十足岁数,年复一年,他偷偷买了一本翻译的《Life Begins at Forty》①,对人家干脆不说年龄,不讲生肖,只说:"小得很呢！还是小弟弟呢！"同时表现小弟弟该有的活泼和顽皮。他讲话时喜欢窃窃私语,仿佛句句是军国机密。当然军国机密他也知道的,他不是有亲戚在行政院、有朋友在外交部么？他亲戚曾经写给他一封信,这左角印"行政院"的大信封上大书着"陆子潇先生",就仿佛行政院都要让他正位居中似的。他写给外交部那位朋友的信,信封虽然不大,而上面开的地址"外交部欧美司"六字,笔酣墨饱,字字端楷,文盲在黑夜里也

---

① 《人生从四十岁才开始》是当时流行的一本美国书籍。

该一目了然的。这一封来函、一封去信,轮流地在他桌上装点着。大前天早晨,该死的听差收拾房间,不小心打翻墨水瓶,把行政院淹得昏天黑地,陆子潇挽救不及,跳脚痛骂。那位亲戚国而忘家,没来过第二次信;那位朋友外难顾内,一封信也没回过。从此,陆子潇只能写信到行政院去,书桌上两封信都是去信了。今日正是去信外交部的日子,子潇等待鸿渐看见了桌上的信封,忙把这信搁在抽屉里,说:"不相干。有一位朋友招我到外交部去,回他封信。"

鸿渐信以为真,不得不做出惜别慰留的神情道:"啊哟!怎样陆先生要高就了!校长肯放你走么?"

子潇连摇头道:"没有的事!做官没有意思,我回信去坚辞的。高校长待人很厚道,好几个电报把我催来,现在你们各位又来了,学校渐渐上轨道,我好意思拆他台么?"

鸿渐想起高松年和自己的谈话,叹气道:"校长对你先生,当然是另眼相看了。像我们这种——"

子潇说话低得有气无声,仿佛思想在呼吸:"是呀。校长就是有这个毛病,说了话不作准的。我知道了你的事很不平。"机密得好像四壁全挂着偷听的耳朵。

鸿渐没想到自己的事人家早知道了,脸微红道:"我倒没有什么。不过高先生——我总算学个教训。"

"哪里的话!副教授当然有屈一点,可是你的待遇算副教授里最高的了。"

"什么?副教授里还分等么?"鸿渐大有约翰生博士不屑把

臭虫和跳蚤分等的派头。"

"分好几等呢。譬如你们同来、我们同系的顾尔谦就比你低两级。就像系主任罢,我们的系主任韩先生比赵先生高一级,赵先生又比外语系的刘东方高一级。这里面等次多得很,你先生初回国做事,所以搅不清了。"

鸿渐茅塞顿开,听说自己比顾尔谦高,气平了些,随口问道:"为什么你们的系主任薪水特别高呢?"

"因为他是博士,Ph. D.。我没有到过美国,所以没听见过他毕业的那个大学,据说很有名,在纽约,叫什么克莱登大学。"

鸿渐吓得直跳起来,宛如自己的阴私给人揭破,几乎失声叫道:"什么大学?"

"克莱登大学。你知道克莱登大学?"

"我知道! 哼,我也是——"鸿渐恨不能把舌头咬住,已经泄漏了三个字。

子潇听话中有因,像黄泥里的竹笋,尖端微露,便想盘问到底。鸿渐不肯说,他愈起疑心,只恨不能采取特务机关的有效刑罚来逼取口供。鸿渐回房,又气又笑。自从唐小姐把买文凭的事向他质问以后,他不肯再想起自己跟爱尔兰人那一番交涉,他牢记着要忘掉这事;每逢念头有扯到它的趋势,他赶快转移思路,然而身上已经一阵羞愧地微热。适才陆子潇的话倒仿佛一帖药,把心里的鬼胎打下一半。韩学愈撒他的谎,并非跟自己同谋,但有了他,似乎自己的欺骗减轻了罪名。当然新添上一种不快意,可是这种不快意是透风的,见得天日的,不比买文凭的事像谋杀灭迹的尸首,对自己都要遮掩得一丝不露。撒谎骗人该像韩学愈那样才行,要有勇气坚持到底。自己太不成了,撒了谎还要讲良心,真是大傻瓜。假如索性大胆老脸,至少高松年的欺负就可以避免。老实人吃的亏,骗子被揭破的耻辱,这两种相反的痛苦,自己居然一箭双雕地兼备了。鸿渐忽然想,近来连撒谎都不会了。因此恍然大悟,撒谎往往是高兴快乐的流露,也算得一种创造,好比小孩子游戏里的自骗自。一个人身心畅适,精力充溢,会不把顽强的事实放在眼里,觉得有本领跟现状开玩笑。真到忧患穷困的时候,人穷智短,谎话都讲不好的。

过一天,韩学愈特来拜访。通名之后,方鸿渐倒窘起来,同时快意地失望。理想中的韩学愈不知怎样的嚣张浮滑,不料是个沉默寡言的人。他想陆子潇也许记错,孙小姐准是过信流言。木讷朴实是韩学愈的看家本领。现代人有两个流行的信仰。第一:女子无貌便是德,所以漂亮女人准比不上丑女人那样有思想,有品节;第二:男子无口才,就表示有道德,所以哑巴是天下最诚朴的人。也许上够了演讲和宣传的当,现代人矫枉过正,以为只有不说话的人开口准说真话,害得新官上任,训话时个个都说:"为政不在多言",恨不能只指嘴、指心、指天,三个手势了事。韩学愈虽非哑巴,天生有点口吃。因为要掩饰自己的口吃,他讲话少、慢、着力,仿佛每个字都有他全部人格作担保。不轻易开口的人总使旁人想他满腹深藏着智慧,正像密封牢锁的箱子,一般人总以为里面结结实实都是宝贝。高松年在昆明第一次见到这人,觉得他诚恳安详,像个君子,而且未老先秃,可见脑子里的学问多得冒上来,把头发都挤掉了。再一看他开的学历,除掉博士学位以外,还有一条:"著作散见美国《史学杂志》、《星期六文学评论》等大刊物中。"不由自主地另眼相看。好几个拿了介绍信来见的人,履历上写在外国"讲学"多次。高松年自己在欧洲一个小国里读过书,知道往往自以为讲学,听众以为他在学讲——讲不来外国话借此学学。可是在外国大刊物上发表作品,这非有真才实学不可。他问韩学愈道:"先生的大作可以拿来看看吗?"韩学愈坦然说,杂志全搁在沦陷区老家里,不过这两种刊物中国各大学全该订阅的,就近应当一找就到,除非经过这番逃难,图书馆的旧杂志损失不全了。高松年想不到一个说谎者会这样泰然无事;各大学的书籍七零八落,未必找得着那期杂志,不过里面有韩学愈的文章看来是无可疑的。韩学愈也确向这些刊物投过稿,但高松年没知道他的作品发表在《星期六文学评论》的人事广告栏:"中国青年,受高等教育,愿意帮助研究中国问题的人,取费低廉。"和《史学杂志》的通信栏:"韩学愈君征求二十年前本刊,愿出让者请通信某处接洽。"最后他听说韩太太是美国人,他简直改容相敬了,能娶外国老婆非精通西学不可,自己年轻时不是想娶个比国女人没有成功么?这人做得系主任。他当时也没想到这外国老婆是在中国娶的白俄。

跟韩学愈谈话仿佛看慢动电影,你想不到简捷的一句话需要那么多的筹备,动员那么复杂的身体机构。时间都给他的话胶着,只好拖泥带水地慢走。韩学愈容颜灰暗,在阴天可以与周围的天色和融无间,隐身不见,是头等的保护色。他只有一样显著的东西,喉咙里一个大核。他讲话时,这喉核忽升忽降,鸿渐看得自己喉咙都发痒。他不说话咽唾沫时,这核稍隐复现,令鸿渐联想起青蛙吞苍蝇的景象。鸿渐看他说话少而费力多,恨不能把那喉结瓶塞头似的拔出来,好让下面的话松动。韩学愈约鸿渐上他家去吃晚饭,鸿渐谢过他,韩学愈又危坐不说话了,鸿渐只好找话敷衍,便问:"听说嫂夫人是在美国娶的?"

韩学愈点头,伸颈咽口唾沫,唾沫下去,一句话从喉核下浮上:"你先生到过美国没有?"

"没有去过——"索性试探他一下——"可是,我一度想去,曾经跟一个 Dr. Mahoney 通信。"是不是自己神经过敏呢?韩学愈似乎脸色微红,像阴天忽透太阳。

"这人是个骗子。"韩学愈的声调并不激动,说话也不增多。

"我知道。什么克莱登大学!我险的上了他的当。"鸿渐一面想,这人肯说那爱尔兰人是"骗子",一定知道瞒不了自己了。

"你没有上他的当罢!克莱登是好学校,他是这学校里一个开除的小职员,借着幌子向外国不知道的人骗钱,你真没有上当?唔,那最好。"

"真有克莱登这学校么?我以为全是那爱尔兰人捣的鬼。"鸿渐诧异得站起来。

"很认真严格的学校,虽然知道的人很少——普通学生不容易进。"

"我听陆先生说,你就是这学校毕业的。"

"是的。"

鸿渐满腹疑团，真想问个详细。可是初次见面，不好意思追究，倒见得自己不相信他。并且这人说话很经济，问不出什么来；最好有机会看看他的文凭，就知道他的克莱登跟自己的克莱登是一是二了。韩学愈回家路上，腿有点软，想陆子潇的报告准得很，这姓方的跟爱尔兰人有过交涉，幸亏他不像自己去过美国，就恨不知道他是否真的没买文凭，也许他在撒谎。

方鸿渐吃韩家的晚饭，甚为满意。韩学愈虽然不说话，款客的动作极周到；韩太太虽然相貌丑，红头发，满脸雀斑像面饼上苍蝇下的粪，而举止活泼得通了电似的。鸿渐研究出西洋人丑得跟中国人不同：中国人丑得像造物者偷工减料的结果，潦草塞责的丑；西洋人丑像造物者恶意的表现，存心跟脸上五官开玩笑，所以丑得有计划、有作用。韩太太口口声声爱中国，可是又说在中国起居服食，没有在纽约方便。鸿渐总觉得她口音不够地道，自己没到过美国，要赵辛楣在此就听得出了，也许是移民到纽约去的。他到学校以后，从没有人对他这样殷勤过，几天来的气闷渐渐消散。他想韩学愈的文凭假不假，管它干吗，反正这人跟自己要好就是了。可是，有一件事，韩太太大讲纽约的时候，韩学愈对她做个眼色，这眼色没逃过自己的眼，当时就有一个印象，仿佛偷听到人家背后讲自己的话。这也许是自己多心，别去想它。鸿渐兴高采烈，没回房就去看辛楣："老赵，我回来了。今天对不住你，抛下你一个人吃饭。"

辛楣因为韩学愈没请自己，独吃了一客又冷又硬的包饭，这吃到的饭在胃里作酸，这没吃到的饭在心里作酸，说："国际贵宾回来了！饭吃得好呀？是中国菜还是西菜？洋太太招待得好不好？"

"他家里老妈子做的中菜。韩太太真丑！这样丑的老婆，在中国也娶得到，何必到外国去觅宝呢！辛楣，今天我恨你没有在——"

"哼，谢谢——今天还有谁呀？只有你！真了不起！韩学愈上自校长，下到同事，谁都不理，就敷衍你一个人。是不是洋太太跟你有什么亲戚？"辛楣欣赏自己的幽默，笑个不了。

鸿渐给辛楣那么一说，心里得意，假装不服气道："副教授就不是人？只有你们大主任、大教授配彼此结交？辛楣，讲正经话，今天有你，韩太太的国籍问题可以解决了。你是老美国，听她说话，盘问她几句，就水落石出。"

辛楣虽然觉得这句话中听，还不愿意立刻放弃他的不快："你这人真没有良心。吃了人家的饭，还要管闲事，探听人家阴私。只要女人可以做太太，管她什么美国人、俄国人。难道是了美国人，她女人的成分就加了倍？养孩子的效率会与众不同？"

鸿渐笑道："我是对韩学愈的学籍有兴趣。我总有一个感觉，假使他太太的国籍是假的，那么他的学籍也有问题。"

"我劝你省点事罢。你瞧，谎是撒不得的。自己捣了鬼从此对人家也多疑心——我知道你那一回事是开的玩笑，可是开玩笑开出来多少麻烦！像我们这样规规矩矩，就不会疑神疑鬼。"

鸿渐恼道："说得好漂亮！为什么当初我告诉了你韩学愈薪水比你高一级，你要气得掼纱帽不干呢？"

辛楣道："我并没有那样气量小——这全是你不好,听了许多闲话来告诉我,否则我耳根清净,好好的不会跟人计较。"

辛楣新学会一种姿态,听话时躺在椅子里,闭了眼睛,只有嘴边烟斗里的烟篆表示他并未睡着。鸿渐看了早不痛快,更经不起这几句话:"好,好!我以后再跟你讲话,我不是人。"

辛楣瞧鸿渐真动了气,忙张眼道:"说着玩儿的,别气得生胃病。抽支烟罢。以后恐怕到人家去吃晚饭也不能够了!你没有看见通知?是的,你不会发到的。大后天开校务会议,讨论施行导师制问题,听说导师要跟学生同吃饭的。"

鸿渐闷闷回房。难得一团高兴,找朋友扫尽了兴。天生人是教他们孤独的,一个个该各归各,老死不相往来。身体里容不下的东西,或消化,或排泄,是个人的事;为什么心里容不下的情感,要找同伴来分摊?聚在一起,动不动自己冒犯人,或者人开罪自己,好像一只只刺猬,只好保持着彼此间的距离,要亲密团结,不是你刺痛我的肉,就是我擦破你的皮。鸿渐真想把这些感慨跟一个能了解的人谈谈,孙小姐好像比赵辛楣能了解自己,至少她听自己的话很有兴味——不过,刚才说人跟人该避免接触,怎么又找女人呢!也许男人跟男人在一起像一群刺猬,男人跟女人在一起像——鸿渐想不出像什么,翻开笔记来准备明天的功课。

鸿渐教的功课到现在还是三个钟点,同事们谈起,无人不当面羡慕他的闲适,倒好像高松年有私心,特别优待他。鸿渐对论理学素乏研究,手边又没有参考,虽然努力准备,并不感觉兴趣。

这些学生来上他的课，压根儿为了学分。依照学校章程，文法学院学生应该在物理、化学、生物、论理四门之中，选修一门。大半人一窝蜂似的选修了论理：这门功课最容易——"全是废话"——不但不必做实验，天冷的时候，还可以袖手不写笔记。因为这门功课容易，他们选它；也因为这门功课容易，他们瞧不起它，仿佛男人瞧不起容易到手的女人。论理学是"废话"，教论理学的人当然是"废物"，"只是个副教授"，而且不属于任何系的。在他们心目中，鸿渐的地位比教党义的和教军事训练的高不了多少。不过教党义的和教军事训练的是政府机关派的，鸿渐的来头没有这些人大，"听说是赵辛楣的表弟，跟着他来的；高松年只聘他做讲师，赵辛楣替他争来的副教授。"无怪鸿渐老觉得班上的学生不把听讲当作一回事。在这种空气之下，讲书不会有劲。更可恨论理学开头最枯燥无味，要讲到三段论法，才可以穿插点缀些笑话，暂时还无法迎合心理。此外有两件事也使鸿渐不安。

一件是点名。鸿渐记得自己老师里的名教授们从不点名，从不报告学生缺课。这才是堂堂大学者的风度："你们要听就来听，我可不在乎。"他企羡之余，不免模仿。上第一课，他像创世纪里原人阿大（Adam）唱新生禽兽的名字，以后他连点名簿子也不带了。到第二星期，他发现五十多学生里有七八个缺席，这些空座位像一嘴牙齿忽然掉了几枚，留下的空穴，看了心里不舒服。下一次，他注意女学生还固守着第一排原来的座位，男学生像从最后一排坐起的，空着第二排，第三排孤零零地坐一个男学生。自己正观察这阵势,男学生都顽皮地含笑低头,女学生随自己的眼光,回头望一望,转脸瞧着自己笑。他总算熬住没说:"显然,我拒绝你们的力量比女同学吸引你们的力量都大。"他想以后非点名不可,照这样下去,只剩有脚而跑不了的椅子和桌子听课了。不过从大学者的放任忽变而为小学教师的琐碎,多么丢脸!这些学生是狡猾不过的,准看破了自己的用意。

一件是讲书。这好像衣料的尺寸不够而硬要做成称身的衣服。自以为预备的材料很充分,到上课才发现自己讲得收缩不住地快,笔记上已经差不多了,下课铃还有好一会才打。一片无话可说的空白时间,像白漫漫一片水,直向开足马达的汽车迎上来,望着发急而又无处躲避。心慌意乱中找出话来支扯,说不上几句又完了,偷眼看手表,只拖了半分钟。这时候,身上发热,脸上微红,讲话开始口吃,觉得学生都在暗笑。有一次,简直像挨饿几天的人服了泻药,话要挤也挤不出,只好早退课一刻钟。跟辛楣谈起,知道他也有此感,说毕竟初教书人没经验。辛楣还说:"现在才明白为什么外国人要说'杀时间',打下课铃以前那几分钟的难过!真恨不能把它一刀两段。"鸿渐最近发明一个方法,虽然不能一下子杀死时间,至少使它受些致命伤。他动不动就写黑板,黑板上写一个字要嘴里讲十个字那些时间。满脸满手白粉,胳膊酸半天,这都值得,至少以后不会早退。不过这些学生作笔记不大上劲;往往他讲得十分费力,有几个人坐着一字不写,他眼睛威胁地注视着,他们才懒洋洋把笔在本子上画字。鸿渐瞧了生气,想自己总不至于比李梅亭糟,但是隔壁李梅亭的"先秦小说史"班上,学生笑声不绝,自己的班上偏这样无精打采。

他想自己在学校读书的时候,也不算坏学生,何以教书这样不出色。难道教书跟作诗一样,需要"别才"不成?只懊悔留学外国,没混个专家的头衔回来,可以声威显赫,把藏有洋老师演讲全部笔记的课程,开它几门,不必像现在帮闲打杂,承办人家剩下来的科目。不过李梅亭这些人都是教授有年,有现成讲义的。自己毫无经验,更无准备,教的功课又非出自愿,要参考也没有书,当然教不好。假如混过这一年,高松年守信用,升自己为教授,暑假回上海弄几本外国书看看,下学年不相信会比不上李梅亭。这样想着,鸿渐恢复了自尊心。回国后这一年来,他跟他父亲疏远得多。在从前,他会一五一十全禀告方遯翁的。现在他想像得出遯翁的回信。遯翁心境好,就抚慰儿子说:"尺有所短,寸有所长,学者未必能为良师。"这够叫人内愧了;他心境不好,准责备儿子从前不用功,急时抱佛脚,也许还有一堆"亡羊补牢,教学相长"的教训。这是纪念周上对学生说的话,自己在教职员席里旁听得腻了,用不到千里迢迢去招来。

开校务会议前一天,鸿渐和辛楣商量好到镇上去吃晚饭,怕导师制实行以后,这自由就没有了。下午陆子潇来闲谈,问鸿渐知道孙小姐的事没有。鸿渐问他什么事,子潇道:"你不知道就算了。"鸿渐了解子潇的脾气,不问下去。过一会,子潇尖利地注视着鸿渐,像要看他个对穿,道:"你真的不知道么?怎么会呢?"叮嘱他严守秘密,然后把这事讲出来。教务处一公布孙小姐教丁组英文,丁组的学生就开紧急会议,派代表见校长兼教务长抗议。理由是:大家都是学生,当局不该歧视,为什么旁组是副教授教英文,丁组只派个助教来教。他们知道自己程度不好,所以,他们振振有词地说,必须一个好教授来教好他们。亏高松年有本领,弹压下去。学生不怕孙小姐,课堂秩序不大好,作了一次文,简直要不得。孙小姐征求了外国语文系刘主任的同意,不叫丁组的学生作文,只叫他们练习造句。学生知道了大闹,质问孙小姐为什么人家作文而他们偏造句,把他们当中学生看待。孙小姐说:"因为你们不会作文。"他们道:"不会作文所以要学作文呀。"孙小姐给他们囔得没法,只好请刘主任来解释,才算了局。今天是作文的日子,孙小姐进课堂就瞧见黑板上写着:"Beat down Miss S. Miss S. is Japanese enemy!"[①]学生都含笑期待着。孙小姐叫他们造句,他们全说没带纸,只肯口头练习。她叫一个学生把三个人称多少数各做一句,那学生一口气背书似的说:"I am your husband. You are my wife. He is also your husband. We are your many husbands,——"[②]全课堂笑得前仰后合,孙小姐奋然出课堂。这事不知怎样结束呢。子潇还声明道:"这学生是中国文学系的。我对我们历史系的学生私人训话过一次,劝他们在孙小姐班上不要胡闹,招起人家对韩先生的误会,以为他要太太教这一组,鼓动本系学生赶走孙小姐。"

---

① 打倒S.小姐!S.小姐是日寇!
② 我是你的丈夫。你是我的妻子。他也是你的丈夫。我们是你的很多的丈夫。

鸿渐道:"我什么都不知道呀。孙小姐跟我好久没见面了,竟有这样的事!"

子潇又尖刻地瞧鸿渐一眼道:"我以为你们是常见面的。"

鸿渐正说:"谁告诉你的?"孙小姐来了。子潇忙起来让坐,出门时歪着头对鸿渐点一点,表示他揭破了鸿渐的谎话。鸿渐没工夫理会,忙问孙小姐近来好不好。孙小姐忽然别转脸,手帕按嘴,肩膀耸动,唏嘘哭起来。鸿渐急跑去叫辛楣,两人进来,孙小姐倒不哭了。辛楣把这事问明白,好言抚慰了半天,鸿渐和着他。辛楣发狠道:"这种学生非严办不可,我今天晚上就跟校长去说——你报告刘先生没有?"

鸿渐道:"这倒不是惩戒学生的问题。孙小姐这一班决不能教了。你该请校长找人代她的课,并且声明这事是学校对不住孙小姐。"

孙小姐道:"我死也不肯教他们了。我真想回家!"声音又哽咽着。

辛楣忙说这是小事,又请她同去吃晚饭。她还在踌躇,校长室派人送帖子给辛楣。高松年今天替部里派来视察的参事接风,各主任都得奉陪,请辛楣这时候就去招待。辛楣说:"讨厌!咱今天的晚饭吃不成了。"跟着校役去了。鸿渐请孙小姐去吃晚饭,可是并不热心。她说改天罢,要回宿舍去。鸿渐瞧她脸黄眼肿,挂着哭的幌子,问她要不要洗个脸,不等她回答,拣块没用过的新毛巾出来,拔了热水瓶的塞头。她洗脸时,鸿渐望着窗外,想辛楣知道,又要误解的。他以为给她洗脸的时候很充分了,才回过头来,发现她打开手提袋,在照小镜子,擦粉涂唇膏呢。鸿渐一惊,想不到孙小姐随身配备这样完全,平常以为她不修饰的脸原来也是件艺术作品。

孙小姐面部修理完毕,衬了颊上嘴上的颜色,哭得微红的上眼皮也像涂了胭脂的,替她天真的脸上意想不到地添些妖邪之气。鸿渐送她出去,经过陆子潇的房,房门半开,子潇坐在椅子里吸烟,瞧见鸿渐俩,忙站起来点头,又坐下去,宛如有弹簧收放着。走不到几步,听见背后有人叫,回头看是李梅亭,满脸得意之色,告诉他们俩高松年刚请他代理训导长,明天正式发表,这时候要到联谊室去招待部视学呢。梅亭仗着黑眼镜,对孙小姐像望远镜侦察似的细看,笑说:"孙小姐愈来愈漂亮了!为什么不来看我,只去看小方?你们俩什么时候订婚——"鸿渐"嘘"他一声,他笑着跑了。

鸿渐刚回房,陆子潇就进来,说:"咦,我以为你跟孙小姐同吃晚饭去了。怎么没有去?"

鸿渐道:"我请不起,不比你们大教授。等你来请呢。"

子潇道:"我请就请,有什么关系。就怕人家未必赏脸呀。"

"谁?孙小姐?我看你关心她得很,是不是看中了她?哈哈,我来介绍。"

"胡闹胡闹!我要结婚呢,早结婚了。唉,'曾经沧海难为水'!"

鸿渐笑道:"谁教你眼光那样高的。孙小姐很好,我跟她一路来,可以担保得了她的脾气——"

"我要结婚呢,早结婚了。"仿佛开留声机时,针在唱片上碰到障碍,三番四复地说一句话。

"认识认识无所谓呀。"

子潇猜疑地细看鸿渐道:"你不是跟她很好么?夺人之爱,我可不来。人弃我取,我更不来。"

"岂有此理!你这人存心太卑鄙。"

子潇忙说他说着玩儿的,过两天一定请客。子潇去了,鸿渐想着好笑。孙小姐知道有人爱慕,准会高兴,这消息可以减少她的伤心。不过陆子潇配不过她,她不会看中他的。她干脆嫁了人好,做事找气受,太犯不着。这些学生真没法对付,缠得你头痛,他们黑板上写的口号,文理倒很通顺,孙小姐该引以自慰,等她气平了向她取笑。

辛楣吃晚饭回来,酒气醺醺,问鸿渐道:"你在英国,到过牛津剑桥没有?他们的 tutorial system① 是怎么一回事?"鸿渐说旅行到牛津去过一天,导师制详细内容不知道,问辛楣为什么要打听。辛楣道:"今天那位贵客视学先生是位导师制专家,去年奉部命到英国去研究导师制的,在牛津和剑桥都住过。"

鸿渐笑道:"导师制有什么专家!牛津或剑桥的任何学生,不知道得更清楚么?这些办教育的人专会挂幌子唬人。照这样下去,还要有研究留学、研究做校长的专家呢。"

辛楣道:"这话我不敢同意。我想教育制度是值得研究的,

---

① 导师制。

好比做官的人未必都知道政府组织的利弊。"

"好,我不跟你辩,谁不知道你是讲政治学的?我问你,这位专家怎么说呢?他这次来是不是和明天的会有关?"

"导师制是教育部的新方针,通知各大学实施,好像反应不太好。咱们这儿高校长是最热心奉行的人——我忘掉告诉你,李瞎子做了训导长了,咦,你知道了——这位部视学顺便来指导的,明天开会他要出席,可是他今天讲的话,不甚高明。据他说,牛津剑桥的导师制缺点很多,离开师生共同生活的理想很远,所以我们行的是经他改良、经部核准的计划。在牛津剑桥,每个学生有两个导师,一位学业导师,一位道德导师。他认为这不合教育原理,做先生的应当是'经师人师',品学兼备,所以每人指定一个导师,就是本系的先生;这样,学问和道德可以融贯一气了。英国的道德导师是有名无实的;学生在街上闯祸给警察带走,他到警察局去保释,学生欠了店家的钱,还不出,他替他担保。我们这种导师责任大得多了,随时随地要调查、矫正、向当局汇报学生的思想。这些都是官样文章,不用说它,他还有得意之笔。英国导师一壁抽烟斗,一壁跟学生谈话的。这最违背'新生活运动',所以咱们当学生的面,绝对不许抽烟,最好压根儿戒烟。可是他自己并没有戒烟,菜馆里供给的烟,他一支一支抽个不亦乐乎,临走还带了一匣火柴。英国先生只跟学生同吃晚饭,并且分桌吃的,先生坐在台上吃,师生间隔膜得很。这也得改良,咱们以后一天三餐都跟学生同桌吃——"

"干脆跟学生同床睡觉得了!"

辛楣笑道:"我当时险的说出口。你还没听见李瞎子的议论呢!他恭维了那位视学一顿,然后说什么中西文明国家都严于男女之防,师生恋爱是有伤师道尊严的,万万要不得,为防患未然起见,未结婚的先生不得做女学生的导师。真气得死人,他们都对我笑——这几个院长和系主任里,只有我没结婚。"

"哈哈,妙不可言!不过,假使不结婚的男先生训导女生有师生恋爱的危险,结婚的男先生训导女生更有犯重婚罪的可能,他倒没想到。"

"我当时质问他,结了婚而太太没带来的人做得做不得女学生的导师,他支吾其词,请我不要误会。这瞎子真浑蛋,有一天我把同路来什么苏州寡妇、王美玉的笑话替他宣传出去。吓,还有,他说男女同事来往也不宜太密,这对学生的印象不好——"

鸿渐跳起来道:"这明明指我和孙小姐说的,方才瞎子看见我和她在一起。"

辛楣道:"这倒不一定指你,我看当时高松年的脸色变了一变,这里面总有文章。不过我劝你快求婚、订婚、结婚。这样,李瞎子不能说闲话,而且——"说时扬着手,嘻开嘴——"你要犯重婚罪也有机会了。"

鸿渐不许他胡说,问他向高松年讲过学生侮辱孙小姐的事没有。辛楣说,高松年早知道了,准备开除那学生。鸿渐又告诉他陆子潇对孙小姐有意思,辛楣说他做"叔叔"的只赏识鸿渐。说笑了一回,辛楣临走道:"唉,我忘掉了最精彩的东西。部里颁布的'导师规程草略'里有一条说:学生毕业后在社会上如有犯罪行为,导师连带负责!"

鸿渐惊骇得呆了。辛楣道:"你想,导师制变成这么一个东西。从前明成祖诛方孝孺十族,听说方孝孺的先生都牵连杀掉的。将来还有人敢教书么?明天开会,我一定反对。"

"好家伙!我在德国听见的纳粹党教育制度也没有这样利害,这算牛津剑桥的导师制么?"

"哼,高松年还要我写篇英文投到外国杂志去发表,让西洋人知道咱们也有牛津剑桥的学风。不知怎么,外国一切好东西到中国没有不走样的。"辛楣叹口气,想中国真利害,天下无敌手,外国东西来一件,毁一件。

鸿渐说:"你从前常对我称赞你这位高老师头脑很好,我这次来了,看他所作所为,并不高明。"辛楣说:"也许那时候我年纪轻,阅历浅,没看清人。不过我想这几年来高松年地位高了,一个人地位高了,会变得糊涂的。"事实上,一个人的缺点正像猴子的尾巴,猴子蹲在地面的时候,尾巴是看不见的,直到他向树上爬,就把后部供大众瞻仰,可是这红臀长尾巴本来就有,并非地位爬高了的新标识。

跟孙小姐捣乱的那个中国文学系学生是这样处置的。外文系主任刘东方主张开除,国文系主任汪处厚反对。赵辛楣因为孙小姐是自己的私人,肯出力而不肯出面,只暗底下赞助刘东方的主张。训导长李梅亭出来解围,说这学生的无礼,是因为没受到导师熏陶,愚昧未开,不知者不罪,可以原谅,记过一次了事。

他叫这学生到自己卧房里密切训导了半天,告诉他怎样人人要开除他,汪处厚毫无办法,全亏自己保全,那学生红着眼圈感谢。孙小姐的课没人代,刘东方怕韩太太乘虚而入,亲自代课,所恨国立大学比不上私立大学,薪水是固定的,不因钟点添多而加薪。代了一星期课,刘东方厌倦起来,想自己好傻,这气力时间费得冤枉,博不到一句好话。假使学校真找不到代课的人,这一次显得自己做系主任的人为了学生学业,不辞繁剧,亲任劳怨。现在就放着一位韩太太,自己偏来代课,一屁股要两张坐位,人家全明白是门户之见,忙煞也没处表功。同事里赵辛楣的英文是有名的,并且只上六点钟的功课,跟他情商请他代孙小姐的课,不知道他答应不答应。孙小姐不是他面上的人么?她教书这样不行,保荐她的人不该负责任吗?当然,赵辛楣的英文好像比自己都好——刘东方不得不承认——不过,丁组的学生程度糟得还不够辨别好坏,何况都是旁系的学生,自己在本系的威信不致动摇。刘东方主意已定,先向高松年提议,高松年就请赵辛楣来会商。辛楣为孙小姐的关系,不好斩钉截铁地拒绝,灵机一动,推荐方鸿渐。松年说:"嗯,这倒不失为好办法,方先生钟点本来太少,不知道他的英文怎样?"辛楣满嘴说:"很好。"心里想鸿渐教这种学生总绰有余裕的。鸿渐自知在学校的地位不稳固,又经辛楣细陈利害,刘东方恳切劝驾,居然大胆老脸、低头小心教起英文来。这事一发表,韩学愈来见高松年,声明他太太绝不想在这儿教英文,而且表示他对刘东方毫无怨恨,愿意请刘小姐当历史系的助教。高松年喜欢道:"同事们应该和衷共济,下学年一定聘你夫人帮忙。"韩学愈高傲地说："下学年我留不留，还成问题呢。统一大学来了五六次信要我和我内人去。"高松年忙劝他不要走，他夫人的事下学年总有办法。鸿渐到外文系办公室接洽功课，碰见孙小姐，低声开玩笑道："这全是你害我的——要不要我代你报仇？"孙小姐笑而不答。陆子潇也没再提起请吃饭。

在导师制讨论会上，部视学先讲了十分钟冠冕堂皇的话，平均每分钟一句半"兄弟在英国的时候"。他讲完看一看手表，就退席了。听众喉咙里忍住的大小咳嗽全放出来，此作彼继。在一般集会上，静默三分钟后和主席报告后，照例有这么一阵咳嗽。大家咳几声例嗽之外，还换了较舒适的坐态。高松年继续演说，少不得又把细胞和有机体的关系作第 N 次的阐明，希望大家为团体生活牺牲一己的方便。跟着李梅亭把部颁大纲和自己拟的细则宣读付讨论。一切会议上对于提案的赞成和反对极少是就事论事的。有人反对这提议是跟提议的人闹意见。有人赞成这提议是跟反对这提议的人过不去。有人因为反对或赞成的人和自己有交情，所以随声附和。今天的讨论可与平常不同，甚至刘东方也不因韩学愈反对而赞成。对导师学生同餐的那条规则，大家一致抗议，带家眷的人闹得更利害。没带家眷的物理系主任说，除非学校不算导师的饭费，那还可以考虑。家里饭菜有名的汪处厚说，就是学校替导师出饭钱，导师家里照样要开饭，少一个人吃，并不省柴米。韩学愈说他有胃病的，只能吃面食，跟学生同吃米饭，学校是不是担保他生命的安全。李梅亭一口咬定这是部颁的规矩,至多星期六晚饭和星期日三餐可以除外。数学系主任问他怎样把导师向各桌分配,这才难倒了他。有导师资格的教授副教授讲师四十余人,而一百三十余男学生开不到二十桌。假使每桌一位导师、六个学生,要有二十位导师不能和学生同吃饭。假使每桌一位导师、七个学生,导师不能独当一面,这一点尊严都不能维持,渐渐会招学生轻视的。假使每桌两位导师、四个学生,那么,现在八个人一桌的菜听说已经吃不够,人数减少而桌数增多,菜的质量一定更糟,是不是学校准备多贴些钱。大家有了数字的援助,更理直气壮了,急得李梅亭说不出话,黑眼镜摘下来,戴上去,又摘下来,白眼睁睁望着高松年。赵辛楣这时候大发议论,认为学生吃饭也应当自由,导师制这东西应当联合旁的大学向教育部抗议。

最后把原定的草案,修改了许多。议决每位导师每星期至少和学生吃饭两顿,由训导处安排日期;校长因公事应酬繁忙,而且不任导师,所以无此义务,但保有随时参加吃饭的权利。因为部视学说,在牛津和剑桥,饭前饭后有教师用拉丁文祝福,高松年认为可以模仿。不过,中国不像英国,没有基督教的上帝来听下界通诉,饭前饭后没话可说。李梅亭搜索枯肠,只想出来"一粥一饭,要思来处不易"二句,大家哗然失笑。儿女成群的经济系主任自言自语道:"干脆大家像我儿子一样,念:'吃饭前,不要跑;吃饭后,不要跳——'"高松年直对他眨白眼,一壁严肃地说:"我觉得在坐下吃饭以前,由训导长领导学生静默一分钟,想想国家抗战时期民生问题的艰难,我们吃饱了肚子应当怎样报效国家社会,这也是很有意思的举动。"经济系主任忙说:"我愿意把主席的话作为我的提议。"李梅亭附议,高松年付表决,全体通过。李梅亭心思周密,料到许多先生陪学生挨了半碗饭,就放下筷溜出饭堂,回去舒舒服服地吃。他定下饭堂规矩:导师的饭该由同桌学生先盛,学生该等候导师吃完,共同退出饭堂,不得先走。看上来全是尊师。外加结合了孔老夫子的古训"食不语",吃饭时不得讲话,只许吃哑饭,真是有苦说不出。李梅亭一做训导长,立刻戒香烟,见同事们照旧抽烟,不足表率学生,想出来进一步的师生共同生活。他知道抽烟最利害的地方是厕所,便借口学生人多而厕所小,住校教职员人少而厕所大,以后师生可以通用厕所。他以为这样一来,彼此顾忌面子,不好随便吸烟了。结果先生不用学生厕所,而学生拥挤到先生厕所来,并且大胆吸烟解秽,因为他们知道这是比紫禁城更严密的所在,在这儿各守本位,没有人肯管闲事或能摆导师架子。照例导师跟所导学生每星期谈一次话,有几位先生就借此请喝茶吃饭,像汪处厚韩学愈等等。

　　赵辛楣实在看不入眼,对鸿渐说这次来是上当,下学年一定不干。鸿渐说:"你没来的时候,跟我讲什么教书是政治活动的开始,教学生是训练干部。现在怎么又灰心了?"辛楣否认他讲过那些话,经鸿渐力争以后,他说:"也许我说过的,可是我要训练的是人,不是训练些机器。并且此一时,彼一时。那时候我没有教育经验,所以说那些话;现在我知道中国战时高等教育是怎么一回事,我学了乖,当然见风转舵,这是我的进步。话是空的,人是活的；不是人照着话做，是话跟着人变。假如说了一句话，就至死不变地照做，世界上没有解约、反悔、道歉、离婚许多事了。"鸿渐道："怪不得贵老师高先生打电报聘我做教授，来了只给我个副教授。"辛楣道："可是你别忘了，他当初只答应你三个钟点，现在加到你六个钟点。有时候一个人，并不想说谎话，说话以后，环境转变，他也不得不改变原来的意向。办行政的人尤其难守信用，你只要看每天报上各国政府发言人的谈话就知道。譬如我跟某人同意一件事，甚而至于跟他订个契约，不管这契约上写的是十年二十年，我订约的动机总根据着我目前的希望、认识以及需要。不过，'目前'是最靠不住的，假使这'目前'已经落在背后了，条约上写明'直到世界末日'都没有用，我们随时可以反悔。第一次欧战，那位德国首相叫什么名字？他说'条约是废纸'，你总知道的。我有一个印象，我们在社会上一切说话全像戏院子的入场券，一边印着'过期作废'，可是那一边并不注明什么日期，随我们的便可以提早或延迟。"鸿渐道："可怕，可怕！你像个正人君子，很够朋友，想不到你这样的不道德。以后我对你的话要小心了。"辛楣听了这反面的赞美，头打着圈子道："这就叫学问哪！我学政治，毕业考头等的。吓，他们政客玩的戏法，我全懂全会，我现在不干罢了。"说时的表情仿佛马基雅弗利的魂附在他身上。鸿渐笑道："你别吹。你的政治，我看不过是理论罢。真叫你抹杀良心去干，你才不肯呢。你像外国人所说的狗，叫得凶恶，咬起人来并不利害。"辛楣向他张口露出两排整齐有力的牙齿，脸作凶恶之相。鸿渐忙把支香烟塞在他嘴里。

鸿渐添了钟点以后,兴致恢复了好些。他发现他所教丁组英文班上,有三个甲组学生来旁听,常常殷勤发问。鸿渐得意非凡,告诉辛楣。苦事是改造句卷子,好比洗脏衣服,一批洗干净了,下一批来还是那样脏。大多数学生瞧一下批的分数,就把卷子扔了,老师白改得头痛。那些学生虽然外国文不好,卷子上写的外国名字很神气。有的叫亚历山大,有的叫伊利沙白,有的叫迭克,有的叫"小花朵"(Florrie),有个人叫"火腿"(Bacon),因为他中国名字叫"培根"。一个姓黄名伯仑的学生,外国名字是诗人"拜伦"(Byron)。辛楣见了笑道:"假使他姓张,他准叫英国首相张伯伦;假使他姓齐,他会变成德国飞机齐伯林;甚至他可以叫拿破仑,只要中国有跟'拿'字声音相近的姓。"

阳历年假早过了,离大考还有一星期。一个晚上,辛楣跟鸿渐商量寒假同去桂林玩儿,谈到夜深。鸿渐看表,已经一点多钟,赶快准备睡觉。他先出宿舍到厕所去,宿舍楼上楼下都睡得静悄悄的,脚步就像践踏在这些睡人的梦上,钉铁跟的皮鞋太重,会踏碎几个脆薄的梦。门外地上全是霜。竹叶所剩无几,而冷风偶然一阵,依旧为了吹几片小叶子使那么大的傻劲。虽然没有月亮,几株梧桐树的秃枝骨鲠地清晰。只有厕所前面挂的一盏植物油灯,光色昏浊,是清爽的冬夜上一点垢腻。厕所的气息也像怕冷,缩在屋子里不出来,不比在夏天,老远就放着哨。鸿渐没进门,听见里面讲话。一人道:"你怎么一回事?一晚上泻了好几次!"另一人呻吟说:"今天在韩家吃坏了——"鸿渐辨声音,是一个旁听自己英文课的学生。原来问的人道:"韩学愈怎么老是请你们吃饭?是不是为了方鸿渐——"那害肚子的人报以一声"嘘"!鸿渐吓得心直跳,可是收不住脚,那两个学生也鸦雀无声。鸿渐倒做贼心虚似的,脚步都鬼鬼祟祟。回到卧室,猜疑种种,韩学愈一定在暗算自己,就不知道他怎样暗算,明天非公开拆破他的西洋镜不可。下了这个英雄的决心,鸿渐才睡着。早晨他还没醒,校役送封信来,拆看是孙小姐的,说风闻他上英文课,当着学生驳刘东方讲书的错误,刘东方已有所知,请他留意。鸿渐失声叫怪,这是哪里来的话,怎么不明不白,添了个冤家。忽然想起那三个旁听的学生全是历史系而上刘东方甲组英文的,无疑是他们发的问题里藏着陷阱,自己中了计。归根到底,总是韩学愈那浑蛋捣的鬼,一向还以为他要结交自己,替他守秘密呢!鸿渐愈想愈恨,盘算了半天,怎样先跟刘东方解释。

鸿渐到外国语文系办公室,孙小姐在看书,见了他,满眼睛都是话。鸿渐嗓子里一小处干燥,两手微颤,跟刘东方略事寒暄,就鼓足勇气说:"有一位同事在外面说——我也是人家传给我听的——刘先生很不满意我教的英文,在甲组上课的时候,常对学生指摘我讲书的错误——"

"什么?"刘东方跳起来,"谁说的?"孙小姐脸上的表情更是包罗万象,假装看书也忘掉了。

"——我本来英文是不行的,这次教英文一半也因为刘先生的命令,讲错当然免不了,只希望刘先生当面教正。不过,这位同事听说跟刘先生有点意见,传来的话我也不甚相信。他还说,我班上那三个旁听的学生也是刘先生派来侦探的。"

"啊?什么三个学生——孙小姐,你到图书室去替我借一本——呃——呃——商务出版的《大学英文选》来,还到庶务科去领——领一百张稿纸来。"

孙小姐怏怏去了。刘东方听鸿渐报了三个学生的名字,说:"鸿渐兄,你只要想这三个学生都是历史系的,我怎么差唤得动。那位散布谣言的同事是不是历史系的负责人?你把事实聚拢来就明白了。"

鸿渐冒险成功,手不颤了,做出大梦初醒的样子道:"韩学愈,他——"就把韩学愈买文凭的事麻口袋倒米似的全说出来。

刘东方又惊又喜,一连声说"哦"!听完了说:"我老实告诉你罢,舍妹在历史系办公室,常听见历史系学生对韩学愈说你在课堂上骂我呢。"

鸿渐发誓说没有,刘东方道:"你想我会相信么?他捣这个鬼,目的不但是撵走你,还要叫他太太来顶你的缺。他想他已经用了我妹妹,到那时没有人代课,我好意思不请教他太太么?我用人最大公无私,舍妹也不是他私人用的,就是她丢了饭碗,我决计尽我的力来维持老哥的地位。喂,我给你看件东西,昨天校长室发下来的。"

他打开抽屉,拣出一叠纸给鸿渐看。是英文丁组学生的公呈,写"呈为另换良师以重学业事",从头到尾说鸿渐没资格教英文,把他改卷子的笔误和忽略罗列在上面,证明他英文不通。鸿渐看得面红耳赤。刘东方道:"不用理它。丁组学生的程度还干不来这东西。这准是那三个旁听生的主意,保不定有韩学愈的手笔。校长批下来叫我查复,我一定替你辩白。"鸿渐感谢不已,临走,刘东方问他把韩学愈的秘密告诉旁人没有,叮嘱他别讲出去。鸿渐出门,碰见孙小姐回来。她称赞他跟刘东方谈话的先声夺人,他听了欢喜,但一想她也许看见那张呈文,又羞惭了半天。那张呈文牢牢地贴在他意识里,像张粘苍蝇的胶纸。

刘东方果然有本领,鸿渐明天上课,那三个旁听生不来了。直到大考,太平无事。刘东方教鸿渐对坏卷子分数批得宽,对好卷子分数批得紧,因为不及格的人多了,引起学生的恶感,而好分数的人太多了,也会减低先生的威望。总而言之,批分数该雪中送炭,万万不能悭吝——用刘东方的话说:"一分钱也买不了东西,别说一分分数!"——切不可锦上添花,让学生把分数看得太贱,功课看得太容易——用刘东方的话说:"给穷人至少要一块钱,那就是一百分,可是给学生一百分,那不可以。"考完那一天,汪处厚碰到鸿渐,说汪太太想见他和辛楣,问他们俩寒假里哪一天有空,要请吃饭。他听说他们俩寒假上桂林,摸着胡子笑道:"去干吗呀?内人打算替你们两位做媒呢。"

## 七

　　胡子常是两撇,汪处厚的胡子只是一画。他二十年前早留胡子,那时候做官的人上唇全毛茸茸的,非此不足以表身份,好比西洋古代哲学家下颔必有长髯,以示智慧。他在本省督军署当秘书,那位大帅留的菱角胡子,就像仁丹广告上移植过来的,好不威武。他不敢培植同样的胡子,怕大帅怪他僭妄;大帅的是乌菱圆角胡子,他只想有规模较小的红菱尖角胡子。谁知道没有枪杆的人,胡子也不像样,又稀又软,挂在口角两旁,像新式标点里的逗号,既不能翘然而起,也不够飘然而袅。他两道浓黑的眉毛,偏根根可以跟寿星的眉毛竞赛,仿佛他最初刮脸时不小心,把眉毛和胡子一股脑儿全剃下来了,慌忙安上去,胡子跟眉毛换了位置;嘴上的是眉毛,根本不会长,额上的是胡子,所以欣欣向荣。这种胡子,不留也罢。五年前他和这位太太结婚,刚是剃胡子的好借口。然而好像一切官僚、强盗、赌棍、投机商人,他相信命。星相家都说他是"木"命"木"形,头发和胡子有如树木的枝叶,缺乏它们就表示树木枯了。四十开外的人,头发当然半秃,全靠这几根胡子表示老树着花,生机未尽。但是为了二十五岁的新夫人,也不能一毛不拔,于是剃去两缕,剩中间一撮,又因为这一撮不够浓,修削成电影明星式的一线。这件事难保不坏了脸上的风水,不如意事连一接二地来。新太太进了门就害病,汪处厚自己给人弹劾,官做不成。亏得做官的人栽筋斗,宛如猫从高处掉下来,总能四脚着地,不致太狼狈。他本来就不靠薪水,他这样解譬着。而且他是老派名士,还有前清的习气,做官的时候非常风雅,退了位可以谈谈学问;太太病也老是这样,并不加重。这也许还是那一线胡子的功效,运气没坏到底。

假使留下的这几根胡子能够挽留一部分的运气,胡子没剃的时候,汪处厚的好运气更不用说。譬如他那位原配的糟糠之妻,凑趣地死了,让他娶美丽的续弦夫人。结婚二十多年,生的一个儿子都在大学毕业,这老婆早该死了。死掉老婆还是最经济的事,虽然丧葬要一笔费用,可是离婚不要赡养费么?重婚不要两处开销么?好多人有该死的太太,就不像汪处厚有及时悼亡的运气。并且悼亡至少会有人送礼,离婚和重婚连这点点礼金都没有收入的,还要出诉讼费。何况汪处厚虽然做官,骨子里只是个文人,文人最喜欢有人死,可以有题目做哀悼的文章。棺材店和殡仪馆只做新死人的生意,文人会向一年、几年、几十年、甚至几百年的陈死人身上生发。"周年逝世纪念"和"三百年祭",一样的好题目。死掉太太——或者死掉丈夫,因为有女作家——这题目尤其好;旁人尽管有文才,太太或丈夫只是你的,这是注册专利的题目。汪处厚在新丧里做"亡妻事略"和"悼亡"诗的时候,早想到古人的好句:"眼前新妇新儿女,已是人生第二回",只恨一时用不上,希望续弦生了孩子,再来一首"先室人忌辰泫然有作"的诗,把这两句改头换面嵌进去。这首诗到现在还没有做。第二位汪太太过了门没生孩子,只生病。在家养病反把这病养家了,不肯离开她,所以她终年娇弱得很,愈使她的半老丈夫由怜而怕。她曾在大学读过一年,因贫血症退学休养,家里一住四五年,每逢头不晕不痛、身子不哼哼唧唧的日子,跟老师学学中国画、弹弹钢琴消遣。中国画和钢琴是她嫁妆里代表文化的部分,好比其他女人的大学毕业文凭(配乌油木镜框)和学士帽照相(十六寸彩色配金漆乌油木镜框)。汪处厚不会懂西洋音乐,当然以为太太的钢琴弹得好;他应该懂得一点中国画,可是太太的画,丈夫觉得总不会坏。他老对客人说:"她这样喜欢弄音乐、画画,都是费心思的东西,她身体怎么会好!"汪太太就对客人谦虚说:"我身体不好,不能常常弄这些东西,所以画也画不好,琴也弹不好。"自从搬到这小村子里,汪太太寂寞得常跟丈夫吵。她身份娇贵,瞧不起丈夫同事们的老婆,嫌她们寒窘。她丈夫不甚放心单身男同事常上自己家来,嫌他们年轻。高松年知道她在家里无聊,愿意请她到学校做事。汪太太是聪明人,一口拒绝。一来她自知资格不好,至多做个小职员,有伤体面。二来她知道这是男人的世界,女权那样发达的国家像英美,还只请男人去当上帝,只说 He,不说 She。女人出来做事,无论地位怎么高,还是给男人利用,只有不出面躲在幕后,可以用太太或情妇的资格来指使和摆布男人。女生指导兼教育系讲师的范小姐是她的仰慕者,彼此颇有往来。刘东方的妹妹是汪处厚的拜门学生,也不时到师母家来谈谈。刘东方有一次托汪太太为妹妹做媒。做媒和做母亲是女人的两个基本欲望,汪太太本来闲得发闷,受了委托,仿佛失业的人找到职业。汪处厚想做媒是没有危险的,决不至于媒人本身也做给人去。汪太太早有计划,要把范小姐做给赵辛楣、刘小姐做给方鸿渐。范小姐比刘小姐老,比刘小姐难看,不过她是讲师,对象该是地位较高的系主任。刘小姐是个助教,嫁个副教授已经够好了。至于孙小姐呢,她没拜访过汪太太;汪太太去看范小姐的时候,会过一两次,印象并不太好。

　　鸿渐俩从桂林回来了两天,就收到汪处厚的帖子。两人跟汪处厚平素不往来,也没见过汪太太,看了帖子,想起做媒的话。鸿渐道:"汪老头儿是大架子,只有高松年和三位院长够资格上他家去吃饭,当然还有中国文学系的人。你也许配得上,拉我进去干吗?要说是做媒,这儿没有什么女人呀,这老头子真是!"辛楣道:"去瞻仰瞻仰汪太太也无所谓。也许老汪有侄女、外甥女或者内姨之类——汪太太听说很美——要做给你。老汪对你说,没有对我说,指的是你一个人。你不好意思,假造圣旨,拉我来陪你,还说替咱们俩做媒呢!我是不要人做媒的。"嚷了一回,议决先去拜访汪氏夫妇一次,问个明白,免得开玩笑当真。

　　汪家租的黑砖半西式平屋是校舍以外本地最好的建筑,跟校舍隔一条溪。冬天的溪水涸尽,溪底堆满石子,仿佛这溪新生下的大大小小的一窝卵。水涸的时候,大家都不走木板桥而踏着石子过溪,这表示只要没有危险,人人愿意规外行动。汪家的客堂很显敞,砖地上铺了席,红木做的老式桌椅,大方结实,是汪处厚向镇上一个军官家里买的,万一离校别有高就,可以卖给学校。汪处厚先出来,满面春风,问两人觉得客堂里冷不冷,分付丫头去搬火盆。两人同声赞美他住的房子好,布置得更精致,在他们这半年来所看见的房子里,首屈一指。汪先生得意地长叹道,"这算得什么呢!我有点东西,这一次全丢了。两位没看见我南京的房子——房子总算没给日本人烧掉,里面的收藏陈设都不知下落了。幸亏我是个达观的人,否则真要伤心死呢。"这类的话,他们近来不但听熟,并且自己也说惯了。这次兵灾当然使许多有钱、有房子的人流落做穷光蛋,同时也让不知多少穷光蛋有机会追溯自己为过去的富翁。日本人烧了许多空中楼阁的房子,占领了许多乌托邦的产业,破坏了许多单相思的姻缘。譬如陆子潇就常常流露出来,战前有两三个女人抢着嫁他,"现在当然谈不到了!"李梅亭在上海闸北,忽然补筑一所洋房,如今呢?可惜得很!该死的日本人放火烧了,损失简直没法估计。方鸿渐也把沦陷的故乡里那所老宅放大了好几倍,妙在房子扩充而并不会侵略邻舍的地。赵辛楣住在租界里,不能变房子的戏法,自信一表人才,不必惆怅从前有多少女人看中他,只说假如战争不发生,交涉使公署不撤退,他的官还可以做下去——不,做上去。汪处厚在战前的排场也许不像他所讲的阔绰,可是同事们相信他的吹牛,因为他现在的起居服食的确比旁人舒服,而且大家都知道他是革职的贪官——"政府难得这样不包庇,不过他早捞饱了!"他指着壁上挂的当代名人字画道:"这许多是我逃难出来以后,朋友送的。我灰了心了,不再收买古董了,内地也收买不到什么——那两幅是内人画的。"两人忙站起来细看那两条山水小直幅。方鸿渐表示不知道汪太太会画,出于意外;赵辛楣表示久闻汪太太善画,名下无虚。这两种表示相反相成,汪先生高兴得摸着胡子说:"我内人的身体可惜不好,她对于画和音乐——"没说完,汪太太出来了。骨肉停匀,并不算瘦,就是脸上没有血色,也没擦胭脂,只敷了粉。嘴唇却涂泽鲜红,旗袍是浅紫色,显得那张脸残酷地白。长睫毛,眼梢斜撇向上。头发没烫,梳了髻,想来是嫌本地理发店电烫不到家的缘故。手里抱着皮热水袋,十指甲全是红的,当然绝非画画时染上的颜色,因为她画的是青绿山水。

汪太太说她好久想请两位过来玩儿,自己身体不争气,耽误到现在。两人忙问她身体好了没有,又说一向没敢来拜访,赏饭免了罢。汪太太说她春夏两季比秋冬健朗些,晚饭一定要来吃的。汪先生笑道:"我这顿饭不是白请的,媒人做成了要收谢仪,吃你们两位的谢媒酒也得十八加十八——三十六桌呢!"

鸿渐道:"这怎么请得起!谢大媒先没有钱,别说结婚了。"

辛楣道:"这个年头儿,谁有闲钱结婚?我照顾自己都照顾不来!汪先生,汪太太,吃饭和做媒,两件事全心领谢谢,好不好?"

汪先生道:"世界变了!怎么年轻人一点热情都没有?一点——呃——'浪漫'都没有?婚不肯结,还要装穷!好,我们不要谢仪,替两位白当差,娴,是不是?"

汪太太道:"啊呀!你们两位一吹一唱。方先生呢,我不大知道,不过你们留学的人,随身本领就是用不完的财产。赵先生的家世、前途,我们全有数目,只怕人家小姐攀不上——瞧我这媒婆劲儿足不足?"大家和着她笑了。

辛楣道:"有人看得中我,我早结婚了。"

汪太太道:"只怕是你的眼睛高,挑来挑去,没有一个中意的。你们新回国的单身留学生,像新出炉的烧饼,有小姐的人家抢都抢不匀呢。吓!我看见得多了,愈是有钱的年轻人愈不肯结婚。他们能够独立,不在乎太太的陪嫁、丈人的靠山,宁可交女朋友,花天酒地地胡闹,反正他们有钱。要讲没有钱结婚,娶个太太比滥交女朋友经济得多呢。你们的借口,理由不充分。"

两人听得骇然,正要回答,汪处厚假装出正颜厉色道:"我有句声明。我娶你并不是为了经济省钱,我年轻的时候,是有名的规矩人,从来不胡闹,你这话人家误会了可了不得!"说时,对鸿渐和辛楣顽皮地眨眼。

汪太太轻蔑地哼一声:"你年轻的时候?我——我就不相信你年轻过。"

汪处厚脸色一红。鸿渐忙说,汪氏夫妇这样美意,不敢辜负,不过愿意知道介绍的是什么人。汪太太拍手道:"好了,好了!方先生愿意了。这两位小姐是谁,天机还不可泄漏。处厚,不要说出来!"

汪先生蒙太太这样密切地嘱咐,又舒适了,说:"你们明天来了,自然会知道。别看得太严重,借此大家叙叙。假如两位毫无意思,同吃顿饭有什么关系,对方总不会把这个作为把柄,上公堂起诉,哈哈! 我倒有句忠言奉劝。这战争看来不是一年两年的事,要好好拖下去呢。等和平了再结婚,两位自己的青春都蹉跎了。'莫遣佳期更后期',这话很有道理。两位结了婚,公私全有好处。我们这学校大有前途,可是一时请人不容易,像两位这样的人才——娴,我不是常和你讲他们两位的?——肯来屈就,学校决不放你们走。在这儿结婚成家,就安定下来,走不了,学校借光不少。我兄弟呢——这话别说出去——下学期也许负责文学院。教育系要从文学院分出去变成师范学院,现在教育系主任孔先生当然不能当文学院长了。兄弟为个人打算,也愿意千方百计扣住你们。并且家眷也在学校做事,夫妇两个人有两个人的收入,生活负担并不增加——"

汪太太截断他话道:"寒碜死了! 真是你方才所说'一点浪漫都没有',一五一十打什么算盘!"

汪先生道:"瞧你那样性急!'浪漫'马上就来。结婚是人生最美满快乐的事,我和我内人都是个中人,假使结婚不快乐,我们应该苦劝两位别结婚,还肯做媒么? 我和她——"

汪太太皱眉摇手道:"别说了,肉麻!"她记起去年在成都逛寺院,碰见个和尚讲轮回,丈夫偷偷对自己说:"我死了,赶快就投人身,来得及第二次娶你。"忽然心上一阵厌恨。鸿渐和辛楣尽义务地恭维说,像他们这对夫妇是千中拣一的。

在回校的路上,两人把汪太太讨论个仔细。都觉得她是个人物,但是为什么嫁个比她长二十岁的丈夫? 两人武断她娘家穷,企羡汪处厚是个地方官。她的画也过得去,不过上面题的字像老汪写的。鸿渐假充内行道："写字不能描的,不比画画可以涂改。许多女人会描几笔写意山水,可是写字要她们的命。汪太太的字怕要出丑。"鸿渐到自己卧室门口,正掏钥匙开锁,辛楣忽然吞吞吐吐说："你注意到么——汪太太的神情里有一点点像——像苏文纨。"未说完,三脚两步上楼去了。鸿渐惊异地目送着他。

客人去后,汪先生跟太太回卧室,问："我今天总没有说错话罢?"这是照例的问句,每次应酬之后,爱挑眼的汪太太总要矫正丈夫的。汪太太道："没有罢,我也没心思来记——可是文学院长的事,你何必告诉他们!你老喜欢吹在前面。"汪处厚这时候确有些后悔,可是嘴硬道："那无所谓的,让他们知道他们的饭碗一半在我手里。你今天为什么扫我的面子——"汪处厚想起了,气直冒上来——"就是年轻不年轻那些话。"他加这句解释,因为太太的表情是诧异。汪太太正对着梳妆台的圆镜子,批判地审视自己的容貌,说："哦,原来如此。你瞧瞧镜子里你的脸,人都吃得下似的,多可怕!我不要看见你!"汪太太并不推开站在身后的丈夫,只从粉盒子里取出绒粉拍,在镜子里汪先生铁青的脸上,扑扑两下,使他面目模糊。

刘东方这几天上了心事。父亲母亲都死了,妹妹的终身是哥哥的责任。去年在昆明,有人好意替她介绍,不过毫无结果。当然家里有了她,刘太太多个帮手,譬如两个孩子身上的绒线衣服全是她结的,大女儿还跟着她睡。可是这样一年一年蹉跎下去,哥哥嫂嫂深怕她嫁不掉,一辈子的累赘。她前年逃难到内地,该进大学四年级,四年级生不许转学,嫂嫂又要生孩子,一时雇不到用人,家里乱得很,哥哥没心思替她想办法。一耽误下来,她大学没毕业。为了这事,刘东方心里很抱歉,只好解嘲说,大学毕业的女人不知多少,有几个真能够自立谋生的。刘太太怪丈夫当初为什么教妹妹进女子大学,假如进了男女同学的学校,婚事早解决了。刘东方逼得急了,说:"范小姐是男女同学的学校毕业的,为什么也没有嫁掉?"刘太太说:"你又来了,她比范小姐总好得多——"肯这样说姑娘的,还不失为好嫂嫂。刘东方叹气道:"这也许命里注定的。我母亲常说,妹妹生下来的时候,脸朝下,背朝上,是要死在娘家的。妹妹小的时候,我们常跟她开玩笑。现在看来,她真要做老处女了。"刘太太忙说:"做老处女怎么可以?真是年纪大了,嫁给人做填房也好,像汪太太那样不是很好么?"言下大有以人力挽回天命之意。去年刘东方替方鸿渐排难解纷,忽然想这个人做妹夫倒不坏:他是自己保全的人,应当感恩识抬举,跟自己结这一门亲事,他的地位也可以巩固了;这样好机会要错过;除非这人是个标准傻瓜。刘太太也称赞丈夫心思敏捷,只担心方鸿渐本领太糟,要大舅子替他捧牢饭碗。后来她听丈夫说这人还伶俐,她便放了心,早计划将来结婚以后,新夫妇就住在自己的房子里,反正有一间空着,可是得正式立张租契,否则门户不分,方家养了孩子要把刘家孩子的运气和聪明抢掉的。到汪太太答应做媒,夫妇俩欢喜得向刘小姐流露消息,满以为她会羞怯地高兴。谁知道她只飞红了脸,一言不发。刘太太嘴快,说:"这个姓方的你见过没有?你哥哥说比昆明——"她丈夫急得在饭桌下狠命踢她的腿。刘小姐说话了,说得非常之多。先说:她不愿意嫁,谁教汪太太做媒的?再说:女人就那么贱!什么"做媒"、"介绍",多好听!还不是市场卖鸡卖鸭似的,打扮了让男人去挑?不中他们的意,一顿饭之后,下文都没有,真丢人!还说:她也没有白吃了哥嫂的,她在家里做的事,抵得一个用人,为什么要撵她出去?愈说愈气,连大学没毕业的事都牵出来了。事后,刘先生怪太太不该提起昆明做媒的事,触动她一肚子的怨气。刘太太气冲冲道:"你们刘家人的死脾气!谁娶了她,也是倒霉!"明天一早,跟刘小姐同睡的大女孩子来报告父母,说姑母哭了半个晚上。那天刘小姐没吃早饭和午饭,一个人在屋后的河边走来走去。刘氏夫妇吓坏了,以为她临清流而萌短见,即使不致送命,闹得全校知道,总不大好,忙差大女孩子跟着她。幸亏她晚饭回来吃的,并且吃了两碗。这事从此不提起。汪家帖子来了,她接着不作声。哥嫂俩也不敢探她口气;私下商量,到吃饭的那天早晨,还不见动静,就去求汪太太来劝驾。那天早晨,刘小姐叫老妈子准备炭熨斗,说要熨衣服。哥嫂俩相视偷笑。

范小姐发现心里有秘密,跟喉咙里有咳嗽一样的痒得难熬。要人知道自己有个秘密,而不让人知道是个什么秘密,等他们问,要他们猜,这是人性的虚荣。范小姐就缺少这样一个切切私语的盘问者。她跟孙小姐是同房,照例不会要好,她好好地一个人住一间大屋子,平空给孙小姐分去一半。假如孙小姐漂亮阔绰,也许可以原谅,偏偏又只是那么平常的女孩子。倒算上海来的,除掉旗袍短一些,就看不出有什么地方比自己时髦。所以两人虽然常常同上街买东西,并不推心置腹。自从汪太太说要为她跟赵辛楣介绍,她对孙小姐更起了戒心,因为孙小姐常说到教授宿舍看辛楣去的。当然孙小姐告诉过,一向叫辛楣"赵叔叔",可是现在的女孩子很容易忘掉尊卑之分。汪家来的帖子,她讳莫如深。她平时有个嗜好,爱看话剧,尤其是悲剧。这儿的地方戏院不演话剧,她就把现代本国剧作家的名剧尽量买来细读。对话里的句子像:"咱们要勇敢!勇敢!勇敢!""活要活得痛快,死要死得干脆!""黑夜已经这么深了,光明还会遥远么?"她全在旁边打了红铅笔的重杠,默诵或朗诵着,好像人生之谜有了解答。只在不快活的时候,譬如好月亮引起了身世之感,或者执行"女生指导"的职责,而女生不受指导,反叽咕:"大不了也是个大学毕业生,凭什么资格来指导我们?只好管老妈子,发厕所里的手纸!"——在这种时候,她才发现这些富于哲理的警句没有什么帮助。活诚然不痛快,死可也不容易;黑夜似乎够深了,光明依然看不见。悲剧里的恋爱大多数是崇高的浪漫,她也觉得结婚以前,非有伟大的心灵波折不可。就有一件事,她决不下。她听说女人恋爱经验愈多,对男人的魔力愈大;又听说男人只肯娶一颗心还是童贞纯洁的女人。假如赵辛楣求爱,自己二者之间,何去何从呢?请客前一天,她福至心灵,想出一个两面兼顾的态度,表示有好多人发狂地爱过自己,但是自己并未爱过谁,所以这一次还是初恋。恰好那天她上街买东西,店里的女掌柜问她:"小姐,是不是在学堂里念书?"这一问减轻了她心理上的年龄负担六七岁,她高兴得走路像脚心装置了弹簧。回校把这话告诉孙小姐,孙小姐说:"我也会这样问,您本来就像个学生。"范小姐骂她不老实。

范小姐眼睛稍微近视。她不知道美国人的名言——

Men never make passes

At girls wearing glasses——①

可是她不戴眼镜。在学生时代,上课抄黑板,非戴眼镜不可;因为她所认识的男同学,都够不上借笔记转抄的交情。有男生帮忙的女同学,决不轻易把这种同心协力、增订校补的真本或足本笔记借人;至于那些没有男生效劳的女同学呢,哼!范小姐虽然自己也是个女人,对于同性者的记录本领,估计并不过高。像一切好学而又爱美的女人,她戴白金脚无边眼镜;无边眼镜仿佛不着边际,多少和脸蛋儿融化为一,戴了可算没戴,不比有边眼镜,界域分明,一戴上就从此挂了女学究的招牌。这副眼镜,她现在只有看戏的时候必须用到。此外像今天要赴盛会:不但梳头化妆需要它,可以观察周密;到打扮完了,换上衣服,在半身着衣镜前远眺自己的"概观",更需要它。她自嫌眼睛没有神,这是昨夜兴奋太过没睡好的缘故。汪太太有涂眼睫毛的油膏,不妨早去借用,衬托出眼里一种烟水迷茫的幽梦表情。周身的服装也可请她批评,及早修正——范小姐是"女生指导",她把汪太太奉为"女生指导"的指导的。她五点钟才过就到汪家,说早些来

---

① 男人不向戴眼镜的女人调情。

可以帮忙。汪先生说今天客人不多,菜是向镇上第一家馆子叫的,无需帮忙,又叹惜家里的好厨子逃难死了,现在的用人烧的菜不能请客。汪太太说:"你相信她!她不是帮忙来的,她今天来显显本领,让赵辛楣知道她不但学问好、相貌好,还会管家呢。"范小姐禁止她胡说,低声请她批判自己。汪太太还嫌她擦得不够红,说应当添点喜色,拉她到房里,替她涂胭脂。结果,范小姐今天赴宴擦的颜色,就跟美洲印第安人上战场擦的颜色同样胜利地红。她又问汪太太借睫毛油膏,还声明自己不是痧眼,断无传染的危险。汪处厚在外面只听得笑声不绝;真是"有鸡鸭的地方,粪多;有年轻女人的地方,笑多。"

刘小姐最后一个到。坦白可亲的脸,身体很丰满,衣服颇紧,一动衣服上就起波纹。辛楣和鸿渐看见介绍的是这两位,失望得要笑。彼此都曾见面,只没有讲过话。范小姐像画了个无形的圈子,把自己跟辛楣围在里面,谈话密切得泼水不入。辛楣先说这儿闷得很,没有玩儿的地方。范小姐说:"可不是么?我也觉得很少谈得来的人,待在这儿真闷!"辛楣问她怎样消遣,她说爱看话剧,问辛楣爱看不爱看。辛楣说:"我很喜欢话剧,可惜我没有看过——呃——多少。"范小姐问曹禺如何。辛楣瞎猜道:"我认为他是最——呃——最伟大的戏剧家。"范小姐快乐地拍手掌道:"赵先生,我真高兴,你的意见跟我完全相同。你觉得他什么一个戏最好?"辛楣没料到毕业考试以后,会有这一次的考试,十几年小考大考训练成一套虚虚实实、模棱两可的回答本领,现在全荒疏了,冒失地说:"他是不是写过一本——

呃——'这不过是'——"范小姐的惊骇表情阻止他说出来是"春天"、"夏天"、"秋天"还是"冬天"。① 惊骇像牙医生用的口撑,教她张着嘴,好一会上下腭合不拢来。假使丈夫这样愚昧无知,岂不活活气死人!幸亏离结婚还远,有时间来教导他。她在天然的惊骇表情里,立刻放些艺术。辛楣承认无知胡说,她向他讲解说"李健吾"并非曹禺用的化名,真有其人,更说辛楣要看剧本,她那儿有。辛楣忙谢她。她忽然笑道:"我的剧本不能借给你,你要看,我另外想方法弄来给你看。"辛楣问不能借的理由。范小姐说她的剧本有好几种是作者送的,辛楣担保不会损坏或遗失这种名贵东西。范小姐娇痴地说:"那倒不是。他们那些剧作家无聊得很,在送给我的书上胡写了些东西,不能给你看——当然,给你看也没有关系。"这么一来,辛楣有责任说非看不可了。

刘小姐不多说话,鸿渐今天专为吃饭而来,也只泛泛应酬几句。倒是汪太太谈锋甚健,向刘小姐问长问短。汪处厚到里面去了一会,出来对太太说:"我巡查过了。"鸿渐问他查些什么。汪先生笑说:"讲起来真笑话。我用两个女用人。这个丫头,我一来就用,有半年多了。此外一个老妈子,换了好几次,始终不满意。最初用的一个天天要请假回家过夜,晚饭吃完,就找不见她影子,饭碗都堆着不洗。我想这怎么成,换了一个,很安静,来了十几天,没回过家。我和我内人正高兴,哈,一天晚上,半夜三

---

① 《这不过是春天》是李健吾的剧本,在上海公演过。

更,大门都给人家打下来了。这女人原来有个姘头,常常溜到我这儿来幽会,所以她不回去。她丈夫得了风声,就来捉奸,真气得我要死。最后换了现在这一个,人还伶俐,教会她做几样粗菜,也过得去。有时她做的菜似乎量太少,我想,也许她买菜扣了钱。人全贪小利的;'不痴不聋,不作阿家翁',就算了罢。常换用人,也麻烦!和内人训她几句完事。有一次,高校长的朋友远道带给他三十只禾花雀,校长托我替他烧了,他来吃晚饭——你知道,校长喜欢到舍间来吃晚饭的。我内人说禾花雀炸了吃没有味道,照她家乡的办法,把肉末填在禾花雀肚子里,然后红烧。那天晚饭没有几个人,高校长,我们夫妇俩,还有数学系的王先生——这个人很有意思。高先生王先生都说禾花雀这样烧法最好。吃完了,王先生忽然问禾花雀是不是一共三十只,我们以为他没有吃够,他说不是,据他计算,大家只吃了二十——娴,二十几?——二十五只,应该剩五只。我说难道我打过偏手,高校长也说岂有此理。我内人到厨房去细问,果然看见半碗汁,四只——不是五只——禾花雀!你知道老妈子怎么说?她说她留下来给我明天早晨下面吃的。我们又气又笑。这四只多余的禾花雀谁都不肯吃——"

"可惜!为什么不送给我吃!"辛楣像要窒息的人,突然冲出了煤气的笼罩,吸口新鲜空气,横插进这句话。

汪太太笑道:"谁教你那时候不来呀?结果下了面送给高校长的。"

鸿渐道:"这样说来,你们这一位女用人是个愚忠,虽然做事欠斟酌,心倒很好。"

汪先生抚髭仰面大笑,汪太太道:"'愚忠'?她才不愚不忠呢!我们一开头也上了她的当。最近一次,上来的鸡汤淡得像白开水,我跟汪先生说:'这不是煮过鸡的汤,只像鸡在里面洗过一次澡。'他听错了,以为我说'鸡在这水里洗过脚',还跟我开玩笑说什么'饶你奸似鬼,喝了洗脚水'——"大家都笑,汪先生欣然领略自己的妙语——"我叫她来问,她直赖。后来我把这丫头带哄带吓,算弄清楚了。这老妈子有个儿子,每逢我这儿请客,她就叫他来,挑好的给他躲在米间里吃。我问这丫头为什么不早告诉我,是不是偷嘴她也有分。她不肯说,到临了才漏出来这老妈子要她做媳妇,允许把儿子配给她。你们想妙不妙?所以每次请客,我们先满屋子巡查一下。我看这两个全用不下去了,有机会要换掉她们。"

客人同时开口。辛楣鸿渐说:"用人真成问题。"范小姐说:"我听了怕死人了,亏得我是一个人,不要用人。"刘小姐说:"我们家里的老妈子,也常常作怪。"

汪太太笑对范小姐说:"你快要不是一个人了——刘小姐,你哥哥嫂嫂真亏了你。"

用人上了菜,大家抢坐。主人说,圆桌子坐位不分上下,可是乱不得。又劝大家多吃菜,因为没有几个菜。客人当然说,菜太丰了,就只几个人,怕吃不下许多。汪先生说:"咦,今天倒忘了把范小姐同房的孙小姐找来,她从没来过。"范小姐斜眼望身旁的辛楣。鸿渐听人说起孙小姐,心直跳,脸上发热,自觉可笑,孙小姐跟自己有什么关系。汪太太道："最初赵先生带了这么一位小姐来，我们都猜是赵先生的情人呢，后来才知道不相干。"辛楣对鸿渐笑道："你瞧谣言多可怕！"范小姐道："孙小姐现在有情人了——这可不是谣言，我跟她同房，知道得很清楚。"辛楣问谁，鸿渐满以为要说到自己，强作安详。范小姐道："我不能漏泄她的秘密。"鸿渐慌得拼命吃菜，不让脸部肌肉平定下来有正确的表情。辛楣掠了鸿渐一眼，微笑说："也许我知道是谁，不用你说。"鸿渐含着一口菜，险的说出来："别胡闹。"范小姐误会辛楣的微笑，心安理得地说："你也知道了？消息好灵通！陆子潇追求她还是这次寒假里的事呢，天天通信，要好得很。你们那时候在桂林，怎么会知道？"

鸿渐情感像个漩涡。自己没牵到，可以放心。但听说孙小姐和旁人好，又刺心难受。自己并未爱上孙小姐，何以不愿她跟陆子潇要好？孙小姐有她的可爱，不过她妩媚得不稳固，妩媚得勉强，不是真实的美丽。脾气当然讨人喜欢——这全是辛楣不好，开玩笑开得自己心里种了根。像陆子潇那样人，她决不会看中的。可是范小姐说他们天天通信，也决不会凭空撒谎。忽然减了兴致。

汪氏夫妇和刘小姐听了都惊奇。辛楣采取大政治家听取情报的态度，仿佛早有所知似的，沉着脸回答："我有我的报道。陆子潇曾经请方先生替他介绍孙小姐，我不赞成。子潇年纪太大——"

汪太太道："你少管闲事罢。你又不是她真的'叔叔'，就是真'叔叔'又怎么样——早知如此,咱们今天倒没有请他们那一对也来。不过子潇有点小鬼样子,我不大喜欢。"

汪先生摇头道:"那不行。历史系的人,少来往为妙。子潇是历史系的台柱教授,当然不算小鬼。可是他比小鬼都坏,他是个小人,哈哈!他这个人爱搬嘴。韩学愈多心得很,你请他手下人吃饭而不请他,他就疑心你有阴谋要勾结人。学校里已经什么'粤派','少壮派','留日派'闹得乌烟瘴气了。赵先生,方先生,你们两位在我这儿吃饭,不怕人家说你们是'汪派'么?刘小姐的哥哥已经有人说他是'汪派'了。"

辛楣道:"我知道同事里有好几个小组织,常常聚餐,我跟鸿渐一个都不参加,随他们编派我们什么。"

汪先生道:"你们是高校长嫡系里的'从龙派'——高先生的亲戚或者门生故交。方先生当然跟高先生原来不认识,可是因为赵先生间接的关系,算'从龙派'的外围或者龙身上的蜻蜓,呵呵!方先生,我和你开玩笑——我知道这全是捕风捉影,否则我决不敢请二位到舍间来玩儿了。"

范小姐对学校派别毫无兴趣,只觉得对孙小姐还有攻击的义务:"学校里闹党派,真没有意思。孙小姐人是顶好的,就是太邋遢,满房间都是她的东西——呃,赵先生,对不住,我忘掉她是你的'侄女儿'。"羞缩无以自容地笑。

辛楣道:"那有什么关系。可是,鸿渐,咱们同路来并不觉得她邋遢。"

鸿渐因为人家说他是"从龙派"外围,又惊又气,给辛楣一问,随口说声"是"。汪太太道:"听说方先生很能说话,为什么今天不讲话。"方鸿渐忙说,菜太好了,吃菜连舌头都吃下去了。

吃到一半,又谈起没法消遣。汪太太说,她有一副牌,可是家跟学校住得近——汪先生没让她说完,插嘴说:"内人神经衰弱,打牌的声音太闹,所以不打——这时候打门,有谁会来?"

"哈,汪太太,请客为什么不请我?汪先生,我是闻着香味寻来的。"高松年一路说着话进来。

大家肃然起立,出位恭接,只有汪太太懒洋洋扶着椅背,半起半坐道:"吃过晚饭没有?还来吃一点。"一壁叫用人添椅子碗筷。辛楣忙把自己坐的首位让出来,和范小姐不再连席。高校长虚让一下,泰然坐下,正拿起筷,眼睛绕桌一转,嚷道:"这位子不成!你们这座位有意思的,我真糊涂!怎么把你们俩拆开了:辛楣,你来坐。"辛楣不肯。高校长让范小姐,范小姐只是笑,身子像一条饧糖粘在椅子里。校长没法,说:"好,好!天下大势,合久必分,分久必合。"呵呵大笑,又恭维范小姐漂亮,喝了一口酒,刮得光滑的黄脸发亮像擦过油的黄皮鞋。

鸿渐为了副教授的事,心里对高松年老不痛快,因此接触极少,没想到他这样的和易近人。高松年研究生物学,知道"适者生存"是天经地义。他自负最能适应环境,对什么人,在什么场合,说什么话。旧小说里提起"二十万禁军教头",总说他"十八般武艺,件件都精";高松年身为校长,对学校里三院十系的学问,样样都通——这个"通"就像"火车畅通","肠胃通顺"的"通",几句门面话从耳朵里进去直通到嘴里出来,一点不在脑子里停留。今天政治学会开成立会,恭请演讲,他会畅论国际关系,把法西斯主义跟共产主义比较,归根结底是中国现行的政制最好。明天文学研究会举行联欢会,他训话里除掉说诗歌是"民族的灵魂",文学是"心理建设的工具"以外,还要勉励在坐诸位做"印度的泰戈尔,英国的莎士比亚,法国的——呃——法国的——罗素(声音又像"噜苏",意思是卢梭),德国的歌德,美国的——美国的文学家太多了"。后天物理学会迎新会上,他那时候没有原子弹可讲,只可以呼唤几声相对论,害得隔了大海洋的爱因斯坦右耳朵发烧,连打喷嚏。此外他还会跟军事教官闲谈,说一两个"他妈的!"那教官惊喜得刮目相看,引为同道。今天是几个熟人吃便饭,并且有女人,他当然谑浪笑傲,另有适应。汪太太说:"我们正在怪你,为什么办学校挑这个鬼地方,人都闷得死的。"

"闷死了我可偿不起命哪!偿旁人的命,我勉强可以。汪太太的命,宝贵得很,我偿不起。汪先生,是不是?"上司如此幽默,大家奉公尽职,敬笑两声或一声不等。

赵辛楣道:"有无线电听听就好了。"范小姐也说她喜欢听无线电。

汪处厚道:"地方僻陋也有好处。大家没法消遣,只能彼此来往,关系就亲密了。朋友是这样结交起来的,也许从朋友而更进一层——赵先生,方先生,两位小姐,唔?"

高校长用唱党歌、校歌、带头喊口号的声音叫"好!"敬大家一杯。

鸿渐道:"刚才汪太太说打牌消遣——"

校长斩截地说:"谁打牌?"

汪太太道:"我们那副牌不是王先生借去天天打么?"不管高松年警告的眼色。

鸿渐道:"反正辛楣和我对麻将牌不感兴趣。想买副纸牌来打 bridge①,找遍了镇上没有,结果买了一副象棋。辛楣输了就把棋子拍桌子,木头做的棋子经不起他的气力,迸碎了好几个,这两天棋都下不成了。"范小姐隔着高校长向辛楣笑,说想不到他这样孩子气。刘小姐请辛楣讲鸿渐输了棋的情状。高校长道:"下象棋很好。纸牌幸亏没买到,总是一种赌具,虽然没有声音,给学生知道了不大好。李梅亭禁止学生玩纸牌,照师生共同生活的原则——"

鸿渐想高松年像个人不到几分钟,怎么又变成校长面目了,恨不能说:"把王家的麻将公开,请学生也去赌,这就是共同生活了。"汪太太不耐烦地打断高校长道:"我听了'共同生活'这四个字就头痛。都是李梅亭的花样,反正他自己家不在这儿,苦的是有家的人。我本来的确因为怕闹,所以不打牌,现在偏要打。校长你要办我就办得了,轮不到李梅亭来管。"

高校长看汪太太请自己办她,大有恃宠撒娇之意,心颤身热,说:"哪里的话!不过办学校有办学校的困难——你只要问汪先生——同事之间应当相忍相安。"

---

① 桥牌。

汪太太冷笑道:"我又不是李梅亭的同事。校长,你什么时候雇我到贵校当——当老妈子来了?当教员是没有资格的——"高松年喉间连作抚慰的声音——"今天星期三,星期六晚上我把牌要回来打它个通宵,看李梅亭又怎么样。赵先生,方先生,你们有没有胆量来?"

高松年叹气说:"我本来是不说的。汪太太,你这么一来,我只能告诉各位了。我今天闯席做不速之客,就为了李梅亭的事,要来跟汪先生商量,不知道你们在请客。"

客人都说:"校长来得好,请都请不来呢。"汪先生镇静地问:"李梅亭什么事?"汪太太满脸厌倦不爱听的表情。

校长道:"我一下办公室,他就来,问我下星期一纪念周找谁演讲,我说我还没有想到人呢。他说他愿意在'训导长报告'里,顺便谈谈抗战时期大学师生的正当娱乐——"汪太太"哼"了一声——"我说很好。他说假如他讲了之后,学生问他像汪先生家的打牌赌钱算不算正当娱乐,他应当怎样回答——"大家恍然大悟地说"哦"——"我当然替你们掩饰,说不会有这种事。他说:'同事们全知道了,只瞒你校长一个人'——"辛楣和鸿渐道:"胡说!我们就不知道。"——"他说他调查得很清楚,输赢很大,这副牌就是你的,常打的是什么几个人,也有你汪先生——"汪先生的脸开始发红,客人都局促地注视各自的碗筷。好几秒钟,屋子里静寂得应该听见蚂蚁在地下爬——可是当时没有蚂蚁。

校长不自然地笑,继续说:"还有笑话,汪太太,你听了准笑。他不知道什么地方听来的,说你们这副牌是美国货,橡皮做的,打起来没有声音——"哄堂大笑,解除适才的紧张。鸿渐问汪太太是不是真没有声音,汪太太笑他和李梅亭一样都是乡下人,还说:"李瞎子怎么变成聋子了,哪里有美国货的无声麻将!"高校长深不以这种轻薄为然,紧闭着嘴不笑,聊示反对。

汪先生道:"他想怎么办呢?向学生宣布?"

汪太太道:"索性闹穿了,大家正大光明地打牌,免得鬼鬼祟祟,桌子上盖毯子,毯子上盖漆布——"范小姐聪明地注解:"这就是'无声麻将'了!"——"我待得腻了,让李梅亭去闹,学生撵你走,高校长停你职,离开这地方,真是求之不得。"校长一连声 tut! tut! tut!

汪先生道:"他无非为了做不到中国文学系主任,跟我过不去。我倒真不想当这个差使,向校长辞了好几次,高先生,是不是?不过,我辞职是自动的,谁要逼我走,那可不行,我偏不走。李梅亭,他看错了人。他的所作所为,哼!我也知道,譬如在镇上嫖土娼。"

汪先生富于戏剧性地收住,余人惊奇得叫起来,辛楣鸿渐立刻想到王美玉。高校长顿一顿说:"那不至于罢?"鸿渐见校长这样偏袒,按不下愤怒,说:"我想汪先生所讲的话很可能,李先生跟我们同路来,闹了许多笑话,不信只要问辛楣。"校长满脸透着不然道:"君子隐恶而扬善。这种男女间的私事,最好别管!"范小姐正要问辛楣什么笑话,吓得拿匙舀口鸡汤和着这问题咽了下去。高校长省悟自己说的话要得罪汪处厚,忙补充说:

"鸿渐兄,你不要误会。梅亭和我是老同事,他的为人,我当然知道。不过,汪先生犯不着和他计较。回头我有办法劝他。"

汪太太宽宏大量地说:"总而言之,是我不好。处厚倒很想敷衍他,我看见他的脸就讨厌,从没请他上我们这儿来。我们不像韩学愈和他的洋太太,对历史系的先生和学生,三日一小宴、五日一大宴地款待;而且妙得很,请学生吃饭,请同事只喝茶——"鸿渐想起那位一夜泻肚子四五次的历史系学生——"破费还是小事,我就没有那个精神,也不像那位洋太太能干。人家是洋派,什么交际、招待、联络,都有工夫,还会唱歌儿呢。咱们是中国乡下婆婆,就安了分罢,别出丑啦。我常说:有本领来当教授,没本领就滚蛋,别教家里的丑婆娘做学生和同事的女招待——"鸿渐忍不住叫"痛快"!汪处厚明知太太并非说自己,可是通身发热——"高先生不用劝李梅亭,处厚也不必跟他拼,只要想个方法引诱他到王家也去打一次牌,这不就完了么?"

"汪太太,你真——真聪明!"高校长钦佩地拍桌子,因为不能拍汪太太的头或肩背,"这计策只有你想得出来!你怎么知道李梅亭爱打牌的?"

汪太太那句话是说着玩儿的,给校长当了真,便神出鬼没地说:"我知道。"汪先生也摸着胡子,反复援引苏东坡的名言道:"'想当然耳','想当然耳'哦!"赵辛楣的眼光像胶在汪太太的脸上。刘小姐冷落在一边,满肚子的气愤,恨汪太太,恨哥嫂,鄙视范小姐,懊悔自己今天的来,又上了当,忽见辛楣的表情,眼稍微瞥范小姐,心里冷笑一声,舒服了好些。范小姐也注意到了,唤醒辛楣道:"赵先生,汪太太真利害呀!"辛楣脸一红,喃喃道:"真利害!"眼睛躲避着范小姐。鸿渐说:"这办法好得很。不过李梅亭最贪小利,只能让他赢;他输了还要闹的。"同桌全笑了。高松年想这年轻人多嘴,好不知趣,只说:"今天所讲的话,希望各位严守秘密。"

　　吃完饭,主人请宽坐。女人涂脂抹粉的脸,经不起酒饭蒸出来的汗汽,和咬嚼运动的震撼,不免像黄梅时节的墙壁。范小姐虽然斯文,精致得恨不能吃肉都吐渣,但多喝了半杯酒,脸上没涂胭脂的地方都作粉红色,仿佛外国肉庄里陈列的小牛肉。汪太太问女客人:"要不要到我房里去洗手?"两位小姐跟她去了。高松年汪处厚两人低声密谈。辛楣对鸿渐道:"等一会咱们同走,记牢。"鸿渐笑道:"也许我愿意一个人送刘小姐回去呢?"辛楣严肃地说:"无论如何,这一次让我陪着你送她——汪太太不是存心跟我们开玩笑么?"鸿渐道:"其实谁也不必送谁,咱俩走咱们的路,她们走她们的路。"辛楣道:"这倒做不出。咱们是留学生,好像这一点社交礼节总应该知道。"两人慨叹不幸身为青年未婚留学生的麻烦。

　　刘小姐勉强再坐一会,说要回家。辛楣忙站起来说:"鸿渐,咱们也该走了,顺便送她们两位小姐回去。"刘小姐说她一个人回去,不必人送。辛楣连声说:"不,不,不!先送范小姐到女生宿舍,然后送你回家,我还没有到你府上去过呢。"鸿渐暗笑辛楣要撇开范小姐,所以跟刘小姐亲热,难保不引起另一种误会。汪太太在咬着范小姐耳朵说话,范小姐含笑带怒推开她。汪先生说:"好了,好了。'出门不管',两位小姐的安全要你们负责了。"高校长说他还要坐一会,同时表示非常艳羡:因为天气这样好,正是散步的春宵,他们四个人又年轻,正是春宵散步的好伴侣。

四人并肩而行,范刘在中间,赵方各靠一边。走近板桥,范小姐说这桥只容两个人走,她愿意走河底。鸿渐和刘小姐走到桥心,忽听范小姐尖声叫:"啊呀!"忙借机止步,问怎么一回事。范小姐又笑了,辛楣含着谴责,劝她还是上桥走,河底石子滑得很。才知道范小姐险的摔一跤,亏辛楣扶住了。刘小姐早过桥,不耐烦地等着他们,鸿渐等范小姐也过了岸,殷勤问扭了筋没有。范小姐谢他,说没有扭筋——扭了一点儿——可是没有关系,就会好的——不过走路不能快,请刘小姐不必等。刘小姐鼻子里应一声,鸿渐说刘小姐和自己都愿意慢慢地走。走不上十几步,范小姐第二次叫:"啊呀!"手提袋不知何处去了。大家问她是不是摔跤的时候,失手掉在溪底。她说也许。辛楣道:"这时候不会给人捡去,先回宿舍,拿了手电来照。"范小姐记起来了,手提袋忘在汪太太家里,自骂糊涂,要赶回去取,说:"怎么好意思叫你们等呢?你们先走罢,反正有赵先生陪我——赵先生,你要骂我了。"女人出门,照例忘掉东西,所以一次出门事实上等于两次。安娜说:"啊呀,糟糕!我忘掉带手帕!"这么一说,同走的玛丽也想起没有带口红,裘丽叶给两人提醒,说:"我更糊涂!没有带钱——"于是三人笑得仿佛这是天地间最幽默的事,手搀手回去取手帕、口红和钱。可是这遗忘东西的传染病并没有上刘小姐的身,急得赵辛楣心里直怨:"难道今天是命里注定的?"忽然鸿渐摸着头问:"辛楣,我今天戴帽子来没有?"辛楣愣了愣,恍有所悟:"好像你戴了来的,我记不清了——是的,你戴帽子来的,我——我没有戴。"鸿渐说范小姐找手提袋,使他想到自己的帽子;范小姐既然走路不便,反正他要回汪家取帽子,替她把手提袋带来得了,"我快得很,你们在这儿等我一等。"说着,三脚两步跑去。他回来,手里只有手提袋,头上并无帽子,说:"我是没有戴帽子,辛楣,上了你的当。"辛楣气愤道:"刘小姐,范小姐,你们瞧这个人真不讲理。自己糊涂,倒好像我应该替他管帽子的!"黑暗中感激地紧拉鸿渐的手。刘小姐的笑短得刺耳。范小姐对鸿渐的道谢冷淡得不应该,直到女宿舍,也再没有多话。

  不管刘小姐的拒绝,鸿渐和辛楣送她到家。她当然请他们进去坐一下。跟她同睡的大侄女还坐在饭桌边,要等她回来才肯去睡,呵欠连连,两只小手握着拳头擦眼睛。这女孩子看见姑母带了客人来,跳进去一路嚷:"爸爸!妈妈!"把生下来才百日的兄弟都吵醒了。刘东方忙出来招待,刘太太跟着也抱了小孩子出来。鸿渐和辛楣照例说这小孩子长得好,养得胖,讨论他像父亲还是像母亲。这些话在父母的耳朵里是听不厌的。鸿渐凑近他脸捺指作声,这是他惟一娱乐孩子的本领。刘太太道:"咱们跟方——呃——伯伯亲热,叫方伯伯抱——"她恨不能说"方姑夫"——"咱们刚换了尿布,不会出乱子。"鸿渐无可奈何,苦笑接过来。那小孩子正在吃自己的手,换了一个人抱,四肢乱动,手上的腻唾沫,抹了鸿渐一鼻子半脸,鸿渐蒙刘太太托孤,只好心里厌恶。辛楣因为摆脱了范小姐,分外高兴,瞧小孩子露出的一方大腿还干净,嘴凑上去吻了一吻,看得刘家老小四个人莫不欢笑,以为这赵先生真好。鸿渐气不过他这样做面子,问他要不要抱。刘太太看小孩子给鸿渐抱得不舒服,想辛楣地位高,又是生客,不能亵渎他,便伸手说:"咱们重得很,方伯伯抱得累了。"鸿渐把孩子交还,乘人不注意,掏手帕擦脸上已干的唾沫。辛楣道:"这孩子真好,他不怕生。"刘太太一连串地赞美这孩子如何懂事,如何乖,如何一觉睡到天亮。孩子的大姊姊因为没人理自己,圆睁眼睛,听得不耐烦,插口道:"他也哭,晚上把我都哭醒了。"刘小姐道:"不知道谁会哭!谁长得这么大了,抢东西吃,打不过二弟,就直着嗓子哭,羞不羞!"女孩子发急,指着刘小姐道:"姑姑是大人,姑姑也哭,我知道,那天——"父母喝住她,骂她这时候还不睡。刘小姐把她拉进去了,自信没给客人瞧见脸色。以后的谈话,只像用人工呼吸来救淹死的人,挽回不来生气。刘小姐也没再露脸。辞别出了门,辛楣道:"孩子们真可怕,他们嘴里全说得出。刘小姐表面上很平静快乐,谁想到她会哭,真是各有各的苦处,唉!"鸿渐道:"你跟范小姐是无所谓的。我承刘东方帮过忙,可是我无意在此地结婚。汪太太真是多此一举,将来为了这件事,刘东方准对我误会。"辛楣轻描淡写道:"那不至于。"接着就问鸿渐对汪太太的印象,要他帮自己推测她年龄有多少。

孙小姐和陆子潇通信这一件事,在鸿渐心里,仿佛在复壁里咬东西的老鼠,扰乱了一晚上,赶也赶不出去。他险的写信给孙小姐,以朋友的立场忠告她交友审慎。最后算把自己劝相信了,让她去跟陆子潇好,自己并没爱上她,吃什么隔壁醋,多管人家闲事?全是赵辛楣不好,开玩笑开得自己心里有了鬼,仿佛在催眠中的人受了暗示。这种事大半是旁人说笑话,说到当局者认真恋爱起来,自己见得多了,决不至于这样傻。虽然如此,总觉得吃了亏似的,恨孙小姐而且鄙视她。不料下午打门进来的就是她,鸿渐见了她面,心里的怨气像宿雾见了朝阳,消散净尽。她来过好几次,从未能使他像这次的欢喜。鸿渐说,桂林回来以后,还没见过面呢,问她怎样消遣这寒假的。她说,承鸿渐和辛楣送桂林带回的东西,早想过来谢,可是自己发了两次烧,今天是陪范小姐送书来的。鸿渐笑问是不是送剧本给辛楣,孙小姐笑答是。鸿渐道:"你上去见到赵叔叔没有?"

孙小姐道:"我才不讨人厌呢!我根本没上楼。她要来看赵先生,问我他住的是楼上楼下,第几号房间,又不要我做向导。我跟她讲好,我决不陪她上楼,我也有事到这儿来。"

"辛楣未必感谢你这位向导。"

"那太难了!"孙小姐说话时的笑容,表示她并不以为做人很难——"她昨天晚上回来,我才知道汪太太请客——"这句原是平常的话,可是她多了心,自觉太着边际,忙扯开问:"这位有名的美人儿汪太太你总见过了?"

"昨天的事是汪氏夫妇胡闹——见过两次了,风度还好,她是有名的美人儿么？我今天第一次听到这句话。"

鸿渐见了她面，不大自然，手不停弄着书桌上他自德国带回的 Supernorma 牌四色铅笔。孙小姐要过笔来，把红色铅捺出来，在吸墨水纸板的空白上，画一张红嘴，相去一寸许画十个尖而长的红点，五个一组，代表指甲，此外的面目身体全没有。她画完了，说："这就是汪太太的——的提纲。"鸿渐想一想，忍不住笑道："真有点像，亏你想得出！"

一句话的意义，在听者心里，常像一只陌生的猫到屋里来，声息全无，过一会儿"喵"一叫，你才发觉它的存在。孙小姐最初说有事到教授宿舍来，鸿渐听了并未留意。这时候，这句话在他意识里如睡方醒。也许她是看陆子潇来的，带便到自己这儿坐下。心里一阵嫉妒，像火上烤的栗子，热极要迸破了壳。急欲探出究竟，又怕落了关切盘问的痕迹，扯淡说："范小姐这人妙得很，我昨天还是第一次跟她接近。你们是同房，要好不要好？"

"她眼睛里只有汪太太，现在当然又添了赵叔叔了——方先生，你昨天得罪范小姐没有？"

"我没有呀，为什么？"

"她回来骂你——唉，该死！我搬嘴了。"

"怪事！她骂我什么呢？"

孙小姐笑道："没有什么。她说你话也不说，人也不理，只知道吃。"

鸿渐脸红道："胡说，这不对。我也说话的，不过没有多说。

昨天我压根儿是去凑数,没有我的份儿,当然只管吃了。"

孙小姐很快看他一眼,弄着铅笔说:"范小姐的话,本来不算数的。她还骂你是木头,说你头上戴不戴帽子都不知道。"

鸿渐哈哈大笑道:"我是该骂!这事说来话长,我将来讲给你听。不过你们这位范小姐——"孙小姐抗议说范小姐不是她的——"好,好。你们这位同屋,我看不大行,专门背后骂人,辛楣真娶了她,老朋友全要断的。她昨天也提起你。"

"她不会有好话。她说什么?"

鸿渐踌躇,孙小姐说:"我一定要知道。方先生,你告诉我。"笑意全收,甜蜜地执拗。

鸿渐见过一次她这种神情,所有温柔的保护心全给她引起来了,说:"她没有多说。她并没骂你,我也记不清,好像说有人跟你通信。那是很平常的事,她就喜欢大惊小怪。"

孙小姐的怒容使鸿渐不敢看她,脸爆炸似的发红,又像一星火落在一盆汽油面上。她把铅笔在桌子上顿,说:"混账!我正恨得要死呢,她还替人家在外面宣传!我非跟她算账不可。"

鸿渐心里的结忽然解松了,忙说:"这是我不好了,你不要理她。让她去造谣言得了,反正没有人会相信,我就不相信。"

"这事真讨厌,我想不出一个对付的办法。那个陆子潇——"孙小姐对这三个字厌恶得仿佛不肯让它们进嘴——"他去年近大考的时候忽然写信给我,我一个字没理他,他一封一封的信来。寒假里,他上女生宿舍来找我,硬要请我出去吃饭——"鸿渐紧张的问句:"你没有去罢?"使她不自主低了头——"我当然不会去。他这人真是神经病,还是来信,愈写愈不成话。先一封信说,省得我回信麻烦,附一张纸,纸头上写着一个问题——"她脸又红晕——"这个问题不用管它,他说假使我对这问题答案是——是肯定的,写个算学里的加号,把纸寄还他,否则写个减号。最近一封信,他索性把加减号都写好,我只要划掉一个就行。你瞧,不是又好气又好笑么?"说时,她眼睛里含笑,嘴撅着。

鸿渐忍不住笑道:"这地道是教授的情——教授写的信了。我们在初中考'常识'这门功课,先生出的题目全是这样的。不过他对你总是一片诚意。"

孙小姐怫然瞪眼道:"谁要他对我诚意!他这种信写个不了,给人家知道,把我也显得可笑了。"

鸿渐老谋深算似的说:"孙小姐,我替你出个主意。他前前后后给你的信,你没有掷掉罢?没有掷掉最好。你一股脑儿包起来,叫用人送还他。一个字儿不要写。"

"包裹外面要不要写他姓名等等呢?"

"也不要写,他拆开来当然心里明白——"心理分析学者一听这话就知道潜意识在捣鬼,鸿渐把唐晓芙退回自己信的方法报复在旁人身上——"你干脆把信撕碎了再包——不,不要了,这太使他难堪。"

孙小姐感激道:"我照方先生的话去做,不会错的。我真要谢谢你。我什么事都不懂,也没有一个人可以商量,只怕做错了事。我太不知道怎样做人,做人麻烦死了!方先生,你肯教教我么？"

　　这太像个无知可怜的弱小女孩儿了，辛楣说她装傻也许是真的。鸿渐的猜疑像燕子掠过水，没有停留。孙小姐不但向他求计，并且对他言听计从，这使他够满意了，心里容不下猜疑。又讲了几句话，孙小姐说，辛楣处她今天不去了，她要先回宿舍，教鸿渐别送。鸿渐原怕招摇，不想送，给她这么一说，只能说："我要送送你，送你一半路，到校门口。"孙小姐站着，眼睛注视地板道："也好，不过，方先生不必客气罢，外面——呃——闲话很多，真讨厌！"鸿渐吓得跳道："什么闲话！"问完就自悔多此一问。孙小姐讷讷道："你——你没听见，就不用管了。再见，我照方先生教我的话去做。"拉拉手，一笑走了。鸿渐颓然倒在椅子里，身上又冷又热，像发疟疾。想糟糕！糟糕！这"闲话"不知道是什么内容。两个人在一起，人家就要造谣言，正如两根树枝相接近蜘蛛就要挂网。今天又多嘴，说了许多不必说、不该说的话。这不是把"闲话"坐实么？也许是自己的错觉，孙小姐临走一句话说得好像很着重。她的终身大事，全该自己负责了，这怎么了得！鸿渐急得坐立不安，满屋子地转。假使不爱孙小姐，管什么闲事？是不是爱她——有一点点爱她呢？

　　楼梯上一阵女人笑声，一片片脆得像养花的玻璃房子塌了，把鸿渐的反省打断。紧跟着辛楣的声音："走好，别又像昨天摔了一跤！"又是一阵女人的笑声，楼上楼下好几个房间忽然开门又轻轻关门的响息。鸿渐想，范小姐真做得出，这两阵笑就等于在校长布告板上向全校员生宣示她和赵辛楣是情人了。可怜的辛楣！不知道怎样生气呢。鸿渐虽然觉得辛楣可怜,同时心境宽舒,似乎关于自己的"闲话"因此减少了严重性。他正拿起一支烟,辛楣没打门就进屋,抢了过去。鸿渐问他:"没有送范小姐回去?"他不理会,点烟狂吸了几口,嚷:"Damn 孙柔嘉这小浑蛋①,她跟陆子潇有约会,为什么带了范懿来！我碰见她,要骂她个臭死。"鸿渐道:"你别瞎冤枉人。你记得么？你在船上不是说,借书是男女恋爱的初步么？现在怎么样？哈哈,天理昭彰。"辛楣忍不住笑道:"我船上说过这话么？反正她拿来的两本什么话剧,我一个字都不要看。"鸿渐问谁写的剧本。辛楣道:"你要看,你自己去取,两本书在我桌子上。请你顺便替我把窗子打开。我是怕冷的,今天还生着炭盆。她一进来,满屋子是她的脂粉香,我简直受不了。我想抽烟,她表示她怕闻烟味儿。我开了一路窗。她立刻打喷嚏,吓得我忙把窗关上。我正担心,她不要着了凉,我就没有清净了。"鸿渐笑道:"我也怕晕倒,我不去了。"便叫工友上去开窗子,把书带下来。工友为万无一失起见,把辛楣桌上六七本中西文书全搬下来了,居然没漏掉那两本话剧。翻开一本,扉页上写:"给懿——作者",下面盖着图章。鸿渐道:"好亲热的称呼！"随手翻开第二本的扉页,大叫道:"辛楣,你看见这个没有？"辛楣道:"她不许我当时看,我现在也不要看。"说时,伸手拿过书,只见两行英文:

  To my precious darling.

---

① 他妈的孙柔嘉。

From the author①

辛楣"咦"了一声,合上封面,看作者的名字,问鸿渐道:"你知道这个人么?"鸿渐道:"我没听说过,可能还是一位名作家呢。你是不是要找他决斗?"辛楣鼻子里出冷气,自言自语道:"可笑!可鄙!可恨!"鸿渐道:"你是跟我说话,还是在骂范懿?她也真怪,为什么把人家写了这许多话的书给你看?"辛楣的美国乡谈又流出来了:"You baby②!你真不懂她的用意?"鸿渐道:"她用意太显然了,反教人疑心她不会这样浅薄。"辛楣道:"不管她。这都是汪太太生出来的事,'解铃还须系铃人',我明天去找她。"鸿渐道:"请你也替我的事声明一下罢。"辛楣道:"你不同去么?"鸿渐道:"我不去了。我看你对汪太太有点儿迷,我劝你少去。咱们这批人,关在这山谷里,生活枯燥,没有正常的消遣,情感一触即发,要避免刺激它。"辛楣脸红道:"你别胡说。这是你自己的口供,也许你看中了什么人。"鸿渐也给他道中心病,支吾道:"你去,你去,这两本戏是不是交汪太太转给范小姐呢?"辛楣道:"那倒不行。今天就还她,不好意思。她明天不会来,总希望我去回看她,我当然不去。后天下午,我差校工直接送还她。"鸿渐想今天日子不好,这是第二个人退回东西了,一壁拿张纸包好了两本书,郑重交给辛楣:"我牺牲纸一张。这书上面有名人手迹,教校工当心,别遗失了。"辛楣道:"名人!

---

① 给我的亲爱的宝贝,本书作者赠。
② 你这个无知小娃娃。

他们这些文人没有一个不自以为有名的,只怕一个人的名气太大,负担不起了,还化了好几个笔名来分。今天虽然没做什么事,苦可受够了,该自己慰劳一下。同出去吃晚饭,好不好!"鸿渐道:"今天轮到我跟学生同吃晚饭。不过,那没有关系,你先上馆子点好了菜,我敷衍了一碗,就赶来。"

鸿渐自觉这一学期上课,驾轻就熟,渐渐得法。学生对他的印象也像好了些。训导处分发给他训导的四个学生,偶来聊天,给他许多启示。他发现自己毕业了没几年,可是一做了先生,就属于前一辈,跟现在这些学生不再能心同理同。第一,他没有他们的兴致。第二,他自信比他们知趣。他只奇怪那些跟年轻人混的同事们,不感到老一辈的隔膜。是否他们感到了而不露出来?年龄是个自然历程里不能超越的事实,就像饮食男女,像死亡。有时,这种年辈意识比阶级意识更鲜明。随你政见、学说或趣味如何相同,年辈的老少总替你隐隐分了界限,仿佛磁器上的裂纹,平时一点没有什么,一旦受着震动,这条裂纹先扩大成裂缝。也许自己更老了十几年,会要跟青年人混在一起,借他们的生气来温暖自己的衰朽,就像物理系的吕老先生,凡有学生活动,无不参加,或者像汪处厚娶这样一位年轻的太太。无论如何,这些学生一方面盲目得可怜,一方面眼光准确得可怕。他们的赞美,未必尽然,有时竟上人家的当;但是他们的毁骂,那简直至公至确,等于世界末日的"最后审判",毫无上诉重审的余地。他们对李梅亭的厌恶不用说,甚至韩学愈也并非真正得到他们的爱戴。鸿渐身为先生,才知道古代中国人瞧不起蛮夷,近代西洋人瞧不起东方人,上司瞧不起下属——不,下属瞧不起上司,全没有学生要瞧不起先生时那样利害。他们的美德是公道,不是慈悲。他们不肯原谅,也许因为他们自己不需要人原谅,不知道也需要人原谅,鸿渐这样想。

至于鸿渐和同事们的关系,只有比上学期坏。韩学愈仿佛脖子扭了筋,点头勉强得很,韩太太瞪着眼远眺鸿渐身后的背影。鸿渐虽然并不在乎,总觉不痛快;在街上走,多了一个顾忌,老远望见他们来,就避开。陆子潇跟他十分疏远,大家心照不宣。最使他烦恼的是,刘东方好像冷淡了许多——汪太太做得好媒人!汪处厚对他的事十分关心,这是他惟一的安慰。他知道老汪要做文学院长,所以礼贤下士。这种抱行政野心的人最靠不住,捧他上了台,自己未必有多大好处;仿佛洋车夫辛辛苦苦把坐车人拉到了饭店,依然拖着空车子吃西风,别想跟他进去吃。可是自己是一个无足轻重的人,居然有被他收罗的资格,足见未可妄自菲薄。老汪一天碰见他,笑说媒人的面子扫地了,怎么两个姻缘全没有撮合成就。鸿渐只有连说:"不识抬举,不敢高攀。"汪处厚说:"你在外文系兼功课,那没有意思。我想下学期要添一个哲学系,请你专担任系里的功课。"鸿渐感谢道:"现在我真是无家可归,沿门托钵,同事和学生全瞧不起的。"汪处厚道:"哪里的话!不过这件事,我正在计划之中。当然,你的待遇应该调整。"鸿渐不愿太受他的栽培,说:"校长当初也答应过我,说下学期升做教授。"汪处厚道:"今天天气很好,咱们到田野里走一圈,好不好?或者跟我到舍间去谈谈,就吃便饭,何如?"鸿渐当然说,愿意陪他走走。

过了溪,过了汪家的房子,有几十株瘦柏树,一株新倒下来的横在地上,两人就坐在树身上。汪先生取出嘴里的香烟,指路针似的向四方指点道:"这风景不坏。'阅世长松下,读书秋树根';等内人有兴致,请她画这两句诗。"鸿渐表示佩服。汪先生道:"方才你说校长答应你升级,他怎么跟你说的?"鸿渐道:"他没有说得肯定,不过表示这个意思。"汪先生摇头道:"那不算数。这种事是气得死人的!鸿渐兄,你初回国教书,对于大学里的情形,不甚了了。有名望的、有特殊关系的那些人当然是例外,至于一般教员的升级可以这样说:讲师升副教授容易,副教授升教授难上加难。我在华阳大学的时候,他们有这么一比,讲师比通房丫头,教授比夫人,副教授呢,等于如夫人——"鸿渐听得笑起来——"这一字之差,不可以道里计。丫头收房做姨太太,是很普通——至少在以前很普通的事;姨太太要扶正做大太太,那是干犯纲常名教,做不得的。前清不是有副对么?'为如夫人洗足;赐同进士出身。'有位我们系里的同事,也是个副教授,把它改了一句:'替如夫人争气;等副教授出头。'哈哈——"鸿渐道:"该死!做了副教授还要受糟踢。"——"不过,有个办法:粗话所谓'跳槽'。你在本校升不到教授,换个学校就做到教授。假如本校不允许你走,而旁的学校以教授相聘,那么本校只好升你做教授。旁的学校给你的正式聘书和非正式的聘信,你愈不接受,愈要放风声给本校当局知道,这么一来,你的待遇就会提高。你的事在我身上;春假以后,我叫华阳哲学系的朋友写封信来,托我转请你去。我先把信给高校长看,在旁打几下边鼓,他一定升你,而且全不用你自己费心。"

有人肯这样提拔,还不自振作,那真是弃物了。所以鸿渐预备功课,特别加料,渐渐做"名教授"的好梦。得学位是把论文哄过自己的先生;教书是把讲义哄过自己的学生。鸿渐当年没哄过先生,所以未得学位,现在要哄学生,不免欠缺依傍。教授成为名教授,也有两个阶段:第一是讲义当著作,第二著作当讲义。好比初学的理发匠先把傻子和穷人的头作为练习本领的试验品,所以讲义在课堂上试用没出乱子,就作为著作出版;出版以后,当然是指定教本。鸿渐既然格外卖力,不免也起名利双收的妄想。他见过孙小姐几次面,没有深谈,只知道她照自己的话,不增不减地做了。辛楣常上汪家去,鸿渐取笑他说:"小心汪处厚吃醋。"辛楣庄严地说:"他不像你这样小人的心理——并且,我去,他老不在家,只碰到一两次。这位老先生爱赌,常到王家去。"鸿渐说,想来李梅亭赢了钱,不再闹了。

春假第四天的晚上,跟前几晚同样的暖。高松年在镇上应酬回来,醉饱逍遥,忽然动念,折到汪家去。他家属不在此地,回到卧室冷清清的;不回去,觉得这夜还没有完,一回去,这夜就算完了。表上刚九点钟,可是校门口大操场上人影都没有。缘故是假期里,学生回家的回家,旅行的旅行,还有些在宿舍里预备春假后的小考。四野里早有零零落落试声的青蛙,高松年想这地方气候早得很,同时联想到去年吃的麻辣田鸡。他打了两下门,没人来开。他记起汪家新换了用人,今天说不定是她的例假,不过这小丫头不会出门的,便拉动门上的铃索。这铃索通到用人的卧室里,装着原准备主人深夜回来用的。小丫头睡眼迷离,拖着鞋开门,看见是校长,把嘴边要打的呵欠忍住,说主人不在家,到王家去的。高校长心跳,问太太呢,小丫头说没同去,领高校长进客堂,正要进去请太太,又摸着头说太太好像也出去了,叫醒她关门的。高松年一阵恼怒,想:"打牌!还要打牌!总有一天,闹到学生耳朵里去,该警告老汪这几个人了。"他分付小丫头关门,一口气赶到王家。汪处厚等瞧是校长,窘得不得了,忙把牌收起。王太太亲自送茶,把为赌客置备的消夜点心献呈校长。高松年一看没有汪太太,反说:"打搅!打搅!"——他并不劝他们继续打下去——"汪先生,我有事和你商量,咱们先走一步。"出了门,高松年道:"汪太太呢?"汪处厚道:"她在家。"高松年道:"我先到你府上去过的,那小丫头说,她也出去了。"汪处厚满嘴说:"不会的!决不会!"来回答高松年,同时安慰自己,可是嗓子都急哑了。

赵辛楣嘴里虽然硬,心里知道鸿渐的话很对,自己该避嫌疑。他很喜欢汪太太,因为她有容貌,有理解,此地只她一个女人跟自己属于同一社会。辛楣自信是有道德的君子,断不闹笑话。春假里他寂寞无聊,晚饭后上汪家闲谈,打门不开,正想回去。忽然门开了,汪太太自己开的,说:"这时候打门,我想没有别人。"辛楣道:"怎么你自己来开?"汪太太道:"两个用人,一个回家去了,一个像只鸟,天一黑就瞌睡,我自己开还比叫醒她来开省力。"辛楣道:"天气很好,我出来散步,走过你们府上,就来看看你——和汪先生。"汪太太笑道:"处厚打牌去了,要十一点钟才回来呢。我倒也想散散步,咱们同走。你先到门口拉一拉铃,把这小丫头叫醒,我来叫她关门。外面不冷,不要添衣服罢?"辛楣在门外黑影里,听她分付丫头说:"我也到王先生家去,回头跟老爷同回家。你别睡得太死!"在散步中,汪太太问辛楣家里的情形,为什么不结婚,有过情人没有——"一定有的,瞒不过我。"辛楣把他和苏文纨的事略讲一下,但经不起汪太太的鼓动和刺探,愈讲愈详细。两人谈得高兴,又走到汪家门口。汪太太笑道:"我听话听糊涂了,怎么又走回来了!我也累了,王家不去了。赵先生谢谢你陪我散步,尤其谢谢你告诉我许多有趣的事。"辛楣这时候有点不好意思,懊悔自己太无含蓄,和盘托出,便说:"你听得厌倦了。这种恋爱故事,本人讲得津津有味,旁人只觉得平常可笑。我有过经验的。"汪太太道:"我倒听得津津有味,不过,赵先生,我想劝告你一句话。"辛楣催她说,她不肯说,要打门进去,辛楣手拦住她,求她说。她踢开脚边的小石子,说:"你记着,切忌对一个女人说另外一个女人好——"辛楣头脑像被打一下的发晕,只说出一声"啊!"——"尤其当了我这样一个脾气坏、嘴快的人,称赞你那位小姐如何温柔,如何文静——"辛楣嚷:"汪太太,你别多心!我全没有这个意思。老实告诉你罢,我觉得你有地方跟她很像——"汪太太半推开他拦着的手道:"胡说!胡说!谁都不会像我——"忽然人声已近,两人忙分开。

　　汪处厚比不上高松年年轻腿快,赶得气喘,两人都一言不发。将到汪家,高松年眼睛好,在半透明的夜色里瞧见两个人扭作一团,直奔上去。汪处厚也听到太太和男人的说话声,眼前起了一阵红雾。辛楣正要转身,肩膀给人粗暴地拉住,耳朵里听得汪太太惶急的呼吸,回头看是高松年的脸,露着牙齿,去自己的脸不到一寸。他又怕又羞,忙把肩膀耸开高松年的手,高松年看清是赵辛楣,也放了手,嘴里说:"岂有此理!不堪!"汪处厚扭住太太不放,带着喘,文绉绉地骂:"好!好!赵辛楣,你这混账东西!无耻家伙!引诱有夫之妇。你别想赖,我亲眼看见你——你抱——"汪先生气得说不下去。辛楣挺身要讲话,又忍住了。汪太太听懂丈夫没说完的话,使劲摆脱他手道:"有话到里面去讲,好不好?我站着腿有点酸了。"一壁就伸手拉铃。她声音异常沉着,好把嗓子里的震颤压下去。大家想不到她说这几句话,惊异得服服帖帖跟她进门,辛楣一脚踏进门,又省悟过来,想溜走,高松年拦住他说:"不行!今天的事要问个明白。"

汪太太进客堂就挑最舒适的椅子坐下,叫丫头为自己倒杯茶。三个男人都不坐下,汪先生踱来踱去,一声声叹气,赵辛楣低头傻立,高校长背着手假装看壁上的画。丫头送茶来了,汪太太说:"你快去睡,没有你的事。"她喝口茶,慢慢地说:"有什么话要问呀?时间不早了。我没有带表。辛楣,什么时候了?"

辛楣只当没听见,高松年恶狠狠地望他一眼,正要看自己的手表,汪处厚走到圆桌边,手拍桌子,仿佛从前法官的拍惊堂木,大吼道:"我不许你跟他说话。老实说出来,你跟他有什么关系？"

"我跟他的关系，我也忘了。辛楣，咱们俩什么关系？"

辛楣窘得不知所措。高松年愤怒得两手握拳，作势向他挥着。汪处厚重拍桌子道："你——你快说！"偷偷地把拍痛的手掌擦着大腿。

"你要我老实说，好。可是我劝你别问了，你已经亲眼看见。心里明白就是了，还问什么？反正不是有光荣、有面子的事，何必问来问去，自寻烦恼？真是！"

汪先生发疯似的扑向太太，亏得高校长拉住，说："你别气！问他，问他。"

同时辛楣搓手恳求汪太太道："汪太太，你别胡说，我请你——汪先生，你不要误会，我跟你太太全没有什么。今天的事是我不好，你听我解释——"

汪太太哈哈狂笑道："你的胆只有芥菜子这么大——"大拇指甲掐在食指尖上做个样子——"就害怕到这个地步！今天你是洗不清的了，哈哈！高校长，你又何必来助兴呢？吃醋没有你的份儿呀。咱们今天索性打开天窗说亮话，嗯？高先生，好不好？"

辛楣睁大眼，望一望瑟缩的高松年，"哼"一声，转身就走。汪处厚注意移在高松年身上，没人拦辛楣，只有汪太太一阵阵神经失常的尖笑追随他出门。

鸿渐在房里还没有睡。辛楣进来，像喝醉了酒的，脸色通红，行步摇晃，不等鸿渐开口，就说："鸿渐，我马上要离开这学校,不能再待下去了。"鸿渐骇异得按着辛楣肩膀,问他缘故。辛楣讲给他听,鸿渐想"糟透了"! 只能说:"今天晚上就走么?你想到什么地方去呢?"辛楣说,重庆的朋友有好几封信招他,今天住在镇上旅馆里,明天一早就动身。鸿渐知道留住他没有意思,心绪也乱得很,跟他上去收拾行李。辛楣把带来的十几本书给鸿渐道:"这些书我不带走了,你将来嫌它们狼犺,就替我捐给图书馆。"冬天的被褥他也掷下。行李收拾完,辛楣道:"啊呀! 有封给高松年的信没写。你说向他请假还是辞职? 请长假罢。"写完信,交鸿渐明天派人送去。鸿渐唤醒校工来挑行李,送辛楣到了旅馆,依依不舍。辛楣苦笑道:"下半年在重庆欢迎你。分别是这样最好,干脆得很。你回校睡罢——还有,你暑假回家,带了孙小姐回去交给她父亲,除非她不愿意回上海。"鸿渐回校,一路上仿佛自己的天地里突然黑暗。校工问他赵先生为什么走,他随口说家里有人生病。校工问是不是老太太,他忽而警悟,想赵老太太活着,不要倒她的霉,便说:"不是,是他的老太爷。"

明天鸿渐起得很迟,正洗脸,校长派人来请,说在卧室里等着他。他把辛楣的信交来人先带走,随后就到校长卧室。高松年听他来了,把表情整理一下,脸上堆的尊严厚得可以刀刮,问道:"辛楣什么时候走的? 他走以前,和你商量没有?"鸿渐道:"他只告诉我要走。今天一早离开这镇上的。"高松年道:"学校想请你去追他回来。"鸿渐道:"他去意很坚决,校长自己去追,我看他也未必回来。"高松年道:"他去的缘故,你知道么?"鸿渐道:"我有点知道。"高松年的脸像虾蟹在热水里浸了一浸,说道:"那么,我希望你为他守秘密。说了出去,对他——呃——对学校都不大好。"鸿渐鞠躬领教,兴辞而出,"phew"了一口长气。高松年自从昨晚的事,神经特别敏锐,鸿渐这口气吐得太早,落在他耳朵里。他嘴没骂出"混账"来,他脸代替嘴表示了这句骂。

因为学校还在假期里,教务处并没出布告,可是许多同事知道辛楣请长假了,都来问鸿渐。鸿渐只说他收到家里的急电,有人生病。直到傍晚,鸿渐才有空去通知孙小姐,走到半路,就碰见她,说正要来问赵叔叔的事。鸿渐道:"你们消息真灵,怪不得军事间谍要用女人。"

孙小姐道:"我不是间谍。这是范小姐告诉我的,她还说汪太太跟赵叔叔的请假有关系。"

鸿渐顿脚道:"她怎么知道?"

"她为赵叔叔还了她的书,跟汪太太好像吵翻了,不再到汪家去。今天中午,江先生来个条子,说汪太太病了,请她去,去了这时候才回来。痛骂赵叔叔,说他调戏汪太太,把她气坏了。还说她自己早看破赵叔叔这个人不好,所以不理他。"

"哼,你赵叔叔总没叫过她 precious darling,你知道这句话的出典么?"

孙小姐听鸿渐讲了出典,寻思说:"这靠不住,恐怕就是她自己写的。因为她有次问过我,'作者'在英文里是 author 还是 writer。"

鸿渐吐口唾沫道:"真不要脸!"

孙小姐走了一段路,柔懦地说:"赵叔叔走了!只剩我们两个人了。"

鸿渐口吃道:"他临走对我说,假如我回家,而你也要回家,咱们可以同走。不过我是饭桶,你知道的,照顾不了你。"

孙小姐低头低声说:"谢谢方先生。我只怕带累了方先生。"

鸿渐客气道:"哪里的话!"

"人家更要说闲话了。"孙小姐依然低了头低了声音。

鸿渐不安,假装坦然道:"随他们去说,只要你不在乎,我是不怕的。"

"不知道什么浑蛋——我疑心就是陆子潇——写匿名信给爸爸,造——造你跟我的谣言,爸爸写信来问——"

鸿渐听了,像天塌下半边,同时听背后有人叫:"方先生,方先生!"转身看是李梅亭陆子潇赶来。孙小姐嘤然像医院救护汽车的汽笛声缩小了几千倍,伸手拉鸿渐的右臂,仿佛求他保护。鸿渐知道李陆两人的眼光全射在自己的右臂上,想:"完了,完了。反正谣言造到孙家都知道了,随它去罢。"

陆子潇目不转睛地看孙小姐,呼吸短促。李梅亭阴险地笑,说:"你们谈话真密切,我叫了几声,你全没听见。我要问你,辛楣什么时候走的——孙小姐,对不住,打断你们的情话。"

鸿渐不顾一切道:"你知道是情话,就不应该打断。"

李梅亭道:"哈,你们真是得风气之先,白天走路还要勾了手,给学生好榜样。"

鸿渐道:"训导长寻花问柳的榜样,我们学不来。"

李梅亭脸色白了一白,看风便转道:"你最喜欢说笑话。别扯淡,讲正经话,你们什么时候请我们吃喜酒啦?"

鸿渐道:"到时候不会漏掉你。"

孙小姐迟疑地说:"那么咱们告诉李先生——"李梅亭大声叫,陆子潇尖声叫:"告诉什么?订婚了?是不是?"

孙小姐把鸿渐勾得更紧,不回答。那两人直嚷:"恭喜,恭喜!孙小姐恭喜!是不是今天求婚的?请客!"强逼握手,还讲了许多打趣的话。

鸿渐如在云里,失掉自主,尽他们拉手拍肩,随口答应了请客,两人才肯走。孙小姐等他们去远了,道歉说:"我看见他们两个人,心里就慌了,不知怎样才好。请方先生原谅——刚才说的话,不当真的。"

鸿渐忽觉身心疲倦,没精神对付,搀着她手说:"我可句句当真。也许正是我所要求的。"

孙小姐不作声,好一会,说:"希望你不至于懊悔。"仰面像等他吻,可是他忘掉吻她,只说:"希望你不懊悔。"

春假最后一天,同事全知道方鸿渐订婚,下星期要请客了。李梅亭这两日窃窃私讲的话,比一年来向学生的谆谆训导还多。他散布了这消息,还说:"准出了乱子了,否则不会肯订婚的。你们瞧,订婚之后马上就会结婚。其实何必一番手脚两番做呢?干脆同居得了。咱们不管,反正多吃他一顿。我看,结婚礼送小孩子衣服,最用得着。哈哈!不过,这事有关学校风纪,我将来要唤起校长的注意,我管训导,有我的职责,不能只顾到我和方鸿渐的私交,是不是?我和他们去年一路来,就觉得路数不对,只有陆子潇是个大冤桶!哈哈。"因此,吃订婚喜酒那一天,许多来宾研究孙小姐身体的轮廓。到上了甜菜,几位女客恶意地强迫孙小姐多吃,尤其是韩太太连说:"Sweets to the sweet"①。少不了有人提议请他们报告恋爱经过,他们当然不肯。李梅亭借酒蒙脸,说:"我来替他们报告。"鸿渐警戒地望着他说:"李先生,'倷是好人!'"梅亭愣了愣,顿时记起那苏州寡妇,呵呵笑道:"诸位瞧他发急得叫我'好人',我就做好人,不替你报告——子潇,该轮到你请吃喜酒了。"子潇道:"迟一点结婚好。早结了婚,不到中年就要闹离婚的。"大家说他开口不吉利,罚酒一杯,鸿渐和孙小姐也给来宾灌醉了。

那天被请而不来的,有汪氏夫妇和刘氏夫妇。刘东方因为妹妹婚事没成功,很怪鸿渐。本来他有计划,春假后举行个英文作文成绩展览会,借机把鸿渐改笔的疏漏公诸于众。不料学生大多数对自己的卷子深藏若虚,不肯拿出来献丑。同时辛楣已经离校,万一鸿渐生气不教英文,没人会来代他。大丈夫能屈能伸,他让鸿渐教完这学期。假如韩太太给他大女儿的衬衫和皮鞋不是学期将完才送来,他和韩家早可以讲和,不必等到下学期再把鸿渐的功课作为还礼了。汪处厚不再请同事和校长到家去吃饭,刘东方怨他做媒不尽力,赵辛楣又走了,汪派无形解散,他

---

① 甜蜜的人吃甜蜜的东西。

准备辞职回成都。高校长虽然是鸿渐订婚的证人,对他并不满意。李梅亭关于结婚的预言也没有证实。凑巧陆子潇到鸿渐房里看见一本《家庭大学丛书》(*Home University Library*)小册子,是拉斯基(Laski)所作的时髦书《共产主义论》,这原是辛楣丢下来的。陆子潇的外国文虽然跟重伤风人的鼻子一样不通,封面上 Communism 这个字是认识的,触目惊心。他口头通知李训导长,李训导长书面呈报高校长。校长说:"我本来要升他一级,谁知道他思想有问题,下学期只能解聘。这个人倒是可造之才,可惜!可惜!"所以鸿渐连"如夫人"都做不稳,只能"下堂"。他临走把辛楣的书全送给图书馆,那本小册子在内。韩学愈得到鸿渐停聘的消息,拉了白俄太太在家里跳跃得像青蛙和蛆蚤,从此他的隐事不会被个中人揭破了。他在七月四日——大考结束的一天——晚上大请同事,请帖上太太出面,借口是美国国庆,这当然证明他太太是货真价实的美国人。否则她怎会这样念念不忘她的祖国呢?爱国情绪是假冒不来的。太太的国籍是真的,先生的学籍还会假吗?

## 八

　　西洋赶驴子的人，每逢驴子不肯走，鞭子没有用，就把一串胡萝卜挂在驴子眼睛之前、唇吻之上。这笨驴子以为走前一步，萝卜就能到嘴，于是一步再一步继续向前，嘴愈要咬，脚愈会赶，不知不觉中又走了一站。那时候它是否吃得到这串萝卜，得看驴夫的高兴。一切机关里，上司驾驭下属，全用这种技巧；譬如高松年就允许鸿渐到下学年升他为教授。自从辛楣一走，鸿渐对于升级这胡萝卜，眼睛也看饱了，嘴忽然不馋了，想暑假以后另找出路。他只准备聘约送来的时候，原物退还，附一封信，痛痛快快批评校政一下，算是临别赠言，借此发泄这一年来的气愤。这封信的措词，他还没有详细决定，因为他不知道校长室送给他怎样的聘约。有时他希望聘约依然是副教授，回信可以理直气壮，责备高松年失信。有时他希望聘约升他做教授，这么一来，他的信可以更漂亮了，表示他的不满意并非出于私怨，完全为了公事。不料高松年省他起稿子写信的麻烦，干脆不送聘约给他。孙小姐倒有聘约的，薪水还升了一级。有人说这是高松年开的玩笑，存心拆开他们俩。高松年自己说，这是他的秉公办理，决不为未婚夫而使未婚妻牵累——"别说他们还没有结婚，就是结了婚生了小孩子,丈夫的思想有问题,也不能'罪及妻孥',在二十世纪中华民国办高等教育,这一点民主作风应该具备。"鸿渐知道孙小姐收到聘约,忙仔细打听其他同事,才发现下学年聘约已经普遍发出,连韩学愈的洋太太都在敬聘之列,只有自己像伊索寓言里那只没尾巴的狐狸。这气得他头脑发烧,身体发冷。计划好的行动和说话,全用不着,闷在心里发酵。这比学生念熟了书,到时忽然考试延期,更不痛快。高松年见了面,总是笑容可掬,若无其事。办行政的人有他们的社交方式。自己人之间,什么臭架子、坏脾气都行;笑容愈亲密,礼貌愈周到,彼此的猜忌或怨恨愈深。高松年的工夫还没到家,他的笑容和客气仿佛劣手仿造的古董,破绽百出,一望而知是假的。鸿渐几次想质问他,一转念又忍住了。在吵架的时候,先开口的未必占上风,后闭口才算胜利。高松年神色不动,准是成算在胸,自己冒失寻衅,万一下不来台,反给他笑,闹了出去,人家总说姓方的饭碗打破,老羞成怒。还他一个满不在乎,表示饭碗并不关心,这倒是挽回面子的妙法。吃不消的是那些同事的态度。他们仿佛全知道自己解聘,但因为这事并未公开,他们的同情也只好加上封套包裹,遮遮掩掩地奉送。往往平日很疏远的人,忽来拜访。他知道他们来意是探口气,便一字不提,可是他们精神和说话里包含的惋惜,总像圣诞老人放在袜子里的礼物,送了才肯走。这种同情比笑骂还难受,客人一转背,鸿渐咬牙来个中西合璧的咒骂:"To Hell 滚你妈的蛋!"

孙柔嘉在订婚以前,常来看鸿渐;订了婚,只有鸿渐去看她,她轻易不肯来。鸿渐最初以为她只是个女孩子,事事要请教自己;订婚以后,他渐渐发现她不但很有主见,而且主见很牢固。她听他说准备退还聘约,不以为然,说找事不容易,除非他另有打算,别逞一时的意气。鸿渐问道:"难道你喜欢留在这地方?你不是一来就说要回家么?"她说:"现在不同了。只要咱们两个人在一起,什么地方都好。"鸿渐看未婚妻又有道理,又有情感,自然欢喜,可是并不想照她的话做。他觉得虽然已经订婚,和她还是陌生得很。过去没有订婚经验——跟周家那一回事不算数的——不知道订婚以后的情绪,是否应当像现在这样平淡。他对自己解释,热烈的爱情到订婚早已是顶点,婚一结一切了结。现在订了婚,彼此间还留着情感发展的余地,这是桩好事。他想起在伦敦上道德哲学一课,那位山羊胡子的哲学家讲的话:"天下只有两种人。譬如一串葡萄到手,一种人挑最好的先吃,另一种人把最好的留在最后吃。照例第一种人应该乐观,因为他每吃一颗都是吃剩的葡萄里最好的;第二种人应该悲观,因为他每吃一颗都是吃剩的葡萄里最坏的。不过事实上适得其反,缘故是第二种人还有希望,第一种人只有回忆。"从恋爱到白头偕老,好比一串葡萄,总有最好的一颗,最好的只有一颗,留着做希望,多少好?他嘴快把这些话告诉她,她不作声。他和她讲话,她回答的都是些"唔","哦"。他问她为什么不高兴,她说并未不高兴。他说:"你瞒不过我。"她说:"你知道就好了。我要回宿舍了。"鸿渐道:"不成,你非讲明白了不许走。"她说:"我偏要走。"鸿渐一路上哄她,求她,她才说:"你希望的好葡萄在后面呢,我们是坏葡萄,别倒了你的胃口。"他急得跳脚,说她胡闹。她说:"我早知道你不是真的爱我,否则你不会有那种离奇的思想。"他赔小心解释了半天,她脸色和下来,甜甜一笑道:"我是个死心眼儿,将来你讨厌——"鸿渐吻她,把她这句话有效地截断,然后说:"你今天真是颗酸葡萄。"她强迫鸿渐说出来他过去的恋爱。他不肯讲,经不起她一再而三的逼,讲了一点。她嫌不够,鸿渐像被强盗拷打招供资产的财主,又陆续吐露些。她还嫌不详细,说:"你这人真不爽快!我会吃这种隔了年的陈醋么?我听着好玩儿。"鸿渐瞧她脸颊微红,嘴边强笑,自幸见机得早,隐匿了一大部分的情节。她要看苏文纨和唐晓芙的照相,好容易才相信鸿渐处真没有她们的相片,她说:"你那时候总记日记的,一定有趣得很,带在身边没有?"鸿渐直嚷道:"岂有此理!我又不是范懿认识的那些作家、文人,为什么恋爱的时候要记日记?你不信,到我卧室里去搜。"孙小姐道:"声音放低一点,人家全听见了,有话好好地说。只有我哪!受得了你这样粗野,你倒请什么苏小姐呀、唐小姐呀来试试看。"鸿渐生气不响,她注视着他的脸,笑说:"跟我生气了?为什么眼睛望着别处?是我不好,逗你。道歉!道歉!"

所以,订婚一个月,鸿渐仿佛有了个女主人,虽然自己没给她训练得驯服,而对她训练的技巧甚为佩服。他想起赵辛楣说这女孩子利害,一点不错。自己比她大了六岁,世事的经验多得多,已经是前一辈的人,只觉得她好玩儿,一切都纵容她,不跟她认真计较。到聘书的事发生,孙小姐慷慨地说:"我当然把我的聘书退还——不过你何妨直接问一问高松年,也许他无心漏掉你一张。你自己不好意思,托旁人转问一下也行。"鸿渐不听她的话,她后来知道聘书并非无心遗漏,也就不勉强他。鸿渐开玩笑说:"下半年我失了业,咱们结不成婚了。你嫁了我要挨饿的。"她说:"我本来也不要你养活。回家见了爸爸,请他替你想个办法。"他主张索性不要回家,到重庆找赵辛楣——辛楣进了国防委员会,来信颇为得意,比起出走时的狼狈,像换了一个人。不料她大反对,说辛楣和他不过同样地位的人,求他荐事,太丢脸了;又说三闾大学的事,就是辛楣荐的,"替各系打杂,教授都没爬到,连副教授也保不住,辛楣荐的事好不好?"鸿渐局促道:"给你这么一说,我的地位更不堪了。请你说话留点体面,好不好?"孙小姐说,无论如何,她要回去看她父亲母亲一次,他也应该见见未来的丈人丈母。鸿渐说,就在此地结了婚罢,一来省事,二来旅行方便些。孙小姐沉吟说:"这次订婚已经没得到爸爸妈妈的同意,幸亏他们喜欢我,一点儿不为难。结婚总不能这样草率了,要让他们作主。你别害怕,爸爸不凶的,他会喜欢你。"鸿渐忽然想起一件事,说:"咱们这次订婚,是你父亲那封信促成的。我很想看看,你什么时候把它拣出来。"孙小姐愣愣的眼睛里发问。鸿渐轻轻拧她鼻子道:"怎么忘了?就是那封讲起匿名信的信。"孙小姐扭头抖开他的手道:"讨厌!鼻子都给你拧红了。那封信?那封信我当时看了,一生气,就把它撕了——唔,我倒真应该保存它,现在咱们不怕谣言了。"说完紧握着他的手。

辛楣在重庆得到鸿渐订婚的消息,就寄航空快信道贺。鸿渐把这信给孙小姐看,她看到最后半行:"弟在船上之言验矣,呵呵。又及。"就问他在船上讲的什么话。鸿渐现在新订婚,朋友自然疏了一层,把辛楣批评的话一一告诉。她听得怒形于色,可是不发作,只说:"你们这些男人全不要脸,动不动就说女人看中你们,自己不照照镜子,真无耻!也许陆子潇逢人告诉我怎样看中他呢!我也算倒霉,辛楣一定还有讲我的坏话,你说出来。"鸿渐忙扯淡完事。她反对托赵辛楣谋事,这可能是理由。鸿渐说这次回去,不走原路了,干脆从桂林坐飞机到香港,省吃许多苦,托辛楣设法飞机票。孙小姐极赞成。辛楣回信道:他母亲七月底自天津去香港,他要迎接她到重庆,那时候他们凑巧可以在香港小叙。孙小姐看了信,皱眉道:"我不愿意看见他,他要开玩笑的。你不许他开玩笑。"鸿渐笑道:"第一次见面少不了要开玩笑的,以后就没有了。现在你还怕他什么?你升了一辈,他该叫你世嫂了。"

鸿渐这次走,没有一个同事替他饯行。既然校长不高兴他,大家也懒跟他联络。他不像能够飞黄腾达的人——"孙柔嘉嫁给他,真是瞎了眼睛,有后悔的一天"——请他吃的饭未必像扔在尼罗河里的面包,过些日子会加了倍浮回原主。并且,请吃饭好比播种子:来的客人里有几个是吃了不还请的,例如最高上司和低级小职员;有几个一定还席的,例如地位和收入相等的同僚,这样,种一顿饭可以收获几顿饭。鸿渐地位不高,又不属于任何系,平时无人结交他,他也只跟辛楣要好,在同事里没撒播饭种子。不过,鸿渐饭虽没到嘴,谢饭倒谢了好几次。人家问了他的行期,就惋惜说:"怎么?走得那么匆促!饯行都来不及。糟糕!偏偏这几天又碰到大考,忙得没有工夫,孙小姐,劝他迟几天走,大家从从容容叙一叙——好,好,遵命,那么就欠礼了。你们回去办喜事,早点来个通知,别瞒人哪!两个人新婚快乐,把这儿的老朋友全忘了,那不行!哈哈。"高校长给省政府请到省城去开会,大考的时候才回校,始终没正式谈起聘书的事。鸿渐动身前一天,到校长室秘书处去请发旅行证件,免得路上军警麻烦,顺便见校长辞行,高松年还没到办公室呢。他下午再到秘书处领取证件,一问校长早已走了。一切机关的首长上办公室,本来像隆冬的太阳或者一生里的好运气,来得很迟,去得很早。可是高松年一向勤敏,鸿渐猜想他怕自己、躲避自己,气愤里又有点得意。他训导的几个学生,因为当天考试完了,晚上有工夫到他房里来话别。他感激地喜欢,才明白贪官下任,还要地方挽留,献万民伞、立德政碑的心理。离开一个地方就等于死一次,自知免不了一死,总希望人家表示愿意自己活下去。去后的毁誉,正跟死后的哀荣一样关心而无法知道,深怕一走或一死,像洋蜡烛一灭,留下的只是臭味。有人送别,仿佛临死的人有孝子顺孙送终,死也安心闭眼。这些学生来了又去,暂时的热闹更增加他的孤寂,辗转半夜睡不着。虽然厌恶这地方,临走时偏有以后不能再来的怅恋,人心就是这样捉摸不定的。去年来的时候,多少同伴,现在只两个人回去,幸而有柔嘉,否则自己失了业,一个人走这条长路,真没有那勇气。想到此地,鸿渐心理像冬夜缩成一团的身体稍觉温暖,只恨她不在身畔。天没亮,轿夫和挑夫都来了;已是夏天,趁早凉,好赶路。服侍鸿渐的校工,穿件汗衫,睡眼朦胧送到大门外看他们上轿,一手紧握着鸿渐的赏钱,准备轿子走了再数。范小姐近视的眼睛因睡眠不足而愈加迷离,以为会碰见送行的男同事,脸上胡乱涂些胭脂,勾了孙小姐的手,从女生宿舍送她过来。孙小姐也依依惜别,舍不下她。范小姐看她上轿子,祝她们俩一路平安,说一定把人家寄给孙小姐的信转到上海,"不过,这地址怎么写法?要开方先生府上的地址了。"说时格格地笑。孙小姐也说一定有信给她。鸿渐暗笑女人真是天生的政治家,她们俩背后彼此诽谤,面子上这样多情,两个政敌在香槟酒会上碰杯的一套工夫,怕也不过如此。假使不是亲耳朵听见她们的互相刻薄,自己也以为她们真是好朋友了。

　　轿夫到镇上打完早尖,抬轿正要上路,高松年的亲随赶来,满额是汗,把大信封一个交给鸿渐,说奉校长命送来的。鸿渐以为是聘书,心跳得要冲出胸膛,忙拆信封,里面只是一张信笺,一个红纸袋。信上说,这一月来校务纷繁,没机会与鸿渐细谈,前天刚自省城回来,百端待理,鸿渐又行色匆匆,未能饯别,抱歉之至;本校暂行缓办哲学系,留他在此,实属有屈,所以写信给某某两个有名学术机关,推荐他去做事,一有消息,决打电报到上海;礼券一张,是结婚的贺仪,尚乞哂纳。鸿渐没看完,就气得要下轿子跳骂,忍耐到轿夫走了十里路休息,把一个纸团交给孙小姐,说:"高松年的信,你看!谁希罕他送礼。到了衡阳,我挂号退还去。好得很！我正要写信骂他,只恨没有因头,他这封来信给我一个回信痛骂的好机会。"孙小姐道:"我看他这封信也是一片好意。你何必空做冤家？骂了他于你有什么好处？也许他真把你介绍给人了呢？"鸿渐怒道:"你总是一片大道理,就不许人称心傻干一下。你愈有道理,我偏不讲道理。"孙小姐道:"天气热得很,我已经口渴了,你别跟我吵架。到衡阳还有四天呢,到那时候你还要写信骂高松年,我决不阻止你。"鸿渐深知到那时候自己保不住给她感化得回信道谢,所以愈加悻悻然,不替她倒水,只把行军热水瓶揉给她,一壁说:"他这个礼也送得岂有此理。咱们还没挑定结婚的日子,他为什么信上说我跟你'嘉礼完成',他有用意的,我告诉你。因为你我同路走,他想——"孙小姐道:"别说了！你这人最多心,多的全是邪心！"说时把高松年的信仍团作球形,扔在田岸旁的水潭里。她刚喝了热水,脸上的红到上轿还没褪。

为了飞机票,他们在桂林一住十几天,快乐得不像人在过日子,倒像日子溜过了他们两个人。两件大行李都交给辛楣介绍的运输公司,据说一个多月可运到上海。身边旅费充足,多住几天,满不在乎。上飞机前一天还是好晴天,当夜忽然下雨,早晨雨停了,有点阴雾。两人第一次坐飞机,很不舒服,吐得像害病的猫。到香港降落,辛楣在机场迎接,鸿渐俩的精力都吐完了,表示不出久别重逢的欢喜。辛楣瞧他们脸色灰白,说:"吐了么？没有关系的。第一次坐飞机总要纳点税。我陪你们去找旅馆好好休息一下,晚上我替你们接风。"到了旅馆,鸿渐和柔嘉急于休息。辛楣看他们只定一间房,偷偷别着脸对墙壁伸伸舌头,上山回亲戚家里的路上,一个人微笑,然后皱眉叹口气。

鸿渐睡了一会,精力恢复,换好衣服,等辛楣来。孙小姐给邻室的打牌声,街上的木屐声吵得没睡熟,还觉得恶心要吐,靠在沙发里,说今天不想出去了。鸿渐发急,劝她勉强振作一下,别辜负辛楣的盛意。她教鸿渐一个人去,还说:"你们两个人有话说,我又插不进嘴,在旁边做傻子。他没有请旁的女客,今天多我一个人,少我一个人,全无关系。告诉你罢,他请客的馆子准阔得很,我衣服都没有,去了丢脸。"鸿渐道:"我不知道你那么虚荣!那件花绸的旗袍还可以穿。"孙小姐笑道:"我还没花你的钱做衣服,已经挨你骂虚荣了,将来好好的要你替我付裁缝账呢!那件旗袍太老式了,我到旅馆来的时候,一路上看见街上女人的旗袍,袖口跟下襟又短了许多。我白皮鞋也没有,这时候去买一双,我又怕动,胃里还不舒服得很。"辛楣来了,知道孙小姐有病,忙说吃饭改期。她不许,硬要他们两人出去吃。辛楣释然道:"方——呃——孙小姐,你真好!将来一定是大贤大德的好太太,换了旁的女人,要把鸿渐看守得牢牢的,决不让他行动自由。鸿渐,你暂时舍得下她么?老实说,别背后怨我老赵把你们俩分开。"鸿渐恳求地望着孙小姐道:"你真不需要我陪你?"孙小姐瞧他的神情,强笑道:"你尽管去,我又不生什么大病——赵先生,我真抱歉——"辛楣道:"哪里的话!今天我是虚邀,等你身体恢复了,过天好好地请你。那么,我带他走了。一个半钟头以后,我把他送回来,原物奉还,决无损失,哈哈!鸿渐,走!不对,你们也许还有个情人分别的简单仪式,我先在电梯边等你——"鸿渐拉他走,说"别胡闹"。

辛楣在美国大学政治系当学生的时候,旁听过一门"外交心理学"的功课。那位先生做过好几任公使馆参赞,课堂上说:美国人办交涉请吃饭,一坐下去,菜还没上,就开门见山谈正经;欧洲人吃饭时只谈不相干的废话,到吃完饭喝咖啡,才言归正传。他问辛楣,中国人怎样,辛楣傻笑回答不来。辛楣也有正经话跟鸿渐讲,可是今天的饭是两个好朋友的欢聚,假使把正经话留在席上讲,杀尽了风景。他出了旅馆,说:"你有大半年没吃西菜了,我请你吃奥国馆子。路不算远,时间还早,咱们慢慢走去,可以多谈几句。"鸿渐只说出:"其实你何必破费,"正待说:"你气色比那时候更好了,是要做官的!"辛楣咳声干嗽,目不斜视,说:"你们为什么不结了婚再旅行?"

鸿渐忽然想起一路住旅馆都是用"方先生与夫人"名义的,今天下了飞机,头晕脑胀,没理会到这一点,只私幸辛楣在走路,不会看见自己发烧的脸,忙说:"我也这样要求过,她死不肯,一定要回上海结婚,说她父亲——"

"那么,你太 weak。"辛楣自以为这个英文字嵌得非常妙,不愧外交词令:假使鸿渐跟孙小姐并无关系,这个字就说他拿不定主意,结婚与否,全听她摆布;假使他们俩不出自己所料,but the flesh is weak[①],这个字不用说是含蓄浑成,最好没有了。

---

① 太不够坚强。给肉欲摆布了——下一句是成语。

鸿渐像已判罪的犯人，无从抵赖，索性死了心让脸稳定地去红罢，嗫嚅道："我也在后悔。不过，反正总要回家的。礼节手续麻烦得很，交给家里去办罢。"

"孙小姐是不是呕吐，吃不下东西？"

鸿渐听他说话转换方向，又放了心，说："是呀！今天飞机震荡得利害。不过，我这时候倒全好了。也许她累了，今天起得太早，昨天晚上我们两人的东西都是她理的。辛楣，你记得么？那一次在汪家吃饭，范懿造她谣言，说她不会收拾东西——"

"飞机震荡应该过了。去年我们同路走，汽车那样颠簸，她从没吐过。也许有旁的原因罢？我听说要吐的——"跟着一句又轻又快的话——"当然我并没有经验。"毫无幽默地强笑一声。

鸿渐没料到辛楣又回到那个问题，仿佛躲空袭的人以为飞机去远了，不料已经转到头上，轰隆隆投弹，吓得忘了羞愤，只说："那不会！那不会！"同时心里害怕，知道那很会。

辛楣咀嚼着烟斗柄道："鸿渐，我和你是好朋友，我虽然不是孙小姐法律上的保护人，总算受了他父亲的委托——我劝你们两位赶快用最简单的手续结婚，不必到上海举行仪式。反正你们的船票要一个星期以后才买得到，索性多住四五天，就算度蜜月，乘更下一条船回去。旁的不说，回家结婚，免不了许多亲戚朋友来吃喜酒，这笔开销就不小。孙家的景况，我知道的，你老太爷手里也未必宽裕，可省为什么不省？何必要他们主办你们的婚事？"除掉经济的理由以外，他还例举其他利害，证明结婚愈快愈妙。鸿渐给他说得服服帖帖，仿佛一重难关打破了，说:"回头我把这个意思对柔嘉说。费你心打听一下,这儿有没有注册结婚,手续繁不繁。"

辛楣自觉使命完成,非常高兴。吃饭时,他要了一瓶酒,说:"记得那一次你给我灌醉的事么?哈哈!今天灌醉了你,对不住孙小姐的。"他问了许多学校里的事,叹口气道:"好比做了一场噩梦——她怎么样?"鸿渐道:"谁?汪太太?听说她病好了,我没到汪家去过。"辛楣道:"她也真可怜——"瞧见鸿渐脸上酝酿着笑容,忙说——"我觉得谁都可怜,汪处厚也可怜,我也可怜,孙小姐可怜,你也可怜。"鸿渐大笑道:"汪氏夫妇可怜,这道理我明白。他们的婚姻不会到头的,除非汪处厚快死,准闹离婚。你有什么可怜?家里有钱,本身做事很得意,不结婚是你自己不好,别说范懿,就是汪太太——"辛楣喝了酒,脸红已到极点,听了这话,并不更红,只眼睛躲闪似的眨了一眨——"好,我不说下去。我失了业,当然可怜;孙小姐可怜,是不是因为她错配了我?"辛楣道:"不是不是。你不懂。"鸿渐道:"你何妨说。"辛楣道:"我不说。"鸿渐道:"我想你新近有了女朋友了。"辛楣道:"这是什么意思?"鸿渐道:"因为你说话全是小妞儿撒娇的作风,准是受了什么人的熏陶。"辛楣道:"混账!那么,我就说啦,啊?我不是跟你讲过,孙小姐这人很深心么?你们这一次,照我第三者看起来,她煞费苦心——"鸿渐意识底一个朦胧睡熟的思想像给辛楣这句话惊醒——"不对,不对,我喝醉了,信口胡说,鸿渐,你不许告诉你太太。我真糊涂,忘了现在的你不比从前的你了,以后老朋友说话也得分个界限。"说时,把手里的刀在距桌寸许的空气里划一划。鸿渐道："给你说得结婚那么可怕，真是众叛亲离了。"辛楣笑道："不是众叛亲离，是你们自己离亲叛众。这些话不再谈了。我问你，你暑假以后有什么计划？"鸿渐告诉他准备找事。辛楣说，国际局势很糟，欧洲免不了一打，日本是轴心国，早晚要牵进去的，上海天津香港全不稳，所以他把母亲接到重庆去，"不过你这一次怕要在上海待些时候。你愿意不愿意到我从前那个报馆去做几个月的事？有个资料室主任要到内地去，我介绍你顶他的缺，酬报虽然不好，你可以兼个差。"鸿渐真心感谢。辛楣问他身边钱够不够。鸿渐说结婚总要花点钱，不知道够不够。辛楣说，他肯借。鸿渐道："借了要还的。"辛楣道："后天我交一笔款子给你，算是我送的贺仪，你非受不可。"鸿渐正热烈抗议，辛楣截住他道："我劝你别推。假使我也结了婚，那时候，要借钱给朋友都没有自由了。"鸿渐感动得眼睛一阵潮润，心里鄙夷自己，想要感激辛楣的地方不知多少，倒是为了这几个钱下眼泪，知道辛楣不愿意受谢，便说："听你言外之意，你也要结婚了，别瞒我。"辛楣不理会，叫西崽把他的西装上衣取来，掏出皮夹，开矿似的发掘了半天，郑重拣出一张小相片，上面一个两目炯炯的女孩子，表情非常严肃。鸿渐看了嚷道："太好了！太好了！是什么人？"辛楣取过相片，端详着，笑道："你别称赞得太热心，我听了要吃醋的，咱们从前有过误会。看朋友情人的照相，客气就够了，用不到热心。"鸿渐道："岂有此理！她是什么人？"辛楣道："她父亲是先父的一位四川朋友，这次我去，最初就住在他家里。"鸿渐道:"照你这样,上代是朋友,下代结成亲眷,交情一辈子没有完的时候。好,咱们将来的儿女——"孙小姐的病征冒上心来,自觉说错了话——"唔——我看她年轻得很,是不是在念书?"辛楣道:"好好的文科不念,要学时髦,去念什么电机工程,念得叫苦连天。放了暑假,报告单来了,倒有两门功课不及格,不能升班,这孩子又要面子,不肯转系转学。这么一来,不念书了,愿意跟我结婚了。哈哈,真是个傻孩子。我倒要谢谢那两位给她不及格的先生。我不会再教书了,你假如教书,对女学生的分数批得紧一点,这可以促成无数好事,造福无量。"鸿渐笑说,怪不得他要接老太太进去。辛楣又把相片看一看,放进皮夹,看手表,嚷道:"不得了,过了时候,孙小姐要生气了!"手忙脚乱算了账,一壁说:"快走!要不要我送你回去,当面点交?"他们进饭馆,薄暮未昏,还是试探性的夜色,出来的时候,早已妥妥帖帖地是夜了。可是这是亚热带好天气的夏夜,夜得坦白浅显,没有深沉不可测的城府,就仿佛让导演莎士比亚《仲夏夜之梦》的人有一个背景的榜样。辛楣看看天道:"好天气! 不知道重庆今天晚上有没有空袭,母亲要吓得不敢去了。我回去开无线电,听听消息。"

鸿渐吃得很饱,不会讲广东话,怕跟洋车夫纠缠,一个人慢慢地踱回旅馆。辛楣这一席谈,引起他许多思绪。一个人应该得意,得意的人谈话都有精彩,譬如辛楣。自己这一年来,牢骚满腹,一触即发;因为一向不爱听人家发牢骚,料想人家也未必爱听自己的牢骚,留心管制,像狗戴了嘴罩,谈话都不痛快。照辛楣讲,这战事只会扩大拖长,又新添了家累,假使柔嘉的病真给辛楣猜着了——鸿渐愧怕得遍身微汗,念头想到别处——辛楣很喜欢那个女孩子,这一望而知的,但是好像并非热烈的爱,否则,他讲她的语气,不会那样幽默。他对她也许不过像自己对柔嘉,可见结婚无需太伟大的爱情,彼此不讨厌已经够结婚资本了。是不是都因为男女年龄的距离相去太远?但是去年对唐晓芙呢?可能就为了唐晓芙,情感都消耗完了,不会再摆布自己了。那种情感,追想起来也可怕,把人扰乱得做事吃饭睡觉都没有心思,一刻都不饶人,简直就是神经病,真要不得!不过,生这种病有它的快乐,有时宁可再生一次病。鸿渐叹口气,想一年来,心境老了许多,要心灵壮健的人才会生这种病,譬如大胖子才会脑充血和中风,贫血营养不足的瘦子是不配的。假如再大十几岁,到了回光返照的年龄,也许又会爱得如傻如狂了,老头子恋爱听说像老房子着了火,烧起来没有救的。像现在平平淡淡,情感在心上不成为负担,这也是顶好的,至少是顶舒服的。快快行了结婚手续完事。辛楣说柔嘉"煞费苦心",也承她瞧得起这自己,应当更怜惜她。鸿渐才理会,撇下她孤单单一个人太长久了,赶快跑回旅馆。经过水果店,买了些鲜荔枝和龙眼。

鸿渐推开房门,里面电灯灭了,只有走廊里的灯射进来一条光。他带上门,听柔嘉不作声,以为她睡熟了,放轻脚步,想把水果搁在桌子上,没留神到当时自己坐的一张椅子,孤零零地离桌几尺,并未搬回原处。一脚撞翻了椅子,撞痛了脚背和膝盖,嘴里骂:"浑蛋,谁坐了椅子没搬好!"同时想糟糕,把她吵醒了。

柔嘉自从鸿渐去后,不舒服加上寂寞,一肚子的怨气,等等他不来,这怨气放印子钱似的本上生利,只等他回来了算账。她听见鸿渐开门,赌气不肯先开口。鸿渐撞翻椅子,她险的笑出声,但一笑这气就泄了,幸亏忍住并不难。她刹那间还打不定主意:一个是说自己眼巴巴等他到这时候,另一个是说自己好容易睡着又给他闹醒——两者之中,哪一个更理直气壮呢?鸿渐翻了椅子,不见动静,胆小起来,想柔嘉不要晕过去了,忙开电灯。柔嘉在黑暗里睡了一个多钟点,骤见灯光,张不开眼,抬一抬眼皮又闭上了,侧身背着灯,呼口长气。鸿渐放了心,才发现丝衬衫给汗湿透了,一壁脱外衣,关切地说:"对不住,把你闹醒了。睡得好不好?身体觉得怎么样?"

"我朦胧要睡,就给你乓乓乓乓吓醒了。这椅子是你自己坐的,还要骂人!"

她这几句话是面着壁说的,鸿渐正在挂衣服,没听清楚,回头问:"什么?"她翻身向外道:"唉!我累得很,要我提高了嗓子跟你讲话,实在没有那股劲,你省省我的气力罢——"可是事实上她把声音提高了一个音键——"这张椅子,是你搬在那儿的。辛楣一来,就像阎王派来的勾魂使者,你什么都不管了。这时候自己冒失,倒怪人呢。"

鸿渐听语气不对,抱歉道:"是我不好,我腿上的皮都擦破了一点——"这"苦肉计"并未产生效力——"我出去好半天了,你真的没有睡熟?吃过东西没有?这鲜荔枝——"

"你也知道出去了好半天么?反正好朋友在一起,吃喝玩乐,整夜不回来也由得你。我一个人死在旅馆里都没人来理会,"她说时嗓子哽咽起来,又回脸向里睡了。

鸿渐急得坐在床边,伸手要把她头回过来,说:"我出去得太久了,请你原谅,唉,别生气。我也是你教我出去,才出去的——"

柔嘉掀开他手道:"我现在教你不要把汗手碰我,听不听我的话?吓,我叫你出去!你心上不是要出去么?我留得住你?留住你也没有意思,你留在旅馆里准跟我找岔子生气。"

鸿渐放手,气鼓鼓坐在那张椅子里道:"现在还不是一样的吵嘴!你要我留在旅馆里陪你,为什么那时候不老实说,我又不是你肚子里的蛔虫,知道你存什么心思!"

柔嘉回过脸来,幽远地说:"你真是爱我,不用我说,就会知道。唉!这是勉强不来的。要等我说了,你才体贴到,那就算了!一个陌生人跟我一路同来,看见我今天身体不舒服,也不肯撇下我一个人好半天。哼,你还算是爱我的人呢!"

鸿渐冷笑道:"一个陌生人肯对你这样,早已不陌生了,至少也是你的情人。"

"你别捉我的错字,也许她是个女人呢?我宁可跟女人在一起的,你们男人全不是好人,只要哄得我们让你们称了心,就不在乎了。"

这几句话触起鸿渐的心事,他走近床畔,说:"好了,别吵了。以后打我撑我,我也不出去,寸步不离地跟着你,这样总好了。"

柔嘉脸上微透笑影,说:"别说得那样可怜。你的好朋友已经说我把你钩住了,我再不让你跟他出去,我的名气更不知怎样坏呢。告诉你罢,这是第一次,我还对你发脾气,以后我知趣不开口了,随你出去了半夜三更不回来。免得讨你们的厌。"

"你对辛楣的偏见太深。他倒一片好意,很关心咱们俩的事。你现在气平了没有?我有几句正经话跟你讲,肯听不肯听?"

"你说罢,听不听由我——是什么正经话,要把脸板得那个样子?"她忍不住笑了。

"你会不会有了孩子,所以身体这样不舒服?"

"什么?胡说!"她脆快地回答——"假如真有了孩子,我不饶你!我不饶你!我不要孩子。"

"饶我不饶我是另外一件事,咱们不得不有个准备,所以辛楣劝我和你快结婚——"

柔嘉霍地坐起,睁大眼睛,脸全青了:"你把咱们的事告诉了赵辛楣?你不是人!你不是人!你一定向他吹——"说时手使劲拍着床。

鸿渐吓得倒退几步道:"柔嘉,你别误会,你听我解释——"

"我不要听你解释。你欺负我,我从此没有脸见人,你欺负我!"说时又倒下去,两手按眼,胸脯一耸一耸地哭。

鸿渐的心不是雨衣的材料做的,给她的眼泪浸透了,忙坐在她头边,拉开她手,替她拭泪,带哄带劝。她哭得累了,才收泪让他把这件事说明白。她听完,哑声说:"咱们的事,不要他来管,他又不是我的保护人。只有你不争气把他的话当圣旨,你要听他的话,你一个人去结婚得了,别勉强我。"鸿渐道:"这些话不必谈了,我不听他的话,一切随你作主——我买给你吃的荔枝,你还没有吃呢,要吃么?好,你睡着不要动,我剥给你吃——"说时把茶几跟字纸篓移近床前——"我今天出去回来都没坐车,这东西是我省下来的车钱买的。当然我有钱买水果,可是省下钱来买,好像那才算得真正是我给你的。"柔嘉泪渍的脸温柔一笑道:"那几个钱何必去省它,自己走累了犯不着。省下来几个车钱也不够买这许多东西。"鸿渐道:"这东西讨价也并不算贵,我还了价,居然买成了。"柔嘉道:"你这人从来不会买东西。买了贵东西还自以为便宜——你自己吃呢,不要尽给我吃。"鸿渐道:"因为我不能干,所以娶你这一位贤内助呀!"柔嘉眼瞟他道:"内助没有朋友好。"鸿渐道:"啊哟,你又来了!朋友只好绝交。你既然不肯结婚,连内助也没有,真是'赔了夫人又折朋'。"柔嘉道:"别胡说。时候不早了,我下午没睡着,晚上又等你——我眼睛哭肿了没有?明天见不得人了!给我面镜子。"鸿渐瞧她眼皮果然肿了,不肯老实告诉,只说:"只肿了一点点,全没有关系,好好睡一觉肿就消了——咦,何必起来照镜子呢!"柔嘉道:"我总要洗脸漱口的。"鸿渐洗澡回室,柔嘉已经躺下。鸿渐问:"你睡的是不是刚才的枕头?上面都是你的眼泪,潮湿得很,枕了不舒服。你睡我的枕头,你的湿枕头让我睡。"柔嘉感激道:"傻孩子,枕头不用换的。我早把它翻过来,换一面睡了——你腿上擦破皮的地方,这时候痛不痛?我起来替你包好它。"鸿渐洗澡时,腿浸在肥皂水里,现在伤处星星作痛,可是他说:"早好了,一点儿不痛。你放心快睡罢。"柔嘉说:"鸿渐,我给你说得很担心,结婚的事随你去办罢。"鸿渐冲洗过头发,正在梳理,听见这话,放下梳子,弯身吻她额道:"我知道你是最讲理、最听话的。"柔嘉快乐地叹口气,转脸向里,沉沉睡熟了。

  以后这一星期,两人忙得失魂落魄,这件事做到一半,又想起那件事该做。承辛楣的亲戚设法帮忙,注册结婚没发生问题。此外写信通知家里要钱,打结婚戒指,做一身新衣服,进行注册手续,到照相馆借现成的礼服照相,请客,搬到较好的旅馆,临了还要寄相片到家里,催款子。虽然很省事,两人身边的钱全花完了,亏得辛楣送的厚礼。鸿渐因为下半年职业尚无着落,暑假里又没有进款,最初不肯用钱,衣服就主张不做新的,做新的也不必太好。柔嘉说她不是虚荣浪费的女人,可是终身大典,一生只有一次,该像个样子,已经简陋得无可简陋了,做了质料好的衣服明年也可以穿的。两人忙碌坏了脾气,不免争执。柔嘉发怒道:"我本来不肯在这儿结婚,这是你的主意,你要我那天打扮得像叫化婆么?这儿举目无亲,一切事都要自己去办,商量的人都没有,别说帮忙!我麻烦死了!家里人手多,钱也总有办法。爸爸妈妈为我的事,准备一笔款子。你也可以写信问你父亲要钱。假如咱们在上海结婚,你家里就一个钱不花么?咱们那次订婚已经替家里省了不少事了。"鸿渐是留学生,知道西洋流行的三 P 运动（Poor Pop Pays）①；做儿子的平时呐喊着"独立自主"，到花钱的时候，逼老头子掏腰包。他听从她的话，写信给方遯翁。柔嘉看了信稿子，嫌措词不够明白恳挚，要他重写，还说："怎么你们父子间这样客气，一点不亲热的？我跟我爸爸写信从不起稿子！"他像初次发表作品的文人给人批评了一顿，气得要投笔焚稿，不肯再写。柔嘉说："你不写就不写，我不希罕你家的钱，我会写信给我爸爸。"她写完信，问他要不要审查，他拿过来看，果然语气亲热，纸上的"爸爸""妈妈"写得如闻其声。结果他也把信发了，没给柔嘉看。后来她知道是虚惊，埋怨鸿渐说，都是他偏听辛楣的话，这样草草结婚，反而惹家里的疑心。可是家信早发出去，一切都预备好，不能临时取消。结婚以后的几天，天天盼望家里回信，远不及在桂林时的无忧无虑。方家孙家陆续电汇了钱来，回上海的船票辛楣替他们定好。赵老太太也到了香港，不日飞重庆。开船前两天，鸿渐夫妇上山去看辛楣，一来拜见赵老太太，二来送行，三来辞行，四来还船票等等的账。

他们到了辛楣所住的亲戚家里，送进名片，辛楣跑出来，看门的跟在后面。辛楣满口的"嫂夫人劳步，不敢当"。柔嘉微笑抗议说："赵叔叔别那样称呼，我当不起。"辛楣道："没有这个道理——鸿渐，你来得不巧。苏文纨在里面。她这两天在香港，知道我母亲来了，今天刚来看她。你也许不愿意看见苏文纨，所以

---

① 可怜的爸爸为孩子们付账。

我赶出来向你打招呼。不过,她知道你在外面。"鸿渐涨红脸,望着柔嘉说:"那么咱们不进去罢,就托辛楣替咱们向老伯母说一声。辛楣,买船票的钱还给你。"辛楣正推辞,柔嘉说:"既然来了,总要见见老伯母的——"她今天穿了新衣服来的,胆气大壮,并且有点好奇。鸿渐虽然怕见苏文纨,也触动了好奇心。辛楣领他们进去。进客堂以前,鸿渐把草帽挂在架子上的时候,柔嘉打开手提袋,照了照镜子。

苏文纨比去年更时髦了,脸也丰腴得多。旗袍搀合西式,紧俏伶俐,袍上的花纹是淡红浅绿横条子间着白条子,花得像欧洲大陆上小国的国旗。手边茶几上搁一顶阔边大草帽,当然是她的,衬得柔嘉手里的小阳伞落伍了一个时代。鸿渐一进门,老远就深深鞠躬。赵老太太站起来招呼,文纨安坐着轻快地说:"方先生,好久不见,你好啊?"辛楣说:"这位是方太太。"文纨早看见柔嘉,这时候仿佛听了辛楣的话才发现她似的,对她点头时,眼光从头到脚瞥过。柔嘉经不起她这样看一遍,局促不安。文纨问辛楣道:"这位方太太是不是还是那家什么银行?钱庄?唉!我记性真坏——经理的小姐?"鸿渐夫妇全听清了,脸同时发红,可是不便驳答,因为文纨问的声音低得似乎不准备给他们听见。辛楣一时候不明白,只说:"这是我一位同事的小姐,上礼拜在香港结婚的。"文纨如梦方觉,自惊自叹道:"原来又是一位——方太太,你一向在香港的,还是这一次从外国回来经过香港?"鸿渐紧握椅子的靠手,防自己跳起来。辛楣暗暗摇头。柔嘉只能承认,并非从外国进口,而是从内地出口。文纨对她的兴趣顿时消灭,跟赵老太太继续谈她们的话。赵老太太说她有生以来,第一次坐飞机,预想着就害怕。文纨笑道:"伯母,你有辛楣陪你,怕些什么!我一个人飞来飞去就五六次了。"赵老太太说:"怎么你们先生就放心你一个人来来去去么?"文纨道:"他在这儿有公事分不开身呀!他陪我飞到重庆去过两次,第一次是刚结了婚去见家父——他本来今天要同我一起来拜见伯母的,带便看看辛楣——"辛楣道:"不敢当。我还是你们结婚这一天见过曹先生的。他现在没有更胖罢?他好像比我矮一个头,容易见得胖。在香港没有关系,要是在重庆,管理物资粮食的公务员发了胖,人家就开他玩笑了。"鸿渐今天来了第一次要笑,文纨脸色微红,赵老太太没等她开口,就说:"辛楣,你这孩子,三十多岁的人了,还爱胡说。这个年头儿,发胖不好么?我就嫌你太瘦。文纨小姐,做母亲的人总觉得儿子不够胖的。你气色好得很,看着你,我眼睛都舒服。你家老太太看见你准心里喜欢。你回去替我们问候曹先生,他公事忙,千万不要劳步。"文纨道:"他偶尔半天不到办公室,也没有关系。不过今天他向办公室也请了假,昨天喝醉了。"赵老太太婆婆妈妈地说:"酒这个东西伤身得很,你以后劝他少喝。"文纨眼锋掠过辛楣脸上,回答说:"他不会喝的,不像辛楣那样洪量,威斯忌一喝就是一瓶——"辛楣听了上一句,向鸿渐偷偷做个鬼脸,要对下一句抗议都来不及——"他是给人家灌醉的。昨天我们大学同班在此地做事的人开聚餐会,帖子上写明'携眷';他算是我的'眷',我带了他去,人家把他灌醉了。"鸿渐忍不住问:"咱们一班有多少人在香港?"文纨道:"哟!方先生,我忘了你也是我们同班,他们没发帖子给你罢?昨天只有我一个人是文科的,其余都是理工法商的同学。"辛楣道:"你瞧,你多神气!现在只有学理工法商的人走运,学文科的人穷得都没有脸见人,不敢认同学了。亏得有你,撑撑文科的场面。"文纨道:"我就不信老同学会那么势利——你不是法科么?要讲走运,你也走运。"说时胜利地笑。辛楣道:"我比你们的曹先生,就差得太远了。开同学会都是些吃饱了饭没事干的人跟阔同学拉手去的。看见不得意的同学,问一声'你在什么地方做事',不等回答,就伸长耳朵收听阔同学的谈话了。做学生的时候,开联欢会还有点男女社交的作用,我在美国,人家就把留学生的夏令会,说是'三头会议':出风头,充冤大头,还有——呃——情人做花头——"大家都笑了,赵老太太笑得带呛,不许辛楣胡说。文纨笑得比人家短促,说:"你自己也参加夏令会的,你别赖,我看见过那张照相,你是三头里什么头?"辛楣回答不出。文纨拍手道:"好!你说不出来了。伯母,我看辛楣近来没有从前老实,心眼也小了许多,恐怕他这一年来结交的朋友有关系——"柔嘉注视鸿渐,鸿渐又紧握着椅子的靠手——"伯母,我明天不送你上飞机了,下个月在重庆见面。那一包小东西,我回头派用人送来;假如伯母不方便带,让他原物带转得了。"她站起来,提了大草帽的缨,仿佛希腊的打猎女神提着盾牌,叮嘱赵老太太不要送,对辛楣说:"我要罚你,罚你替我拿那两个纸盒子,送我到门口。"辛楣瞧鸿渐夫妇站着,防她无礼不理他们,说:"方先生方太太也在招呼你呢。"文纨才对鸿渐点点头,伸手让柔嘉拉一拉,姿态就仿佛伸指头到热水里去试试烫不烫,脸上的神情仿佛跟比柔嘉高出一个头的人拉手,眼光超越柔嘉头上。然后她亲热地说:"伯母再见。"对辛楣似喜似嗔望一眼,辛楣忙抱了那个盒子跟她出去。

鸿渐夫妇跟赵老太太敷衍,等辛楣进来了,起身告辞。赵老太太留他们多坐一会,一壁埋怨辛楣道:"你这孩子又发傻劲,何苦去损她的先生?"鸿渐暗想,苏文纨也许得意,以为辛楣未能忘情、发醋劲呢。辛楣道:"你放心,她决不生气,只要咱们替她带私货就行了。"辛楣要送他们到车站,出了门,说:"苏文纨今天太岂有此理,对你们无礼得很。"鸿渐故作豁达道:"没有什么。人家是阔小姐阔太太,这点点神气应该有的——"他没留心柔嘉看他一眼——"你说'带私货',是怎么一回事?"辛楣道:"她每次飞到重庆去,总带些新出的化装品、药品、高跟鞋、自来水笔之类去送人,也许是卖钱,我不清楚。"鸿渐惊异得要叫起来,才知道高高荡荡这片青天,不是上帝和天堂的所在了,只供给投炸弹、走单帮的方便,一壁说:"怪事!我真想不到!她还要做生意么?我以为只有李梅亭这种人带私货!她不是女诗人么?白话诗还做不做?"辛楣笑道:"不知道。她真会经纪呢!她刚才就劝我母亲快买外汇,我看女人全工于心计的。"柔嘉沉着脸,只当没听见。鸿渐道:"我胡说一句,她好像跟你很——唔——很亲密。"辛楣脸红道:"她知道我也在重庆,每次来总找我。她现在对我只有比她结婚以前对我好。"鸿渐鼻子里出冷气,想说:"怪不得你要有张护身照片。"可是没有说。辛楣顿一顿,眼望远处,说:"方才我送她出门,她说她那儿还保存我许多信——那些信我全忘了,上面不知道胡写些什么——她说她下个月到重庆来,要把信带还我。可是,她又不肯把信全数还给我,她说信上有一部分的话,她现在还可以接受。她要当我的面,一封一封地检,挑她现在不能接受的信还给我。你说可笑不可笑?"说完,不自然地笑。柔嘉冷静地问:"她不知道赵叔叔要订婚了罢?"辛楣道:"我没告诉她,我对她泛泛得很。"送鸿渐夫妇上了下山的缆车,辛楣回家路上,忽然明白了,叹气道:"只有女人会看透女人。"

鸿渐闷闷上车。他知道自己从前对不住苏文纨,今天应当受她的怠慢,可气的是连累柔嘉也遭了欺负。当时为什么不讽刺苏文纨几句,倒低头忍气尽她放肆?事后追想,真不甘心。不过,受她冷落还在其次,只是这今昔之比使人伤心。两年前,不,一年前跟她完全是平等的。现在呢,她高高在上,跟自己的地位简直是云泥之别。就像辛楣罢,承他瞧得起,把自己当朋友,可是他也一步一步高上去,自己要仰攀他,不比从前那样分庭抗礼了。鸿渐郁勃得心情像关在黑屋里的野兽,把墙壁狠命地撞、抓、打,但找不着出路。柔嘉见他不开口,忍住也不讲话。回到旅馆,茶房开了房门,鸿渐脱外衣、开电扇,张臂当风说:"回来了,咳!"

"身体是回来了,灵魂恐怕早给情人带走了。"柔嘉毫无表情地加上两句按语。

鸿渐当然说她"胡说"。她冷笑道:"我才不胡说呢。上了缆车,就像木头人似的,一句话也不说,全忘了旁边还有个我。我知趣得很,决不打搅你,看你什么时候跟我说话。"

"现在我不是跟你说话了?我对今天的事一点不气——"

"你怎么会气?你只有称心。"

"那也未必,我有什么称心?"

"看见你从前的情人糟蹋你现在的老婆,而且当着你那位好朋友的面,还不称心么!"柔嘉放弃了嘲讽的口吻,坦白地愤恨说——"我早告诉你,我不喜欢跟赵辛楣来往。可是我说的话有什么用?你要去,我敢说'不'么?去了就给人家瞧不起,给人家笑——"

"你这人真蛮不讲理。不是你自己要进去么?事后倒推在我身上?并且人家并没有糟蹋你,临走还跟你拉手——"

柔嘉怒极而笑道:"我太荣幸了!承贵夫人的玉手碰了我一碰,我这只贱手就一辈子的香,从此不敢洗了!'没有糟蹋我!'哼,人家打到我头上来,你也会好像没看见的,反正老婆是该受野女人欺负的。我看见自己的丈夫给人家笑骂,倒实在受不住,觉得我的脸都剥光了。她说辛楣的朋友不好,不是指的你么?"

"让她去骂。我要回敬她几句,她才受不了呢。"

"你为什么不回敬她?"

"何必跟她计较?我只觉得她可笑。"

"好宽宏大量!你的好脾气、大度量,为什么不留点在家里,给我享受享受?见了外面人,低头赔笑;回家对我,一句话不投机,就翻脸吵架。人家看方鸿渐又客气,又有耐心,不知道我受你多少气。只有我哪,换了那位贵小姐,你对她发发脾气看——"她顿一顿,说:"当然娶了那种称心如意的好太太,脾气也不至于发了。"

她的话一部分是真的,加上许多调味的作料。鸿渐没法回驳,气吁吁望着窗外。柔嘉瞧他说不出话,以为最后一句话刺中他的隐情,嫉妒得坐立不安,管制了自己声音里的激动,冷笑着自言自语道:"我看破了,全是吹牛,全——是——吹——牛。"

鸿渐回身问:"谁吹牛?"

"你呀。你说她从前如何爱你,要嫁给你,今天她明明和赵辛楣好,正眼都没瞧你一下。是你追求她没追到罢!男人全这样吹的。"鸿渐对这种"古史辩"式的疑古论,提不出反证,只能反复说:"就算我吹牛,你看破好了,就算我吹牛。"柔嘉道:"人家多少好!又美,父亲又阔,又有钱,又是女留学生,假如我是你,她不看中我,我还要跪着求呢,何况她居然垂青——"鸿渐眼睛都红了,粗暴地截断她话:"是的!是的!人家的确不要我。不过,也居然有你这样的女人千方百计要嫁我。"柔嘉圆睁两眼,下唇咬得起一条血痕,颤声说:"我瞎了眼睛!我瞎了眼睛!"

此后四五个钟点里,柔嘉并未变成瞎子,而两人同变成哑子,吃饭做事,谁都不理谁。鸿渐自知说话太重,心里懊悔,但一时上不愿屈服。下午他忽然想起明天要到船公司凭收据去领船票,这张收据是前天辛楣交给自己的,忘掉搁在什么地方了,又不肯问柔嘉。忙翻箱子，掏口袋，找不见那张收条，急得一身身的汗像长江里前浪没过，后浪又滚上来。柔嘉瞧他搔汗湿的头发，摸涨红的耳朵，便问："找什么？是不是船公司的收据？"鸿渐惊骇地看她，希望顿生，和颜悦色道："你怎么猜到的？你看见没有？"柔嘉道："你放在那件白西装的口袋里的——"鸿渐顿脚道："该死该死！那套西装我昨天交给茶房送到干洗作去的，怎么办呢？我快赶出去。"柔嘉打开手提袋，道："衣服拿出去洗，自己也不先理一理，随手交给茶房！亏得我替你捡了出来，还有一张烂钞票呢。"鸿渐感激不尽道："谢谢你，谢谢你——"柔嘉道："好容易千方百计嫁到你这样一位丈夫，还敢不小心伺候么？"说时，眼圈微红。鸿渐打拱作揖，自认不是，要拉她出去吃冰。柔嘉道："我又不是小孩子，你别把吃东西来哄我。'千方百计'那四个字，我到死都忘不了的。"鸿渐把手按她嘴，不许她叹气。结果，柔嘉陪他出去吃冰。柔嘉吸着橘子水，问苏文纨从前是不是那样打扮。鸿渐说："三十岁的奶奶了，衣服愈来愈花，谁都要暗笑的，我看她远不如你可爱。"柔嘉摇头微笑，表示不能相信而很愿意相信她丈夫的话。鸿渐道："你听辛楣说她现在变得多少俗，从前的风雅不知哪里去了，想不到一年工夫会变得惟利是图，全不像个大家闺秀。"柔嘉道："也许她并没有变，她父亲知道是什么贪官，女儿当然有遗传性的。一向她的本性潜伏在里面，现在她嫁了人，心理发展完全，就本相毕现了。俗没有关系，我觉得她太贱。自己有了丈夫，还要跟辛楣勾搭，什么大家闺秀！我猜是小老婆的女儿罢。像我这样一个又丑又穷的老婆,虽然讨你的厌,可是安安分分,不会出你的丑的;你娶了那一位小姐,保不住只替赵辛楣养个外室了。"鸿渐明知她说话太刻毒,只能唯唯附和。这样作践着苏文纨,他们俩言归于好。

　　这次吵架像夏天的暴风雨,吵的时候很利害,过得很快。可是从此以后,两人全存了心,管制自己,避免说话冲突。船上第一夜,两人在甲板上乘凉。鸿渐道:"去年咱们第一次同船到内地去,想不到今年同船回来,已经是夫妇了。"柔嘉拉他手代替回答。鸿渐道:"那一次我跟辛楣在甲板上讲的话,你听了多少?说老实话。"柔嘉撒手道:"谁有心思来听你们的话!你们男人在一起讲的话全不中听的。后来忽然听见我的名字,我害怕得直想逃走——"鸿渐笑道:"你为什么不逃呢?"柔嘉道:"名字是我的,我当然有权利听下去。"鸿渐道:"我们那天没讲你的坏话罢?"柔嘉瞥他一眼道:"所以我上了你的当。我以为你是好人,谁知道你是最坏的坏人。"鸿渐拉她手代替回答。柔嘉问今天是八月几号,鸿渐说二号。柔嘉叹息道:"再过五天,就是一周年了!"鸿渐问什么一周年,柔嘉失望道:"你怎么忘了!咱们不是去年八月七号的早晨赵辛楣请客认识的么?"鸿渐惭愧得比忘了国庆日和国耻日都利害,忙说:"我记得。你那天穿的什么衣服我都记得。"柔嘉心慰道:"我那天穿一件蓝花白底子的衣服,是不是?我倒不记得你那天是什么样子,没有留下印象,不过那个日子当然记得的。这是不是所谓'缘分',两个陌生人偶然见面,慢慢地要好?"鸿渐发议论道:"譬如咱们这次同船的许多人,没有一个认识的。不知道他们的来头,为什么不先不后也乘这条船,以为这次和他们聚在一起是出于偶然。假使咱们熟悉了他们的情形和目的,就知道他们乘这只船并非偶然,和咱们一样有非乘不可的理由。这好像开无线电。你把针在面上转一圈,听见东一个电台半句京戏,西一个电台半句报告,忽然又是半句外国歌啦,半句昆曲啦,鸡零狗碎,凑在一起,莫名其妙。可是每一个破碎的片段,在它本电台广播的节目里,有上文下文,并非胡闹。你只要认定一个电台听下去,就了解它的意义。我们彼此往来也如此,相知不深的陌生人——"柔嘉打个面积一方寸的大呵欠。像一切人,鸿渐恨旁人听自己说话的时候打呵欠,一年来在课堂上变相催眠的经验更增加了他的恨,他立刻闭嘴。柔嘉道歉道:"我累了,你讲下去呢。"鸿渐道:"累了快去睡,我不讲了。"柔嘉怨道:"好好的讲咱们两个人的事,为什么要扯到全船的人,整个人类?"鸿渐恨恨道:"跟你们女人讲话只有讲你们自己,此外什么都不懂!你先去睡罢,我还要坐一会呢。"柔嘉伴伴不睬地走了。鸿渐抽了一支烟,气平下来,开始自觉可笑。那一段议论真像在台上的演讲;教书不到一年,这习惯倒养成了,以后要留心矫正自己,怪不得陆子潇做了许多年的教授,求婚也像考试学生了。不过,柔嘉也太任性。她常怪自己对别人有讲有说,回来对她倒没有话讲,今天跟她长篇大章地谈论,她又打呵欠,自己家信里还赞美她如何柔顺呢!

鸿渐这两天近乡情怯,心事重重。他觉得回家并不像理想那样的简单。远别虽非等于暂死,至少变得陌生。回家只像半生的东西回锅,要煮一会才会熟。这次带了柔嘉回去,更要费好多时候来和家里适应。他想得心烦,怕去睡觉——睡眠这东西脾气怪得很,不要它,它偏会来,请它,哄它,千方百计勾引它,它拿身份躲得影子都不见。与其热枕头上翻来覆去,还是甲板上坐坐罢。柔嘉等丈夫来讲和,等好半天他不来,也收拾起怨气睡了。

# 九

  鸿渐赞美他夫人柔顺,是在报告订婚的家信里。方遯翁看完信,叫得像母鸡下了蛋,一分钟内全家知道这消息。老夫妇惊异之后,继以懊恼。方老太太尤其怪儿子冒失,怎么不先征求父母同意就订婚了。遯翁道:"咱们尽了做父母的责任了,替他攀过周家的女儿。这次他自己作主,好呢再好没有,坏呢将来不会怨到爹娘。你何必去管他们?"方老太太道:"不知道那位孙小姐是个什么样子,鸿渐真糊涂,照片也不寄一张!"遯翁向二媳妇手里要过信来看道:"他信上说她'性情柔顺'。"像一切教育程度不高的人,方老太太对于白纸上写的黑字非常迷信,可是她起了一个人文地理的疑问:"她是不是外省人?外省人的脾气总带点儿蛮,跟咱们合不来的。"二奶奶道:"不是外省人,是外县人。"遯翁道:"只要鸿渐觉得她柔顺,就好了。唉,现在的媳妇,你还希望她对你孝顺么?这不会有的了。"二奶奶三奶奶彼此做个眼色,脸上的和悦表情同时收敛。方老太太道:"不知道孙家有没有钱?"遯翁笑道:"她父亲在报馆里做事,报馆里的人会敲竹杠,应当有钱罢,呵呵!我看老大这个孩子,痴人多福。第一次订婚的周家很有钱,后来看中苏鸿业的女儿,也是有钱有势的人家。这次的孙家,我想不会太糟。无论如何,这位小姐是大学毕业,也在外面做事,看来能够自立的。"遯翁这几句话无意中替柔嘉树了两个仇敌;二奶奶和三奶奶的娘家景况平常,她们只在中学念过书。

鸿渐在香港来信报告结婚,要父亲寄钱。遯翁看后,又惊又怒,立刻非常沉默。他跟方老太太关了房门,把信研究半天。方老太太怪柔嘉引诱儿子,遯翁也对自由恋爱和新式女人发表了不恭敬的意见。但他是一家之主,觉得家里任何人丢脸,就是自己丢脸,家丑不但不能外扬,而且不能内扬,要替大儿子大媳妇在他们兄弟妯娌之间遮隐。他叮嘱方老太太别对二媳妇三媳妇提起这件事,叹气道:"儿女真是孽债,一辈子要为他们操心。娘,你何必生气?他们还知道要结婚,这就是了。"吃晚饭时,遯翁笑得相当自然,说:"老大今天有信来,他们到了香港了。同走的几位朋友里,有人要在香港结婚,老大看了眼红,也要同时跟孙小姐举行婚礼。年轻人做事总是一窝蜂似的,喜欢凑热闹。他信上还说省我的钱,省我的事呢,这也算他体恤咱们了,娘,是不是?"等大家惊叹完毕,他继续说:"鹏图凤仪结婚的费用,全是我负担的。现在结婚还要像从前在家乡那样的排场,我开支不起了。鸿渐省得我掏腰包,我何乐而不为?可是,鹏图,你明天替我电汇给他一笔钱,表示我对你们三兄弟一视同仁,免得将来老大怪父母不公平。"晚饭吃完,遯翁出坐时,又说:"他这个办法很好。每逢结婚,两个当事人无所谓,倒是旁人替他们忙。假如他在上海结婚,我和娘不用说,就是你们夫妇也要忙得焦头烂额。现在大家都方便。"他自信这几句话,点明利害,儿子媳妇们不会起疑了。他当天日记上写道:"渐儿香港来书,云将在港与孙柔嘉女士完姻,盖轸念时艰家毁,所以节用省事也。其意可嘉,当寄款玉成其事。"三奶奶回房正在洗脸,二奶奶来了,低声说:"听见没有?我想这事不妙呀。从香港到上海这三四天的工夫都等不及了么?"三奶奶不愿意输给她,便道:"他们忽然在内地订婚,我那时候就觉得太突兀,这里面早有毛病。"二奶奶道:"对了!我那时候也这样想。他们几月里订婚的?"两人屈指算了一下,相视而笑。凤仪是老实人,吓得目瞪口呆,二奶奶笑道:"三叔,咱们这位大嫂,恐怕是方家媳妇里破记录的人了。"

过了几天,结婚照片寄到。柔嘉照上的脸差不多是她理想中自己的脸,遯翁见了喜欢,方老太太也几次三回戴上做活的眼镜细看。凤仪私下对他夫人说:"孙柔嘉还漂亮,比死掉的周家的女儿好得多。"三奶奶冷笑道:"照片靠不住的,要见了面才作准。有人上照,有人不上照,很难看的人往往照相很好,你别上当。为什么只照个半身?一定是全身不能照,披的纱、抱的花都遮盖不了,我跟你打赌。吓!我是你家明媒正娶的,现在要叫这种女人'大嫂嫂',倒尽了霉!我真不甘心。你瞧,这就是大学毕业生!"二奶奶对丈夫发表感想如下:"你留心没有?孙柔嘉脸上一股妖气,一看就是个邪道女人,所以会干那种无耻的事。你父亲母亲一对老糊涂,倒赞她美!不是我吹牛,我家的姊妹多少正经干净,别说从来没有男朋友,就是订了婚,跟未婚夫通信爹都不许的。"鹏图道："老大这个岳家恐怕比不上周家。周厚卿很会投机做生意,他的点金银行发达得很,老大和他闹翻,真是傻瓜!我前天碰见周厚卿的儿子,从前跟老大念过书,年纪十七八岁,已经做点金银行的襄理了,会开汽车。我想结交他父亲,把周方两家的关系恢复,将来可以合股投资。这话你别漏出去。"

柔嘉不愿意一下船就到婆家去,要先回娘家。鸿渐了解她怕生的心理,也不勉强。他知道家里分不出屋子来给自己住,脱离周家以后住的那间房,又黑又狭,只能搁张小床。柔嘉也声明过,她不会在大家庭里做媳妇的,暂时两人各住在自己家里,一面找房子。他们上了岸,向大法兰西共和国上海租界维持治安的巡警侦探们付了买路钱,赎出行李。鸿渐先送夫人到孙家;因为汽车等着,每秒钟都要算钱,谒见丈人丈母的礼节简略至于极点。他独自回家,方遯翁夫妇瞧新娘没同来,很不高兴,同时又放了心:鸿渐住的那间小屋,现在给两个老妈子睡,还没让出来,新娘真来了,连换衣服的地方都没有。老夫妇问了儿子许多话,关于新妇以外,还有下半年的职业。鸿渐撑场面,说报馆请他做资料室主任。遯翁道："那么,你要长住在上海了。家里挤得很,又要费我的心,为你就近找间房子。唉!"至亲不谢,鸿渐说不出话。遯翁分付儿子晚上去请柔嘉明天过来吃午饭,同时问丈人丈母什么日子方便,他要挑个饭店好好地请亲家。他自负精通人情世故,笑对方老太太说："照老式结婚的办法,一顶轿子就把新娘抬来了,管她怕生不怕生。现在不成了,我想叫二奶奶或者三奶奶陪老大到孙家去请她,表示欢迎。这样一来,她可以比较不陌生。"三奶奶沉着脸,二奶奶欢笑道:"好极了!咱们是要去欢迎大嫂的。明天我陪你去得了,大哥。"鸿渐忙一口谢绝。人散以后,三奶奶对二奶奶说:"姐姐,你真是好脾气!孙柔嘉是什么东西,摆臭架子,要我们去迎接她!我才不肯呢。"二奶奶说:"她今天不肯来,是不会来的了。我猜准她快要生产了,没有脸到婆家来,今天推明天,明天推后天,咱们索性等着双喜进门罢。我知道老大决不让我去的,你瞧他那时候多少着急。"三奶奶自愧不如,说:"老大虽然是长子,方家的长孙总是你们阿丑了。孙柔嘉赶快生个儿子也没有用。"二奶奶指头点她一下道:"唷!他们方家有什么大家私可以分,这个年头儿还讲长子长孙么?阿丑和你们阿凶不是一样的方家孙子。老头子几个钱快完了,往常田里的那笔进账现在都落了空。老大三四个月不贴家用了,我看以后还要老头子替他养家呢。"三奶奶叹气道:"他们做父母的心全偏到夹肢窝里的!老大一个人大学毕业留洋,钱花得不少了,现在还要用老头子的钱。我就不懂,他留了洋有什么用,别说比不上二哥了,比我们老三都不如。"二奶奶道:"咱们瞧女大学生'自立'罢。"二人旧嫌尽释,亲热得有如结义姐妹(因为亲生姐妹倒彼此嫉妒的),孙柔嘉做梦也没想到她做了妯娌间的和平使者。

午饭后,遯翁睡午觉,老太太押着两个满不愿意的老妈子腾房间,二奶奶三奶奶各陪小孩子睡觉。阿丑阿凶没人照顾,便到客堂里缠住鸿渐。阿丑问大伯伯讨大伯母看,顽皮地问:"大伯伯,谁是孙柔嘉?"阿凶距离鸿渐几步,光着眼吃指头,听了这话,拔出指头,刁嘴咬舌道:"'孙柔嘉'不可以说的,要说'大娘'。大伯伯,我没有说'孙柔嘉'。"鸿渐心不在焉道:"你好。"阿丑讨喜酒吃,鸿渐说:"别吵,明天爷爷给你吃。"阿丑道:"那么你现在给我吃块糖。"鸿渐说:"你刚吃过饭,吃什么糖?你没有凶弟弟乖。"阿凶又拔出指头道:"我也要吃块糖。"鸿渐摇头道:"讨厌死了,没有糖吃。"阿丑爬上靠窗的桌子,看街上的行人,阿凶人小,爬不上,要大伯伯抱他上去,鸿渐忙着算账,不理他,他就哭丧着脸,嚷要撒尿。鸿渐没做过父亲,毫无办法,放下铅笔,说:"你憋住了。我搀你上楼去找张妈,可是你上了楼不许再下来。"阿凶不愿意上去,指桌子旁边的痰盂,鸿渐说:"随你便。"阿丑回过脸来说:"刚走过一个人,他一只手里拿一根棒冰,他有两根棒冰,舐了一根,又舐一根。大伯伯,他有两根棒冰。"阿凶听得忘了撒尿,说:"我也要看那个人,让我上去看。"阿丑得意道:"他走到不知哪儿去了,你看不见——大伯伯,你吃过棒冰没有?"阿凶老实说:"我要吃棒冰。"阿丑忙从桌上跳下来,也老实说:"我要吃棒冰。"鸿渐说,等张妈或孙妈收拾好房间差她去买,这时候不准吵,谁吵谁罚掉冰。阿丑问,收拾房间要多少时候。鸿渐说,至少等半个钟头。阿丑说:"我不吵,我看你写字。"阿凶吃够了右手的食指,换个左手的无名指尝新。鸿渐写不上十个字,阿丑道:"大伯伯,半个钟头到了没有?"鸿渐不耐烦道:"胡说,早得很呢!"阿丑熬了一会,说:"大伯伯,你这支铅笔好看得很。你让我写个字。"鸿渐知道铅笔到他手里，准处死刑断头，不肯给他。阿丑在客堂里东找西找，发现铅笔半寸，旧请客帖子一个，把铅笔头在嘴里吮了一吮，力透纸背，写了"大"字和"方"字，像一根根火柴搭起来的。鸿渐说："好，好。你上去瞧张妈收拾好没有。"阿丑去了下来，说还没有呢，鸿渐道："你只能再等一下了。"阿丑道："大伯伯，新娘来了，是不是住在那间房里？"鸿渐道："不用你管。"阿丑道："大伯伯，什么叫做'关系'？"鸿渐不懂，阿丑道："你是不是跟大娘在学堂里有'关系'的？"鸿渐拍桌跳起来道："什么话？谁教你说这种话的？"阿丑吓得脸涨得比鸿渐还红，道："我——我听见妈妈对爸爸说的。"鸿渐愤恨道："你妈妈混账！你没有冰吃，罚掉你的冰！"阿丑瞧鸿渐认真，知道冰不会到嘴，来个精神战胜，退到比较安全的距离，说："我不要你的冰，我妈妈会买给我吃。大伯伯最坏，坏大伯伯！死大伯伯！"鸿渐作势道："你再胡说，我打你。"阿丑歪着头，鼓着嘴，表示倔强不服。阿凶走近桌子说："大伯伯，我乖，我没有说。"鸿渐道："你有冰吃的。别像他那样！"阿丑听说阿凶依然有冰吃，走上来一手拉住他手臂，一手摊掌，说："你昨天把我的皮球丢了，快赔给我，我要我的皮球，这时候我要拍。"阿凶慌得叫大伯伯解围。鸿渐拉阿丑，阿丑就打阿凶一下耳光，阿凶大哭，撒得一地是尿。鸿渐正骂阿丑，二奶奶下来了责备道："小弟弟都给你们吵醒了！"三奶奶听见儿子的哭声也赶下来。两个孩子都给自己的母亲拉上去，阿丑一路上声辩说："为什么大伯伯给他吃冰，不给我吃冰。"鸿渐掏手帕擦汗，叹口气。想这种家庭里，柔嘉如何住得惯。想不到弟媳妇背后这样糟蹋人,她们当然还有许多不堪入耳的话,自己简直不愿意知道,阿丑那句话现在知道了都懊悔。一向和家庭习而相忘,不觉得它藏有多少仇嫉卑鄙,现在为了柔嘉,稍能从局外人的立场来观察,才恍然明白这几年来兄弟妯娌甚至父子间的真情实相,自己有如蒙在鼓里。

方老太太当夜翻箱倒箧,要找两件劫余的首饰,明天给大媳妇作见面礼。逊翁笑她说:"她们新式女人还要戴你那种老古董么?我看算了罢。'赠人以车,不如赠人以言';我明天倒要劝她几句话。"方老太太结婚三十余年,对丈夫掉的书袋,早失去索解的好奇心,只懂最后一句,忙说:"你明天说话留神。他们过去的事,千万别提。"逊翁怫然道:"除非我像你这样笨!我在社会上做了三十多年的事,这一点人情世故还不懂么?"明天上午鸿渐去接柔嘉,柔嘉道:"你家里比我们古板,今天去了,有什么礼节?我是不懂的,我不去了。"鸿渐说:"今天是彼此认识一下,毫无礼节,不过父亲的意思,要咱们对祖宗行个礼。"柔嘉撒娇道:"算你们方家有祖宗,我们是天上掉下来的,没有祖宗!你为什么不对我们孙家的祖宗行礼?明天我教爸爸罚你对祖父祖母的照相三跪九叩首。我要报仇!"鸿渐听她口气松动,赔笑说:"一切瞧我面上,受点委屈。"柔嘉道:"不是为了你,我今天真不愿意去。我又不是新进门的小狗小猫,要人抱了去拜灶!"到了方家,老太太瞧柔嘉没有相片上美,暗暗失望,又嫌她衣服不够红,不像个新娘,尤其不赞成她脚上颜色不吉利的白皮鞋。二奶奶三奶奶打扮得淋漓尽致,天气热,出了汗,像半融化的奶油喜字蛋糕。她们见了大嫂的相貌,放心释虑,但对她的身材,不无失望。柔嘉虽然没有沙拉·贝恩哈脱(Sarah Bernhardt)年轻时的纤细腰肢,不至于吞下一粒奎宁丸肚子就像怀孕,但她的瘦削是不能否认的。"双喜进门"的预言没有落实。遯翁一团高兴,问长问短,笑说:"以后鸿渐这孩子我跟他妈管不到他了,全交托给你了——"方老太太插口说:"是呀!鸿渐从小不能干的,七岁还不会穿衣服。到现在看他穿衣服不知冷暖,东西甜的咸的乱吃,完全像个孩子。少奶奶,你要留心他。鸿渐,你不听我的话,娶了媳妇,她说的话,你总应该听了。"柔嘉道:"他也不听我的话的——鸿渐,你听见没有?以后你不听我的话,我就告诉婆婆。"鸿渐傻笑。二奶奶和三奶奶偷偷做个鄙薄的眼色。遯翁听柔嘉要做事,就说:"我有句话劝你。做事固然很好,不过夫妇俩同在外面做事,'家无主,扫帚倒竖',乱七八糟,家庭就有名无实了。我并不是顽固的人,我总觉得女人的责任是管家。现在要你们孝顺我们,我没有这个梦想了,你们对你们的丈夫总要服侍得他们称心的。可惜我在此地是逃难的局面,房子挤得很,你们住不下,否则你可以跟你婆婆学学管家了。"柔嘉勉强点头。行礼的时候,祭桌前铺了红毯,显然要鸿渐夫妇向空中过往祖先灵魂下跪。柔嘉直挺挺踏上毯子,毫无下拜的趋势,鸿渐跟她并肩三鞠躬完事。旁观的人说不出心里的惊骇和反对,阿丑嘴快,问父亲母亲道:"大伯伯大娘为什么不跪下去拜?"这句话像空房子里的电话铃响,无人接口。鸿渐窘得无地自容,亏得阿丑阿凶两人抢到红毯上去跪拜,险的打架,转移了大家的注意。方老太太满以为他们俩拜完了祖先,会向自己跟遯翁正式行跪见礼的。鸿渐全不知道这些仪节,他想一进门已经算见面了,不必多事。所以这顿饭吃得并不融洽,阿丑硬要坐在柔嘉旁边,叫大娘夹这样菜夹那样菜,差唤个不了。菜上到一半,柔嘉不耐烦敷衍这位讨厌侄儿了,阿丑便跪在椅子上,伸长手臂,自己去夹菜。一不小心,他把柔嘉的酒杯碰翻,柔嘉"啊呀"一声,快起身躲,新衣服早染了一道酒痕。遯翁夫妇骂阿丑,柔嘉忙说没有关系。鹏图和二奶奶也痛骂儿子,不许他再吃,阿丑哭丧了脸,赖着不肯下椅子。他们希望鸿渐夫妇会说句好话,替儿子留面子。谁知道鸿渐只关切地问柔嘉:"酒渍洗得掉么?亏得他夹的肉丸子没滚在你的衣服上,险得很!"二奶奶板着脸,一把拉住阿丑上楼,大家劝都来不及。只听得阿丑半楼梯就尖声嚷痛,厉而长像特别快车经过小站不停时的汽笛,跟着号啕大哭。鹏图听了心痛,咬牙切齿道:"这孩子是该打,回头我上去也要打他呢。"

下午柔嘉临走,二奶奶还满脸堆笑说:"别走了,今天就住在这儿罢——三妹妹,咱们把她扣下来——大哥,只有你,还会送她回家!你就不要留住她么?"阿丑哭肿了眼,人也不理。方老太太因为儿子媳妇没对自己叩头,首饰也没给他们,送他们出了门,回房向遯翁叽咕。遯翁道:"孙柔嘉礼貌是不周到,这也难怪。学校里出来的人全野蛮不懂规矩,她家里我也不清楚,看来没有家教。"方老太太道:"我十月怀胎养大了他,到现在娶媳妇,受他们两个头都不该么?孙柔嘉就算不懂礼貌,老大应当教教她。我愈想愈气。"遯翁劝道："你不用气，回头老大回来，我会教训他。鸿渐真是糊涂虫，我看他将来要怕老婆的。不过孙柔嘉还像个明白懂道理的女人，我方才教她不要出去做事，你看她倒点头服从。"

柔嘉出了门，就说："好好一件衣服，就算毁了，不知道洗得掉洗不掉。我从来没见过这种没管教的孩子。"鸿渐道："我也真讨厌他们，好在将来不会一起住。我知道今天这顿饭把你的胃口全吃倒了。说到孩子，我倒想起来了，好像你应该给他们见面钱的，还有两个用人的赏钱。"柔嘉顿足道："你为什么不早跟我说？我家里没有这一套，我自己刚脱离学校，全不知道这些奶奶经，麻烦死了！我不高兴做你们方家的媳妇了！"鸿渐安慰道："没有关系，我去买几个红封套，替你给他们得了。"柔嘉道："随你去办罢，反正我不会讨你家好的。你那两位弟媳妇，都不好对付。你父亲说的话也离奇；我孙柔嘉一个大学毕业生到你们方家来当没工钱的老妈子！哼！你们家里没有那么阔呢。"鸿渐忍不住回护遯翁道："他也没有叫你当老妈子，他不过劝你不必出去做事。"柔嘉道："在家里享福，谁不愿意？我并不喜欢出去做事呀！我问你，你赚多少钱一个月可以把我供在家里？还是你方家有祖传的家当？你自己下半年的职业，八字还未见一撇呢！我挣我的钱，还不好么？倒说风凉话！"鸿渐生气道："这是另一件事。他的话也有点道理。"柔嘉冷笑道："你和你父亲的头脑都是几千年前的古董，亏你还是个留学生。"鸿渐也冷笑道："你懂什么古董不古董！我告诉你，我父亲的意见在外国时髦得很呢,你吃亏的就是没留过学。我在德国,就知道德国妇女的三K运动:教堂、厨房、保育室——"①柔嘉道:"我不要听,随你去说。不过我今天才知道,你是位孝子,对你父亲的话这样听从——"这吵架没变严重,因为不能到孙家去吵,不能回方家去吵,不宜在路上吵,所以舌剑唇枪无用武之地。无家可归有时不失是桩幸事。

两亲家见过面,彼此请过客,往来拜访过,心里还交换过鄙视,谁也不满意谁。方家恨孙家简慢,孙家厌方家陈腐,双方背后都嫌对方不阔。遯翁一天听太太批评亲家母,灵感忽来。日记上添了精彩的一条,说他现在才明白为什么两家攀亲要叫"结为秦晋":"夫春秋之时,秦晋二国,世缔婚姻,而世寻干戈。亲家相恶,于今为烈,号曰秦晋,亦固其宜。"写完了,得意非凡,只恨不能送给亲翁孙先生赏鉴。鸿渐柔嘉两人左右为难,受足了气,只好在彼此身上出气。鸿渐为太太而受气,同时也发现受了气而有个太太的方便。从前受了气,只好闷在心里,不能随意发泄,谁都不是自己的出气筒。现在可不同了;对任何人发脾气,都不能够像对太太那样痛快。父母兄弟不用说,朋友要绝交,用人要罢工,只有太太像荷马史诗里风神的皮袋,受气的容量最大,离婚毕竟不容易。柔嘉也发现对丈夫不必像对父母那样有顾忌。但她比鸿渐有涵养,每逢鸿渐动了真气,她就不再开口。她仿佛跟鸿渐抢一条绳子,尽力各拉一头,绳子迸直欲断的

---

① 德语里这三个名字的第一个字母都是K。

时候,她就凑上几步,这绳子又松软下来。气头上虽然以吵嘴为快,吵完了,他们都觉得疲乏和空虚,像戏散场和酒醒后的心理。回上海以前的吵架,随吵随好,宛如富人家的饭菜,不留过夜的。渐渐吵架的余仇,要隔一天才会消释,甚至不了了之,没讲和就讲话。有一次斗口以后,柔嘉半认真半开玩笑地说:"你发起脾气来就像野兽咬人,不但不讲道理,并且没有情分。你虽然是大儿子,我看你的父亲母亲并不怎样溺爱你,为什么这样任性?"鸿渐抱愧地笑。他刚才相骂赢了,胜利使他宽大,不必还敬说:"丈人丈母重男轻女,并不宝贝你,可是你也够难服侍。"

他到了孙家两次以后,就看出来柔嘉从前口口声声"爸爸、妈妈",而孙先生孙太太对女儿的事淡漠得等于放任。孙先生是个恶意义的所谓好人——无用之人,在报馆里当会计主任,毫无势力。孙太太老来得子,孙家是三代单传,把儿子的抚养作为宗教。他们供给女儿大学毕业,已经尽了责任,没心思再料理她的事。假如女婿阔得很,也许他们对柔嘉的兴趣会增加些。跟柔嘉亲密的是她的姑母,美国留学生,一位叫人家小孩子"你的Baby"、人家太太"你的Mrs"的那种女留学生。这位姑母,柔嘉当然叫她Auntie。她年轻时出过风头,到现在不能忘记,对后起的女学生批判甚为严厉。柔嘉最喜欢听她的回忆,所以独蒙怜爱。孙先生夫妇很怕这位姑太太,家里的事大半要请她过问。她丈夫陆先生,一脸不可饶恕的得意之色,好谈论时事。因为他两耳微聋,人家没气力跟他辩,他心里只听到自己说话的声音,愈加不可理喻。夫妇俩同在一家大纱厂里任要职,先生是总工程师,太太是人事科科长。所以柔嘉也在人事科里找到位置。姑太太认为侄女儿配错了人,对鸿渐的能力和资格坦白地瞧不起。鸿渐也每见她一次面,自卑心理就像战时物价又高涨一次。姑太太没有孩子,养一条小哈巴狗,取名 Bobby,视为性命。那条狗见了鸿渐就咬;它女主人常说的话:"狗最灵,能够辨别好坏。"更使他听了生气。无奈狗以主贵,正如夫以妻贵,或妻以夫贵,他不敢打它。柔嘉要姑母喜欢自己的丈夫,常教鸿渐替陆太太牵狗出去撒尿拉屎,这并不能改善鸿渐对狗的感情。

鸿渐曾经恶意地对柔嘉说:"你姑母爱狗胜于爱你。"柔嘉道:"别胡闹!"——又加上一句毫无意义的话——"她就是这个脾气。"鸿渐道:"她这样喜欢和狗做伴侣,表示她不配跟人在一起。"柔嘉瞪眼道:"我看狗有时比人都好,至少 Bobby 比你好,它倒很有情义的,不乱咬人。碰见你这种人,是该咬。"鸿渐道:"你将来准像你姑母,也会养条狗。唉,像我这个倒霉人,倒应该养条狗。亲戚瞧不起,朋友没有,太太——呃——太太容易生气不理人,有条狗对我摇摇尾巴,总算世界上还有件东西比我都低,要讨我的好。你那位姑母在厂里有男女职工趋奉她,在家里旁人不用说,就是侄女儿对她多少千依百顺!她应当满意了,还要养条走狗对她摇头摆尾!可见一个人受马屁的容量,是没有底的。"柔嘉管制住自己的声音道:"请你少说一句,好不好?不能有三天安静的,刚要好了不多几天,又来无事寻事了。"鸿渐扯淡笑道:"好凶!好凶!"

鸿渐为哈巴狗而发的感慨,一半是真的。正像他去年懊悔到内地,他现在懊悔听了柔嘉的话回上海。在小乡镇时,他怕人家倾轧,到了大都市,他又恨人家冷淡,倒觉得倾轧还是瞧得起自己的表示。就是条微生虫,也沾沾自喜,希望有人搁它在显微镜下放大了看的。拥挤里的孤寂,热闹里的凄凉,使他像许多住在这孤岛上的人,心灵也仿佛一个无凑畔的孤岛。这一年的上海和去年大不相同了。欧洲的局势急转直下,日本人因此在两大租界里一天天地放肆。后来跟中国"并肩作战"的英美两国,那时候只想保守中立;中既然不中,立也根本立不住,结果这"中立"变成只求在中国有个立足之地,此外全让给日本人。"约翰牛"(John Bull)一味吹牛;"山姆大叔"(Uncle Sam)原来只是冰山(Uncle Sham),不是泰山;至于"法兰西雄鸡"(Gallic cock)呢,它确有雄鸡的本能——迎着东方引吭长啼,只可惜把太阳旗误认为真的太阳。美国一船船的废铁运到日本,英国在考虑封锁滇缅公路,法国虽然还没切断滇越边境,已扣留了一批中国的军火。物价像吹断了线的风筝,又像得道成仙,平地飞升。公用事业的工人一再罢工,电车和汽车只恨不能像戏院子和旅馆挂牌客满。铜元镍币全搜刮完了,邮票有了新用处,暂作辅币,可惜人不能当信寄,否则挤车的困难可以避免。生存竞争渐渐脱去文饰和面具,露出原始的狠毒。廉耻并不廉,许多人维持它不起。发国难财和破国难产的人同时增加,各不相犯:因为穷人只在大街闹市行乞,不会到财主的幽静住宅区去;只会跟着步行的人要钱,财主坐的流线型汽车是跟不上的。贫民区逐渐蔓延,像市容上生的一块癣,政治性的恐怖事件,几乎天天发生,有志之士被压迫得慢慢像西洋大都市的交通路线,向地下发展,地底下原有的那些阴毒暧昧的人形爬虫,攀附了他们自增声价。鼓吹"中日和平"的报纸每天发表新参加的同志名单,而这些"和奸"往往同时在另外的报纸上声明"不问政治"。

鸿渐回家第五天,就上华美新闻社拜见总编辑,辛楣在香港早通信替他约定了。他不愿找丈人做引导,一个人到报馆所在的大楼。报馆在三层,电梯外面挂的牌子写明到四楼才停。他虽然知道唐人"欲穷千里目,更上一层楼"的好诗,并没有乘电梯,走完两层楼早已气馁心怯,希望楼梯多添几级,可以拖延些时间。推进弹簧门,一排长柜台把馆内人跟馆外人隔开;假使这柜台上装置铜栏,光景就跟银行、当铺、邮局无别。报馆分里外两大间,外间对门的写字桌畔,坐个年轻女人,翘起戴钻戒的无名指,在修染红指甲。有人推门进来,她头也不抬。在平时,鸿渐也许会诧异何以办公室里的人,指头上不染墨水而指甲上染红油,可是匆遽中无心及此,隔了柜脱帽问讯。她抬起头来,满脸庄严不可侵犯之色,仿佛前生吃了男人的亏,今生还蓄着戒心似的。她打量他一下,尖了红嘴唇向左一歪,又低头修指甲。鸿渐依照她嘴的指示,瞧见一个像火车站买票的小方洞,上写"传达",忙去一看,里面一个十六七岁的男孩子在理信。他唤起他注意道:"对不住,我要找总编辑王先生。"那孩子只管理他的信,随口答道:"他没有来。"他用最经济的口部肌肉运动说这四个字,恰够鸿渐听见而止,没多动一条神经,多用一丝声气。鸿渐发慌得腿都软了,说:"咦,他怎么没有来!不会罢?请你进去瞧一瞧。"那孩子做了两年的传达,老于世故,明白来客分两类:低声下气请求"对不住,请你如何如何"的小客人,粗声大气命令"小孩儿,这是我的片子,找某某"的大客人。今天这一位是属于前类的,自己这时候正忙,没工夫理他。鸿渐暗想,假使这事谋成了,准想方法开除这小鬼,再鼓勇说:"王先生约我这时候来的。"那孩子听了这句话,才开口问那个女人道:"蒋小姐,王先生来了没有?"她不耐烦摇头道:"谁知道他!"那孩子叹口气,懒洋洋站起来,问鸿渐要片子。鸿渐没有片子,只报了姓方。那孩子正要尽传达的责任,一个人走来,孩子顺便问道:"王先生来了没有?"那人道:"好像没有来,今天没看见他,恐怕要到下午来了。"孩子摊着两手,表示自己变不出王先生。鸿渐忽然望见丈人在远远靠窗的桌子上办公,像异乡落难遇见故知。立刻由丈人陪了进去,见到王先生,谈得很投机。王先生因为他第一次来,坚持要送他出柜台。那女人不修指甲了,忙着运用中文打字机呢,依然翘着戴钻戒的无名指。王先生教鸿渐上四层楼乘电梯下去,明天来办公也乘电梯到四层楼再下来,这样省走一层楼梯。鸿渐学了乖,甚为高兴,觉得已经是报馆老内行了。当夜写信给辛楣,感谢他介绍之恩,附笔开玩笑说,据自己今天在传达处的经验,恐怕本报其他报道和消息都不会准确。

　　房子比职业更难找。满街是屋,可是轮不到他们住。上海仿佛希望每个新来的人都像只戴壳的蜗牛,随身带着宿舍。他们俩为找房子,心灰力竭,还赔上无谓的口舌。最后,靠遯翁的面子,在亲戚家里租到两间小房,没出小费。这亲戚一部分眷属要回乡去,因为方家的大宅子空着没被占领,愿意借住,遯翁提议,把这两间房作为交换条件。这事一说就成,遯翁有理由向儿子媳妇表功。儿子当然服帖,媳妇回娘家一说,孙太太道:"笑话!他早该给你房子住了。为什么鸿渐的弟妇好好的有房子住?你嫁到方家去,方家就应该给你房子。方家没有房子,害你们新婚夫妇拆散,他们对你不住,现在算找到两间房,有什么大了不得!我常说,结婚不能太冒昧的,譬如这个人家里有没有住宅,就应该打听打听。"幸而柔嘉不把这些话跟丈夫说,否则准有一场吵。她发现鸿渐虽然很不喜欢他的家,决不让旁人对它有何批评。为了买家具,两人也争执过。鸿渐认为只要向老家里借些来用用,将就得过就算了。柔嘉道地是个女人,对于自己管辖的领土比他看得重,要挣点家私。鸿渐陪她上木器店,看见一张桌子就想买,柔嘉只问了价钱,把桌子周身内外看个仔细,记在心里。要另外走好几家木器店,比较货色和价钱。鸿渐不耐烦,一次以后,不再肯陪她,她也不要他陪,自去请教她的姑母。

家具粗备,陆先生夫妇来看侄女婿的新居。陆先生说楼梯太黑,该教房东装盏电灯。陆太太嫌两间房都太小,说鸿渐父亲当初该要求至少两间里有一间大房。陆先生听太太的话,耳朵不聋,也说:"这话很对。鸿渐,我想你府上那所房子不会很大。否则,他们租你的大房子,你租他们的小房间,这太吃亏了,呵呵。"他一笑,Bobby也跟着叫。他又问鸿渐这两天报馆里有什么新闻。鸿渐道:"没有什么消息。"他没有听清,问:"什么?"鸿渐凑近他耳朵高声说:"没有什么——"他跳起来皱眉搓耳道:

"吓,你嘴里的气直钻进我的耳朵,痒得我要死!"陆太太送了侄女一房家具,而瞧侄女婿对自己丈夫的态度并不逊顺,便说:"他们的《华美新闻》,我从来不看,销路好不好?我中文报不看的,只看英文报。"鸿渐道:"这两天,波兰完了,德国和俄国声势利害得很,英国压下去了,将来也许大家没有英文报看,姑母还是学学俄文和德文罢。"陆太太动了气,说她不要学什么德文,杂货铺子里的伙计都懂俄文的。陆先生明白了争点,也大发议论,说有美国,怕些什么,英国本来不算数。他们去了,柔嘉埋怨鸿渐。鸿渐道:"这是我的房子,我不欢迎他们来。"柔嘉道:"你这时候坐的椅子,就是他们送的礼。"鸿渐忙站起来,四望椅子沙发全是陆太太送的,就坐在床上,说:"谁教他们送的?退还他们得了。我宁可坐在地板上的。"柔嘉又气又笑道:"这种蛮不讲礼的话,只可以小孩子说,你讲了并不有趣。"男人或女人听异性以"小孩子"相称,无不驯服;柔嘉并非这样称呼鸿渐,可是这三个字的效力已经够了。

　　遯翁夫妇一天上午也来看布置好的房间。柔嘉到办公室去了,鸿渐常常饭后才上报馆。他母亲先上楼,说:"爸爸在门口,他带给你一件东西,你快下去搬上来——别差女用人,粗手大脚,也许要碰碎玻璃的。"鸿渐忙下去迎接父亲,捧了一只挂在壁上的老式自鸣钟到房里。遯翁问他记得这个钟么,鸿渐摇头。遯翁慨然道:"要你们这一代保护祖物,世传下去,真是梦想了!这只钟不是爷爷买的、挂在老家后厅里的么?"鸿渐记起来了。这是去年春天老二老三回家乡收拾劫余,雇夜航船搬出来的东西之一。遯翁道:"你小的时候,喜欢听这只钟打的声音,爷爷说,等你大了给你——唉,你全不记得了!我上礼拜花钱叫钟表店修理一下,机器全没有坏;东西是从前的结实,现在的钟表哪里有这样经用!"方老太太也说:"我看柔嘉戴的表,那样小,里面的机器都不会全的。"鸿渐笑道:"娘又说外行话了。'麻雀虽小,五脏俱全';机器当然应有尽有,就是不大牢。"他母亲道:"我是说它不牢。"遯翁挑好挂钟的地点,分付女用人向房东家借梯,看鸿渐上去挂,替钟捏一把汗。梯子搬掉,他端详着壁上的钟,踌躇满志,对儿子说:"其实还可以高一点——让它去罢,别再动它了。这只钟走得非常准,我昨天试过的,每点钟只走慢七分,记好,要走慢七分。"方老太太看了家具说:"这种木器都不牢,家具是要红木的好。多少钱买的?"她听说是柔嘉姑丈送的,便问:"柔嘉家里给她东西没有?"鸿渐撒谎道:"那一间客室兼饭室的器具是她父母买的——"看母亲脸上并不表示满足——"还有灶下的一切用品也是丈人家办的。"方老太太的表情依然不满足,可是鸿渐一时想不起贵重的东西来替丈人家挣面子。方老太太指铁床道:"这明明是你们自己买的,不是她姑母送的。"鸿渐不耐烦道:"床总不能教人家送。"方老太太忽然想起布置新房一半也是婆家的责任,便不说了。遯翁夫妇又问柔嘉每天什么时候回来,平常吃些什么菜,女用人做菜好不好,要多少开销一天,一月要用几担煤球等等。鸿渐大半不能回答,遯翁摇头,老太太说:"全家托一个用人,太粗心大意了。这个李妈靠得住靠不住?"鸿渐道:"她是柔嘉的奶妈,很忠实,不会揩油。"遯翁"哼"一声道："你这糊涂人，知道什么？"老太太道："家里没有个女主人总不行的。我要劝柔嘉别去做事了。她一个月会赚多少钱！管管家事，这几个钱从柴米油盐上全省下来了。"鸿渐忍不住说老实话："她厂里酬报好，赚的钱比我多一倍呢！"二老敌意地静默，老太太觉得儿子偏袒媳妇，老先生觉得儿子坍尽了天下丈夫的台。回家之后，遯翁道："老大准怕老婆，怎么可以让女人赚的钱比他多！这种丈夫还能振作乾纲么？"方老太太道："我就不信柔嘉有什么本领，咱们老大留了洋倒不如她！她应当把厂里的事让给老大去做。"遯翁长叹道："儿子没出息，让他去罢！"

柔嘉回家，刚进房，那只钟表示欢迎，发条唏哩呼噜转了一会，当当打五下。她诧异道："这是什么地方来的？呀，不对！我表上快六点钟了。"李妈一一报告。柔嘉问："老太太到灶下去看看没有？"李妈说没有。柔嘉又问她今天买的什么菜，释然道："这些菜很好，倒没请老太太看看，别以为咱们饿瘦了她的儿子。"李妈道："我只煎了一块排骨给姑爷吃，留下好几块生的浸在酱油酒里，等一会煎了给你吃晚饭。"柔嘉笑道："我屡次教你别这样，你改不好的。我怎吃得下那么许多！你应当尽量给姑爷吃，他们男人吃量大，嘴又馋，吃不饱要发脾气的。"李妈道："可不是么？我的男人老李也——"柔嘉没想到她会把鸿渐跟老李相比，忙截住道："我知道，从小就听见你讲，端午吃粽子，他把有赤豆的粽子尖儿全吃了，给你吃粽子跟儿，对不对？"李妈补充道："粽子跟儿大，没煎熟，我吃了生米，肚子胀了好几天呢!"晚上鸿渐回来,说明钟的历史,柔嘉说:"真是方府三代传家之宝——咦,怎么还是七点钟?"鸿渐告诉她每点钟走慢七分钟的事实。柔嘉笑道:"照这样说,恐怕它短针指的七点钟,还是昨天甚至前天的七点钟,要它有什么用?"她又说鸿渐生气的时候,拉长了脸,跟这只钟的轮廓很相像。鸿渐这两天伤风,嗓子给痰塞了,柔嘉拍手道:"我发现你说话以前嗓子里唏哩呼噜,跟它打的时候发条转动的声音非常之像。你是这只钟变出来的妖精。"两人有说有笑,仿佛世界上没有夫妇反目这一回事。

一个星期六下午,二奶奶三奶奶同来作首次拜访。鸿渐在报馆里没回来,柔嘉忙做茶买点心款待,还说:"为什么两个孩子不带来?回头带点糖果回去给他们吃。"三奶奶道:"阿凶吵着要跟我来,我怕他来闯祸,没带他。"二奶奶道:"我对阿凶说,大娘的房子干净,不比在家里可以随地撒尿,大伯伯要打的。"柔嘉不诚实道:"哪里的话!很好带他来。"三奶奶觉得儿子失了面子,报复说:"我们的阿凶是没有灵性的,阿丑比他大不了几岁,就很有心思,别以为他是个孩子!譬如他那一次弄脏了你的衣服,吃了一顿打,从此他记在心里,不敢跟你胡闹。"两人为了儿子暂时分裂,顷刻又合起来,同声羡慕柔嘉小家庭的舒服,说她好福气。三奶奶怨慕地说:"不知道何年何月我们也能够分出来独立门户呢!当然现在住在一起,我也沾了二姐姐不少光。"二奶奶道:"他们方家只有一所房子跟人家交换,我们是轮不到的。"柔嘉忙说:"我也很愿意住在大家庭里,事省,开销省。自开门户有自开门户的麻烦,柴米油盐啦,水电啦,全要自己管。

鸿渐又没有二弟三弟能干。"二奶奶道："对了！我不像三妹，我知道自己是个饭桶，要自开门户开不起来，还是混在大家庭里过糊涂日子罢。像你这样粗粗细细、内内外外全行，又有靠得住的用人，大哥又会赚钱，我们要跟你比，差得太远了。"柔嘉怕她们回去搬嘴，不敢太针锋相对。她们把两间房里的器具细看，问了价钱，同声推尊柔嘉能干精明，会买东西，不过时时穿插说："我在什么地方也看见这样一张桌子（或椅子），价钱好像便宜些，可惜我没有买。"三奶奶问柔嘉道："你有没有搁箱子的房间？"柔嘉道："没有。我的箱子不多，全搁在卧室里。"二奶奶道："上海的弄堂房子太小，就有搁箱子的房间，也搁不下多少箱子。我嫁到方家的时候新房背后算有个后房，我陪嫁的箱子啦、盆啦、桶啦、桌面啦，怎么也放不下，弄得新房里都搁满了，看了真不痛快。"三奶奶道："我还不是跟你一样？死日本人把我们这些东西全抢光，想起来真伤心！现在要一件没一件，都要重新买。我的皮衣服就七八套呢，从珍珠皮旗袍到灰背外套都全的，现在自己倒没得穿！"二奶奶也开了自己嫁妆的虚账，还说："倒是大姐姐这样好。外国在打仗啦，上海还不知道怎样呢！说不定咱们再逃一次难。东西多了，到时候带又带不走，丢了又舍不得。三妹，你还有点东西，我是什么都没有，走个光身，倒也干脆，哈哈！咱们该回去了。"柔嘉才明白她们俩来调查自己陪嫁的，气愤得晚饭都没胃口吃。

鸿渐回家，瞧她爱理不理，打趣她道："今天在办公室碰了姑母的钉子，是不是？"她翻脸道："我正发火呢，开什么玩笑！

我家里一切人对我好好的,只有你们家里的人上门来给我气受。"鸿渐发慌,想莫非母亲来教训她一顿,上次母亲讲的话,自己都瞒她的,忙说:"谁呢?"柔嘉道:"还有谁!你那两位宝贝弟媳妇。"鸿渐连说"讨厌!"放了心。柔嘉道:"这是你的房子,你家的人当然可以直出直进,我一点主权没有的。我又不是你家里的人,没撵走就算运气了。"鸿渐拍她头道:"旧话别再提了。那句话算我说错。你告诉我,她们怎样欺负你。我看你也利害得很,是不是一个人打不过她们两个人?"柔嘉道:"我利害?没有你方家的人利害!全是三头六臂,比人家多个心,心里多几个窍,肠子都打结的。我睡着做梦给她们杀了,煮了,吃了,我梦还不醒呢。"鸿渐笑道:"何至于此!不过你睡得是死,我报馆回来迟一点,叫你都叫不醒的。"柔嘉板脸道:"你扯淡,我就不理你。"鸿渐道歉,问清楚了缘故,发狠道:"假如我那时候在家,我真要不客气揭破她们。她们有什么东西陪过来,对你吹牛!"柔嘉道:"这倒不能冤枉她们,她们嫁过来,你已经出洋了,你又没瞧见她们的排场。"鸿渐道:"我虽然当时不在场,她们的家境我很熟悉。老二的丈人家尤其穷,我在大学的时候,就想送女儿过门,倒是父亲反对早婚,这事谈了一阵,又一搁好几年。"柔嘉叹气道:"也算我倒霉!现在逼得和她们这种人姐妹相称,还要受她们的作践。她们看了家具,话里隐隐然咱们买贵了;她们一对能干奶奶,又对我关切,为什么不早来帮我买呀!"鸿渐急问:"那一间的器具你也说是买的没有?"柔嘉道:"我说了,为什么?"鸿渐拍自己的后脑道:"糟糕!糟透了!我懊悔那天没告诉你。"就把方老太太问丈人家送些什么的事说出来。柔嘉也跳脚道:"你为什么不早说?我还有脸到你家去做人么!她们回去准一五一十搬嘴对是非,连姑母送的家具都以为是咱们自己买的。你这人太糊涂,撒了谎当然也应该跟我打个招呼。从结婚那一回事起,你总喜欢自作聪明,结果无不弄巧成拙。"鸿渐自知理屈,又不服骂,申辩说:"我撒这个谎也出于好意。我后来没告诉你,是怕你知道了生气。"柔嘉道:"不错,我知道了很生气。谢谢你一片好意,撒谎替我娘家挣面子。你应当老实对你妈说,这是我预支了厂里的薪水买的。我们孙家穷,嫁女儿没有什么东西给她;你们方家为儿子娶媳妇花了聘金没有?给了儿子媳妇东西没有?吓,这两间房子,还是咱们出租金的——哦,我忘了,还有这只钟——"她瞧鸿渐的脸拉长,给他一面镜子——"你自己瞧瞧,不像钟么?我一点没有说错。"鸿渐忍不住笑了。

这许多不如意的小事使柔嘉怕到婆家去。她常慨叹说:"咱们还没跟他们住在一起,已经惹了多少口舌。要过大家庭生活,需要训练的。只要看你两位弟妇训练得多少头尖、眼快——嘴利,我真斗不过她们,也没心思跟她们斗,让她们去做孝顺媳妇罢。我只奇怪,你是在大家庭里长大的,怎么家里这种诡计暗算,全不知道?"鸿渐道:"这些事没结婚的男人不会知道,要结了婚,眼睛才张开。我有时想,家里真跟三闾大学一样是个是非窝,假使我结了婚几年然后到三闾大学去,也许训练有素,感觉灵敏些,不至于给人家暗算了。"柔嘉忙说:"这些话说它干吗？假如你早结了婚,我也不会嫁给你了——除非你娶了我懊悔。"鸿渐心境不好,没情绪来迎合柔嘉,只自言自语道:"School for scandal①,全是 School for scandal,家庭罢,学校罢,彼此彼此。"

他们俩虽然把家里当作"造谣学校",逃学可不容易。遯翁那天带钟来,交给儿子一张祖先忌辰单,表示这几天家祭,儿子媳妇都该回去参加行礼。柔嘉看见了就撇嘴。亏得她有办公做借口,中饭时不能赶回来。可是有几天忌辰刚是星期日,她要想故意忘掉,遯翁会分付二奶奶或三奶奶打电话到房东家里来请。尤其可厌的是,方家每来个亲戚,偶尔说起没看见过大奶奶,遯翁夫妇就立刻打电话招柔嘉去,不论是下午六点钟她刚从办公室回家,或者星期六她要出去玩儿,或者星期天她要到姑母家或娘家去。死祖宗加上活亲戚,弄得柔嘉疲于奔命,常怨鸿渐说:"你们方家真是世家,有那许多祖宗！为什么不连皇帝的生日死日都算在里面？""你们方家真是大家！有了这许多亲戚有什么用？"她敷衍过几次以后,顾不得了,叫李妈去接电话,说她不在家。不肯去了四五回,渐渐内怯不敢去,怕看他们的嘴脸。鸿渐同情太太,而又不敢得罪父母,只好一个人回家。不过家里人的神情,仿佛怪他不"女起解"似的押了柔嘉来。他交不出人,也推三托四,不肯常回家。

假使"中心为忠"那句唐宋相传的定义没有错,李妈忠得不

---

① 造谣学校。

忠,因为她偏心。鸿渐叫她做的事,她常要先请柔嘉核准。譬如鸿渐叫她买青菜,她就说:"小姐爱吃菠菜的,我要先问问她。"柔嘉当然分付她照鸿渐的意思去办。鸿渐对她说:"天气冷了,我的夹衣服不会再穿了。今天太阳好,你替我拿出去晒一晒,回头给小姐收起来。"她坚持说,柔嘉的夹衣服还没有收起来,他不必急,天气会回暖的,等柔嘉晒衣服时一起晒。柔嘉已经出门,他没法使李妈了解年轻女人穿衣服跟男人不同,只要外套换厚的,夹衣服可以穿入冬季。李妈反说:"姑爷,晒衣服是娘儿们的事,您不用管。小姐大清早就出去办事了,您为什么不出去?这时候出去,晚上早点回来,不好么?"诸如此类,使他又好气又好笑。笑时称她为"李老太太"或者"Her Majesty"①,气时恨不能请她走。夫妇俩吵架,给她听见了,脸便绷得跟两位主人一样紧,正眼不瞧鸿渐,给他东西也只是一搡。他事后对柔嘉叽咕道:"这不像话!你们一主一仆连结起来,会把我虐待死的。"柔嘉笑道:"我劝过她好几次了,她要帮我,我有什么办法?她说女人全吃丈夫的亏,她自己吃老李的亏——吃生米粽子。不过,我在你家里孤掌难鸣,现在也教你尝尝味道。"

柔嘉的父亲跟女婿客气得疏远,她兄弟发现姐夫武不能踢足球、打网球,文不能修无线电、开汽车,也觉得姐姐嫁错了人。鸿渐勉尽半子之职,偶到孙家一去。幸而柔嘉不常回娘家,只三天两天到姑母家去玩。搬进新居一个多月以后,鸿渐夫妇上陆

---

① 皇后陛下。

家吃饭。两人吃完临走,陆太太生硬地笑道:"鸿渐,我要讨你厌,劝你一句话,你以后不许欺负柔嘉——"仿佛本国话力量不够,她订外交条约似的,来个华洋两份——"你再 bully 她,我不答应的。"鸿渐先听她有"讨厌话"相劝,早像箭猪碰见仇敌,毛根根竖直,到她说完,倒不明白她的意思,正想发问,柔嘉忙说:"Auntie,他对我很好,谁说他欺负我,我也不是好欺的。"陆太太道:"鸿渐,你听听柔嘉多好,她还回护你呢!"鸿渐气冲冲道:"你怎么知道我欺负她?我——"柔嘉拉他道:"快走!快走!时间不早,电影要开场了。Auntie 跟你说着玩儿的。"鸿渐出了门,说:"我没有心思看电影,你一个人去罢。"柔嘉道:"咦!我又没有得罪你。你总相信我不会告诉她什么话。"鸿渐炸了:"我所以不愿意跟你到陆家去。在自己家里吃了亏不够,还要挨上门去受人家教训!我欺负你!哼,我不给你什么姑母奶妈欺负死,就算长寿了!倒说我方家的人难说话呢!你们孙家的人从上到下全像那只混帐王八蛋的哈巴狗。我名气反正坏透了,今天索性欺负你一下,我走我的路,你去你的,看电影也好,回娘家也好!"把柔嘉勾住的手都推脱了。柔嘉本来不看电影无所谓,但丈夫言动粗鲁,甚至不顾生物学上的可能性,把狗作为甲壳类来比自己家里的人,她也生气了;在街上不好吵,便说:"我一个人去看电影,有什么不好?不希罕你陪。"头一扭,撇下丈夫,独自过街到电车站去了。鸿渐一人站着,怅然若失,望柔嘉的背影在隔街人丛里出没,异常纤弱,不知哪儿来的怜惜和保护之心,也就赶过去。柔嘉正走,肩上有人一拍,吓得直跳,回头瞧是鸿渐,惊喜交集,说:"你怎么也来了?"鸿渐道:"我怕你跟人跑了,所以来监视你。"柔嘉笑道:"照你这样会吵,总有一天吵得我跑了,可是我决不跟人跑,受了你的气不够么?还要找男人,我真傻死了。"鸿渐道:"今天我不认错的,是你姑母冤枉我。"柔嘉道:"好,算我家里的人冤屈了你,我向你赔罪。今天电影我请客。"鸿渐两手到外套背心和裤子的大小口袋里去掏钱,柔嘉笑他道:"电车快来了,你别在街上捉虱。有了皮夹为什么不把钱放在一起?钱又不多,替你理衣服的时候,东口袋一张钞票,西口袋一张邮票。"鸿渐道:"结婚以前,请朋友吃饭,我把钱搁在皮夹里,付账的时候掏出来装门面。现在皮夹子旧了,给我扔在不知什么地方了。"柔嘉道:"讲起来可气。结婚以前,我就没吃过你好好的一顿饭;现在做了你老婆,别想你再请我一个人像模像样地吃了。"鸿渐道:"今天饭请不起,我前天把这个月的钱送给父亲了。零用还够请你吃顿点心,回头看完电影,咱们找个地方喝茶。"柔嘉道:"今天中饭不在家里吃,李妈等咱们回去吃晚饭的。吃了点心,就吃不下晚饭,东西剩下来全糟蹋了。不要吃点心罢——哈哈,你瞧我多贤惠,会作家;只有你老太太还说我不管家务呢。"电影看到一半,鸿渐忽然打搅她的注意,低声道:"我明白了,准是李妈那老家伙搬的嘴,你大前天不是差她送东西到陆家去的么?"她早料到是这么一回事,藏在心里没说,只说:"我回去问她。你千万别跟她吵,我会教训她。撵走了她,找不到替工的:像我们这种人家,单位小,不打牌,不请客,又出不起大工钱,用人用不牢的。姑妈方面,我自然会解释。你这时候看电影,别去想那些事,我也不说话了,已经漏看了一段了。"

等丈夫转了背,柔嘉盘问李妈。李妈一口否认道:"我什么都没有说,只说姑爷脾气躁得很。"柔嘉道:"这就够了。"警告她以后不许。那两天里,李妈对鸿渐言出令从。柔嘉想自己把方家种种全跟姑母谈过,幸亏她没漏出来,否则鸿渐更要吵得天翻地覆,他最要面子。至于自己家里的琐屑,她知道鸿渐决不会向方家去讲,这一点她相信得过。自己嫁了鸿渐,心理上还是孙家的人;鸿渐娶了自己,跟方家渐渐隔离了。可见还是女孩子好,只有自己的父亲糊涂,袒护着兄弟。

鸿渐从此不肯陪她到陆家去,柔嘉也不敢勉强。她每去了回来,说起这次碰到什么人,听到什么新闻,鸿渐总心里作酸,觉得自己冷落在一边,就说几句话含讽带刺。一个星期日早晨,吃完早点,柔嘉道:"我要出去了,鸿渐,你许不许?"鸿渐道:"是不是到你姑母家去?哼,我不许你,你还不是一样去!问我干吗?下半天去不好么?"柔嘉道:"来去我有自由,给你面子问你一声,倒惹你拿糖作醋。冬天日子短了,下午去没有意思。这时候太阳好,我还要带了绒线去替你结羊毛坎肩,跟她商量什么样子呢。"鸿渐冷笑道:"当然不回来吃饭了。好容易星期日两个人中午都在家,你还要撇下我一个人到外面去吃饭。"柔嘉道:"唷!说得多可怜!倒像一刻离不开我似的!我在家里,你跟我有话说么?一个人踱来踱去,唉声叹气,问你有什么心事,理也不理——今天星期天,大家别吵,好不好?我去了就回来,"

不等他回答,回卧房换衣服去了。她换好衣服出来,鸿渐坐在椅子里,报纸遮着脸,动也不动。她摸他头发说:"为什么懒得这个样子,早晨起来,头也不梳?今天可以去理发了。我走了。"鸿渐不理,柔嘉看他一眼,没透过报纸,转身走了。

她下午一进门就问李妈:"姑爷出去没有?"李妈道:"姑爷刚理了发回来,还没有到报馆去。"她上楼,道:"鸿渐,我回来了。今天爸爸、兄弟,还有姑夫两个侄女儿都在。他们要拉我去买东西,我怕你等急了,所以赶早回来。"

鸿渐意义深长地看壁上的钟,又忙伸出手来看表道:"也不早了,快四点钟了。让我想一想,早晨九点钟出去的,是不是?我等你吃饭等到——"

柔嘉笑道:"你这人不要脸,无赖!你明明知道我不会回来吃饭的,并且我出门的时候,分付李妈十二点钟开饭给你吃——不是你这只传家宝钟上十二点,是闹钟上十二点。"

鸿渐无词以对,输了第一个回合,便改换目标道:"羊毛坎肩结好没有?我这时候要穿了出去。"

柔嘉不耐烦道:"没有结!要穿,你自己去买。我没见过像你这样 nasty 的人①!我忙了六天,就不许我半天快乐,回来准看你的脸。"

鸿渐道:"只有你六天忙,我不忙的!当然你忙了有代价,你本领大,有靠山,赚的钱比我多——"

---

① 恶意找岔子的人。

"亏得我会赚几个钱,否则我真给你欺负死了。姑妈说你欺负我,一点儿没有冤枉你。"

鸿渐发狠拍桌道:"那么你快去请你家庭驻外代表李老太太上来,叫她快去报告你的 Auntie。"

"总有那一天,我自己会报告。像你这种不近人情的男人,世界上我想没有第二个。他们讨你厌,不上你的门,那也够了。你还不许我去看他们。你真要我断绝六亲?你那种孤独脾气不应当娶我的,只可惜泥里不会迸出女人来,天上不会掉下个女人来,否则倒无爷无娘,最配你的脾胃。吓,老实说,我看破了你。我孙家的人无权无势,所以讨你的厌;你碰见了什么苏文纨、唐晓芙的父亲,你不四脚爬地去请安,我就不信。"

鸿渐气得发颤道:"你再胡说,我就打上来。"柔嘉瞧他脸青耳红,自知说话过火,闭口不响。停一会,鸿渐道:"我倒给你害得自己家里都不敢去!你办公室里天天碰见你的姑妈,还不够么?姑妈既然这样好,你干脆去了别回来。"

柔嘉自言自语道:"她是比你对我好,我家里的人也比你家里的人好。"

鸿渐的回答是:"Sh——sh——sh——shaw!"

柔嘉道:"随你去嘘。我家里的人比你家里的人好。我偏要常常回去,你管不住我。"

鸿渐对太太的执拗毫无办法,怒目注视她半天,奋然开门出去,直撞在李妈身上。他推得她险的摔下楼梯,一壁说:"你偷听够了没有?快去搬嘴,我不怕你。"他报馆回来,柔嘉已经睡了,两人不讲话。明天也复如是。第三天鸿渐忍不住了,吃早饭时把碗筷桌子打得一片响,柔嘉依然不睬。鸿渐自认失败,先开口道:"你死了没有?"柔嘉道:"你跟我讲话,是不是? 我还不死呢,偏不让你清静! 我在看你拍筷子,顿碗,有多少本领施展出来。"鸿渐叹气道:"有时候,我真恨不能打你一顿。"柔嘉瞥他一眼道:"我看动手打我的时候不远了。"这样,两人算讲了和。不过大吵架后讲了和,往往还要追算,把吵架时的话重温一遍:男人说:"我否则不会生气的,因为你说了某句话";女人说:"那么你为什么先说那句话呢?"追算不清,可能陪上小吵一次。

　　鸿渐到报馆后,发现一个熟人,同在苏文纨家喝过茶的沈太太。她还是那时候赵辛楣介绍进馆编《家庭与妇女》副刊的,现在兼编《文化与艺术》副刊。她丰采依然,气味如旧,只是装束不像初回国时那样的法国化,谈话里的法文也减少了。她一年来见过的人太多,早忘记鸿渐,到鸿渐自我介绍过了,她娇声感慨道:"记得! 记起来了! 时间真快呀! 你还是那时候的样子,所以我觉得面熟。我呢,我这一年来老得多了! 方先生,你不知道我为了一切的一切心里多少烦闷!"鸿渐照例说她没有老。她问他最近碰见曹太太没有,鸿渐说在香港见到的。她自打着脖子道:"啊呀! 你瞧我多糊涂! 我上礼拜收到文纨的信,信上说碰见你,跟你谈得很痛快。她还托我替她办件事,我忙得没工夫替她办,我一天杂七杂八的事真多!"鸿渐心中暗笑她撒谎,问她沈先生何在。她高抬眉毛,圆睁眼睛,一指按嘴,法国表情十足,四顾无人注意,然后凑近低声道:"他躲起来了。他名气太大,日本人跟南京伪政府全要找他出来做事。你别讲出去!"鸿渐闭住呼吸,险的窒息,忙退后几步,连声说"是"。他回去和柔嘉谈起,因说天下真小,碰见了苏文纨以后,不料又会碰见她。柔嘉冷冷道:"是,世界是小。你等着罢还会碰见个人呢。"鸿渐不懂,问碰见谁。柔嘉笑道:"还用我说么?你心里明白,唅,别烧盘。"他才会意是唐晓芙,笑骂道:"真胡闹!我做梦都没有想到。就算碰见她又怎么样?"柔嘉道:"问你自己。"他叹口气道:"只有你这傻瓜念念不忘地把她记在心里!我早忘了,她也许嫁了人,做了母亲,也不会记得我了。现在想想结婚以前把恋爱看得那样郑重,真是幼稚。老实说,不管你跟谁结婚,结婚以后,你总发现你娶的不是原来的人,换了另外一个。早知道这样,结婚以前那种追求、恋爱等等,全可以省掉。谈恋爱的时候,双方本相全收敛起来,到结婚还没有彼此认清,倒是老式婚姻干脆,索性结婚以前,谁也不认得谁。"柔嘉道:"你议论发完没有?我只有两句话:第一,你这人全无心肝,我到现在还把恋爱看得很郑重;第二,你真是你父亲的儿子,愈来愈顽固。"鸿渐道:"怎么'全无心肝',我对你不是很好么?并且,我这几句话不过是泛论,你总是死心眼儿,喜欢扯到自己身上。你也可以说,你结婚以前没发现我的本来面目,现在才知道我的真相。"柔嘉道:"说了半天废话,就是这一句中听。"鸿渐道:"你年轻得很呢,到我的年龄,也会明白这道理了。"柔嘉道:"别卖老,还是刚过三十岁的人呢!卖老就会活不长的。我只怕不到三十岁,早给你气死了。"鸿渐笑道:"柔嘉,你这人什么都很文明,这句话可落伍。

还像旧式女人把死来要挟丈夫的作风,不过不用刀子、绳子、砒霜,而用抽象的'气',这是不是精神文明?"柔嘉道:"呸!要死就死,要挟谁?吓谁?不过你别乐,我不饶你的。"鸿渐道:"你又当真了!再讲下去,要吵嘴了。你快睡罢,明天一早你要上办公室的,快闭眼睛。很好的眼睛,睡眠不够,明天肿了,你姑母要来质问的。"说时,拍小孩子睡觉似的拍她几下。等柔嘉睡熟了,他想现在想到重逢唐晓芙的可能性,木然无动于中,真见了面,准也如此。缘故是一年前爱她的自己早死了,爱她、怕苏文纨、给鲍小姐诱惑这许多自己,一个个全死了。有几个死掉的自己埋葬在记忆里,立碑志墓,偶一凭吊,像对唐晓芙的一番情感。有几个自己,仿佛是路毙的,不去收拾,让它们烂掉化掉,给鸟兽吃掉——不过始终消灭不了,譬如向爱尔兰人买文凭的自己。

鸿渐进了报馆两个多月,一天早晨在报纸上看到沈太太把她常用的笔名登的一条启事,大概说她一向致力新闻事业,不问政治,外界关于她的传说,全是捕风捉影云云。他惊疑不已,到报馆一打听,才知道她丈夫已受伪职,她也到南京去了。他想起辛楣在香港警告自己的话,便写信把这事报告,问他结婚没有,何以好久无信。他回家跟太太讨论这件事,她也很惋惜。不过,她说:"她走了也好,我看她编的副刊并不精彩。她自己写的东西,今天明天,搬来搬去,老是那几句话,倒也省事。看报的人看完就把报纸扔了,不会找出旧报纸来对的。想来她不要出集子,否则几十篇文章其实只有一篇,那真是大笑话了。像她那样,《家庭与妇女》,我也会编;你可以替她的缺,编《文化与艺术》。"

鸿渐道:"我没有你这样自信。好太太,你不知道拉稿子的苦。我老实招供给你听罢:《家庭与妇女》里'主妇须知'那一栏,什么'酱油上浇了麻油就不会发霉'等等,就是我写的。"柔嘉笑得肚子都痛了,说:"笑死我了!你懂得什么酱油上浇麻油!是不是向李妈学的?我倒一向没留心。"鸿渐道:"所以你这个家管不好呀。李妈好好的该拜我做先生呢!沈太太没有稿子,跟我来诉苦,说我资料室应该供给资料。我怕闻她的味道,答应了她,可以让她快点走。所以我找到一本旧的《主妇手册》,每期抄七八条,不等她来就送给她。你没有那种气味,要拉稿子,我第一个就不理你。"柔嘉皱眉道:"你不说好话,听得我恶心。你这话给她知道了,她准捉你到沪西七十六号去受拷打。"①他夫人开的玩笑使他顿时严肃,说:

"我想这儿不能再住下去。你现在明白为什么我当初不愿意来了。"

三星期后一个星期六,鸿渐回家很早。柔嘉道:"赵辛楣有封航空快信,我以为有什么要紧事,拆开看了。对不住。"

鸿渐一壁换拖鞋道:"他有信来了!快给我看,讲些什么话?"

"忙什么?并没有要紧的事。他写了快信,要打回单,倒害我找你的图章找了半天,信差在楼下催,急得死人!你以后图章别东搁西搁,放在一定的地方,找起来容易。这是咱们回上海以后,他第一次回你的信罢?我以为不必发快信,多写几封书信,

---

① 七十六号是敌伪特务机关。

倒是真的。"

鸿渐知道她对辛楣总有点冤仇,也不理她。信很简单,说历次信都收到,沈太太事知悉,上海江河日下,快来渝为上,或能同在一机关中服务,可到上次转运行李的那家公司上海办事处见薛经理,商量行程旅伴。信末有"内子嘱笔敬问嫂夫人好"。他像暗中摸索,忽见灯光,心里高兴,但不敢露在脸上,只说:"这家伙!结婚都不通知一声,也不寄张结婚照相来。我很愿意你看看这位赵太太呢。"

"我不看见也想得出。辛楣看中的女人,汪太太、苏小姐,我全瞻仰过了。想来也是那一派。"

"那倒不然。所以我希望他寄张照相来,给你看看。"

"咱们结婚照送给他的。不是我离间,我看你这位好朋友并不放你在心上。你去了有四五封信罢?他才潦潦草草来这么一封信,结婚也不通知你。他阔了,朋友多了;我做了你,一封信没收到回信,决不再去第二封。"

鸿渐给她说中了心事,支吾道:"你总喜欢过甚其词,我前后不过给他三封信。他结婚不通知我,是怕我送礼;他体谅我穷,知道咱们结婚受过他的厚礼,一定要还礼。"

柔嘉干笑道:"哦,原来是这个道理!只有你懂他的意思了。毕竟是好朋友,知己知彼!不过,喜事不比丧事,礼可以补送的,他应当信上干脆不提'内子'两个字儿。你要送礼,这时候尽来得及。"

鸿渐被驳倒,只能敲诈道:"那么你替我去办。"

柔嘉一壁刷着头发道:"我没有工夫。"

鸿渐道:"早晨出去还是个人,这时候怎么变成刺猬了!"

柔嘉道:"我就是刺猬,你不要跟刺猬说话。"

沉默了一会,刺猬自己说话了:"辛楣信上劝你到重庆去,你怎样回复他?"

鸿渐嗫嚅道:"我想是想去,不过还要仔细考虑一下。"

"我呢?"柔嘉脸上不露任何表情,像下了百叶窗的窗子。鸿渐知道这是暴风雨前的静寂。

"就是为了你,我很踌躇。上海呢,我很不愿意住下去,报馆里也没有出路,这家庭一半还亏你维持的——"鸿渐以为这句话可以温和空气——"辛楣既然一番好意,我很想再到里面去碰碰运气。不过事体还没有定,带了家眷进去,许多不方便,咱们这次回上海找房子的苦,你当然记得。辛楣是结了婚的人,不比从前。我计划我一个人先进去,有了办法,再来接你,你以为何如?当然这要从长计议,我并没有决定,你的意见不妨说给我听听。"鸿渐说这一篇话,随时准备她截断,不知道她一言不发,尽他说。这静默使他愈说愈心慌。

"我在听你做多少文章。尽管老实讲出来得了。结了婚四个月,对家里又丑又凶的老婆早已厌倦了——压根儿就没爱过她——有机会远走高飞,为什么不换换新鲜空气。你的好朋友是你的救星,逼你结婚是他——我想着就恨——帮你恢复自由也是他。快去罢!他提拔你做官呢,说不定还替你找一位官太太呢!我们是配不上你的。"

鸿渐咄咄道:"哪里来的话!真是神经过敏。"

"我一点儿不神经过敏。你尽管去,我决不扣留你。倒让你的朋友说我'千方百计'嫁了个男人,把他看得一步不放松,倒让你说家累耽误了你的前程。哼,我才不呢!我吃我自己的饭,从来没叫你养过,我不是你的家累。你这次去了,回来不回来,悉听尊便。"

鸿渐叹气道:"那么——"柔嘉等他说:"我就不去",不料他说——"我带了你同进去,那总好了。"

"我这儿好好的有职业,为什么无缘无故扔了它跟你去。到了里面,万一两个人全找不到事,真叫辛楣养咱们一家?假使你有事,我没有事,那时候你不知要怎样欺负人呢!辛楣信上没说提拔我,我进去干什么?做花瓶?太丑,没有资格。除非服侍官太太做老妈子。"

"活见鬼!活见鬼!我没有欺负你,你自己动不动表示比我能干,赚的钱比我多。你现在也知道你在这儿是靠亲戚的面了,到了内地未必找到事罢?"

"我是靠亲戚,你呢?没有亲戚可靠,靠你的朋友,咱们俩还不是彼此彼此?并且我从来没说我比你能干,是你自己心地龌龊,咽不下我赚的钱比你多。内地呢,我也到过。别忘了三闾大学停聘的不是我。我为谁牺牲了内地的事到上海来的?真没有良心!"

鸿渐气得冷笑道:"提起三闾大学,我就要跟你算账。我懊悔听了你的话,在衡阳写信给高松年谢他,准给他笑死了。以后我再不听你的话,你以为高松年给你聘书,真要留你么?别太得意,他是跟我捣乱哪!你这傻瓜!"

"反正你对谁的话都听,尤其赵辛楣的话比圣旨都灵,就是我的话不听。我只知道我有聘书你没有,管他'捣乱'不'捣乱'。高松年告诉你他在捣乱?你怎么知道?不是自己一个指头遮羞么?"

"是的。他真心要留住你,让学生再来一次 beat down Miss Sung 呢。"

柔嘉脸红得像斗鸡的冠,眼圈也红了,定了定神,说:"我是个年轻女孩子,大学刚毕业,第一次做事,给那些狗男学生欺负,没有什么难为情。不像有人留学回来教书,给学生上公呈要赶走,还是我通的消息,保全他的饭碗。"

鸿渐有几百句话,同时夺口而出,反而一句说不出。柔嘉不等他开口,说:"我要睡了",进浴室漱口洗脸去,随手带上了门。到她出来,鸿渐要继续口角,她说:"我不跟你吵。感情坏到这个田地,多说话有什么用?还是少说几句,留点余地罢。你要吵,随你去吵;我漱过口,不再开口了。"说完,她跳上床,盖上被,又起来开抽屉,找两团棉花塞在耳朵里,躺下去,闭眼静睡,一会儿鼻息调匀,像睡熟了。她丈夫恨不能拉她起来,逼她跟自己吵,只好对她的身体挥拳作势。她眼睫毛下全看清了,又气又暗笑。明天晚上,鸿渐回来,她烧了橘子酪等他。鸿渐怄气不肯吃,熬不住嘴馋,一壁吃,一壁骂自己不争气。她说:"回辛楣的信你写了罢?"他道:"没有呢,不回他信了,好太太。"她说:"我不是不许你去,我劝你不要卤莽,辛楣人很热心,我也知道。不过,他有个毛病,往往空口答应在前面,事实上办不到。你有过经验的。三闾大学直接拍电报给你,结果还打了个折扣,何况这次是他私人的信,不过泛泛说句谋事有可能性呢?"鸿渐笑说:"你真是'千方百计',足智多谋,层出不穷。幸而他是个男人,假使他是个女人,我想不出你更怎样吃醋?"柔嘉微窘,但也轻松地笑道:"为你吃醋,还不好么?假使他是个女人,他会理你?他会跟你往来?你真在做梦!只有我哪,昨天挨了你的骂,今天还要讨你好。"

报馆为了言论激烈,收到恐吓信和租界当局的警告。办公室里有了传说,什么出面做发行人的美国律师不愿意再借他的名字给报馆了,什么总编辑王先生和股东闹翻了,什么沈太太替敌伪牵线来收买了。鸿渐跟王先生还相处得来,听见这许多风声,便去问他,顺便给他看辛楣的信。王先生看了很以为然,但劝鸿渐暂时别辞职,他自己正为了编辑方针以去就向管理方面力争,不久必有分晓。鸿渐慷慨道:"你先生哪一天走,我也哪一天走。"王先生道:"合则留,不合则去。这是各人的自由,我不敢勉强你。不过,辛楣把你重托给我的,我有什么举动,一定告诉你,决不瞒你什么。"鸿渐回去对柔嘉一字不提。他觉得半年以来,什么事跟她一商量就不能照原意去做,不痛快得很,这次偏偏自己单独下个决心,大有小孩子背了大人偷干坏事的快乐。柔嘉知道他没回辛楣的信,自以为感化劝服了他。

旧历冬至前一天早晨,柔嘉刚要出门,鸿渐道:"别忘了,今天咱们要到老家里去吃冬至晚饭。昨天老太爷亲自打电话来叮嘱的,你不能再不去了。"柔嘉鼻梁皱一皱,做个厌恶表情道:"去,去,去!'丑媳妇见公婆!'真跟你计较起来,我今天可以不去。前一晚姑母家里宴会,你不肯陪我去,为什么今天我要陪你去?"鸿渐笑她拿糖作醋。柔嘉道:"我是要对你说说,否则,你占了我的便宜还认为应该的呢。我回家来等你回来了同去,叫我一个人去,我不肯的。"鸿渐道:"你又不是新娘第一次上门,何必要我多走一趟路。"柔嘉没回答就出门了。她出门不久,王先生来电话,请他立刻去。他猜想出了大事,怦怦心跳,急欲知道,又怕知道。王先生见了他,苦笑道:"董事会昨天晚上批准我辞职,随我什么时候离馆,他们早已找好替人,我想明天办交代,先通知你一声。"鸿渐道:"那么我今天向你辞职——我是你委任的——要不要书面辞职?"王先生道:"你去跟你老丈商量一下,好不好?"鸿渐道:"这是我私人的事。"王先生是个正人,这次为正义被逼而走,喜欢走得热闹点,减少去职的凄黯,不肯私奔似的孑身溜掉。他入世多年,明白在一切机关里,人总有人可替,坐位总有人来坐,怄气辞职只是辞职的人吃亏,被辞的职位漠然不痛不痒;人不肯坐椅子,苦了自己的腿,椅子空着不会肚子饿,椅子立着不会腿酸的。不过椅子空得多些,可以造成不景气的印象。鸿渐虽非他的私人,多多益善,不妨凑个数目。所以他跟着国内新闻、国外新闻、经济新闻以及两种副刊的编辑同时提出辞职。报馆管理方面早准备到这一着,夹袋里有的是人;并且知道这次辞职有政治性,希望他们快走,免得另生枝节,反正这个月的薪水早发了。除掉经济新闻的编者要挽留以外,其余王先生送阅的辞职信都一一照准。资料室最不重要,随时可以换人,所以鸿渐失业最早,第一个准辞。当天下午,他丈人听到消息,忙来问他,这事得柔嘉同意没有,他随口说得她同意。丈人怏怏不信。鸿渐想明天不来了,许多事要结束,打电话给柔嘉,说他今天没工夫回家同去,请她也直接去罢,不必等。电话里听得出她很不高兴,鸿渐因为丈人忽然又走来,不便解释。

他近七点钟才到老家,一路上懊悔没打电话问柔嘉走了没有,她很可能不肯单独来。大家见了他,问怎么是一个人来,母亲铁青脸说:"你这位奶奶真是贵人不踏贱地,下帖子请都不来了。"鸿渐正在解释,柔嘉进门。二奶奶三奶奶迎上去,笑说:"真是稀客!"方老太太勉强笑了笑,仿佛笑痛了脸皮似的。柔嘉借口事忙。三奶奶说:"当然你在外面做事的人,比我们忙多了。"二奶奶说:"办公有一定时间的,大哥,三弟,我们老二也在外面做事,并没有成天不回家。大姐姐又做事,又管家务,所以分不出工夫来看我们了。"鸿渐因为她们说话像参禅似的,都隐藏机锋,听着徒乱人意,便溜上楼去见父亲。讲不到三句话,柔嘉也来了,问了遯翁好,寒暄几句,熬不住埋怨丈夫道:"我现在知道你不回家接我的缘故了。你为什么向报馆辞职不先跟我商量?就算我不懂事,至少你也应该先到这儿来请教爹爹。"遯翁没听见儿子说辞职,失声惊问。鸿渐窘道:"我正要告诉爹呢——你——你怎么知道的?"柔嘉道:"爸爸打电话给我的,你还哄他!他都没有辞职,你为什么性急就辞,待下去看看风头再说,不好么?"鸿渐忙替自己辩护一番。遯翁心里也怪儿子莽撞,但不肯当媳妇的面坍他的台,反正事情已无可挽回,便说:"既然如此,你辞了很好。咱们这种人,万万不可以贪小利而忘大义。我所以宁可逃出来做难民,不肯回乡,也不过为了这一点点气节。你当初进报馆,我就不赞成,觉得比教书更不如了。明天你来,咱们爷儿俩讨论讨论,我替你找条出路。"柔嘉不再说话,板着脸。吃饭时,方老太太苦劝鸿渐吃菜,说:"你近来瘦了,脸上一点不滋润。在家里吃些什么东西?柔嘉做事忙,没工夫当心你,你为什么不到这儿来吃饭?从小就吃我亲手做的菜,也没有把你毒死。"柔嘉低头,尽力抑制自己,挨了半碗饭,就不肯吃。方老太太瞧媳妇的脸不像好对付的,不敢再撩拨,只安慰自己总算媳妇没有敢回嘴。

回家路上,鸿渐再三代母亲道歉。柔嘉只简单地说:"你当时尽她说,没有替我表白一句。我又学了一个乖。"一到家,她说胃痛,叫李妈冲热水袋来暖胃。李妈忙问:"小姐怎么吃坏了?"她说,吃没有吃坏,气倒气坏了。在平时,鸿渐准要怪她为什么把主人的事告诉用人,今天他不敢说。当夜柔嘉没再理他,明早夫妇间还是鸦雀无声。吃早点时,李妈问鸿渐今天中饭要吃什么。鸿渐说有事要到老家去,也许不回来吃饭了,叫她不必做菜。柔嘉冷笑道:"李妈,以后你可以省事了。姑爷从此不在家吃饭,他们老太太说你的菜里放毒药的。"

鸿渐皱眉道:"唉!你何必去跟她讲——"

柔嘉重顿着右脚的皮鞋跟道:"我偏要跟她讲。李妈在这儿做见证,我要讲讲明白。从此以后,你打死我,杀死我,我再不到你家去。我死了,你们诗礼人家做羹饭祭我,我的鬼也不来的——"说到此眼泪夺眶溢出,鸿渐心痛,站起来抚慰,她推开他——"还有,咱们从此河水不犯井水,一切你的事都不用跟我来说。我们全要做汉奸,只有你方家养的狗都深明大义的。"说完,回身就走,下楼时一路哼着英文歌调,表示她满不在乎。

鸿渐郁闷不乐,老家也懒去。遯翁打电话来催。他去听了遯翁半天的议论,并没有实际的指示和帮助。他对家里的人都起了憎恨,不肯多坐。出来了,到那家转运公司去找它的经理,想问问旅费,没碰见他,约明天再去。上王先生家去也找个空。这时候电车里全是办公室下班的人,他挤不上,就走回家,一壁想怎样消释柔嘉的怨气。在巷口瞧见一部汽车,认识是陆家的,心里就鲠一鲠。开后门经过跟房东合用的厨房,李妈不在,火炉上燉的罐头喋喋自语个不了。他走到半楼,小客室门罅开,有陆太太高声说话。他冲心的怒,不愿进去,脚仿佛钉住。只听她正说:"鸿渐这个人,本领没有,脾气倒很大,我也知道,不用李妈讲。柔嘉,男人像小孩子一样,不能 spoil 的①,你太依顺他——"他血升上脸,恨不能大喝一声,直扑进去,忽听到李妈脚步声,向楼下来,怕给她看见,不好意思,悄悄又溜出门。火冒得忘了寒风砭肌,不知道这讨厌女人什么时候滚蛋,索性不回去吃晚饭了,反正失了业准备讨饭,这几个小钱不用省它。走了几条马路,气愤

---

① 不能骄纵的。

稍平。经过一家外国面包店,橱窗里电灯雪亮,照耀各式糕点。窗外站一个短衣褴褛的老头子,目不转睛地看窗里的东西,臂上挽个篮,盛着粗拙的泥娃娃和蜡纸粘的风转。鸿渐想现在都市里的小孩子全不要这种笨朴的玩具了,讲究的洋货有的是,可怜这老头子,不会有生意。忽然联想到自己正像他篮里的玩具,这个年头儿没人过问,所以找职业这样困难。他叹口气,掏出柔嘉送的钱袋来,给老头子两张钞票。面包店门口候客人出来讨钱的两个小乞丐,就赶上来要钱,跟了他好一段路。他走得肚子饿了,挑一家便宜的俄国馆子,正要进去,伸手到口袋一摸,钱袋不知去向,急得在冷风里微微出汗,微薄得不算是汗,只譬如情感的蒸汽。今天真是晦气日子!只好回家,坐电车的钱也没有,一股怨毒全结在柔嘉身上。假如陆太太不来,自己决不上街吃冷风,不上街就不会丢钱袋,而陆太太是柔嘉的姑母,是柔嘉请上门的——柔嘉没请也要冤枉她。并且自己的钱一向前后左右口袋里零碎搁着,扒手至多摸空一个口袋,有了钱袋一股脑儿放进去,倒给扒手便利,这全是柔嘉出的好主意。

李妈在厨房洗碗,见他进来,说:"姑爷,你吃过晚饭了?"他只作没听见。李妈从没见过他这样板着脸回家,担心地目送他出厨房。柔嘉见是他,搁下手里的报纸,站起来说:"你回来了!外面冷不冷?在什么地方吃的晚饭?我们等等你不回来,就吃了。"

鸿渐准备赶回家吃饭的,知道饭吃过了,失望中生出一种满意,仿佛这事为自己的怒气筑了牢固的基础,今天的吵架吵得响,沉着脸说:"我又没有亲戚家可以去吃白食,当然没有吃饭。"

柔嘉惊异道:"那么,快叫李妈去买东西。真糟糕!家里的饼干前天吃完了我忘掉去买,要给你点点饥的东西也没有!你到什么地方去了?叫我们好等!姑妈特来看你的。等等你不来,我就留她吃晚饭了!"

鸿渐像落水的人,捉到绳子的一头,全力挂住,道:"哦!原来她来了!怪不得!人家把我的饭吃掉了,我自己倒没得吃。承她情来看我,我没请她来呀!我不上她的门,她为什么上我的门?姑母要留住吃饭,丈夫是应该挨饿的。好,称了你的心罢,我就饿一天,不要李妈去买东西。"

柔嘉坐下去,拿起报纸,道:"我理了你都懊悔,你这不识抬举的家伙。你愿意挨饿,活该,跟我不相干。报馆又不去了,深明大义的大老爷在外面忙些什么国家大事呀?到这时候才回来!家里的开销,我负担一半的,我有权利请客,你管不着。并且,李妈做的菜有毒,你还是少吃为妙。"

鸿渐气上加气,胃里刺痛,身边零用一个子儿没有了,要明天上银行去拿,这时候又不肯向柔嘉要,说:"反正我饿死了你快乐。你的好姑母会替你找好丈夫。"

柔嘉冷笑道:"啐!我看你疯了。饿不死的,饿了可以头脑清楚点。"

鸿渐的愤怒像第二阵潮水冒上来,说:"这是不是你那位好姑母传授你的秘诀?'柔嘉,男人不能太 spoil 的,要饿他,冻他,虐待他。'"

柔嘉仔细研究他丈夫的脸道:"哦,所以房东家的老妈子说看见你回来的。为什么不光明正大上楼呀?偷偷摸摸像个贼,躲在半楼梯偷听人说话。这种事只配你的两位弟媳妇去干,亏你是个大男人!羞不羞?"

鸿渐道:"我是要听听,否则我真蒙在鼓里,不知道人家在背后怎样糟蹋我呢。"

"我们怎样糟蹋你?你何妨说?"

鸿渐摆空城计道:"你心里明白,不用我说。"

柔嘉确曾把昨天吃冬至晚饭的事讲给姑母听,两人一唱一和地笑骂,以为全落在鸿渐耳朵里了,有点心慌,说:"本来不是说给你听的,谁教你偷听?我问你,姑母说要替你在厂里找个位置,你的尖耳朵听到没有?"

鸿渐跳起来大喝道:"谁要她替我找事?我讨饭也不要向她讨!她养了 Bobby 跟你孙柔嘉两条走狗还不够么?你对她说,方鸿渐'本领虽没有,脾气很大',资本家走狗的走狗是不做的。"

两人对站着。柔嘉怒得眼睛异常明亮,说:"她那句话一个字儿没有错。人家倒可怜你,你不要饭碗,饭碗不会发霉。好罢,你父亲会替你'找出路'。不过,靠老头子不希奇,有本领自己找出路。"

"我谁都不靠。我告诉你,我今天已经拍电报给赵辛楣,方才跟转运公司的人全讲好了。我去了之后,你好清静,不但留姑妈吃晚饭，还可以留她住夜呢。或者干脆搬到她家去，索性让她养了你罢，像 Bobby 一样。"

柔嘉上下唇微分，睁大了眼，听完，咬牙说："好，咱们算散伙。行李衣服，你自己去办，别再来找我。去年你浪荡在上海没有事，跟着赵辛楣算到了内地，内地事丢了，靠赵辛楣的提拔到上海，上海事又丢了，现在再到内地投奔赵辛楣去。你自己想想，一辈子跟住他，咬住他的衣服，你不是他的走狗是什么？你不但本领没有，连志气都没有，别跟我讲什么气节了。小心别讨了你那位朋友的厌，一脚踢你出来，那时候又回上海，看你有什么脸见人。你去不去，我全不在乎。"

鸿渐再熬不住，说："那么，请你别再开口。"伸右手猛推她的胸口。她踉跄退后，撞在桌子边，手臂把一个玻璃杯带下地，玻璃屑混在水里。她气喘说："你打我？你打我！"衣服厚实的李妈像爆进来一粒棉花弹，嚷："姑爷，你怎么动手打人？你要打，我就叫。让楼下全听见——小姐，他打你什么地方，打伤没有？别怕，我老命一条跟他拼。做了男人打女人！老爷太太没打过你，我从小喂你吃奶，用气力拍你一下都没有，他倒动手打你！"说着眼泪滚下来。柔嘉也倒在沙发里心酸啜泣。鸿渐看她哭得可怜，而不愿意可怜，恨她转深。李妈在沙发边庇护着柔嘉，道："小姐，你别哭！你哭我也要哭了——"说时又拉起围裙擦眼泪——"瞧，你打得她这个样子！小姐，我真想去告诉姑太太，就怕我去了，他又要打你。"

鸿渐厉声道："你问你小姐，我打她没有？你快去请姑太太,我不打你小姐得了!"半推半搡,把李妈直推出房,不到一分钟,她又冲进来,说:"小姐,我请房东家大小姐替我打电话给姑太太,她马上就来,咱们不怕他了!"鸿渐和柔嘉都没想到她会当真,可是两人这时候还是敌对状态,不能一致联合怪她多事。柔嘉忘了哭,鸿渐惊奇地望着李妈,仿佛小孩子见了一只动物园里的怪兽。沉默了一会,鸿渐道:"好,她来我就走,你们两个女人结了党不够,还要添上一个,说起来倒是我男人欺负你们,等她走了我回来。"到衣架上取外套。

柔嘉不愿意姑母来把事闹大,但瞧丈夫这样退却,鄙薄得不复伤心,嘶声说:"你是个 Coward! Coward! Coward!① 我再不要看见你这个 Coward!"每个字像鞭子打一下,要鞭出她丈夫的胆气来,她还嫌不够狠,顺手抓起桌上一个象牙梳子尽力扔他。鸿渐正回头要回答,躲闪不及,梳子重重地把左颧打个着,迸到地板上,折为两段。柔嘉只听他"啊哟"叫痛,瞧梳子打处立刻血隐隐地红肿,倒自悔过分,又怕起来,准备他还手。李妈忙在两人间拦住。鸿渐惊骇她会这样毒手,看她扶桌僵立,泪渍的脸像死灰,两眼全红,鼻孔翕开,嘴咽唾沫,又可怜又可怕,同时听下面脚步声上楼,不计较了,只说:"你狠,啊! 你闹得你家里人知道不够,还要闹得邻舍全知道,这时候房东家已经听见了。你新学会泼辣不要面子,我还想做人,倒要面子的。我走了。你老师来了再学点新的本领,你真是个好学生,学会了就用! 你替我

---

① 懦夫! 懦夫! 懦夫!

警告她,我饶她这一次。以后她再来教坏你,我会上门找她去,别以为我怕她。李妈,姑太太来,别专说我的错,你亲眼瞧见的是谁打谁。"走近门大声说:"我出去了。"慢慢地转门钮,让门外偷听的人得讯走开然后出去。柔嘉眼睁睁看他出了房,瘫倒在沙发里,扶头痛哭,这一阵泪不像只是眼里流的,宛如心里、整个身体里都挤出了热泪合在一起宣泄。

鸿渐走出门,神经麻木,不感觉冷,意识里只有左颊在发烫。头脑里,情思弥漫纷乱像个北风飘雪片的天空。他信脚走着,彻夜不睡的路灯把他的影子一盏盏彼此递交。他仿佛另外有一个自己在说:"完了!完了!"散杂的心思立刻一撮似的集中,开始觉得伤心。左颊忽然星星作痛,他一摸湿腻腻的,以为是血,吓得心倒定了,腿里发软。走到灯下,瞧手指上没有痕迹,才知道流了眼泪。同时感到周身疲乏、肚子饥饿。鸿渐本能地伸手进口袋,想等个叫卖的小贩,买个面包,恍然记起身上没有钱。肚子饿的人会发火,不过这火像纸头烧起来的,不会耐久。他无处可去,想还是回家睡,真碰见了陆太太也不怕她。就算自己先动手,柔嘉报复得这样狠毒,两下勾销。他看表上十点已过,不清楚自己什么时候出来的,也许她早走了。到衖口没见汽车,先放了心。他一进门,房东太太听见声音,赶来说:"方先生,是你!你家少奶奶不舒服,带了李妈到陆家去了,今天不回来了。这是你房门的钥匙,留下来交给你的。你明天早饭到我家来吃,李妈跟我讲好。"鸿渐心直沉下去,捞不起来,机械地接钥匙,道声谢。房东太太像还有话说,他三脚两步逃上楼。开了卧室的门,拨亮电灯,破杯子跟断梳子仍在原处,成堆的箱子少了一只。他呆呆地站着,身心迟钝得发不出急,生不出气。柔嘉走了,可是这房里还留下她的怒容、她的哭声、她的说话,在空气里没有消失。他望见桌上一张片子,走近一看,是陆太太的。忽然怒起,撕为粉碎,狠声道:"好,你倒自由得很,撇下我就走!滚你妈的蛋,替我滚,你们全替我滚!"这简短一怒把余劲都使尽了,软弱得要傻哭个不歇。和衣倒在床上,觉得房屋旋转,想不得了!万万生不得病!明天要去找那位经理,说妥了再筹旅费,旧历年可以在重庆过。心里又生希望,像湿柴虽点不着火,而开始冒烟,似乎一切会有办法。不知不觉中黑地昏天合拢、裹紧,像灭尽灯火的夜,他睡着了。最初睡得脆薄,饥饿像镊子要镊破他的昏迷,他潜意识挡住它。渐渐这镊子松了、钝了,他的睡也坚实得镊不破了,没有梦,没有感觉,人生最原始的睡,同时也是死的样品。

那只祖传的老钟从容自在地打起来,仿佛积蓄了半天的时间,等夜深人静,搬出来一一细数:"当、当、当、当、当、当"响了六下。六点钟是五个钟头以前,那时候鸿渐在回家的路上走,蓄心要待柔嘉好,劝她别再为昨天的事弄得夫妇不欢;那时候,柔嘉在家里等鸿渐回来吃晚饭,希望他会跟姑母和好,到她厂里做事。这个时间落伍的计时机无意中包涵对人生的讽刺和感伤,深于一切语言、一切啼笑。

# 附　录

## 记钱锺书与《围城》

杨　绛

### 前　言

　　自从一九八〇年《围城》在国内重印以来,我经常看到锺书对来信和登门的读者表示歉意;或是诚诚恳恳地奉劝别研究什么《围城》;或客客气气地推说"无可奉告";或者竟是既欠礼貌又不讲情理的拒绝。一次我听他在电话里对一位求见的英国女士说:"假如你吃了个鸡蛋觉得不错,何必认识那下蛋的母鸡呢?"我直耽心他冲撞人。胡乔木同志偶曾建议我写一篇《钱锺书与〈围城〉》。我确也手痒,但以我的身份,容易写成锺书所谓"亡夫行述"之类的文章。不过我既不称赞,也不批评,只据事纪实;锺书读后也承认没有失真。乔木同志最近又问起这篇文章。恰好朱正同志所编《骆驼丛书》愿意收入,我就交给他出版,也许能供《围城》的偏爱者参考之用。

## 一　钱锺书写《围城》

钱锺书在《围城》的序里说,这本书是他"锱铢积累"写成的。我是"锱铢积累"读完的。每天晚上,他把写成的稿子给我看,急切地瞧我怎样反应。我笑,他也笑;我大笑,他也大笑。有时我放下稿子,和他相对大笑,因为笑的不仅是书上的事,还有书外的事。我不用说明笑什么,反正彼此心照不宣。然后他就告诉我下一段打算写什么,我就急切地等着看他怎么写。他平均每天写五百字左右。他给我看的是定稿,不再改动。后来他对这部小说以及其它"少作"都不满意,恨不得大改特改,不过这是后话了。

锺书选注宋诗,我曾自告奋勇,愿充白居易的"老妪"——也就是最低标准;如果我读不懂,他得补充注释。可是在《围城》的读者里,我却成了最高标准。好比学士通人熟悉古诗文里词句的来历,我熟悉故事里人物和情节的来历。除了作者本人,最有资格为《围城》做注释的,该是我了。

看小说何需注释呢?可是很多读者每对一本小说发生兴趣,就对作者也发生兴趣,并把小说里的人物和情节当作真人实事。有的干脆把小说的主角视为作者本人。高明的读者承认作者不能和书中人物等同,不过他们说,作者创造的人物和故事,离不开他个人的经验和思想感情。这话当然很对。可是我曾在一篇文章里指出:创作的一个重要成分是想像,经验好比黑暗里点上的火,想像是这个火所发的光;没有火就没有光,但光照所及,远远超过火点儿的大小①。创造的故事往往从多方面超越作者本人的经验。要从创造的故事里返求作者的经验是颠倒的。作者的思想情感经过创造,就好比发过酵而酿成了酒;从酒里辨认酿酒的原料,也不容易。我有机缘知道作者的经历,也知道酿成的酒是什么原料,很愿意让读者看看真人实事和虚构的人物情节有多少联系,而且是怎样的联系。因为许多所谓写实的小说,其实是改头换面地叙写自己的经历,提升或满足自己的感情。这种自传体的小说或小说体的自传,实在是浪漫的纪实,不是写实的虚构。而《围城》只是一部虚构的小说,尽管读来好像真有其事,实有其人。

《围城》里写方鸿渐本乡出名的行业是打铁、磨豆腐,名产是泥娃娃。有人读到这里,不禁得意地大哼一声说:"这不是无锡吗?钱锺书不是无锡人吗?他不也留过洋吗?不也在上海住过吗?不也在内地教过书吗?"有一位专爱考据的先生,竟推断出钱锺书的学位也靠不住,方鸿渐就是钱锺书的结论更可以成立了。

钱锺书是无锡人,一九三三年毕业于清华大学,在上海光华大学教了两年英语,一九三五年考取英庚款到英国牛津留学,一九三七年得文学学士(B. Litt.)学位,然后到法国,入巴黎大学进修。他本想读学位,后来打消了原意。一九三八年,清华大学

---

① 参看《事实——故事——真实》(《文学评论》一九八〇年第三期十七页)。

聘他为教授,据那时候清华的文学院长冯友兰先生来函说,这是破例的事,因为按清华旧例,初回国教书只当讲师,由讲师升副教授,然后升为教授。锺书九、十月间回国,在香港上岸,转昆明到清华任教。那时清华已并入西南联大。他父亲原是国立浙江大学教授,应老友廖茂如先生恳请,到湖南蓝田帮他创建国立师范学院;他母亲弟妹等随叔父一家逃难住上海。一九三九年秋,锺书自昆明回上海探亲后,他父亲来信来电,说自己老病,要锺书也去湖南照料。师范学院院长廖先生来上海,反复劝说他去当英文系主任,以便伺候父亲,公私兼顾。这样,他就未回昆明而到湖南去了。一九四〇年暑假,他和一位同事结伴回上海探亲,道路不通,半途折回。一九四一年暑假,他由广西到海防搭海轮到上海,准备小住几月再回内地。西南联大外语系主任陈福田先生到了上海特来相访,约他再回联大。值珍珠港事变,他就沦陷在上海出不去了。他写过一首七律《古意》,内有一联说:"槎通碧汉无多路,梦入红楼第几层",另一首《古意》又说:"心如红杏专春闹,眼似黄梅诈雨晴",都是寄托当时羁居沦陷区的怅望情绪。《围城》是沦陷在上海的时期写的。

锺书和我一九三二年春在清华初识,一九三三年订婚,一九三五年结婚,同船到英国(我是自费留学),一九三七年秋同到法国,一九三八年秋同船回国。我母亲一年前去世,我苏州的家已被日寇抢劫一空,父亲避难上海,寄居我姐夫家。我急要省视老父,锺书在香港下船到昆明,我乘原船直接到上海。当时我中学母校的校长留我在"孤岛"的上海建立"分校"。二年后上海沦陷，"分校"停办，我暂当家庭教师，又在小学代课，业余创作话剧。锺书陷落上海没有工作，我父亲把自己在震旦女子文理学院授课的钟点让给他，我们就在上海艰苦度日。

有一次，我们同看我编写的话剧上演，回家后他说："我想写一部长篇小说！"我大高兴，催他快写。那时他正偷空写短篇小说，怕没有时间写长篇。我说不要紧，他可以减少授课的时间，我们的生活很省俭，还可以更省俭。恰好我们的女佣因家乡生活好转要回去。我不勉强她，也不另觅女佣，只把她的工作自己兼任了。劈柴生火烧饭洗衣等等我是外行，经常给煤烟染成花脸，或熏得满眼是泪，或给滚油烫出泡来，或切破手指。可是我急切要看锺书写《围城》（他已把题目和主要内容和我讲过），做灶下婢也心甘情愿。

《围城》是一九四四年动笔，一九四六年完成的。他就像原《序》所说："两年里忧世伤生"，有一种惶急的情绪，又忙着写《谈艺录》；他三十五岁生日诗里有一联："书癖钻窗蜂未出，诗情绕树鹊难安"，正是写这种兼顾不来的心境。那时候我们住在钱家上海避难的大家庭里，包括锺书父亲一家和叔父一家。两家同住分炊，锺书的父亲一直在外地，锺书的弟弟妹妹弟媳和侄儿女等已先后离开上海，只剩他母亲没走，还有一个弟弟单身留在上海；所谓大家庭也只像个小家庭了。

以上我略叙锺书的经历、家庭背景和他撰写《围城》时的处境，为作者写个简介。下面就要为《围城》做些注解。

锺书从他熟悉的时代、熟悉的地方、熟悉的社会阶层取材。

但组成故事的人物和情节全属虚构。尽管某几个角色稍有真人的影子,事情都子虚乌有;某些情节略具真实,人物却全是捏造的。

方鸿渐取材于两个亲戚:一个志大才疏,常满腹牢骚;一个狂妄自大,爱自吹自唱。两人都读过《围城》,但是谁也没自认为方鸿渐,因为他们从未有方鸿渐的经历。锺书把方鸿渐作为故事的中心,常从他的眼里看事,从他的心里感受。不经意的读者会对他由了解而同情,由同情而关切,甚至把自己和他合而为一。许多读者以为他就是作者本人。法国十九世纪小说《包法利夫人》的作者福娄拜曾说:"包法利夫人,就是我。"那么,钱锺书照样可说:"方鸿渐,就是我。"不过还有许多男女角色都可说是钱锺书,不光是方鸿渐一个。方鸿渐和钱锺书不过都是无锡人罢了,他们的经历远不相同。

我们乘法国邮船阿多士Ⅱ(AthosⅡ)回国,甲板上的情景和《围城》里写的很像,包括法国警官和犹太女人调情,以及中国留学生打麻将等等。鲍小姐却纯是虚构。我们出国时同船有一个富有曲线的南洋姑娘,船上的外国人对她大有兴趣,把她看作东方美人。我们在牛津认识一个由未婚夫资助留学的女学生,听说很风流。牛津有个研究英国语文的埃及女学生,皮肤黑黑的,我们两人都觉得她很美。鲍小姐是综合了东方美人、风流未婚妻和埃及美人而抟捏出来的。锺书曾听到中国留学生在邮船上偷情的故事,小说里的方鸿渐就受了鲍小姐的引诱。鲍鱼之肆是臭的,所以那位小姐姓鲍。

苏小姐也是个复合体。她的相貌是经过美化的一个同学。

她的心眼和感情属于另一个；这人可一点不美。走单帮贩私货的又另是一人。苏小姐做的那首诗是锺书央我翻译的，他嘱我不要翻得好，一般就行。苏小姐的丈夫是另一个同学，小说里乱点了鸳鸯谱。结婚穿黑色礼服、白硬领圈给汗水浸得又黄又软的那位新郎，不是别人，正是锺书自己。因为我们结婚的黄道吉日是一年里最热的日子。我们的结婚照上，新人、伴娘、提花篮的女孩子、提纱的男孩子，一个个都像刚被警察拿获的扒手。

赵辛楣是由我们喜欢的一个五六岁的男孩子变大的，锺书为他加上了二十多岁年纪。这孩子至今没有长成赵辛楣，当然也不可能有赵辛楣的经历。如果作者说："方鸿渐，就是我，"他准也会说："赵辛楣，就是我。"

有两个不甚重要的人物有真人的影子，作者信手拈来，未加融化，因此那两位相识都"对号入座"了。一位满不在乎，另一位听说很生气。锺书夸张了董斜川的一个方面，未及其他。但董斜川的谈吐和诗句，并没有一言半语抄袭了现成，全都是捏造的。褚慎明和他的影子并不对号。那个影子的真身比褚慎明更夸张些呢。有一次我和他同乘火车从巴黎郊外进城，他忽从口袋里掏出一张纸，上面开列了少女选择丈夫的种种条件，如相貌、年龄、学问、品性、家世等等共十七八项，逼我一一批分数，并排列先后。我知道他的用意，也知道他的对象，所以小心翼翼地应付过去。他接着气呼呼地对我说："她们说他（指锺书）'年少翩翩'，你倒说说，他'翩翩'不'翩翩'。"我应该厚道些，老实告诉他，我初识锺书的时候，他穿一件青布大褂，一双毛布底鞋，戴一副老式大眼镜,一点也不"翩翩"。可是我瞧他认为我该和他站在同一立场,就忍不住淘气说:"我当然最觉得他'翩翩'。"他听了怫然,半天不言语。后来我称赞他西装笔挺,他惊喜说:"真的吗?我总觉得自己的衣服不挺,每星期洗熨一次也不如别人的挺。"我肯定他衣服确实笔挺,他才高兴。其实,褚慎明也是个复合体,小说里的那杯牛奶是另一人喝的。那人也是我们在巴黎时的同伴,他尚未结婚,曾对我们讲:他爱"天仙的美",不爱"妖精的美"。他的一个朋友却欣赏"妖精的美",对一个牵狗的妓女大有兴趣,想"叫一个局",把那妓女请来同喝点什么谈谈话。有一晚,我们一群人同坐咖啡馆,看见那个牵狗的妓女进另一家咖啡馆去了。"天仙美"的爱慕者对"妖精美"的爱慕者自告奋勇说:"我给你去把她找来。"他去了好久不见回来,锺书说:"别给蜘蛛精网在盘丝洞里了,我去救他吧。"锺书跑进那家咖啡馆,只见"天仙美"的爱慕者独坐一桌,正在喝一杯很烫的牛奶,四围都是妓女,在窃窃笑他。锺书"救"了他回来。从此,大家常取笑那杯牛奶,说如果叫妓女,至少也该喝杯啤酒,不该喝牛奶。准是那杯牛奶作祟,使锺书把褚慎明拉到饭馆去喝奶;那大堆的药品准也是即景生情,由那杯牛奶生发出来的。

方遯翁也是个复合体。读者因为他是方鸿渐的父亲,就确定他是锺书的父亲,其实方遯翁和他父亲只有几分相像。我和锺书订婚前后,锺书的父亲擅自拆看了我给锺书的信,大为赞赏,直接给我写了一封信,郑重把锺书托付给我。这也很像方遯翁的作风。我们沦陷在上海时,他来信说我"安贫乐道",这也很像方遯翁的语气。可是,如说方遯翁有二三分像他父亲,那么,更有四五分是像他叔父,还有几分是捏造,因为亲友间常见到这类的封建家长。锺书的父亲和叔父都读过《围城》。他父亲莞尔而笑;他叔父的表情我们没看见。我们夫妇常私下捉摸,他们俩是否觉得方遯翁和自己有相似之处。

唐晓芙显然是作者偏爱的人物,不愿意把她嫁给方鸿渐。其实,作者如果让他们成为眷属,由眷属再吵架闹翻,那么,结婚如身陷围城的意义就阐发得更透彻了。方鸿渐失恋后,说赵辛楣如果娶了苏小姐也不过尔尔,又说结婚后会发现娶的总不是意中人。这些话都很对。可是他究竟没有娶到意中人,他那些话也就可释为聊以自慰的话。

至于点金银行的行长,"我你他"小姐的父母等等,都是上海常见的无锡商人,我不再一一注释。

我爱读方鸿渐一行五人由上海到三闾大学旅途上的一段。我没和锺书同到湖南去,可是他同行的五人我全认识,没一人和小说里的五人相似,连一丝影儿都没有。王美玉的卧房我倒见过:床上大红绸面的被子,叠在床里边;桌上大圆镜子,一个女人脱了鞋坐在床边上,旁边煎着大半脸盆的鸦片。那是我在上海寻找住房时看见的,向锺书形容过。我在清华做学生的时期,春假结伴旅游,夜宿荒村,睡在铺干草的泥地上,入夜梦魇,身下一个小娃娃直对我嚷:"压住了我的红棉袄",一面用手推我,却推不动。那番梦魇,我曾和锺书讲过。蛆叫"肉芽",我也曾当作新鲜事告诉锺书。锺书到湖南去,一路上都有诗寄我。他和旅伴游雪窦山,有纪游诗五古四首,我很喜欢第二第三首,我不妨抄下,作为真人实事和小说的对照。

  天风吹海水,屹立作山势;浪头飞碎白,积雪疑几世。我常观乎山,起伏有水致;蜿蜒若没骨,皱具波涛意。乃知水与山,思各出其位,譬如豪杰人,异量美能备。固哉鲁中叟,祇解别仁智。

  山容太古静,而中藏瀑布,不舍昼夜流,得雨势更怒。辛酸亦有泪,贮胸敢倾吐;略似此山然,外勿改其度。相契默无言,远役喜一晤。微恨多游踪,藏焉未为固。衷曲莫浪陈,悠悠彼行路。

小说里只提到游雪窦山,一字未及游山的情景。游山的自是游山的人,方鸿渐、李梅亭等正忙着和王美玉打交道呢。足见可捏造的事丰富得很,实事尽可抛开,而且实事也挤不进这个捏造的世界。

李梅亭途遇寡妇也有些影子。锺书有一位朋友是忠厚长者,旅途上碰到一个自称落难的寡妇;那位朋友资助了她,后来知道是上当。我有个同学绰号"风流寡妇",我曾向锺书形容她临睡洗去脂粉,脸上眉眼口鼻都没有了。大约这两件不相干的事凑出来一个苏州寡妇,再碰上李梅亭,就生出"倷是好人"等等妙语奇文。

汪处厚的夫人使我记起我们在上海一个邮局里看见的女职员。她头发枯黄,脸色苍白,眼睛斜撇向上,穿一件浅紫色麻纱旗袍。我曾和锺书讲究,如果她皮肤白腻而头发细软乌黑,浅紫的麻纱旗袍换成线条柔软的深紫色绸旗袍,可以变成一个美人。汪太太正是这样一位美人,我见了似曾相识。

范小姐、刘小姐之流想必是大家熟悉的,不必再介绍。孙柔嘉虽然跟着方鸿渐同到湖南又同回上海,我却从未见过。相识的女人中间(包括我自己),没一个和她相貌相似。但和她稍多接触,就发现她原来是我们这个圈子里最寻常可见的。她受过高等教育,没什么特长,可也不笨;不是美人,可也不丑;没什么兴趣,却有自己的主张。方鸿渐"兴趣很广,毫无心得";她是毫无兴趣而很有打算。她的天地极小,只局限在"围城"内外。她所享的自由也有限,能从城外挤入城里,又从城里挤出城外。她最大的成功是嫁了一个方鸿渐,最大的失败也是嫁了一个方鸿渐。她和方鸿渐是芸芸知识分子间很典型的夫妇。孙柔嘉聪明可喜的一点是能画出汪太太的"扼要":十点红指甲,一张红嘴唇。一个年轻女子对自己又羡又妒又瞧不起的女人,会有这种尖刻。但这点聪明还是锺书赋与她的。锺书惯会抓住这类"扼要",例如他能抓住每个人声音里的"扼要",由声音辨别说话的人,尽管是从未识面的人。

也许我正像堂吉诃德那样,挥剑捣毁了木偶戏台,把《围城》里的人物斫得七零八落,满地都是硬纸做成的断肢残骸。可是,我逐段阅读这部小说的时候,使我放下稿子大笑的,并不是发现了真人实事,却是看到真人实事的一鳞半爪,经过拼凑点化,创出了从未相识的人,捏造了从未想到的事。我大笑,是惊喜之余,不自禁地表示"我能拆穿你的西洋镜"。锺书陪我大笑,是了解我的笑,承认我笑得不错,也带着几分得意。

可能我和堂吉诃德一样,做了非常扫兴的事。不过,我相信,这来可以说明《围城》和真人实事的关系。

## 二 写《围城》的钱锺书

要认识作者,还是得认识他本人,最好从小时候起。

锺书一出世就由他伯父抱去抚养,因为伯父没有儿子。据钱家的"坟上风水",不旺长房旺小房;长房往往没有子息,便有,也没出息,伯父就是"没出息"的长子。他比锺书的父亲大十四岁,二伯父早亡,他父亲行三,叔父行四,两人是同胞双生,锺书是长孙,出嗣给长房。伯父为锺书连夜冒雨到乡间物色得一个壮健的农妇;她是寡妇,遗腹子下地就死了,是现成的好奶妈(锺书称为"姆妈")。姆妈一辈子帮在钱家,中年以后,每年要呆呆的发一阵子呆,家里人背后称为"痴姆妈"。她在锺书结婚前特地买了一只翡翠镶金戒指,准备送我做见面礼。有人哄她那是假货,把戒指骗去,姆妈气得大发疯,不久就去世了,我始终没见到她。

锺书自小在大家庭长大,和堂兄弟的感情不输亲兄弟。亲的、堂的兄弟共十人,锺书居长。众兄弟间,他比较稚钝,孜孜读书的时候,对什么都没个计较,放下书本,又全没正经,好像有大量多余的兴致没处寄放,专爱胡说乱道。钱家人爱说他吃了痴姆妈的奶,有"痴气"。我们无锡人所谓"痴",包括很多意义:

疯、傻、憨、稚气、骏气、淘气等等。他父母有时说他"痴颠不拉"、"痴舞作法"、"呒著呒落"（"著三不著两"的意思——我不知正确的文字，只按乡音写）。他确也不像他母亲那样沉默寡言、严肃谨慎，也不像他父亲那样一本正经。他母亲常抱怨他父亲"憨"。也许锺书的"痴气"和他父亲的憨厚正是一脉相承的。我曾看过他们家的旧照片。他的弟弟都精精壮壮，唯他瘦弱，善眉善眼的一副忠厚可怜相。想来那时候的"痴气"只是稚气、骏气，还不会淘气呢。

锺书周岁"抓周"，抓了一本书，因此取名"锺书"。他出世那天，恰有人送来一部《常州先哲丛书》，伯父已为他取名"仰先"，字"哲良"。可是周岁有了"锺书"这个学名，"仰先"就成为小名，叫作"阿先"。但"先儿"、"先哥"好像"亡儿"、"亡兄"，"先"字又改为"宣"，他父亲仍叫他"阿先"。（他父亲把锺书写的家信一张张贴在本子上，有厚厚许多本，亲手贴上题签"先儿家书（一）（二）（三）……"；我还看到过那些本子和上面贴的信。）伯父去世后，他父亲因锺书爱胡说乱道，为他改字"默存"，叫他少说话的意思。锺书对我说："其实我喜欢'哲良'，又哲又良——我闭上眼睛，还能看到伯伯给我写在练习簿上的'哲良'。"这也许因为他思念伯父的缘故。我觉得他确是又哲又良，不过他"痴气"盎然的胡说乱道，常使他不哲不良——假如淘气也可算不良。"默存"这个号显然没有起克制作用。

伯父"没出息"，不得父母欢心，原因一半也在伯母。伯母娘家是江阴富户，做颜料商发财的，有七八只运货的大船。锺书的祖母娘家是石塘湾孙家,官僚地主,一方之霸。婆媳彼此看不起,也影响了父子的感情。伯父中了秀才回家,进门就挨他父亲一顿打,说是"杀杀他的势气";因为锺书的祖父虽然有两个中举的哥哥,他自己也不过是个秀才。锺书不到一岁,祖母就去世了。祖父始终不喜欢大儿子,锺书也是不得宠的孙子。

锺书四岁(我纪年都用虚岁,因为锺书只记得虚岁,而锺书是阳历十一月下旬生的,所以周岁当减一岁或二岁)由伯父教他识字。伯父是慈母一般,锺书成天跟着他。伯父上茶馆,听说书,锺书都跟去。他父亲不便干涉,又怕惯坏了孩子,只好建议及早把孩子送入小学。锺书六岁入秦氏小学。现在他看到人家大讲"比较文学",就记起小学里造句:"狗比猫大,牛比羊大";有个同学比来比去,只是"狗比狗大,狗比狗小",挨了老师一顿骂。他上学不到半年,生了一场病,伯父舍不得他上学,借此让他停学在家。他七岁,和比他小半岁的堂弟锺韩同在亲戚家的私塾附学,他念《毛诗》,锺韩念《尔雅》。但附学不便,一年后他和锺韩都在家由伯父教。伯父对锺书的父亲和叔父说:"你们两兄弟都是我启蒙的,我还教不了他们?"父亲和叔父当然不敢反对。

其实锺书的父亲是由一位族兄启蒙的。祖父认为锺书的父亲笨,叔父聪明,而伯父的文笔不顶好。叔父反正聪明,由伯父教也无妨;父亲笨,得请一位文理较好的族兄来教。那位族兄严厉得很,锺书的父亲挨了不知多少顿痛打。伯父心疼自己的弟弟,求了祖父,让两个弟弟都由他教。锺书的父亲挨了族兄的痛打一点不抱怨,却别有领会。他告诉锺书:"不知怎么的,有一天忽然给打得豁然开通了。"

　　锺书和锺韩跟伯父读书,只在下午上课。他父亲和叔父都有职业,家务由伯父经管。每天早上,伯父上茶馆喝茶,料理杂务,或和熟人聊天。锺书总跟着去。伯父花一个铜板给他买一个大酥饼吃(据锺书比给我看,那个酥饼有饭碗口大小,不知是真有那么大,还是小儿心目中的饼大);又花两个铜板,向小书铺子或书摊租一本小说给他看。家里的小说只有《西游记》、《水浒》、《三国演义》等正经小说。锺书在家里已开始囫囵吞枣地阅读这类小说,把"猕子"读如"豈子",也不知《西游记》里的"猕子"就是猪八戒。书摊上租来的《说唐》、《济公传》、《七侠五义》之类是不登大雅的,家里不藏。锺书吃了酥饼就孜孜看书,直到伯父叫他回家。回家后便手舞足蹈向两个弟弟演说他刚看的小说:李元霸或裴元庆或杨林(我记不清)一锤子把对手的枪打得弯弯曲曲等等。他纳闷儿的是,一条好汉只能在一本书里称雄。关公若进了《说唐》,他的青龙偃月刀只有八十斤重,怎敌得李元霸的那一对八百斤重的锤头子;李元霸若进了《西游记》,怎敌得过孙行者的一万三千斤的金箍棒(我们在牛津时,他和我讲哪条好汉使哪种兵器,重多少斤,历历如数家珍)。妙的是他能把各件兵器的斤两记得烂熟,却连阿拉伯数字的1、2、3都不认识。锺韩下学回家有自己的父亲教,伯父和锺书却是"老鼠哥哥同年伴儿"。伯父用绳子从高处挂下一团棉花,教锺书上、下、左、右打那团棉花,说是打"棉花拳",可以练软功。伯父爱喝两口酒。他手里没多少钱,只能买些便宜的熟食如酱猪舌之类下酒,哄锺书那是"龙肝凤髓",锺书觉得其味无穷。至今他喜欢用这类名称,譬如洋火腿在我家总称为"老虎肉"。他父亲不敢得罪哥哥,只好伺机把锺书抓去教他数学;教不会,发狠要打又怕哥哥听见,只好拧肉,不许锺书哭。锺书身上一块青、一块紫,晚上脱掉衣服,伯父发现了不免心疼气恼。锺书和我讲起旧事,对父亲的着急不胜同情,对伯父的气恼也不胜同情,对自己的忍痛不敢哭当然也同情,但回忆中只觉得滑稽又可怜。我笑说:痛打也许能打得"豁然开通",拧,大约是把窍门拧塞了。锺书考大学,数学只考得十五分。

　　锺书小时候最乐的事是跟伯母回江阴的娘家去;伯父也同去(堂姊已出嫁)。他们往往一住一两个月。伯母家有个大庄园,锺书成天跟着庄客四处田野里闲逛。他常和我讲田野的景色。一次大雷雨后,河边树上挂下一条大绿蛇,据说是天雷打死的。伯母娘家全家老少都抽大烟,后来伯父也抽上了。锺书往往半夜醒来,跟着伯父伯母吃半夜餐。当时快乐得很,回无锡的时候,吃足玩够,还穿着外婆家给做的新衣。可是一回家他就担忧,知道父亲要盘问功课,少不了挨打。父亲不敢当着哥哥管教锺书,可是抓到机会,就着实管教,因为锺书不但荒了功课,还养成不少坏习气,如晚起晚睡、贪吃贪玩等。

　　一九一九年秋天,我家由北京回无锡。我父母不想住老家,要另找房子。亲友介绍了一处,我父母去看房子,带了我同去。锺书家当时正租居那所房子。那是我第一次上他们钱家的门,只是那时两家并不相识。我记得母亲说,住在那房子里的一位女眷告诉她,搬进以后,没离开过药罐儿。那所房子我家没看中;钱家虽然嫌房子阴暗,也没有搬出。他们五年后才搬入七尺场他们家自建的新屋。我记不起那次看见了什么样的房子、或遇见了什么人,只记得门口下车的地方很空旷,有两棵大树;很高的白粉墙,粉墙高处有一个个砌着镂空花的方窗洞。锺书说我记忆不错,还补充说,门前有个大照墙,照墙后有一条河从门前流过。他说,和我母亲说话的大约是婶母,因为叔父婶母住在最外一进房子里,伯父伯母和他住中间一进,他父母亲伺奉祖父住最后一进。

我女儿取笑说:"爸爸那时候不知在哪儿淘气呢。假如那时候爸爸看见妈妈那样的女孩子,准抠些鼻牛来弹她。"锺书因此记起旧事说,有个女裁缝常带着个女儿到他家去做活;女儿名宝宝,长得不错,比他大两三岁。他和锺韩一次抓住宝宝,把她按在大厅隔扇上,锺韩拿一把削铅笔的小脚刀作势刺她。宝宝大哭大叫,由大人救援得免。兄弟俩觉得这番胜利当立碑纪念,就在隔扇上刻了"刺宝宝处"四个字。锺韩手巧,能刻字,但那四个字未经简化,刻来煞是费事。这大概是顽童刚开始"知慕少艾"的典型表现。后来房子退租的时候,房主提出赔偿损失,其中一项就是隔扇上刻的那四个不成形的字,另一项是锺书一人干的坏事,他在后园"挖人参",把一棵玉兰树的根刨伤,那棵树半枯了。

锺书十一岁,和锺韩同考取东林小学一年级,那是四年制的高等小学。就在那年秋天,伯父去世。锺书还未放学,经家人召回,一路哭着赶回家去,哭叫"伯伯",伯父已不省人事。这是他生平第一次遭受的伤心事。

伯父去世后,伯母除掉长房应有的月钱以外,其它费用就全由锺书父亲负担了。伯母娘家败得很快,兄弟先后去世,家里的大货船逐渐卖光。锺书的学费、书费当然有他父亲负担,可是学期中间往往添买新课本,锺书没钱买,就没有书;再加他小时候贪看书摊上伯父为他租的小字书,看坏了眼睛,坐在教室后排,看不见老师黑板上写的字,所以课堂上老师讲什么,他茫无所知。练习簿买不起,他就用伯父生前亲手用毛边纸、纸捻子为他钉成的本子,老师看了直皱眉。练习英文书法用钢笔。他在开学的时候有一支笔杆、一个钢笔尖,可是不久笔尖撅断了头。同学都有许多笔尖,他只有一个,断了头就没法写了。他居然急中生智,把毛竹筷削尖了头蘸着墨水写,当然写得一塌糊涂,老师简直不愿意收他的练习簿。

我问锺书为什么不问父亲要钱。他说,从来没想到过。有时伯母叫他向父亲要钱,他也不说。伯母抽大烟,早上起得晚,锺书由伯母的陪嫁大丫头热些馊粥吃了上学。他同学、他弟弟都穿洋袜,他还穿布袜,自己觉得脚背上有一条拼缝很刺眼,只希望穿上棉鞋可遮掩不见。雨天,同学和弟弟穿皮鞋,他穿钉鞋,而且是伯伯的钉鞋,太大,鞋头塞些纸团。一次雨天上学,路上看见许多小青蛙满地蹦跳,觉得好玩,就脱了鞋捉来放在鞋里,抱着鞋光脚上学;到了教室里,把盛着小青蛙的钉鞋放在抬板桌下。上课的时候,小青蛙从鞋里出来,满地蹦跳。同学都忙着看青蛙,窃窃笑乐。老师问出因由,知道青蛙是从锺书鞋里出来的,就叫他出来罚立。有一次他上课玩弹弓,用小泥丸弹人。中弹的同学嚷出来,老师又叫他罚立。可是他混混沌沌,并不觉得羞惭。他和我讲起旧事常说,那时候幸亏糊涂,也不觉得什么苦恼。

锺书跟我讲,小时候大人哄他说,伯母抱来一个南瓜,成了精,就是他;他真有点儿怕自己是南瓜精。那时候他伯父已经去世,"南瓜精"是舅妈、姨妈等晚上坐在他伯母鸦片榻畔闲谈时逗他的,还正色嘱咐他切莫告诉他母亲。锺书也怀疑是哄他,可是真有点耽心。他自说混沌,恐怕是事实。这也是家人所谓"痴气"的表现之一。

他有些混沌表现,至今依然如故。例如他总记不得自己的生年月日。小时候他不会分辨左右,好在那时候穿布鞋,不分左右脚。后来他和锺韩同到苏州上美国教会中学的时候,穿了皮鞋,他仍然不分左右乱穿。在美国人办的学校里,上体育课也用英语喊口号。他因为英文好,当上了一名班长。可是嘴里能用英语喊口号,两脚却左右不分;因此只当了两个星期的班长就给老师罢了官,他也如释重负。他穿内衣或套脖的毛衣,往往前后颠倒,衣服套在脖子上只顾前后掉转,结果还是前后颠倒了。或许这也是钱家人说他"痴"的又一表现。

锺书小时最喜欢玩"石屋里的和尚"。我听他讲得津津有味,以为是什么有趣的游戏;原来只是一人盘腿坐在帐子里,放下帐门，披着一条被单，就是"石屋里的和尚"。我不懂那有什么好玩。他说好玩得很；晚上伯父伯母叫他早睡，他不肯，就玩"石屋里的和尚"，玩得很乐。所谓"玩"，不过是一个人盘腿坐着自言自语。小孩子自言自语，其实是出声的想像。我问他是否编造故事自娱，他却记不得了。这大概也算是"痴气"吧。

锺书上了四年高小，居然也毕业了。锺韩成绩斐然，名列前茅；他只是个痴头傻脑、没正经的孩子。伯父在世时，自愧没出息，深怕"坟上风水"连累了嗣给长房的锺书。原来他家祖坟下首的一排排树高大茂盛，"上首的细小萎弱。上首的树当然就代表长房了。伯父一次私下花钱向理发店买了好几斤头发，叫一个佃户陪着，悄悄带着锺书同上祖坟去，把头发埋在上首几排树的根旁。他对锺书说，要叫上首的树荣盛，"将来你做大总统。"那时候锺书才七八岁，还不懂事，不过多少也感觉到那是伯父背着人干的私心事，所以始终没向家里任何别人讲过。他讲给我听的时候，语气中还感念伯父对他的爱护，也惊奇自己居然有心眼为伯父保密。

锺书十四岁和锺韩同考上苏州桃坞中学（美国圣公会办的学校）。父母为他置备了行装，学费书费之外，还有零用钱。他就和锺韩同往苏州上学，他功课都还不错，只算术不行。

那年他父亲到北京清华大学任教，寒假没回家。锺书寒假回家没有严父管束，更是快活。他借了大批的《小说世界》、《红玫瑰》、《紫萝兰》等刊物恣意阅读。暑假他父亲归途阻塞，到天津改乘轮船，转辗回家，假期已过了一半。他父亲回家第一事是命锺书锺韩各做一篇文章;锺韩的一篇颇受夸赞,锺书的一篇不文不白,用字庸俗,他父亲气得把他痛打一顿,锺书忍笑向我形容他当时的窘况:家人都在院子里乘凉,他一人还在大厅上,挨了打又痛又羞,呜呜地哭。这顿打虽然没有起"豁然开通"的作用,却也激起了发奋读书的志气。锺书从此用功读书,作文大有进步。他有时不按父亲教导的方法作古文,嵌些骈骊,倒也受到父亲赞许。他也开始学着作诗,只是并不请教父亲。一九二七年桃坞中学停办,他和锺韩同考入美国圣公会办的无锡辅仁中学,锺书就经常有父亲管教,常为父亲代笔写信,由口授而代写,由代写信而代作文章。锺书考入清华之前,已不复挨打而是父亲得意的儿子了。一次他代父亲为乡下某大户作了一篇墓志铭。那天午饭时,锺书的姆妈听见他父亲对他母亲称赞那篇文章,快活得按捺不住,立即去通风报信,当着他伯母对他说:"阿大啊,爹爹称赞你呢!说你文章做得好!"锺书是第一次听到父亲称赞,也和姆妈一样高兴,所以至今还记得清清楚楚。那时商务印书馆出版钱穆的一本书,上有锺书父亲的序文。据锺书告诉我,那是他代写的,一字没有改动。

我常见锺书写客套信从不起草,提笔就写,八行笺上,几次抬头,写来恰好八行,一行不多,一行不少。锺书说,那都是他父亲训练出来的,他额角上挨了不少"爆栗子"呢。

锺书二十岁伯母去世。那年他考上清华大学,秋季就到北京上学。他父亲收藏的"先儿家书"是那时候开始的。他父亲身后,锺书才知道父亲把他的每一封信都贴在本子上珍藏。信写得非常有趣,对老师、同学都有生动的描写。可惜锺书所有的家书(包括写给我的),都由"回禄君"收集去了。

　　锺书在清华的同班同学饶余威一九六八年在新加坡或台湾写了一篇《清华的回忆》①,有一节提到锺书:"同学中我们受钱锺书的影响最大。他的中英文造诣很深,又精于哲学及心理学,终日博览中西新旧书籍,最怪的是上课时从不记笔记,只带一本和课堂无关的闲书,一面听讲一面看自己的书,但是考试时总是第一,他自己喜欢读书,也鼓励别人读书。……"据锺书告诉我,他上课也带笔记本,只是不作笔记,却在本子上乱画。现在美国的许振德君和锺书是同系同班,他最初因锺书夺去了班上的第一名,曾想揍他一顿出气,因为他和锺书同学之前,经常是名列第一的。一次偶有个不能解决的问题,锺书向他讲解了,他很感激,两人成了朋友,上课常同坐在最后一排。许君上课时注意一女同学,锺书就在笔记本上画了一系列的《许眼变化图》,在同班同学里颇为流传,锺书曾得意地画给我看。一年前许君由美国回来,听锺书说起《许眼变化图》还忍不住大笑。

　　锺书小时候,中药房卖的草药每一味都有两层纸包裹;一张白纸,一张印着药名和药性。每服一付药可攒下一叠包药的纸。这种纸干净、吸水,锺书大约八、九岁左右常用包药纸来临摹他伯父藏的《芥子园画谱》,或印在《唐诗三百首》里的"诗中之

---

　　① 《清华大学第五级毕业五十周年纪念册》(一九八四年出版)转载此文,饶君已故。

画"。他为自己想出一个别号叫"项昂之"——因为他佩服项羽,"昂之"是他想像中项羽的气概。他在每幅画上挥笔署上"项昂之"的大名,得意非凡。他大约常有"项昂之"的兴趣,只恨不善画。他曾央求当时在中学读书的女儿为他临摹过几幅有名的西洋淘气画,其中一幅是《魔鬼临去遗臭图》(图名是我杜撰),魔鬼像吹喇叭似的后部撒着气逃跑,画很妙。上课画《许眼变化图》,央女儿代摹《魔鬼遗臭图》,想来也都是"痴气"的表现。

钟书在他父亲的教导下"发愤用功",其实他读书还是出于喜好,只似馋嘴佬贪吃美食:食肠很大,不择精粗,甜咸杂进。极俗的书他也能看得哈哈大笑。戏曲里的插科打诨,他不仅且看且笑,还一再搬演,笑得打跌。精微深奥的哲学、美学、文艺理论等大部著作,他像小儿吃零食那样吃了又吃,厚厚的书一本本渐次吃完,诗歌更是他喜好的读物。重得拿不动的大字典、辞典、百科全书等,他不仅挨着字母逐条细读,见了新版本,还不嫌其烦地把新条目增补在旧书上。他看书常做些笔记。

我只有一次见到他苦学。那是在牛津,他提出论文题目之前当学习"古文书学(Paleography)",要能辨认英国十一世纪以来的各式古字体。他毫无兴趣,考试前只好硬记,因此每天读一本侦探小说"休养脑筋","休养"得睡梦中手舞脚踢,不知是捉拿凶手,还是自己做了凶手和警察打架。结果考试不及格,只好暑假后补考。这件补考的事,《围城》英译本《导言》里也提到。钟书一九七九年访美,该译本出版家把译本的《导言》给他过目,他读到这一段又惊又笑,想不到调查这么精密。后来胡志德(Theodore Huters)君来见,才知道是他向锺书在牛津时的同窗好友 Donald Stuart 打听来的。

锺书的"痴气"书本里灌注不下,还洋溢出来。我们在牛津时,他午睡,我临帖,可是一个人写写字困上来,便睡着了。他醒来见我睡了,就饱蘸浓墨,想给我画个花脸。可是他刚落笔我就醒了。他没想到我的脸皮比宣纸还吃墨,洗净墨痕,脸皮像纸一样快洗破了,以后他不再恶作剧,只给我画了一幅肖像,上面再添上眼镜和胡子,聊以过瘾。回国后他暑假回上海,大热天女儿熟睡(女儿还是娃娃呢),他在她肚子上画一个大脸,挨他母亲一顿训斥,他不敢再画。沦陷在上海的时候,他多余的"痴气"往往发泄在叔父的小儿小女、孙儿孙女和自己的女儿阿圆身上。这一串孩子挨肩儿都相差两岁,常在一起玩。有些语言在"不文明"或"臭"的边缘上,他们很懂事似的注意避忌。锺书变着法儿,或作手势,或用切口,诱他们说出来,就赖他们说"坏话"。于是一群孩子围着他吵呀,打呀,闹个没完。他虽然挨了围攻,还俨然以胜利者自居。他逗女儿玩,每天临睡在她被窝里埋置"地雷",埋得一层深入一层,把大大小小的各种玩具、镜子、刷子,甚至砚台或大把的毛笔都埋进去,等女儿惊叫,他就得意大乐。女儿临睡必定小心搜查一遍,把被里的东西一一取出。锺书恨不得把扫帚、畚箕都塞入女儿被窝,博取一遭意外的胜利。这种玩意儿天天玩也没多大意思,可是锺书百玩不厌。

他又对女儿说,《围城》里有个丑孩子,就是她。阿圆信以为真,却也并不计较。他写了一个开头的《百合心》里,有个女孩子穿一件紫红毛衣,锺书告诉阿圆那是个最讨厌的孩子,也就是她。阿圆大上心事,怕爸爸冤枉她,每天找他的稿子偷看,锺书就把稿子每天换个地方藏起来。一个藏,一个找,成了捉迷藏式的游戏。后来连我都不知道稿子藏到哪里去了。

  锺书的"痴气"也怪别致的。他很认真地跟我说:"假如我们再生一个孩子,说不定比阿圆好,我们就要喜欢那个孩子了,那我们怎么对得起阿圆呢。"提倡一对父母生一个孩子的理论,还从未讲到父母为了用情专一而只生一个。

  解放后,我们在清华养过一只很聪明的猫。小猫初次上树,不敢下来,锺书设法把它救下。小猫下来后,用爪子轻轻软软地在锺书腕上一搭,表示感谢。我们常爱引用西方谚语:"地狱里尽是不知感激的人。"小猫知感,锺书说它有灵性,特别宝贝。猫儿长大了,半夜和别的猫儿打架。锺书特备长竹竿一枝,倚在门口,不管多冷的天,听见猫儿叫闹,就急忙从热被窝里出来,拿了竹竿,赶出去帮自己的猫儿打架。和我们家那猫儿争风打架的情敌之一是紧邻林徽因女士的宝贝猫,她称为她一家人的"爱的焦点"。我常怕锺书为猫而伤了两家和气,引用他自己的话说:"打狗要看主人面,那么,打猫要看主妇面了!"(《猫》的第一句),他笑说:"理论总是不实践的人制定的。"

  钱家人常说锺书"痴人有痴福"。他作为书痴,倒真是有点痴福。供他阅读的书,好比富人"命中的禄食"那样丰足,会从各方面源源供应(除了下放期间,他只好"反刍"似的读读自己的笔记,和携带的字典)。新书总会从意外的途径到他手里。他只要有书可读,别无营求。这又是家人所谓"痴气"的另一表现。

锺书和我父亲诗文上有同好,有许多共同的语言。锺书常和我父亲说些精致典雅的淘气话,相与笑乐。一次我父亲问我:"锺书常那么高兴吗?""高兴"也正是钱家所谓"痴气"的表现。

我认为《管锥编》、《谈艺录》的作者是个好学深思的锺书,《槐聚诗存》的作者是个"忧世伤生"的锺书,《围城》的作者呢,就是个"痴气"旺盛的锺书。我们俩日常相处,他常爱说些痴话,说些傻话,然后再加上创造,加上联想,加上夸张,我常能从中体味到《围城》的笔法。我觉得《围城》里的人物和情节,都凭他那股子痴气,呵成了真人实事。可是他毕竟不是个不知世事的痴人,也毕竟不是对社会现象漠不关心,所以小说里各个细节虽然令人捧腹大笑,全书的气氛,正如小说结尾所说:"包涵对人生的讽刺和感伤,深于一切语言、一切啼笑",令人回肠荡气。

锺书写完了《围城》,"痴气"依然旺盛,但是没有体现为第二部小说。一九五七年春,"大鸣大放"正值高潮,他的《宋诗选注》刚脱稿,因父病到湖北省亲,路上写了《赴鄂道中》五首绝句,现在引录三首:"晨书暝写细评论,诗律伤严敢市恩。碧海掣鲸闲此手,祇教疏凿别清浑。""奕棋转烛事多端,饮水差知等暖寒。如膜妄心应褪净,夜来无梦过邯郸。""驻车清旷小徘徊,隐隐遥空蹴霮䨴。脱叶犹飞风不定,啼鸠忽噤雨将来。"后两首寄寓他对当时情形的感受,前一首专指《宋诗选注》而说,点化杜甫和元好问的名句("或看翡翠兰苕上,未掣鲸鱼碧海中";"谁是诗中疏凿手,暂教泾渭各清浑")。据我了解,他自信还有写作之才,却只能从事研究或评论工作,从此不但口"噤",而且不兴此念了。《围城》重印后,我问他想不想再写小说。他说:"兴致也许还有,才气已与年俱减。要想写作而没有可能,那只会有遗恨;有条件写作而写出来的不成东西,那就只有后悔了。遗恨里还有哄骗自己的余地,后悔是你所学的西班牙语里所谓'面对真理的时刻',使不得一点儿自我哄骗、开脱、或宽容的,味道不好受。我宁恨毋悔。"这几句话也许可作《围城·重印前记》的笺注吧。

我自己觉得年纪老了;有些事,除了我们俩,没有别人知道。我要乘我们夫妇都健在,一一记下。如有错误,他可以指出,我可以改正。《围城》里写的全是捏造,我所记的却全是事实。

一九八五年十二月

# 人獸鬼

书名由作者题签

## 目 录

序 …………………………………………… *423*

上帝的梦 …………………………………… *425*

猫 …………………………………………… *441*

灵感 ………………………………………… *494*

纪念 ………………………………………… *517*

**附 录**

  《写在人生边上》和《人·兽·鬼》重印本序 …………… *547*

# 序

假使这部稿子没有遗失或烧毁,这本书有一天能够出版,序是免不了的。

节省人工的方法愈来愈进步,往往有人甘心承认是小说或剧本中角色的原身,借以不费事地自登广告。为防免这种冒名顶替,我特此照例声明,书里的人物情事都是凭空臆造的。不但人是安分守法的良民,兽是驯服的家畜,而且鬼也并非没管束的野鬼;他们都只在本书范围里生活,决不越规溜出书外。假如谁要顶认自己是这本集子里的人、兽或鬼,这等于说我幻想虚构的书中角色,竟会走出书,别具血肉、心灵和生命,变成了他,在现实里自由活动。从黄土抟人以来,怕没有这样创造的奇迹。我不敢梦想我的艺术会那么成功,惟有事先否认,并且敬谢他抬举我的好意。

三十三年(一九四四)四月一日

此书稿本曾由杨绛女士在兵火仓皇中录副。《灵感》曾在傅雷、周煦良两先生主编的《新语》第一、第二期发表。《猫》曾在郑振铎、李健吾两先生主编的《文艺复兴》第一期发表。出版事宜又承徐调孚先生费力。并此致谢。

三十五年(一九四六)一月三日

《灵感》有捷克语译本,见捷克《外国文学杂志》一九七五年第三期;《灵感》和《纪念》有英语译本,见哥伦比亚大学出版社一九八一年出版的《一九一九至一九四九年中国中短篇小说选》;《纪念》有俄语译本,见一九八五年 MOCKBA,《ХУДОЖЕСТВЕННАЯ ЛИТЕРАТУРА》出版的《纪念:中国当代短篇小说选》。

## 上 帝 的 梦

那时候,我们的世界已经给科学家、哲学家和政治家训练得驯服,沿着创化论、进化论、层化论、优生学、"新生活运动"的规律,日新月进。今天淘汰了昨天的生活方式,下午增高了上午的文化程度。生活和文明瞬息千变,变化多得历史不胜载,快到预言不及说。那时候,人生历程的单位是用"步"来计算;不说"过了一年",说"又进了一步",不说"寿终",说"行人止步",不说"哀悼某人逝世",说"百步笑五十步"——笑他没多向前进几步。在男女结合的集会上,贺客只说"双飞",不说"双宿";只有少数守旧的人还祝这对夫妇"保持五分钟热度",这就等于我们现在说"百年偕老",明知是不可能的空话。但是这种进步的世界有一个美中不足,一切近百年史、五十年来的"文化检讨"、日记、年谱、自传、"我的几分之几的一生",以及其他相类含有讣告性的作品,都失掉了效用。幸亏那时候的人压根儿就没工夫看书。至于写这类读物的作者呢?他们运气好,早抢先在二十世纪初叶投了胎,出世了,写了,死了,有人读了,没人读了,给人忘了。进化的定律是后来者居上。时间空间演化出无机体;无机体进而为动植物;从固定的植物里变出文静、纠缠住不放的女人;从活泼的动物里变出粗野、敢冒险的男人;男人女人创化出小孩子;小孩子推演出洋娃娃。所以,至高无上的上帝该是进化最后的产物。不过,要出产个上帝谈何容易。历史上哪一个伟人不在娘胎里住过十月才肯出世呢?像现在有四万万互相残害的子孙的黄帝,就累他母亲怀了足足二十个月的孕;正位为太上道德真君的老子也在娘胎里住了八十年,然后呱呱下地,真是名副其实的"老子"了。所以当天演的力量,经过数不清的年头,创化出一位上帝时,人类已在这世界里绝迹了——也许就为"双飞"而不"双宿"的缘故,甚至进化论者也等不及了。因此,这个充满了物质的世界同时也很空虚,宛如一个放大了无数倍的愚人的头脑。

正在深夜。古旧的黑暗温厚地掩覆住衰老的世界,仿佛沉重的眼皮盖在需要休息的眼睛上。上帝被天演的力量从虚无里直推出来,进了时空间,开始觉得自己的存在。到此刻,自古以来神学家和玄学家的证明,情人、战士、农人和贫苦人的祈祷,总算有个主儿。但是,这许多虔诚的表示,好比家人寄给流浪者的信,父母生前对于遗腹子的愿望,上帝丝毫没有领略到。他张开眼,什么都瞧不见。身子周围的寂静,无边,无底。已消逝的人类的遗习,在上帝的本能里半醒过来,他像小孩子般害怕,要啼哭。然而这寂静好久没给人声打破,结成了胶,不容许声音在中间流动。上帝省悟到这身外的寂静和心里的恐怖都是黑暗孵庇的。他从此恨黑暗,要求他所未见过、不知名的光明。这要求一刻强于一刻,过了不知多少时间忽然黑暗薄了一层,夜减少了它的压力,隐隐露出高山深谷的轮廓,眼睛起了作用,视野里有了收获。这使上帝开始惊奇自己愿力的伟大。他想,他不要黑暗,黑暗就知趣让步。这还不够!本来望出去什么也没有,现在他眼睛所到,黑暗里就会生出东西,庞大地迎合着自己的目光。以前人类赞美万能创世的歌声,此时在上帝意识层下似乎又颤动着遗音和回响。

上帝也有人的脾气,知道了有权力就喜欢滥使。他想索性把黑暗全部驱除,瞧它听不听命令。咦!果然一会儿东方从灰转白,白里透红,出了太阳。上帝十分快乐,他觉得这是他要来的,听他的吩咐。他给日光射花的眼睛,自动地闭上,同时心里想:"好利害的家伙!暂时不要它。"说也奇怪,果然眼前一切立即消灭,只见一团息息不停地泛出红色的黑暗。到此地步,上帝对自己的本领和权力,不能再怀疑了。既然闭上了眼便能去掉光明,这光明准是自己眼睛里产生的。不信,试张开眼睛。你瞧,这不是太阳?那不是山和水?都千依百顺地呈献在眼里。从前公鸡因为太阳非等他啼不敢露脸,对母鸡昂然夸口,又对着太阳引吭高叫,自鸣得意。比公鸡伟大无数倍的上帝,这时候心理上也就和他相去不远,只恨天演的历程没化生出相当于母鸡的东西来配他,听他夸口。这可不是天演的缺陷,有它科学上的根据。正像一切优生学配合出的动物(譬如骡),或者受人崇拜的独裁元首(譬如只有一个睾丸的希特勒),上帝是不传种的,无须配偶。不过,公鸡般的得意长鸣,还是免不了的。所以上帝不由自主地哈哈大笑,这笑在旷野空谷里起了回声,使上帝佩服自己的声音能变得这样多,放得这样大,散得这样远。

这位上帝真不愧进化出来的。他跟原始人绝然不同。他全没有野蛮人初发现宇宙时的迷信和敬畏。他还保持着文明人唯我独尊的自信心。野蛮人随时随地相信有神道,向它屈服拜倒。上帝只发现了自己的伟大,觉得能指挥万物,无须依赖任何人。世界随他的视线蜿蜒地伸出去;脚走到哪里,地会跟到哪里,只有地平线向后退,这也表示它对自己的畏怯。一切都增进他的骄傲,培养他的虚荣。他忽然需要一个伴侣。在这广漠的世界里,一个人待下去怪乏味的。要一个伴侣来解闷儿。上帝因此考虑这个伴侣该具有的条件。他的结论虽没有下面所说的那样明白,大意是相同的。

第一,这伴侣要能对自己了解。不过,这种了解只好像批评家对天才创作家的了解,能知而不能行。他的了解不会使他如法创作来和自己竞赛,只够使他中肯地赞美,妙入心坎地拍马;因为——

第二,这伴侣的作用就为满足自己的虚荣心。他该对自己无休歇地、不分皂白地颂赞,像富人家养的清客,被收买的政治家,受津贴的报纸编辑。不过,自己并没有贿赂他,这颂赞是出于他内心的感激悦服;所以——

第三,这伴侣该对自己忠实,虔诚,像——像什么呢?不但天真未凿的上帝不会知道,就是我们饱经世故,看过父子、兄弟、男女、主仆、上司和下属、领袖和爱戴者之间种种关系,也还不知道像什么。

有些人，临睡稍一思想，就会失眠；另有些人，清醒时胡思乱想，就会迷迷糊糊地入睡。上帝也许是后一种人演化出来的，他从思想滑进了睡梦。这驯服的世界也跟随他到梦境里来。他梦里依然是荒山野水，水里照见自己的形象。他灵机一动，向石骨棱棱的山身上，挑比较丰肥的地方，挖了一团泥，对照水里的形象，捏成坯子，吹口气。这坯子就活动起来，向脚边俯伏，叫："全知全能的真宰呀！我将无休止地歌颂你。"上帝这时候又惊又喜的心情，简直不可拟议。假使我们是小女孩子，忽听得手里抱的洋娃娃赶着自己叫"妈妈"，或者是大学女生，忽见壁上贴的好莱坞男明星在照相里对自己做眼，低声唱："妹妹，我爱你！"也许我们能揣猜、想像他那时候心理的万分之一。可惜我们都不是。

一切宗教的圣经宝典关于黄土抟人的记载，此刻才算证实了不失为预言。上帝并不明白自己在做梦，或者梦在作弄自己。他不知道这团烂泥分析起来压根儿就是梦的质料。他以为真有一个凑趣助兴的人，从此以后，赞美不必出自己的口，而能称自己的心。因为对自己最好的颂赞，是心上要说而又是耳朵里听来的，有自赞那样的周到和中肯，而又出于旁人的嘴里。咱们都有这个理想，也许都曾在梦里造个人来实现。醒时要凭空造这样一个人，可没那么容易，我们只能把现成的人作为原料加工改造，成果总不很得心应手。

上帝在人类灭绝后才出世，不知不觉中占有许多便宜。譬如两个民族相斗争时，甲族虔诚地求他惩罚乙族，乙族真挚地望他毁灭甲族,使聪明正直的他左右为难。这种困难,此时决不会发生。就像他在梦里造人,假如世间还有文人,就会惹起笔墨官司。据他把烂泥捏人一点看来,上帝无疑地有自然主义的写实作风,因为他把人性看得这样卑污,向下层去找材料。同时,他当然充得古典派的作家,因为"一切创造基于模仿",万能的他也免不了模仿着水里的印象才能造出一个人来。不知道是古典派理论不准确呢,是上帝的手工粗劣呢,还是上帝的相貌丑陋呢,他照自己模样造成的人,看来实在不顺眼。他想这也许由于泥坯太粗,而且初次动手,手工还没纯熟。于是他选取最细软的泥——恰是无数年前林黛玉葬花的土壤,仔细拣去沙砾,调和了山谷阴处未干的朝露,对着先造的人型,仔细观察长处短处,然后用已有经验的手指,捏制新的泥坯子。他从流水的波纹里,采取了曲线来做这新模型的体态;从朝霞的嫩光里,挑选出绮红来做它的脸色;向晴空里提炼了蔚蓝,浓缩入它的眼睛;最后,他收住一阵轻飘浮荡的风,灌注进这个泥型,代替自己吹气。风的性子是膨胀而流动的,所以这模型活起来,第一桩事就是伸个软软的懒腰,打个长长的呵欠,为天下伤春的少女定下了榜样。这第二个模型正是女人。她是上帝根据第一个模型而改良的制造品。男人只是上帝初次的尝试,女人才是上帝最后的成功。这可以解释为什么爱漂亮的男人都向女人学样,女人要更先进,就发展成为妖怪。

  从此,上帝有了事做。为这对男女,上帝费尽心思,造各种家畜、家禽、果子、蔬菜,给他们享受、利用。每造一件东西,他总沾沾自喜地问男人和女人道:"我又为你们发明了新东西,你们瞧我的本领大不大?"于是那一对齐声歌颂:"慈悲救世的上帝!"日子长了,这一对看惯了他的奇迹,感谢得也有些厌了,反嫌他碍着两口子间的体己。同时上帝也诧异,何以他们俩的态度渐渐冷淡,不但颂赞的声音减少了高朗,而且俯伏时的膝盖和背脊也似乎不如以前弯得爽利。于是,上帝有个不快意的发现。自从造人以来,他发明的东西是不少了,但是有发现还算第一次。

这发现就是:每涉到男女关系的时候,"三"是个少不了而又要不得的数目。假使你是新来凑上的第三者,你当然自以为少不了,那两人中的一人也会觉得你少不了,还有余下的一人一定认为你要不得,你更以为他或她要不得。假使你是原来的而退作第三者,你依然觉得自己少不了,那两人却都以为你要不得,你也许对两人中的一人还以为她或他少不了,对余下的一人当然以为她或他要不得。据数学家说,一只三角形里不能有两只钝角。不过,在男女三角形的关系里,总有一只钝角。上帝发现这钝角并不是那粗坯的男人,却正是自己,不知趣地监护着他俩。这真是气得死人——不,气得死上帝!他最初造女人,并非要为男人添个伴侣。他只因为冷清清地无聊,制造个玩意儿来解闷,第一个坯子做得不满意,所以又造一个。谁知道他俩要好起来,反把他撇在一边。他诧异何以这女人对巍巍在上的造物主老是敬而远之,倒和那泥土气的男人亲密。于是,上帝又有一个不快意的发现。这一次的发现不是数学上的,而是物理学上的。

这发现就是:宇宙间有地心吸力那一回事。由于地心吸力,一切东西都趋向下面,包括牛顿所看见的苹果。所以下等人这样多,上等人那么希罕,并且上等人也常有向下层压迫的趋势;青年人那么容易堕落;世道人心么每况愈下——这全是一个道理。上帝在造女人的时候,又调露水,又仿波纹,无意中证实了"女人水性"那句古话,更没想到另一句古话:"水性就下。"假使树上掉下的苹果恰砸痛了牛顿的头,或碰破了他的鼻子,那末牛顿虽因此而发现吸力的定律,准会觉得这吸力的例子未免咄咄逼人。同样,上帝虽参透了人情物理,心上老是不自在,还觉得女人的情感不可理解。他甚至恨自己的伟大是个障碍,不容许他们来接近。造了这一对男女,反把自己的寂寞增加了;衬着他们的亲密,自己愈觉被排斥的孤独。更可气的是,他们有不能满足的需要时,又会来求情讨好。譬如水果烂了,要树上结新的,家畜吃腻了,要山里添些野味,他俩就会缠住上帝,又亲又热,哄到上帝答应。一到如愿以偿,他们又好一会要把上帝撇在脑后。上帝只变了他们的用人,这使他大大的生气。原来要他们爱自己,非先使他们爱新果子或野味不可,自己不就身份降低,只等于果子或野味么?他们这样存心,若还让他们有求必遂,那末自己真算得果子中的傻瓜,野味里的呆鸟了!因此上帝下个决心,不再允许他们的请求。但是,上帝是给他俩罩上"正直慈悲"的头衔的,不好意思借小事和他俩为难。只能静候机会,等他们提出无理要求时,给他们一个干脆的拒绝。妙在上帝是长生不死的,随你多么长的时期,都熬得住等待。

一天,女人独来向上帝请安。她坐在他脚边,仰面看着他脸,蓝液体的眼睛,像两汪地中海的水,娇声说:"真宰啊!你心最好,能力最大,我真不知怎样来感谢你!"

上帝用全力抵抗住她眼睛的闪电战术,猜疑地问:"你有什么要求?"

女人赔小心似的媚笑,这笑扩充到肩背腰腹,使她全身丰腴的曲线添了波折,说的话仿佛被笑从心底下泛上来的,每个字都载沉载浮在笑声里:"你真是全知全晓的造物主哪!什么事都瞒不过你,我真怕你。其实我没有什么要求;你待我们太好了,一切都很完美。那——那也算不得什么要求。"

"'那'是什么呢?快说罢。"上帝不耐烦地说,心给希冀逗得直跳直进,想出气的机会来了。

女人把后备着的娇态全部动员,扭着身子说:"伟大的天公啊!你真是无所不能。你毫不费力地一举手,已够使我们惊奇赞美。我并不要新鲜的东西,我只恳求你"——说时,她将脸贴住上帝漠无所感的腿,懒洋洋地向远远睡在山谷里的男人做个手势——"我只恳求你再造一个像他样子的人。不,不完全像他,比他坯子细腻些,相貌长得漂亮些。慈悲的主啊!你是最体贴下情的!"

上帝直跳起来,险把粘在脚边的女人踢开去,忙问:"要我再造一个男人?为什么?"

女人一手摩心口,一手摩脸颊,说:"吓死我了!神奇的上帝啊!你的力量真伟大!行动真迅速!你看,我的脸给你碰痛了——那没有关系。你不是问我缘故么?我的男人需要一个朋友,他老和我在一起,怪闷的。你再造一个男人,免得他整日守着我,你说,对不对?"

"也免得你整夜守着他,是不是?"上帝的怒声,唤起了晴空隐隐的雷霆,"女人啊! 你真大胆,竟向我提这样的要求! 你对一切东西都贪多、浪费,甚至对于男人,在指定配给以外,还要奢侈品。那还了得! 快回去,我饶赦你初次,你再抱非分的欲望,我会责罚你,使你现有的男人都保不住,我把他毁灭。"

最后一句话很有效力。女人飞红了脸,嘟哝着嘴,起身去了,一路上嘀咕:"我说着玩儿,你就拿腔作样。老实说,我早看破你没本领造一个比他好的男人!"这些话幸而上帝没听到。他出了心头恶气,乐的了不得;怕笑容给女人回头瞧见了,把脸躲在黑云堆里。他嘻开嘴,白牙齿的磁光在黑云里露出来,女人恰回脸一望,她没见过牙膏商标上画的黑人,误认以为电光。上帝努力压住的"哈哈"笑声,在腔子里一阵阵地掀动,女人远远听着,以为就是打雷。她想上帝在施展恐怖手段,又气又怕,三脚两步,跑到男人那里。上帝才恐吓过她,要剥夺她这个惟一的男人,所以她对他又恢复了占有的热情。她坐在他头边,吻醒了他,拥抱住他,说话里每一个字上都印着吻痕、染着嘴唇的潮润:"我只有你! 我只爱你! 没有你,我活不了。我不许你给人夺去……谁要把你拿走,我就拼了这条命!"男人酣睡初醒,莫名其妙,听到女人重申占领决心的宣言,局促不安,因为他刚做一个梦,心里有鬼。女人跑得累了,情感紧张得倦了,沉沉睡去。他偷偷起来,挑了两块吃剩的肥肉,去向上帝进贡。

"弘恩大量的主人翁啊！求你垂鉴我的虔诚,接受这微末的孝敬。我们一切原是你赐予的,这东西也就是你的,我们所能贡献在你脚下的,只是一片真心。"男人如是说。

上帝方才的高兴,此时更增加了。他想,人来献祭,这还是第一次,准是那女人差男人代她来表示悔罪的。让自己的喜悦在脸上流露,就未免给他们小看了。于是他默然不答,只向男人做出一种表情——法国和西班牙小说家用下面的记号来传达的表情:

"?"

男人见上帝脸色不难看,便鼓勇说:"我向主人要求一桩小事——"

上帝恍然大悟那两块肥肉相当于女人的巧笑媚眼,也是有请求时的贿赂;要是当初这男人也造得娇美多姿,他就连这两块肉都省了。

"——我求你为我另造一个女人——"

"女人刚才向我做同样的要求。"上帝截断他的话。

上帝此时又失望,又生气。但是那头脑热昏的男人听了上帝的话,又惊又喜。他想:"女人真是鬼灵精儿！我做的梦,她怎会知道？怪不得她那一会抱了我说那些话,原来她甘心牺牲自己的利益,已经代向上帝要求,但又有些舍不得我给新造的女人抢去。唉！她这样心胸宽大,这样体贴入微,我怎忍得下心抛弃了她呢？"一面想,一面向上帝撒谎说:"是呀,她也觉得生活单调,希望有个同性的人来伴她解闷。"

"你错了！她不是要求我造个同性的人,她是向我提出同性质的要求。她求我另造个男人,要比你这蠢物长得好,你知道么?"

男人的失望不亚于上帝,赶快问:"主呀！你允许她没有?"

上帝感到发脾气的痛快,厉声说:"我后悔没允许了她。你们俩真没配错,好一对！快去！你再不小心,瞧我把女人都毁灭了"——似乎这恐吓的力量还不够大,上帝又加上说:"并且不再给你肉吃！"男人在这两重威胁之下,发抖讨饶,碰了一鼻子灰回去。上帝叹口气,感慨何以造的人这样不成器呢?这两个人坏得这样平衡,这样对称,简直像两句骈文或一联律诗,上帝想到他们俩竟会配搭得那样停匀合适,又佩服自己艺术的精妙了。

男人和女人向上帝都泄漏了个人的秘密,同样一无所得。男人怕上帝把他的请求告诉女人,女人不知道上帝已经把她的请求告诉了男人,所以双方不约而同地对上帝又怨恨,又防他嚷出彼此的私房话来。男人说:"我们日用的东西也将就得过了,可以不必去找上帝。"女人说:"他本领也使完了,再求他,他也变不出什么新花样来,倒去看他的脸,真讨厌。"男女同声说:"我们都远着他,别理他,只当没有他。"于是神和人愈来愈疏远;上帝要他们和自己亲近的目的依然不能达到,上帝因此想出一个旁敲侧击的妙法。他们生活太容易了,要让他们遭遇些困难和痛苦,那时候他们"穷则呼天",会知道自己是不好得罪的。

那一晚上,男人和女人在睡梦中惊醒,听见远处一种洪大的吼声。向来只有人吃荤腥,此外畜生像牛、羊、猪等都长斋持素,受了上帝感化,抱着"宁人吃我,我只吃草"的伟大精神。现在人以外,添了吃荤的动物,不但要夺人的肉食,并且人肉也合它们的口味,全不知道人肉好比猫肉、狗肉以及其他吃大荤的畜生的肉,是不中吃的——唐僧的肉所以惹得山精水怪馋涎欲滴,无非因为他是十世不破荤的和尚。男女俩所听见的声音,正是饿狮子觅食不耐烦的叫。他们本能地战栗,觉得这吼声里含有敌性。四周蜷伏着的家畜,霍然耸立,竖起耳朵,屏住气息,好像在注意什么。这愈增加两人的不安。狮子叫几声后住了,它吼声所裂开的夜又合拢来。好一会,家畜等仿佛明白危险暂时已过,都透口气,态度松懈下去。男人伸手抚摸身畔偃卧的羊,发现羊毛又湿又热,像刚出过汗的。女人打个寒噤,低声说:"准是上帝和我们捣乱,我想还是找个山洞去睡。我害怕在露天过夜。"两人起来,把牲口赶进山谷,然后躲入就近的洞里躺下。身和心渐渐溶解,散开去,沉下去,正要消失在睡眠里,忽然警惕,两人顿时清醒过来。一阵阵恐怖的寒冷从心上散布到四肢,冻结住他俩的身体和喉舌。这恐怖的原因像在黑暗里窥伺着、估量着他们。两人不敢动,不敢透气,一阵阵冷汗直淋。时间也像给恐怖凝固住了,停止不流。忽然,恐怖不知到哪里去了,空气也仿佛释却负担,天明的曙光已向洞口试探。同时,山洞左右,一头猪狂叫,只叫了半声,以下响息全无,声音收束得给快刀划断似的干脆。猪的叫声彻底解除了洞里的紧张,男人伸胳臂给女人枕着,让她睡在自己怀里;他们俩相处以来,从未没有情欲地这样需要彼此。到天大亮,两人分头出去。男人点家畜,少了一头猪,其余的牛羊等也像经过大打击的,无精打采。正在猜测着缘故,去打水的女人气急败坏地跑回哭诉。她过树林时,看见一条大蟒蛇蟠着——吞了猪后,正作助消化的饭后睡觉。水边沙滩上,横着一条鳄鱼,昂头向天张着大口;她幸而跑回得快,没给它瞧见。看来四处都有危险潜伏,两人不能再无忧无虑地生活了。"一夜之间怎会添出这许多怕人东西呢?"两人讨论道,"无疑是我们尊他为上帝的家伙造了来害我们的。他不是上帝,他只是魔鬼、万恶的魔鬼。我们没有眼睛,给他哄到如今。好了!好了!也有看破他真相这一天!"这几句话无形中解决了自古以来最难解答的问题:"这世界既是全能至善的上帝造的,何以又有恶魔那般猖獗?"原来上帝只是发善心时的魔鬼,肯把旁的东西给我们吃,而魔鬼也就是使坏心时的上帝,要把我们去喂旁的东西。他们不是两个对峙的东西,是一个东西的两个方面、两种名称,好比疯子一名天才,强盗就是好汉,情人又叫冤家。

男女间的窃窃私议,上帝竟没听见。他还以为自己独一无二,不知道上帝惟一的"一",早给男女俩看成中国古代医生开方子在药味下注的"一"——"二分半"。他虽然全知全能,毕竟是个上等人物,不屑管被窝里的事、听门背后的话,他此时搓着双手,只等有好戏看。果然,两人垂头丧气,想不出个办法,但也不来求教上帝。一会儿,蟒蛇肚子消化了猪,狮子和老虎开始在邻近叫吼,男人拉女人慌忙跑到洞里,把石头垛在进口。只苦了剩下的家畜四面乱窜,向山罅里躲。上帝想:"妙啊!看野兽把你们家畜吃完了,你们自然会来哀求我。那时候,哼!……"谁知道,天下事固不能尽如人意,人间事也未必尽如天意。这种消耗策略,并没有使人屈服。因为野兽总是野兽,欠缺文明的修养。譬如那蟒蛇没受过教育,不知道颠扑不破的那句古话,"羊肉没吃着,惹得一身膻",所以它吃过猪后,想换换口味,囫囵吞了一头大羊。羊有两只尖角,刺破它的咽喉,羊肉算是到口,却赔了性命。狮子和老虎也是小家子相得很,不知道吃饭的礼貌,吃牛肉吃得抢起来,打作一团,结果老虎死了,狮子负伤到溪边去喝水。这溪里的鳄鱼是个文盲,没念过韩昌黎有名的《祭鳄文》,所以不去吃鱼虾,反要尝狮子肉。那狮子不吃人家的肉也罢了,哪肯割舍自己的肉,又跟鳄鱼性命相搏,打得胜负难分,你死我也不活。男人和女人给洞外惨厉的叫声,吓得半死。他们听得外面静了,从洞口石缝里张望出去,早有家畜三三两两在吃草。两人放心出洞,知道毒虫恶兽都死完了,家畜并没损失多少。他们兴高采烈,把打死的老虎等开剥,从此他们洞里有皮毯子,女人有了皮大氅,男人有几天新鲜野味吃。女人还没给美国名厂纺织的鲨鱼皮(shark skin)耀花眼睛,所以剥下的鳄鱼皮已经够使她喜欢了。只恨那大蛇不是从中国古书里爬出来的,骨节里没有明珠。幸而那猛兽也不是从中国古书出来的,否则女人吃了狮子心和大虫胆,在妖媚之外又添上凶悍,男人的日子就不好过了!

不过,他们也没多少日子好过了。上帝看见他们因祸转福,又气又恨。他了解要使他们受罪,必须造些无皮可剥、无肉可吃的东西。于是皮毯子、皮大氅以及家畜身上的毛里忽然有了虱。

晚上满空都是毒蚊子。两人吃东西时,苍蝇像大点下投的黑雨。还有无孔不入,没法防御的微生虫。不出上帝所料,两人一同病倒,不多时,都吐口气死了,实现了一切情人"同年同月同日死"的盟誓。苍蝇依然忙忙碌碌地工作,更一会儿,两人尸骸上有了又肥又白的蛆。吃牛、羊、猪甚至老虎和狮子肉的人,给那些小东西吃得剩个骨骼架子。上帝造了虫豸,注视着它们工作的精密和效率的迅速,十分快意,看出了神,忘掉原不要这一对男女死掉,只要他们吃了苦头向自己屈服,还要留着他们的。到蛆虫吃完皮肉,要钻吸骨髓时,他才省悟,已来不及了。不知是微生虫做事太神速呢,还是男女俩见事太晚,上帝没有得到他们服输悔罪的表示。他造了东西来实现自己的计划,像人,像猛兽,像微生虫,结果何以老是事与愿违呢?上帝恨着——

睁开眼来,只看见下午的太阳无力地懒在山头。适才的事原来是梦。自己主宰一切,要做就做,而梦境偏有治外法权,不受他管制,这也够可气了!但是,这梦安知不是预兆?造一个人和自己做伴的事,大可斟酌。自己是永生的,无穷无尽的年月,孤独一个怎样度呢?上帝伸着懒腰,对这死气沉沉的落日,生意奄奄的世界,长长地打个厌倦的呵欠,张大了嘴,好像要一口吞却那无穷尽、难消遣的光阴。

## 猫

"打狗要看主人面,那么,打猫要看主妇面了——"颐谷这样譬释着,想把心上一团蓬勃的愤怒像梳理乱发似的平顺下去。诚然,主妇的面,到现在还没瞧见,反正那混账猫儿也不知躲到哪里去了,也无从打它。只算自己晦气,整整两个半天的工夫全白费了。李先生在睡午觉,照例近三点钟才会进书房。颐谷满肚子憋着的怒气,到那时都冷了,觉得非趁热发泄一下不可。凑巧老白送茶进来,颐谷指着桌上抓得千疮百孔的稿子,字句流离散失得像大轰炸后的市民,说:"你瞧,我回去吃顿饭,出了这个乱子!我临去把誊清的稿子给李先生过目,谁知他看完了就搁在我桌子上,没放在抽屉里,现在又得重抄了。"

老白听话时的点头一变而为摇头,叹口微气说:"那可糟啦!这准是'淘气'干的。'淘气'可真淘气!太太惯了它,谁也不敢碰它根毛。齐先生,您回头告诉老爷,别让'淘气'到书房里来。"他躬着背蠕缓地出去了。

"淘气"就是那只闹事的黑猫。它在东皇城根穷人家里,原叫做"小黑"。李太太嫌"小黑"的称谓太俗,又笑说:"那跟门房'老白'不成了一对儿么?老白听了要生气的。"猫送到南长街李家的那天,李太太正请朋友们茶会,来客都想给它起个好听的名字。一个爱慕李太太的诗人说:"在西洋文艺复兴的时候,标准美人要生得黑,我们读沙士比亚和法国七星派诗人的十四行诗,就知道使他们颠倒的都是些黑美人,我个人也觉得黑比白来得神秘,富于含蓄和诱惑。一向中国人喜欢女人皮肤白,那是幼稚的审美观念,好比小孩只爱吃奶,没资格喝咖啡。这只猫又黑又美,不妨借沙士比亚诗里的现成名字,叫它'Dark Lady',再雅致没有了。"有两个客人听了彼此做个鬼脸,因为这诗人说话明明双关着女主人。李太太自然极高兴,只嫌"Dark Lady"名字太长。她受过美国式的教育,养成一种逢人叫小名以表亲昵的习气,就是见了沙士比亚的面,她也会叫他Bill,何况猫呢?所以她采用诗人的提议,同时来个简称,叫"Darkie",大家一致叫"妙!",这猫听许多人学自己的叫声,莫名其妙,也和着叫:"妙!妙!(miaow! miaow!)"没人想到这简称的意义并非"黑美人",而正是李太太嫌俗的"小黑"。一个大名鼎鼎的老头子,当场一言不发,回家翻了半夜的书,明天清早赶来看李太太,讲诗人的坏话道:"他懂什么!我当时不好意思跟他抬杠,所以忍住没有讲。中国人一向也喜欢黑里俏的美人,就像妲己,古文作'黜己',就是说她又黑又美。黜己刚是'Darkie'的音译,并且也译了意思。哈哈!太巧了,太巧了!"这猫仗着女主人的宠爱,专闹乱子,不上一星期,它的外国名字叫滑了口,变为跟Darkie双声叠韵的混名:"淘气"。所以,好像时髦教会学校的学生,这畜生中西名字,一应俱全,而且未死已蒙谥法——混名。它到了李家不足两年,在这两年里,日本霸占了东三省,北平的行政机构改组了一次,非洲亡了一个国,兴了一个帝国,国际联盟暴露了真相,只算一场国际联梦或者一群国际联盲。但是李太太并没有换丈夫,淘气还保持着主人的宠爱和自己的顽皮。在这变故反复的世界里,多少人对主义和信仰能有同样的恒心呢?

这是齐颐谷做李建侯试用私人书记的第三天,可是还没瞻仰过那位有名的李太太。要讲这位李太太,我们非得用国语文法家所谓"最上级形容词"不可。在一切有名的太太里,她长相最好看,她为人最风流豪爽,她客厅的陈设最讲究,她请客的次数最多,请客的菜和茶点最精致丰富,她的交游最广。并且,她的丈夫最驯良,最不碍事。假使我们在这些才具之外,更申明她住在战前的北平,你马上获得结论:她是全世界文明顶古的国家里第一位高雅华贵的太太。因为北平——明清两代的名士像汤若士、谢在杭们所咒诅为最俗、最脏的北京——在战事前几年忽然被公认为全国最文雅、最美丽的城市。甚至无风三尺的北平尘土,也一变而为古色古香,似乎包含着元明清三朝帝国的劫灰,欧美新兴小邦的历史博物院都派学者来装满了瓶子回去陈列。首都南迁以后,北平失掉它一向政治上的作用;同时,像一切无用过时的东西,它变为有历史价值的陈设品。宛如一个七零八落的旧货摊改称为五光十色的古玩铺,虽然实际上毫无差异,在主顾的心理上却起了极大的变化。逛旧货摊去买便宜东西,多少寒碜!但是要上古玩铺你非有钱不可,还得有好古癖,还得有鉴别力。这样,本来不屑捡旧货的人现在都来买古玩了,本来不得已而光顾旧货摊的人现在也添了身份,算是收藏古董的雅士了。那时候你只要在北平住家,就充得通品,就可以向南京或上海的朋友夸傲,仿佛是个头衔和资格。说上海或南京会产生艺术和文化,正像说头脑以外的手足或腰腹也会思想一样的可笑。周口店"北京人"遗骸的发现,更证明了北平居住者的优秀。"北京人"是猴子里最进步的,有如北京人是中国人里最文明的。因此当时报纸上闹什么"京派",知识分子上溯到"北京人"为开派祖师,所以北京虽然改名北平,他们不自称"平派"。京派差不多全是南方人。那些南方人对于他们侨居的北平的得意,仿佛犹太人爱他们入籍归化的国家,不住地挂在口头上。迁居到北平以来,李太太脚上没发过湿气,这是住在文化中心的意外利益。

　　李氏夫妇的父亲都是前清遗老,李太太的父亲有名,李先生的父亲有钱。李太太的父亲在辛亥革命前个把月放了什么省的藩台,满心想弄几个钱来弥补历年的亏空。武昌起义好像专跟他捣乱似的,他把民国恨得咬牙切齿。幸而他有个门生,失节做了民国的大官,每月送笔孝敬给他。他住在上海租界里,抱过去的思想,享受现代的生活,预用着未来的钱——赊了账等月费汇来了再还。他渐渐悟出寓公自有生财之道。今天暴发户替儿子办喜事要证婚,明天洋行买办死了母亲要点主,都用得着前清的遗老,谢仪往往可抵月费的数目。妙在买办的母亲死不尽,暴发户的儿子全养得大。他文理平常,写字也不出色,但是他发现只要盖几个自己的官衔图章,"某年进士","某省布政使",他的字和文章就有人出大价钱来求。他才知道清朝亡得有代价,遗老值得一做,心平气和,也肯送女儿进洋学堂念书了。李先生的父亲和他是同乡,极早就讲洋务,做候补道时上过"富国裕民"的条陈,奉宪委到上海向洋人定购机器;清朝亡得太早,没领略到条陈的好处,他只富裕了自己。他也曾做出洋游历的随员,回国以后,把考察所得,归纳为四句传家格言:"吃中国菜,住西洋房子,娶日本老婆,人生无遗憾矣!"他亲家的贯通过去、现在、未来,正配得上他的融会中国、东洋、西洋。谁知道建侯那糊涂虫,把老子的家训记颠倒了。第一,他娶了西洋化的老婆,比西洋老婆更难应付。爱默在美国人办的时髦女学毕业,本来是毛得撩人、刺人的毛丫头,经过"二毛子"的训练,她不但不服从丈夫,并且丈夫一个人来侍候她还嫌不够。第二,他夫妇俩都自信是文明人,不得不到北平来住中国式的旧房子,设备当然没有上海来得洋化。第三,他吃日本菜得了胃病。这事说来话长。李太太从小对自己的面貌有两点不满意:皮肤不是上白,眼皮不双。第一点还无关紧要,因为她不希罕那种又红又白的洋娃娃脸,她觉得原有的相貌已经够可爱了。单眼皮呢,确是极大的缺陷,内心的丰富没有充分流露的工具,宛如大陆国没有海港,物产不易出口。进了学校,她才知道单眼皮是日本女人的国徽,因此那个足智多谋、偷天换日的民族建立美容医院,除掉身子的长短没法充分改造,"倭奴"的国号只好忍受,此外面部器官无不可以修补,丑的变美,怪物改成妖精。李先生向她求婚,她提出许多条件,第十八条就是蜜月旅行到日本。一到日本,她进医院去修改眼皮,附带把左颊的酒靥加深。她知道施了手术,要两星期见不得人,怕李先生耐不住蜜月期间的孤寂,在这浪漫的国家里,不为自己守节。所以她进医院前对李先生说:"你知道,我这次跨海征东,千里迢迢来受痛苦,无非为你,要讨你喜欢。我的脸也就是你的面子。我蒙着眼,又痛又黑暗,你好意思一个人在外面吃喝玩乐么?你爱我,你得听我的话。你不许跟人到处乱跑。还有,你最贪嘴,可是我进医院后,你别上中国馆子,大菜也别吃,只许顿顿吃日本料理。你答应我不?算你爱我,陪我受苦,我痛的时候心上也有些安慰。吃得坏些,你可以清心寡欲,不至于胡闹,糟蹋了身体。你个儿不高,吃得太胖了不好看。你背了我骗我,我会知道,从此不跟你好。"两星期后,建侯到医院算账并迎接夫人,身体却未消瘦,只是脸黄皮宽,无精打采,而李太太花五百元日金新买来的眼睛,好像美术照相的电光,把她原有的美貌都焕映烘托出来。她眼睫跟眼睛合作的各种姿态,开、闭、明、暗、尖利、朦胧,使建侯看得出神,疑心她两眼里躲着两位专家在科学管理,要不然转移不会那样斩截,表情不会那样准确,效果不会那样的估计精密。建侯本来是他父亲的儿子,从今以后全副精神做他太太的丈夫。朋友们私议过,李太太那样漂亮,怎会嫁给建侯。有建侯的钱和家世而比建侯能干的人,并非绝对没有。事实上,天并没配错他们俩。做李太太这一类女人的丈夫,是第三百六十一行终身事业、专门职务,比做大夫还要忙,比做挑夫还要累,不容许有旁的兴趣和人生目标。旁人虽然背后嘲笑建侯,说他"夫以妻贵",沾了太太的光,算个小名人。李太太从没这样想过。建侯对太太的虚荣心不是普通男人占有美貌妻子、做主人翁的得意,而是一种被占有、做下人的得意,好比阔人家的婢仆、大人物的亲随、或者殖民地行政机关里的土著雇员对外界的卖弄。这种被占有的虚荣心是做丈夫的人最稀有的美德,能使他气量大,心眼儿宽。李太太深知缺少这个丈夫不得;仿佛亚剌伯数码的零号,本身毫无价值,但是没有它,十百千万都不能成立。任何数目后加个零号便进了一位,所以这零号也跟着那数目而意义重大了。

　　结婚十年来,李先生心广体胖,太太称他好丈夫,太太的朋友说他够朋友。上个月里,他无意中受了刺激。在一个大宴会上,一位冒失的年轻剧作家和他夫妇俩同席。这位尚未出头的剧作家知道同席有李太太,透明地露出满腔荣幸。他又要恭维李太太,又要卖弄才情,一张嘴简直分不出空来吃菜。上第三道菜时,他蒙李太太惠许上门拜访,愿偿心定,才把一部分注意力移到吃饭上去。心难二用,他已经够忙了;实在顾不到建侯,没和他敷衍。建侯心上十分不快,回家后嘀咕说这年轻人不通世故。那小子真说到就做,第二天带了一包稿子赶上门来,指名要见李太太。建侯忽然发了傻孩子劲,躲在客堂外面偷听。只听他寒暄以后,看见沙发上睡的淘气,便失声惊叹,赞美这猫儿"真可爱!真幸福!"把稿子"请教"以后,他打听常来的几个客人,说有机会都想一见。李太太泛泛说过些时请他喝茶,大家认识认识。他还不走,又转到淘气身上,说他自己也最爱猫,猫是理智、情感、勇敢三德全备的动物:它扑灭老鼠,像除暴安良的侠客;它静坐念佛,像沉思悟道的哲学家;它叫春求偶,又像抒情歌唱的诗人。他还说什么暹罗猫和波斯猫最好,可是淘气超过它们。总而言之,他恭维李太太,赞美淘气,就没有一句话问到李先生。这事唤起建侯的反省,闷闷不乐了两天,对于个人生活下了改造的决心。从今以后,他不愿借太太的光,要自己有个领域,或做官,或著作。经过几番盘算,他想先动手著作,一来表示自己并非假充斯文,再则著作也可导致做官。他定了这个计划,最初不敢告诉太太,怕她泼冷水。一天他忍不住说了,李太太出乎意料地赞成,说:"你要有表现,这也是时候了。我一向太自私,没顾到耽误了你的事业!你以后专心著作,不用陪着我外面跑。"

著作些什么呢?建侯头脑并不太好,当学生时,老向同学借抄讲堂笔记,在外国的毕业论文还是花钱雇犹太人包工的。结婚以后,接触的人多了,他听熟了许多时髦的名词和公式,能在谈话中适当应用,作为个人的意见。其实一般名著的内容,也不过如此。建侯错过了少年时期,没有冒冒失失写书写文章,现在把著作看得太严重了,有中年妇女要养头胎那样的担心。他仔细考虑最适宜的体裁。头脑不好,没有思想,没有理想;可是大著作有时全不需要好头脑,只需要好屁股。听郑须溪说,德国人就把"坐臀"(Sitzfleisch)作为知识分子的必具条件。譬如,只要有坐性,《水浒传》或《红楼梦》的人名引得总可以不费心编成的。这是西洋科学方法,更是二十世纪学问工具,只可惜编引得是大学生或小编辑员的事,不值得亲自动手。此外只有写食谱了。在这一点上自己无疑是个权威,太太请客非自己提调不可,朋友们的推服更不必说。因为有胃病,又戒绝了烟酒,舌头的感觉愈加敏锐,对于口味的审美愈加严明。并且一顿好饭,至少要吃它三次:事前预想着它的滋味,先在理想中吃了一次;吃时守着医生的警告不敢放量,所以恋恋不舍;到事后回忆余味,又在追想里吃了一次。经过这样一再而三的咀嚼,菜的隐恶和私德,揭发无遗。是的,自己若肯写食谱,准会把萨梵冷(Brillat-Savarin)压倒。提起萨梵冷,心上又有不快的联想。萨梵冷的名字还是前年听陈侠君讲的。那时候,这个讨厌家伙已算家里的惯客了。他知道自己讲究吃,一天带了初版萨梵冷的名著 *Physiologie du goût*(《口味生理学》)来相送。自己早把法语忘光了,冒失地嚷:"你错了! 我害胃病,不害风痛病,这本讲 goût 的生理学对我毫无用处。"那家伙的笑声到现在还忘不了。他还恶意地对爱默说:"你们先生不翻译,太可惜了! 改天你向傅聚卿讲,聘建侯当《世界名著集成》的特约翻译,有了稿费请客。"可恨爱默也和着他笑。写食谱的兴致,给这事扫尽了。并且,现代人讲吃经绝算不得正经事业,侠君曾开玩笑说:"外国制茶叶和咖啡的洋行里,都重价雇用'辨味员',沏了各种茶,煮了各种咖啡,请他尝过,然后分等级,定价钱。这种人一天总得喝百把杯茶或咖啡,幸而只在舌头上打个转就吐出来,不咽下去,否则非泻肚子、失眠不可。你有现成的胃病,反正是嘴馋不落肚的,可惜大饭店里没有'辨味员'的职务,不聘你去做厨房审定委员,埋没了你那条舌头!"写食谱这事给他知道,就有得打趣了。想来想去,还是写欧美游记,既有益,更有趣,是兼软硬性的作品。写游记不妨请人帮忙,而不必声明合作;只要本人确曾游过欧美,借旁人的手来代写印象,那算不得什么一回事。好比演讲集的著作权,速写的记录员是丝毫无分的。这跟自己怕动笔的脾气最相宜没有。先用个私人书记再说,顶好是未毕业而想赚钱的大学生。

那时候,齐颐谷学校里的爱国分子闹得凶,给军警逮捕了一大批去,加上罪名坐监牢。颐谷本来胆小,他寡母又怕儿子给同学们牵累,暂时停学在家,经过辗转介绍,四天前第一次上建侯的门。这个十九岁的大孩子,蓝布大褂,圆桶西装裤子,方头黑皮鞋,习惯把左手插在裤子口袋里,压得不甚平伏的头发,颇讨人喜欢的脸一进门就红着,一双眼睛冒牌地黑而亮,因为他的内心和智力绝配不上他瞳子的深沉、灵活。建侯极中意这个少年,略问几句,吩咐他明天来开始干活,先试用一个月。颐谷走后,建侯一团高兴,进去向爱默讲挑了一个中意的书记。爱默笑他像小孩子新得了玩具,还说:"我有淘气,谁希罕你的书记!"脸在淘气身上擦着问:"咱们不希罕他的书记,是不是?——啊呀!不好了,真讨厌!"李太太的脸上的粉给淘气舐了一口去,她摔下猫,站起来去照镜子。

颐谷到李家这两天半里,和建侯还相得。怕羞的他,见了建侯,倒不很畏缩。建侯自会说话以来,一生从没碰见任何人肯让他不断地发言,肯像颐谷那样严肃地、耐心地、兴奋地听他讲。他一向也没知道自己竟有这样滔滔汩汩的口才。这两天,他的自尊心像插进伤寒病人嘴里的温度表,直升上去。他才领会到私人秘书的作用,有秘书的人会觉得自己放大了几倍,抬高了几层。他跟颐谷先讨论这游记的名称和写法,顺便讲了许多洋景致。所以第一天到吃午饭的时候,颐谷已经知道建侯在美国做学生时交游怎样广,每年要花多少钱,大学功课怎样难,毕业怎样不容易;机器文明多么可惊,怎样纽约一市的汽车衔接起来可以绕地球一周;他如何对美国人宣扬中国,他穿了什么颜色和花纹的中国长袍马褂去参加化装跳舞会;他在外国生病,房东太太怎样天天煨鸡给自己吃,一个美国女子怎样天天送鲜花,花里还附问病的纸条儿,上面打着"×"号——"你懂么?"建侯嘻开嘴,满脸顽皮地问颐谷,"你去请教你的女朋友,她会知道这是 Kiss 的记号。在西洋社交公开,这事平常得很!"游记的题目也算拟定了两个,《西游记》或《欧美漫步》,前者来得浑成,后者来得时髦。当天颐谷吃了午饭回来办公,又知道要写这部游记,在笔述建侯的印象以外,还得参考美国《国家地理学会杂志》、《旅行杂志》,"必得过"(Baedeker)和"没来"(Murray)两公司出版的大城市指南,寻材料来补充。明天上午,建侯才决定这游记该倒写,不写出国,而写回国,怎样从美国到欧洲漫游,在意大利乘船回中国。他的理由是,一般人的游记,都从出国写起,上了轮船,一路东张西望,少见多怪,十足不见世面的小家子气。自己在美洲住了三年,对于西洋文明要算是老内行了,换个国家去玩玩,虽然见到些新鲜事物和排场,不至于像乡下人初到大都市,咋舌惊叹,有失身份。他说:"回国时的游历,至少像林黛玉初入荣国府,而出国时的游历呢,怕免不了像刘姥姥一进大观园。"颐谷曾给朋友们拉去听京戏大名旦拿手的《黛玉葬花》,所以也见过身体丰满结实的林黛玉(仿佛《续红楼梦》里警幻仙子给黛玉吃的强身健美灵丹,黛玉提早服了来葬花似的),但是看建侯口讲指划,自比林黛玉,忍不住笑了。建侯愈加得意。颐谷忙说:"李先生,这样,游记的题目又得改了。"建侯想了想,说:"巧得很!前天报上看见有人在翻译英国哈代的小说《还乡记》,这名称倒也现成;我这部书就叫《海客还乡记》,你瞧好不好!"一顿饭后,建侯忽然要把自序先写;按例,印在书前的自序是全书完稿最后才写的。颐谷暗想,这又是倒写法。建侯口述意见,颐谷记下来,整理,发挥,修改,直到淘气出乱子那天的饭时,才誊清了给建侯过目。经过这两天半的工作,颐谷对建侯的敬畏心理消失干净。青年人的偏激使他对他的主人不留情地鄙视;他看到了建侯的无聊、虚荣、理智上的贫乏,忽视了建侯为人和待人的好处。他该感激建侯肯出相当高的价钱雇自己来干这种不急之务;他只恨建侯倚仗有钱,牺牲青年人的时间和精力来替他写无意义的东西。当时他对着猫抓破的稿子,只好捺住火气再抄写一次。也许淘气这畜生倒是位有识有胆的批评家,它的摧残文物的行为,安知不是对这篇稿子最痛快有效的批评呢?想到这里,颐谷苦笑了。

建侯知道了这事,同情以外,还向颐谷道歉自己的疏忽。颐谷再没理由气愤了。过一天早晨,建侯一见颐谷,就说:"今天下午四点半钟,内人请你喝茶。"颐谷客气地傻笑,真觉得受宠若惊。建侯接着说:"她本想认识你,昨天晚上我对她讲了淘气跟你捣乱,她十分抱歉,把淘气骂了一顿。今天刚有茶会,顺便请你进去谈谈。"这使颐谷自惭形秽起来,想自己不懂礼节,没有讲究衣服,晋见时髦太太,准闹笑话,他推辞说:"都是生人,我去不好意思。"建侯和蔼地说:"没有什么不好意思。今天来的都是你听见过的人,只有在我家里,你才会看到他们聚在一起。你不要错过机会。我有事要出去,请你把第一章关于纽约的资料搜集起来。到四点半,我来领你进去。假如我不来,你叫老白做向导。"颐谷整半天什么事也没心思做,幸而建侯不在,可以无忌惮地怠工。很希望接触那许多名字有电磁力的人,而又害怕他们笑自己、瞧不起自己。最好是由建侯带领进去,羞怯还好像有个缓冲;如果请老白领路,一无保障地进客厅,那就窘了。万一建侯不来,非叫到老白不可,问题就多了!假如准时进去,旁的客人都没到,女主人定要冷笑。吃东西时的早到和迟退,需要打仗时抢先和断后那样的勇气,自己不敢冒这个险。假如客人都来了,自己后去,众目所注,更受不了。想来想去,只有一个办法,四点半左右,机伶着耳朵听门铃响。老白引客人到客厅,得经过书房。第一个客人来,自己就紧跟着进去;女主人和客人都忙着彼此应酬,自己不致在他们注意焦点下局促不安。

到时候是建侯来陪他进去的。一进客厅,颐谷脸就涨红,眼睛前起了层水气,模糊地知道有个时髦女人含笑和自己招呼。坐下去后,颐谷注视地毯,没力量抬眼看李太太一下,只紧张地觉着她在对面,忽然发现自己的脚伸得太出,忙缩回来,脸上的红又深了一个影子。他也没听清李太太在讲淘气什么话。李太太看颐谷这样怕羞,有些带怜悯的喜欢,想这孩子一定平日没跟女人打过交道,就问:"齐先生,你学校里是不是男女同学的?"李太太明知在这个年头儿,不收女人的学校正像收留女人的和尚寺一样的没有品。

"不是的——"

"呀?"李太太倒诧异了。

"是的,是的!"颐谷绝望地矫正自己。李太太跟建侯做个眼色,没说什么,只向颐谷一笑,这笑是爱默专为颐谷而发的。像天桥打拳人卖的狗皮膏药和欧美朦胧派作的诗,这笑里的蕴蓄,丰富得真是说起来叫人不信。它含有安慰、保护、喜欢、鼓励等等成分。颐谷还不敢正眼看爱默,爱默的笑,恰如胜利祈祷、慈善捐款等好心好意的施与,对方并未受到好处。老白又引客人进来,爱默起身招待,心还逗留在这长得聪明的孩子身上,想他该是受情感教育的年纪了。建侯拍颐谷的肩说:"别拘谨!"李氏夫妇了解颐谷怕生,来了客人,只浮泛地指着介绍,远远打个招呼,让他坐在不惹人注目的靠壁沙发里。颐谷渐渐松弛下来,瞻仰着这些久闻大名的来客。

高个子大声说话的是马用中,有名的政论家,每天在《正论报》上发表社评。国际或国内起什么政治变动,他事后总能证明这恰在他意料之中,或者他曾暗示地预言过。名气大了,他的口气也大了。尤其在私人谈话时,你觉得他不是政论家,简直是政治家,不但能谈国内外的政情,并且讲来活像他就是举足轻重的个中人,仿佛天文台上的气象预测者说,刮风或下雨自己都做得主一样。他曾在文章里公开告诉读者一桩生活习惯:每天晚上他上床睡觉以前,总把日历当天的一张撕掉,不像一般人,一夜醒来看见的还是没有撕去的"昨日之日"。从这个小节,你能推想他自以为是什么样的人。这几天来中日关系紧张,他不愁社论没有题目。

斜靠在沙发上,翘着脚抽烟斗的是袁友春。他自小给外国传教士带了出洋。跟着这些迂腐的洋人,传染上洋气里最土气的教会和青年会气。承他情瞧得起祖国文化,回国以后,就向那方面花工夫。他认为中国旧文明的代表,就是小玩意、小聪明、帮闲凑趣的清客,所以他的宗旨仿佛义和拳的"扶清灭洋",高搁起洋教的大道理,而提倡陈眉公、王百谷等的清客作风。读他的东西,总有一种吃代用品的感觉,好比涂面包的植物油、冲汤的味精。更像在外国所开中国饭馆里的"杂碎",只有没吃过地道中国菜的人,会上当认为是中华风味。他哄了本国的外行人,也哄了外国人——那不过是外行人穿上西装。他最近发表了许多讲中国民族心理的文章,把人类公共的本能都认为是中国人的特质。他的烟斗是有名的,文章里时常提起它,说自己的灵感全靠抽烟,好比李太白的诗篇都从酒里来。有人说他抽的怕不是板烟,而是鸦片,所以看到他的文章,就像鸦片瘾来,直打呵欠,又像服了麻醉剂似的,只想瞌睡。又说,他的作品不该在书店里卖,应当在药房里作为安眠药品发售,比"罗明那儿"(Luminal),"渥太儿"(Ortal)都起作用而没有副作用。这些话都是忌妒他的人说的,当然做不得准。

　　这许多背后讲他刻薄话的人里,有和他互相吹捧的朋友陆伯麟,就是那个留一小撮日本胡子的老头儿。他虽没讲起抽板烟,但他的脸色只有假定他抽烟来解释。他两眼下的黑圈不但颜色像烟熏出来的,并且线形也像缭绕弯曲、引人思绪的烟篆。至于他鼻尖上黯淡的红色,只譬如虾蟹烘到热气的结果。除掉向日葵以外,天下怕没有像陆伯麟那样亲日的人或东西。一向中国人对日本文明的态度是不得已而求其次,因为西洋太远,只能把日本偷工减料的文明来将就。陆伯麟深知这种态度妨碍着自己的前程,悟出一条妙法。中国人买了日本货来代替西洋货,心上还鄙夷不屑,而西洋人常买了日本古玩当中国珍品,在伦敦和巴黎旧货店里就陈列着日本丝织的女人睡衣,上面绣条蟠龙,标明慈禧太后御用。只有宣传西洋人的这种观点,才会博得西洋留学生对自己另眼相看。中国人抱了偏见,瞧不起模仿西洋的近代日本,他就提倡模仿中国的古代日本。日本文明学西洋像了,人家说它欠缺创造力;学中国没有像,他偏说这别有风味,自成风格,值得中国人学习,好比说酸酒兼有酽醋之妙一样。更进一步,他竟把醋作为标准酒。中国文物不带盆景、俳句、茶道的气息的,都给他骂得一文不值。他主张作人作文都该有风趣。可惜他写的又像中文又像日文的"大东亚文",达不出他的风趣来,因此有名地"耐人寻味"。袁友春在背后曾说,读他的东西,只觉得他千方百计要有风趣,可是风趣出不来,好比割去了尾巴的狗,把尾巴骨乱转乱动,办不到摇尾讨好,他就是为淘气取名

"黜己"的人。

科学家郑须溪又瘦又小,可是他内心肥胖,并不枯燥。他曾在德国专攻天文学。也许受了德国文化的影响,他立志要做个"全人",抱有知识上的帝国主义,把人生各方面的学问都霸占着算自己领土。他自信富于诗意,具有浪漫的想像和情感,能把人生的丰富跟科学的精确调剂融会。所以他谈起天上的星来,语气宛如谈的是好莱坞里的星。有一位中年不嫁的女科学家听他演讲电磁现象,在满场欢笑声中,羞得面红耳赤,因为他把阴阳极间的吸引说得俨然是科学方法核准的两性恋爱。他对政治、社会等问题,也常发表言论,极得青年人的爱戴。最近他可不大得劲。为了学生爱国运动闹罢课的事,他写一篇文章,说自己到德国学天文的动机也是雪国耻:因为庚子之役,德国人把中国的天文仪器搬去了,所以他想把德国人的天文学理灌输到中国来,这是精神战胜物质的榜样。这桩故事在平时准会大家传诵,增加他的名声,不幸得很,自从国际联盟决议予中国以"道义上的援助",相类的名词像"精神上的胜利",也引起青年人的反感。郑须溪因此颇受攻击。

西装而头发剃光的是什么学术机关的主任赵玉山。这机关里雇用许多大学毕业生在编辑精博的研究报告。其中最有名的一种,《印刷术发明以来中国书刊中误字统计》,就是赵玉山定的题目。据说这题目一辈子做不完,最足以培养学术探讨的耐久精神。他常宣称:"发现一个误字的价值并不亚于哥伦布的发现新大陆。"哥伦布是否也认为发现新大陆并不亚于发现一个误字,听者无法问到本人,只好点头和赵玉山同意。他平时沉默寡言,没有多少趣味。但他曾为李太太牺牲一头头发,所以有资格做李家的惯客。他和他的年轻太太,不很相得。这位太太喜欢热闹,神经健全得好像没有感觉似的,日常生活都要声音做背景,留声机和无线电,成天交替地开着,这已经够使赵玉山头痛。她看惯了电影,银幕上的男女每到爱情成就时接吻,海陆空中会飘来音乐助兴。所以她坚持卧室里有时必须开无线电,不管是耶稣诞夜,电台广播的大半是赞美诗,或是国庆日的晚上,广播的是《卿云歌》。可怜她先生几乎因此害神经衰弱症。他们初到北平时,李氏夫妇曾接风请吃午饭,赵太太一见李太太,心里就讨厌她风头太健,把一切男人呼来唤去。吃完饭,大家都称赞今天菜好,归功于厨子的艺术和建侯的提调。建侯说:"各位别先夸奖!今天有赵太太,她在大学家政系得过学位,是烹饪的权威,该请她指教批评。"赵太太放不过这个扫李太太面子的好机会,记得家政学讲义里一条原则,就有恃无恐地说:"菜的口味是好极了,只是颜色太单调些,清蒸的多,黄焖和红烧的少,不够红白调匀,在感受上起不了交响乐的那种效果。"那时候是五月中旬,可是赵太太讲话后,全席的人都私下抽口冷气。赵玉山知道他太太的话,无字不误,只没法来校勘订正。李太太笑着打趣说:"下次饭菜先送到美容院去化了装,涂脂擦粉,再请赵太太来品定。"陈侠君哈哈大笑道:"干脆借我画画的颜色盆供在饭桌上得啦。"赵太太讲错了话,又羞又气。在回家路上忽然想起李太太本人就是美容医院的产品,当时该说这句话来堵爱默的嘴："美容院还不够，该送到美容医院去。"只恨自己见事太迟，吃了眼前亏。从此她和李太太结下深仇，不许丈夫去，丈夫偏不听话，她就冤枉他看上了爱默。有一次夫妇俩又为这事吵嘴，那天玉山才理过发，她硬说他头光脸滑，要向李太太献媚去，使性子满嘴咬了口香橡皮糖吐在玉山头上。结果玉山只好剃光头发，偏是深秋天气，没有借口，他就说头发长了要多消耗头皮上的血液，减少思想效率。他没想到，把这个作为借口，就别希望再留长头发了。李太太知道他夫人为自己跟他反目，请他吃饭和喝茶的次数愈多，外面谣言纷纭，有的说他剃发是跟太太闹翻了，有的说他爱李太太灰了心，一句话，要出家做和尚。陆伯麟曾说他该把剃下来的头发数一数，也许中国书刊里的误字恰是这个数目，省得再去统计。他睁大了眼睛说："伯老，你别开玩笑！发现一个错字跟发现一个新大陆同样的重要……"

举动斯文的曹世昌，讲话细声细气，柔软悦耳，隔壁听来，颇足使人误会心醉。但是当了面听一个男人那样软绵绵地讲话，好多人不耐烦，恨不得把他像无线电收音机似的拨一下，放大他的声音。这位温文的书生爱在作品里给读者以野蛮的印象，仿佛自己兼有原始人的真率和超人的威猛。他过去的生活笼罩着神秘气氛，假使他说的是老实话，那末他什么事都干过。他在本乡落草做过土匪，后来又吃粮当兵，到上海做流氓小弟兄，也曾登台唱戏，在大饭店里充侍者，还有其他富于浪漫性的流浪经验，讲来都能使只在家庭和学校里生活的青年摇头伸大拇指说："真想不到！""真没得说！"他写自己干这些营生好像比真去干它们有利,所以不再改行了。论理有那么多奇趣横生的回忆,他该写本自传,一股脑儿收进去。可是他只东鳞西爪,写了些带自传性的小说;也许因为真写起自传来,三十多岁的生命里,安插不下他形形色色的经历,也许因为自传写成之后,一了百了,不便随时对往事作新补充。他现在名满文坛,可是还忘不掉小时候没好好进过学校,老觉得那些"正途出身"的人瞧不起自己,随时随地提防人家损伤自己的尊严。蜜里调油的声音掩盖着剑拔弩张的态度。因为地位关系,他不得不和李家的有名客人往来,而他真喜欢结识的是青年学生,他的"小朋友们"。这时大家讲的话,他接谈不来,憋着一肚子的忌妒、愤怒、鄙薄,细心观察这些"绅士"们的丑态,有机会向小朋友们淋漓尽致地刻划。忽然他认清了冷落在一边的颐谷,像是个小朋友的材料。

今天的茶会少不了傅聚卿。《麻衣相法》未可全信,但有时候相貌确能影响人的一生。譬如有深酒涡、好牙齿的女郎,自然爱对人笑;出了"快乐天使"的名气,脾气也会无形中减少暴厉。就像傅聚卿的眼睛,不知道由于先天还是后天的缘故,自小有斜睨的倾向。他小学校里的先生老觉得这孩子眼梢瞟着,表示鄙夷不屑,又像冷眼旁观,挑老师讲书的错儿。傅聚卿的老子是本地乡绅,教师们不敢得罪他。他到十五六岁时,眼睛的效力与年俱进,给他一眼瞧见,你会立刻局促不安,提心吊胆,想适才是否做了傻事,还是瓜皮帽结子上给人挂了纸条子或西装裤子上纽扣没扣好,他有位父执,是个名士,一天对他老子说:"我每次碰见你家世兄,就想起何义门的评点,眼高于顶,其实只看到些细节,吹毛求疵。你们世兄的眼神儿颇有那种风味。"傅聚卿也不知道何义门是什么人,听说是苏州人批书的,想来是金圣叹一流人物,从此相信凭自己的面貌可以做批评家。在大学文科三年级时,指定参考书里有英国蒲伯(Pope)的诗。他读到骂《冷眼旁观报》编者爱迪生的名句,说他擅长睨视(leer)和藐视(sneer),又读到那形容"批眼"(the critic eye)的一节,激动得在图书馆阅览室里就像热锅上的蚂蚁。从此他一言一动,都和眼睛的风度调和配合,写文章的语气,也好像字里行间包含着藐视。他知道全世界以英国人最为眼高于顶,而爱迪生母校牛津大学的学生眼睛更高于高帽子顶,可以傲视帝皇。他在英国住过几年,对人生一发傲睨,议论愈高不可攀;甚至你感到他的卓见高论不应当平摊桌上、低头阅览,该设法黏它在屋顶天花板上,像在罗马雪斯丁教堂里赏鉴米开朗琪罗的名画一样,抬头仰面不怕脖子酸痛地瞻望。他在英国学会板着脸、爱理不理的表情,所以在公共集会上,在他边上坐的要是男人,陌生人会猜想是他兄弟,要是女人呢,准以为是他太太,否则他不会那样不瞅不睬的。他也抽烟斗,据他说这是受过牛津或剑桥教育的特色。袁友春虽冷笑过:"别听他摆架子吹牛,算他到过英国!谁爱抽烟斗就抽!"可是心上总憎嫌傅聚卿,好像自己只能算"私吸洋烟",而聚卿用得安南鸦片铺的招牌上响当当的字眼:"公烟"。

  客人有的看表,有的问主人:"今天想还有侠君?"李太太对建侯说:"我们再等他十分钟,他老是这脾气!"假使颐谷是个多心眼儿的人,他就明白已到的客人和主人恰是十位,加上陈侠君是十一位,这个拖泥带水的数目,表示有一位客是临时添入的,原来没他的份儿。可是颐谷忙着想旁的事,没工夫顾到这些。他还没打破以貌取人的成见,觉得这些追求真、善、美的名人,本身也应有真、善、美的标志,仿佛屠夫长一身肥肉,珠宝商戴着两三个大戒指。想不到都那样碌碌无奇,他们的名气跟他们的仪表成为使人失望的对照。没有女客,那倒无足惋惜。颐谷从学校里知道,爱好文艺和学问的女学生大多充不得美人样品。所以今天这种知识分子的聚会上,有女客也决不会中看,只能衬出女主人的美貌。从容观察起来,李太太确长得好。嘉宝(Garbo)式的长发披着,和她肩背腰身的轮廓,融谐一气,不像许多女人的头发自成局面,跟身体的外线不相呼应。是三十岁左右的太太了,俏丽渐渐丰满化,趋向富丽。因为皮肤暗,她脸上宜于那样浓妆。因为眼睛和牙齿都好,而颧骨稍高,她宜笑,宜说话,宜变化表情。她虽然常开口,可是并不多话,一点头,一笑,插进一两句,回头又跟另一个人讲话。她并不是卖弄才情的女人,只爱操纵这许多朋友,好像变戏法的人,有本领或抛或接,两手同时分顾到七八个在空中的碟子。颐谷私下奇怪,何以来的都是近四十岁、久已成名的人。他不了解这些有身家名望的中年人到李太太家来,是他们现在惟一经济保险的浪漫关系,不会出乱子,不会闹笑话,不要花费,而获得精神上的休假、有了逃避家庭的俱乐部。建侯并不对他们猜忌,可是他们彼此吃醋得利害,只肯在一点上通力合作:李太太对某一个新相识感到兴趣,他们异口同声讲些巧妙中听的坏话。他们对外卖弄和李家的交情,同时不许任何外人轻易进李家的交情圈子。这样,李太太愈可望而不可即了。事实上,他们并不是李太太的朋友,只能算李太太的习惯,相与了五六年,知己知彼,呼唤得动,掌握得住,她也懒得费心机更培养新习惯。只有这时候进来的陈侠君比较上得她亲信。

理由是陈侠君最闲着没事做,常能到李家来走动。他曾在法国学过画,可是他不必靠此为生。他尝说,世界上资本家以外,和"无产阶级"的劳动者对峙的还有一种"无业阶级",家有遗产、不事正业的公子哥儿。他勉强算属于这个阶级。他最初回国到上海,颇想努力振作,把绘画作为职业。谁知道上海这地方,什么东西都爱洋货,就是洋画没人过问。洋式布置的屋子里挂的还是中堂、条幅、横披之类。他的大伯父是有名的国画家,不懂透视,不会写生;除掉"外国坟山"和自来水,也没逛过名山秀水,只凭祖传的收藏和日本珂罗版《南画集》,今天画幅山水"仿大痴笔意",明天画幅树石"曾见云林有此",生意忙得不可开交。这气坏了有艺术良心的陈侠君。他伯父一天对他说:"我的好侄儿呀,你这条路走错了!洋画我不懂,可是总比不上我们古画的气韵,并且不像中国画那样用意微妙。譬如大前天一个银行经理求我为他银行会客室画幅中堂,你们学洋画的人试想该怎样画法,要切银行,要口彩好,又不能俗气露骨。"侠君想不出来,只好摇头。他伯父呵呵大笑,摊开纸卷道:"瞧我画的!"画的是一棵荔枝树,结满了大大小小的荔枝,上面写着:"一本万利图。临罗两峰本。"侠君看了又气又笑。他伯父又问

"幸福图"怎样画法,侠君真以为他向自己请教,源源本本告诉他在西洋神话里,幸福女神是个眼蒙布带、脚踏飞轮的女人。他伯父拈着胡子微笑,又摊开一卷纸,画着一株杏花、五只蝙蝠,题字道:"杏蝠者,幸福谐音也;蝠数五,谐五福也。自我作古。"侠君只有佩服,虽然不很情愿。他伯父还有许多女弟子,大半是富商财主的外室;这些财翁白天忙着赚钱,怕小公馆里的情妇长日无聊,要不安分,常常叫她们学点玩意儿消遣。最理想的当然是中国画,可以卖弄而不难学。拜门学画的先生,不比旁的教师,必须有名儿的,这也很挣面子,而且中国画的名家十九上了年纪,不会引诱女人,可以安心交托。侠君年纪轻,又是花天酒地的法国留学生,人家先防他三分;学洋画听说专画模特儿,难保不也画《红楼梦》里傻大姐所说的"妖精打架",那就有伤风化了。侠君在上海受够了冷落,搬到北平来住,有了一些说话投机的朋友,渐渐恢复自尊心,然而初回国时那股劲头再也鼓不起来。因为他懒得什么事都不干,人家以为他上了劲什么事都能干,他也成了名流。他只有谈话不懒,晚上睡着了还要说梦话,他最擅长跟女人讲话。他知道女人不喜欢男人对她们太尊敬,所以他带玩弄地恭维,带冒犯地迎合。例如上月里李太太做生日,她已到了愿有人记得她生日而不愿有人知道她生年的时期,当然对客人说自己老了,大家都抗议说:"不老!不老!"只有陈侠君说:"快该老了!否则年轻的姑娘们都给您比下去了,再没有出头的日子啦!"

客人齐了,用人送茶点上来。李太太叫颐谷坐在旁边,为自己斟第一杯茶,第二杯茶就给他斟,问他要几块糖,颐谷客气地踌躇说:"谢谢,不要糖。"李太太注视他,微笑低声说:"别又像刚才否认你学校里有女学生,这用不到客套。不搁糖,这茶不好喝。我干脆不问你,给你加上牛奶。"颐谷感谢天,这时候大家都忙着谈话,没人注意到自己的窘态。李太太的笑容和眼睛表情使他忽然快乐得仿佛心给热东西烫痛了。他机械地把匙调着茶,好一会没听见旁人在讲什么。

建侯道:"侠君,你来的时候耳朵烧没有?我们都在骂你。"

陈侠君道:"咱们背后谁不骂谁——"

爱默插嘴说:"我可没骂过谁。"

侠君左手按在胸口,坐着向爱默深深弯背道:"我从没骂过你。"回头向建侯问:"骂我些什么呢?何妨讲来听听,'有则改之,无则加勉'。"

马用中喝完茶还得上报馆做稿子,便抢着说:"骂你臭架子,每次有意晚到,耽误大家的时间,恭候你一个人。"

袁友春说:"大家说你这艺术家的习气是在法国拉丁区坐咖啡馆学来的,说法国人根本没有时间观念,所以'时间即金钱'那句话还得向英文去借。我的见解不同,我想你生来这迟到的脾气,不,没生出来就有这脾气,你一定十月满足了还赖在娘胎里不肯出世的。"

大家都笑了。陈侠君还没回答,傅聚卿冷冷地说:"这幽默太笨重了,到肉铺子里去称一下,怕斤两不小。"

袁友春脸上微红,睁眼看傅聚卿道:"英国人用磅做单位的,不讲斤两,你露出冒牌英国佬的马脚来了。"

陈侠君喝着茶说:"可惜!可惜!这样好茶给你们润了嗓子来吵嘴,真冤哪!我今天可不是故意累你们等,方才送一个朋友全家上车回南边去,所以来迟了。这两天风声又紧起来,好多人想搬家离开这儿。老马,你说,这仗打得起来不?你的消息该比我们灵通啰。"

曹世昌涵意深微地说:"你该看他的社论。国家大事,私人访问,恕不答复。"

几张嘴同说:"为了读他的社论,看不出所以然,所以要问他。"颐谷也觉得这关系到切身利益,只等马用中吃完了"三明治",腾出嘴来讲话。李太太说:"是呀!我也得有个准备。北平真危险的话,只有把上海出租的房子要回来,建侯得先到南边去料理了。可是三年前的夏天,比现在紧张多呢!日本飞机在头上转,大家都抢着回南,平沪特快车头二等的走廊里站满了乘客,三等车里挤得一宵转身不得,什么笑话都有。到后来,大事化为无事,去的人又回来,白忙了一趟。这几年来,我们受惯了虚惊,也许什么事儿没有。用中,你瞧怎样?"

马用中好像没忘记生理卫生关于淀粉应在嘴里消化的教训,仔细咀嚼面包,吃完了用碟子旁的手巾拂去胸前沾的面包屑,皱着眉头说:"这事很难肯定地说……"

李太太使性说:"那不行,你非讲不可。"傅聚卿道:"为什么这样吞吞吐吐?何妨把你自己的眼光来判断一下。老实告诉你,老马,我就从来没把你的话作准。反正你在这儿讲话又不是作社论,你不负什么文责。要知道祸福吉凶,我们自会去求签卜卦,请教摆测字摊的人,不会根据你大政论家的话来行动。"

马用中只当没听见,对李太太说:"我想战事暂时不会起。第一,我们还没有充分准备。第二,我得到消息,假使日本跟我们打仗,俄国也许要乘机向它动手,这消息的来源我不能公布,反正是顶可靠的。第三,英美为保护远东利益,不会坐视日本侵略中国,我知道它们和我们当局有实际援助的默契。日本怕俄国,也不能不顾忌到英美,决不敢真干起来。第四,我们政府首领和希特勒、墨索里尼最友善,德国、意国都和我们同情,断不至于帮了日本去牵制英美。所以,我的观察,两三年内还不会有战争,当然,天下常有意料不到的事。"

李太太恨道:"你这人真讨厌!听了你一大堆话,刚有点儿放心,又来那么泄气的一句!"马用中抱歉地傻笑,仿佛战争意外发生都是他失察之咎。曹世昌问:"那么,当前的紧张局面怎样了结呢?"

袁友春轻蔑地说:"哼!还有什么?我们只能让步。"

马用中态度严肃,说:"我们只有忍耐着,暂时让步。"

"那可糟啦!"建侯说,颐谷心里也应声回响。

"不让步事情更糟。"傅聚卿、陆伯麟同时说。

陈侠君道:"让步!让步!让到什么时候得了!大不了亡国,倒不如干脆跟日本拼个你死我活。老实讲,北平也不值得留恋了。在这种委曲苟安的空气里,我们一天天增进亡国顺民的程度,我就受不了!只有打!"说时拍着桌子,表示他的言行一致,好像证明该这样打日本人的,坐在他右面的赵玉山吓得直跳起来,把茶都泼在衣服上。

李太太笑道:"瞧你这傻劲儿!小心别打破我的茶杯。'打!'你肯上前线去打么?"

侠君正在向玉山道歉:"都是我不好!回头你太太又该借这茶渍跟你吵了——"听见这话,回脸过来说:"我不肯,我不能,而且我不敢。我是懦夫,我怕炮火。"

建侯耸了耸肩,对大家做个眼色。傅聚卿说:"你肯承认自己懦弱,这就是最大的勇气,这个年头儿,谁都不敢讲自己怕打仗。敢这样坦白讲的,你还是第一个。有些人把他们的畏缩掩饰成为政策,说维持和平,说暂时妥协,不可轻举妄动,意气用事。有些人高喊着抗战,只希望虚声夺人,把呐喊来吓退日本,心上并不愿意,也并不相信这战争真能发生,千句并一句说,大家都胆小得要装勇敢,就没人有胆量敢诚实地懦弱。可是你自己怕打仗,又主张打仗,这未免有点矛盾。"

侠君把牛奶倒在茶碟里,叫淘气来舐,抚摸着淘气的毛,回答说:"这并不矛盾。这正是中国人传统的心理,这也是猫的心理。我们一向说,'善战者服上刑','佳兵不祥',但是也说,'不得已而用兵'。怕打仗,躲避打仗,无可躲避了就打,没打的时候怕死,到打的时候怕得忘了死。我中国学问根柢不深,记不起古代什么一位名将说过,士兵的勇气都从畏惧里出来,怕惧敌人,但是更怕惧自己的将帅,所以只有努力向前杀敌。譬如家畜里胆子最小的是猫,可是我们只看见小孩子给家里养的猫抓破了皮,从没见过家里养的狗会咬痛小孩子。你把不满一岁的小孩子或小狗跟小猫比一下,就明白猫和其他两种四足家畜的不同。你对小孩子恐吓,装样子要打他,他就哭了。你对小狗这样,它一定四脚朝天,摆动两个前爪,仿佛摇手请你别打,身子左右滚着。只有小猫,它愈害怕态度愈凶,小胡子根根挺直,小脚爪的肌肉像张满未发的弓弦,准备跟你拼命。可是猫远不如狗的勇敢,这大家都知道。所以,怕打仗跟能打仗并不像聚卿所想的那样矛盾。"

袁友春觉得这段议论颇可留到自己讲中国人特性的文章里去用,所以一声不响,好像没听见。陆伯麟道:"我从没想到侠君会演说。今天的事大可编个小说回目:'拍桌子,陈侠君慷慨宣言;翻茶杯,赵玉山淋漓生气。'或者:'陈侠君自比小猫;赵玉山妻如老虎。'"大家都笑说陆伯麟"缺德",赵玉山一连摇头道:"胡说!不通!"

曹世昌说:"我没有陈先生的气魄,不过,咱们知识分子有咱们对国家的职责。咱们能力所及,应该赶快去做。我想咱们应当唤起国际的同情,先博得舆论的支持,对日本人无信义的行为加以制裁。这种非官方的国外宣传,你们精通外国文的人更应该做。袁先生在这一方面有很大的成绩,傅先生您亦何妨来一下?今年春天在伦敦举行的中国艺术展览会已经引起全世界文化人士对中国的注意,这是最好的机会,千万不要错过。打铁趁它热——假使不热,咱们打得它发热。"这几句话讲得颐谷心悦诚服,想毕竟是曹世昌有道理。

傅聚卿道："你太瞧得起我了,这事只有友春能干。可是,你把外国的同情也看得过高,同情不过是情感上的奢华,不切实际的。我们跟玉山很同情,咱们中间谁肯出傻力气帮他去制服赵太太。咱们亲眼看见陈侠君害他泼了一身茶,陆伯老讲话损他,咱们为他抱不平没有?外国人知道切身利害有关,自然会来援助。现代的舆论并非中国传统所谓清议。独裁国家里,政府的意旨统制报纸的舆论,绝不是报纸来左右政府。民治国家像英国罢,全国的报纸都操纵在一两个报阀的手里,这种报阀不是有头脑有良心的知识分子,不过是靠报纸来发财和扩大势力的野心资本家,哪里会主持什么公道?至于伦敦画展呢,让我告诉你一句耐人寻味的话。有位英国朋友写信给我说,从前欧洲一般人对日本艺术开始感觉兴趣,是因为日俄之战,日本人打了胜仗;现前断定中日开战,中国准打败仗,所以忽然对中国艺术发生好奇心,好比大房子要换主人了,邻居就会去探望。"

陆伯麟打个呵欠道："这些话都不必谈。反正中国争不来气,要依赖旁人。跟日本妥协,受英美保护,不过是半斤八两。我就不明白这里面有什么不同。要说是国耻,两者都是国耻。日本人诚然来意不善,英美人何尝存着好心。我倒宁可倾向日本,多少还是同种,文化上也不少相同之点。我知道我说这句话要挨人臭骂的。"

陈侠君道："这地道是'日本通'的话。平时的'日本通',到战事发生,好些该把名称倒过来,变成'通日本',——伯老,得罪得罪!冒犯了你,我们湖南人讲话粗鲁,不知忌讳的。"后面这几句话因为陆伯麟气得脸色翻白,捻胡子的手指都抖着。中国各地只有两广人、湖南人,勉强凑上山东人,这四省人可以雄赳赳说:"我们这地方的人就生来这样脾气。"他们的生长地点宛如一个辩论的理由、挑战的口号。陆伯麟是沪杭宁铁路线上的土著,他的故乡叫不响,只有旁人背后借他的籍贯来骂他,来解释或原谅他的性格,在吵架时自己的籍贯助不了声势的。所以他一时上竟想不出话来抵挡陈侠君的"我们湖南人"。再说,自己刚预言过要挨骂,现在预言居然中了,还怨什么?

郑须溪赶快避开争端说:"从政治的立场来看,我们是否该宣战,我不敢决定。我为了多开口,也已经挨了青年人的骂。但是从超政治的观点来讲,战争也许正是我们民族精神的需要。一个大规模的战争可以刺激起我们这个民族潜伏着的美德,帮我们恢复精神的健康和国家的自尊心。当然,痛苦是免不了的,死伤、恐怖、流离、饥荒,以及一切伊班涅茨的'四骑士'所能带来的灾祸。但这些都是战争历程中应有的事,在整个光荣壮烈的英雄气魄里,局部的痛苦得了补偿。人生原是这样,从丑和恶里提炼出美和善。就像桌子上新鲜的奶、雪白的糖、香喷喷的茶、精美可口的点心,这些好东西入口以后,到我们肠胃里经过生理化学的作用,变质变形,那种烂糊糟糕的状态简直不堪想像,想起来也该替这些又香又甜的好东西伤心叫屈。可是非有这样肮脏的历程,肉体不会美丽和健康。我——"

李太太截断他道:"你讲得叫人要反胃了!我们女人不爱听这种拐弯抹角的议论。人生有许多可恨、可厌、全不合理的事,没法避免。假如战争免不了,你犯不着找深奥的理由,证明它合理,证明它好。你为战争找道理,并不能抬高战争,反而亵渎了道理,我们听着就对一切真理发生猜疑,觉得也许又是强辩饰非。我们必需干的事,不一定就是好事。你那种说法,近乎自己骗自己,我不赞成。"颐谷听得出了神,注视着爱默讲话时的侧面,眼睛像两星晶莹的火,燃烧着惊奇和钦佩,陈侠君眼快,瞧见他这样子,微笑向爱默做个眼色,爱默回头看颐谷,颐谷羞得低下头去,手指把面包捻成一个个小丸子。陈侠君不放松地问:"这位先生贵姓?刚才来晚了,荒唐得很,没有请教。"颐谷感到十双眼睛的光射得自己两脸发烧,心里恨不能一刀杀死陈侠君,同时听见自己的声音回答:"敝姓齐。"建侯说:"我忘掉向你介绍,这位齐先生是帮我整理材料的,人聪明得了不得。""唔!唔!"这是陈侠君的回答。假使世间有天从人愿那一回事,陈侠君这时候脸上该又烫又辣,像给颐谷打了耳光的感觉。

"你倒没有聘个女——女秘书?"袁友春问建侯。他本要说"女书记",忽然想到这称呼太直率,做书记的颐谷听了也许刺耳,所以忙改口尊称"秘书",同时心里佩服自己的机灵周到。

曹世昌道:"这不用问。太太肯批准么?女书记也帮不了多少忙。"

李太太说:"这还像句话说。随他用一屋子的女书记,我管不着,别扯到我身上。建侯,对不对?"建侯油腻腻地傻笑。

袁友春道:"像建侯才可以安全保险地用女书记,决不闹什么引诱良家少女的笑话。家里放着爱默这样漂亮的夫人,他眼睛看高了,要他垂青可不容易。"

陈侠君瞧建侯一眼道:"他要引诱,怕也没有胆量。"

建侯按住恼怒,强笑道:"你知道我没有胆量?"

侠君大叫道:"这简直大逆不道!爱默,你听见没有?快把你先生看管起来。"

爱默笑道:"有人爱上建侯,那最好没有。这证明我挑丈夫的眼光不错,旁人也有眼共赏。我该得意,决不吃'忌讳'。"

爱默话虽然漂亮,其实文不对题;因为陈侠君讲建侯看中旁的女人,并非讲旁的女人看中建侯。但也没人矫正她。陈侠君继续说:"建侯胆量也许有余,胃口一定不够。咱们人到中年,食色两个基本欲望里,只要任何一个还强烈,人就还不算衰老。这两种欲望彼此相通,根据一个人饮食的嗜好,我们往往可以推断他恋爱时的脾气——"

陆伯麟眼睛盯在面前的茶杯上,仿佛对自己的胡子说:"爱默刚才讲她自己决不捻酸吃醋,可是她爱吃醋溜鱼,哼!"建侯道:"这话对!侠君专门胡说八道,好像他什么都知道!"

侠君不理会陆伯麟,把头打着圈儿对建侯说:"因为她爱吃醋溜鱼,所以我断定她也会吃醋。你小心着,别太乐!"

李太太笑道:"这真是信口开河!好罢,好罢!算我是醋瓶儿、醋罐儿、醋缸儿,你讲下去。"

侠君像皮球给人刺过一针,走漏了气,懒懒地说:"也没什么可讲。建侯吃菜的胃口不好,想来他在恋爱上也不是贪多的人。"

"而且一定也精益求精,像他对烹调一样,没有多少女人够得上他的审美标准。"傅聚卿说。建侯听着,洋洋得意。

"此话大错特错",侠君忍不住说:"最能得男人爱的并不是美人。我们该防备的倒是相貌平常、姿色中等的女人。见了有名的美人,我们只能仰慕她,不敢爱她。我们这种未老已丑的臭男人自惭形秽,知道没希望,决不做癞蛤蟆吃天鹅肉的梦。她的美貌增进她跟我们心理上的距离,仿佛是危险记号,使我们胆怯、懦怯,不敢接近。要是我们爱她,我们好比敢死冒险的勇士,抱有明知故犯的心思。反过来,我们碰见普通女人,至多觉得她长得还不讨厌,来往的时候全不放在眼里,吓!忽然一天发现自己糊里糊涂地,不知什么时候让她在我们心里做了小窝。这真叫恋爱得不明不白,恋爱得冤枉。美人像敌人的正规军队,你知道戒备,即使打败了,也有个交代。平常女人像这次西班牙内战里弗朗哥的'第五纵队',做间谍工作,把你颠倒了,你还在梦里,像咱们家里的太太,或咱们爱过的其他女人,一个都说不上美,可是我们当初追求的时候,也曾为她们睡不着觉,吃不下——这位齐先生年纪虽轻,想来也饱有经验?哈哈!"颐谷听着侠君前面一段议论,不由自主地佩服他观察得入情入理,没想到他竟扯到自己头上,涨红了脸,说不出话,对陈侠君的厌恨复活了。

李太太忙说:"侠君,你这人真讨厌——齐先生,别理他。"

袁友春道:"侠君,你适才讲咱们的太太不美,这'咱们'里有没有建侯?"曹世昌、赵玉山都和着他。

李太太笑道："这不用问,当然有他。我也是'未老先丑',现在已老更丑。"

侠君慌的缩了头,手抓着后脑,做个鬼脸。陆伯麟却忍不住笑了。

马用中说："你们说话都不正经。我报馆里有两个女职员做事都很细心认真。玉山,你所里好像也有女研究员?"

赵玉山道："我们有三个,都很好。像我们这研究所,一般年轻女人会觉得沉闷枯燥,决不肯来。我的经验是,在大学专修自然科学、中国文学、历史、地理的女学生,都比较老实认真。只有读西洋文学的女学生最要不得,满脑子的浪漫思想,什么都不会,外国文也没读通,可是动不动要了解人生,要做女作家,要做外交官太太去招待洋人,顶不安分。聚卿介绍过这样一个宝贝到我们所里来,好容易我把她撵走了,聚卿还怪着我呢。"

傅聚卿说："我不怪你旁的,我怪你头脑顽固,胸襟狭小,容不下人。"

郑须溪道："这话不错。玉山该留她下来,也许你们所里的学术空气能把她潜移默化,使她渐渐跟环境适合,很可能成为一个人才。"

陆伯麟笑说："我想起一桩笑话。十几年前,我家还在南边。有个春天,我陪内人到普陀山去烧香,就住在寺院的客房里。我看床铺的样子,不很放心,问和尚有没有臭虫。和尚担保我没有,'就是有一两个,佛门的臭虫受了菩萨感应,不吃荤血;万一真咬了人,阿弥陀佛,先生别弄死它,在菩萨清净道场杀生有罪孽的。'好家伙！那天我给咬得一宵没睡。后来才知道真有人听和尚的话。有同去烧香的婆媳两人，那婆婆捉到了臭虫，便搁在她媳妇的床上，算是放生积德，媳妇嚷出来，传为笑话。须溪讲环境能感化性格，我想起和尚庙的吃素臭虫来了。"大家都哈哈大笑。

郑须溪笑完道："伯老，你不要笑那和尚，他的话有一部分真理。臭虫跟佛教程度差得太多了，陈侠君所谓'心理距离'相去太远，所以不会受到感化。智力比较高的动物的确能够传染主人的脾气，这一点生物学家和动物心理学家都承认。譬如主人爱说笑话，来的朋友们常常哈哈大笑，他养的狗处在这种环境里，也会有幽默，常做出滑稽引人笑的举动，有时竟能嘻开嘴学人的笑容。记得达尔文就观察到狗能模仿人的幽默，我十几年前看德国心理学家泼拉埃讲儿童心理的书里，也提起这类事。我说学术空气能改变女人的性格，并非大帽子空话。"

陆伯麟道："狗的笑容倒没见过，回头养条狗来试验试验。可是我听了你的科学证明，和你绝对同意。我喜欢书，所以我家里的耗子也受了主人的感化，对书有特别嗜好，常把我的书咬坏。和尚们也许偷偷吃肉，所以寺院里的虱子不戒荤腥。你的话对极了！"说完向李太太挤挤眼，仿佛要她注意自己讽刺的巧妙。

郑须溪摇头道："你这老头子简直不可理喻。"袁友春道："何必举狗的例子呢？不现成有淘气么？你们细心瞧它动作时的腰身，婀娜刚健，有时真像爱默，尤其是它伸懒腰的姿态。它在李府上养得久了，看惯美丽女主人的榜样，无形中也受了感化。"

李太太道:"我不知道该骂你,还是该谢你。"

陈侠君道:"他这话根本不对。淘气在李家好多年了,不错,可是它也有男主人哪!为什么它不模仿建侯?你们别笑,建侯又要误会我挖苦他了。建侯假如生在十六世纪的法国,他这身段的曲线美,不知该使多少女人倾倒爱慕,不拿薪水当他的女书记呢!那时候的漂亮男女,都行得把肚子凸出——法国话好像叫 panserons——鼓得愈高愈好,跟现代女人的束紧前面腹部而耸起后面臀部,正是相反。建侯算得古之法国美少年,也配得做淘气的榜样。所以我说老袁倒果为因。并不是淘气学爱默的姿态,是爱默参考淘气的姿态,神而明之,自成一家。这话爱默听了不会生气的。倾国倾城、天字第一号外国美人是埃及女皇克娄巴德拉——埃及的古风是女人愈像猫愈算得美。在朋友们的太太里,当然推爱默穿衣服最称身,譬如我内人到冬天就像麻口袋盛满了棒子面,只有你那合式样儿,不像衣服配了身体做的,真像身体适应着衣服生长的。这不是学淘气的一身皮毛么?不成淘气会学了你才生皮长毛?"

爱默笑道:"小心建侯揍你!你专讲废话。"建侯把面前一块 éclair 给陈侠君道:"请你免开尊口,还是吃东西罢,省得嘴闲着又要嚼蛆。"侠君真接了咬着,给点心堵住了上下古今的议论。

傅聚卿说:"我在想侠君讲的话。恋爱里的确有'心理距离',所以西洋的爱神专射冷箭。射箭当然需要适当的距离,红心太逼近了箭射不出,太远隔了箭射不到;地位悬殊的人固然不易相爱,而血统关系太亲密的人也不易相爱。不过这距离不仅在心理方面。各位有这个经验么?有时一个女人远看很美,颇为可爱,走近了细瞧,才知道全是假的,长得既不好看,而且化妆的原料欠讲究,化妆的技巧也没到家。这种娘儿们打的什么主意,我真想不出。花那么多的心思和工夫来打扮,结果只能站在十码以外供人远眺!是否希望男人老远的已经深深地爱上她们,到走近看了真相,后悔无及,只有将错就错,爱她们到底?今天听侠君的话,才明白她们跟枪炮一样,放射力有一定的距离。这种女人,我一天不知要碰见多少,我恨死了她们,觉得她们要骗我的爱,我险的上当。亏得我生在现代,中国风气开通,有机会对她们仔细观察,矫正一眼看去的幻觉。假使在古代,关防严密,惟有望见女人凭着高楼的栏杆,或着瞥见她打起驴车的帘子,可望而不可即,只好一见生情,倒煞费心机去追求她,那冤不冤!我想着都发抖。"说时傅聚卿打个寒噤。建侯笑得利害,不但嘴笑,整个矮胖的身体也参加这笑。

  陈侠君早吃完那块糕,叹口气说:"聚卿,你眼睛终是太高呀!我们上半世已过的人,假如此心不死,就不能那样苛求。不但对相貌要放低标准,并且在情感方面也不能责备求全。十年前我最瞧不起那些眼开眼闭的老头子,明知他们的年轻姨太太背了自己胡闹,装傻不管。现在我渐渐了解他们,同情他们。除非你容忍她们对旁人的爱,你别梦想她们会容忍你对她们的爱。我在巴黎学画的时候,和一个科西嘉的女孩子很要好,后来发现她是虔诚的天主教徒,要我也进教才肯结婚,仿佛她就是教会招揽主顾的女招待,我只好把她甩了。我那时要求女人全副精神爱我,整个心里装满的是我,不许留一点点给任何人,上帝也是我的情敌,她该为我放弃他,她对我的爱情应当超越一切宗教的顾忌。可是现在呢?我安分了,没有奢望了,假如有可爱的女人肯大发慈悲,赏赐我些剩余的温柔,我像叫化子讨得残羹冷炙,感激涕零。她看我一眼,对我一笑,或脸一红,我都记在心上,贮蓄着有好几天的思量和回味。打仗?我们太老啦!可是还不够老,只怕征兵轮到我们。恋爱?我们太老啦!可是也不够老,只怕做情人轮不到我们!"

马用中起身道:"侠君这番话又丧气,又无耻。时候不早了,我先走一步。李太太,建侯,谢谢您,再会,再会。别送!齐先生,再见。"曹世昌也同时说侠君的议论"伤风败俗"。建侯听侠君讲话,呆呆的像上了心事,直到马用中叫他的名字,才忙站起来,和着爱默说:"不多坐一会儿么?不送,不送。"颐谷掏出表来,看时间不早,也想告辞,只希望大家都走,混在人堆里,七嘴八舌中说一句客气话便溜。然而看他们都坐得顶舒服的,不像就走;自己怕母亲盼望,实在坐不住了,正盘算怎样过这一重重告别的难关。李太太瞧见他看表,便说:"时间还早啊,可是我不敢多留你,明儿见。"颐谷含糊地向李太太谢了几句。因为他第一次来,建侯送他到大门。出客堂时建侯把门反手关上,颐谷听见关不断的里面说笑声,武断地想他们在说笑着自己,脸更热了。跳上了电车,他忽然记起李太太说"明儿见"。仔细再想一想,把李太太对自己临去时讲的话从记忆里提出来,拣净理清,清清楚楚的"明儿见"三个字。这三个字还没僵冷,李太太的语调还没有消散。"明"字说得很滑溜,衬出"见"字语音的清朗和着重,不过着重得那么轻松只好像说的时候在字面上点一下。那"儿"字隐躲在"明"字和"见"字声音的夹缝里,偷偷地带过去。自己丝毫没记错。心止不住快活地跳,觉得明天这个日子值得等待,值得盼望。颐谷笑容上脸,高兴得容纳不下,恨不得和同车的乘客们分摊高兴。对面坐的一个中年女人见颐谷向自己笑,误会他用意,恶狠狠看了颐谷一眼,板着脸,别过头去。颐谷碰到一鼻子灰,莫名其妙,才安静下来。到了家,他母亲当然问他李太太美不美。他偏说李太太算不得美,皮肤不白啦,颧骨稍微高啦,更有其他什么缺点啦。假如颐谷没着迷,也许他会赞扬爱默俏丽动人;现在他似乎新有了一个秘密,这个秘密初来未惯,躲在他心里,怕见生人,所以他说话也无意中合于外交和军事上声东击西的掩护策略。他母亲年轻结婚的时候,中国人还未发明恋爱。那时候有人来做媒,父母问到女孩子本人,她中意那男人的话,只有红着脸低头,一声不响,至多说句"全凭爹妈做主",然后飞快地跑回房里去,这已算女孩儿家最委婉的表情了。谁料到二三十年后,世情大变,她儿子一个大男孩子的心思也会那么曲折!所以她只打趣儿子,说他看得好仔细,旁的没讲什么。颐谷那天晚上做了好几个颠倒混沌的梦,梦见不小心把茶泼在李太太的衣服上,窘得无地自容,只好逃出了梦。醒过来,又梦见淘气抓破自己的鼻子,陈侠君骂自己是猫身上的跳虱。气得正要回骂,梦又转了弯,自己在抚摸淘气的毛,忽然发现抚摸的是李太太的头发,醒来十分惭愧,想明天真无颜见李氏夫妇了。却又偷偷地喜欢,昧了良心,牛反刍似的把这梦追温一遍。

李太太并未把颐谷放在心上。建侯送颐谷出去时,陈侠君道:"这小孩子相貌倒是顶聪明的。爱默,他该做你的私人秘书,他一定死心塌地听你使唤,他这年龄正是为你发傻劲的时候。"爱默道:"怕建侯不肯。"曹世昌道:"侠君,你这人最要不得!你今天把那小孩子欺负得够了。年轻人没见过世面,怪可怜的。"侠君道:"谁欺负他?我看他睁大了眼那惊奇的样子,幼稚得可怜,所以和他开玩笑,叫他别那么紧张。"陆伯麟道:"你自以为开玩笑,全不知轻重。怪不得建侯恼你。"大家也附和着他。说时,建侯进来。客人坐一会,也陆续散了。爱默那晚上睡到下半夜,在前半觉和后半觉接榫处,无故想起日间颐谷对自己的表情和陈侠君的话,忽然感到兴奋,觉得自己还不是中年女人,转身侧向又睡着了。

明天,颐谷正为建侯描写他在纽约大旅馆高楼上望下去,电线、行人、车辆搞得头晕眼花,险的栽出窗子,爱默打门进来。看了他们一眼,又转身像要出去,说:"你们忙着,我不来打搅你们,我没有事。"建侯道:"我们也没有事,你要不要看看我游记的序文?"爱默道:"记得你向我讲过序文的大意了。好,我等你第一章脱稿了,一起看,专看序文不够味道。建侯,我想请颐谷抽空写大后天咱们请客的帖子,可以不可以?"颐谷没准备李太太为自己的名字去了外罩,上不带姓,下不带"先生",名字赤裸裸的,好像初进按摩浴室的人没料到侍女会为他脱光衣服。他没等建侯回答,忙说:"可以,可以!就怕我字写不好——"颐谷说了这句谦词,算表示他从容自在,并非局促到语无伦次。建侯不用说也答应。颐谷向爱默手中接过请客名单,把眼花腿软的建侯抛搁在纽约旅馆第三十二层楼窗口,一心来为爱默写帖子了。他替建侯写游记,满肚子的委屈,而做这种琐碎的抄写工作,倒虔诚得像和尚刺血写佛经一样。回家后他还追想着这小事,似乎这是爱默眼里有他的表示。第二天他代爱默复了几封无关紧要的信,第三天他代爱默看了一本作者赠送的新小说,把故事撮要报告她,因为过一天这作者要见到爱默。颐谷并不为这些事花多少心力,午后回家的时候却感到当天的生活异常丰富,对明天也有不敢希望的希望。

　　写请帖的那一天,李先生已经不很高兴。到李太太叫颐谷代看小说,李先生觉得这不但截断了游记写作,并且像烧热的刀判分猪油,还消耗了中午前后那一段好时间,当天别指望颐谷再为自己工作了。他不好意思当场发作,只隐约感到不安,怕爱默会把这个书记夺去。他当着爱默,冷冷对颐谷说:"你看你的小说,把稿子给我,我自己来写。"爱默似笑非笑道:"抓得那样紧!你写书不争这一天半天,我明天得罪了人怎么办?你不要我管家事的话,这本书我早看了。"颐谷这时候只知道爱默要自己效劳,全听不出建侯话中用意,当真把稿子交与建侯。建侯接过来,一声不响,黄脸色里泛出青来。爱默看建侯一眼,向颐谷笑着说:"费心!"出书房去了。颐谷坐下来看那小说,真是那位作者的晦气！颐谷要让爱默知道自己眼光凶、标准高,对那书里的情节和文字直挑错儿,就仿佛得了傅聚卿的传授似的。建侯呆呆坐着,对面前的稿子瞪眼,没有动笔。平时总是他看表叫颐谷回家吃饭的,今天直到老妈子出来问他要不要开饭,他才对颐谷强笑,吩咐他走,看见他带了那本小说回家,愈加生气。建侯到饭厅里,坐下来喝汤,一言不发,爱默也不讲话。到底女人是创世以来就被压迫的动物,忍耐心好,建侯先开口了:"请你以后别使唤我的书记,我有正经事儿要他干。你找他办那些琐碎的事,最好留到下午,等他干完我的正事。"

爱默"哼"了一声用英语说道:"你在和我生气,是不是？女用人站在旁边听着,好意思么？吵嘴也得瞧什么地方！刚才当着你那宝贝书记的面,叫我下不去,现在好好吃饭,又来找岔子。吃饭的时候别动火,我劝你。回头胃病又要发啦！总有那一天你把我也气成胃病,你才乐意。今天有炸龙虾,那东西很不容易消化。"那女用人不懂英语,气色和音调是详得出的,肚子里暗笑道:"两口儿在怄气了！你们叽哩咕噜可瞒不过我。"

饭吃完,夫妇到卧室里,丫头把建侯睡午觉的被窝铺好出去。建侯忍不住问爱默道:"我讲的话,你听见没有？"

爱默坐在沙发里,抽着烟道:"听见！怎会不听见？老妈子、小丫头全听见。你讲话的声音,天安门、海淀都听得到,大家全知道你在教训老婆。"

建侯不愿意战事扩大,妨害自己睡觉,总结地说:"听见就好了。"

爱默一眼不瞧丈夫,仿佛自言自语:"可是要我照办,那不成。我爱什么时候使唤他,由得我。好一副丈夫架子!当着书记和用人,对我吆喝!"

建侯觉得躺着吵架,形势不利。床是女人的地盘,只有女人懒在床上见客谈话,人地相宜。男人躺在床上,就像无险可守的军队,威力大打折扣。他坐起来说:"这书记是我用的,该听我支配。你叫他打杂差,也得先向我打个招呼。"

爱默扔掉香烟,腾出嘴来供相骂专用,说:"只要你用他一天,我有事就得找他。老实说,你给他的工作并不见得比我叫他做的事更有意思。你有本领写书,自己动笔,不要找人。曹世昌、陆伯麟、傅聚卿都写了好多书,谁还没有雇用个书记呢!"

建侯气得把手拍床道:"好,好!我明天叫那姓齐的孩子滚。干脆大家没书记用。"

爱默道:"你辞掉他,我会用他。我这许多杂事,倒不比你的游记——"

建侯道:"你忙不过来,为什么不另用个书记,倒侵占我的人呢?"

爱默道:"先生,可省俭为什么不省俭?我不是无谓浪费的女人。并且,我什么时候跟你分过家来?"

建侯道:"我倒希望咱们彼此界限分得清一点。"

爱默站起来道:"建侯,你说话小心,回头别懊悔。你要分咱们就分。"

建侯知道话说重了,还倔强说:"你别有意误解,小题大做。"

爱默冷笑道："我并不误解。你老觉得人家把我比你瞧得起,心里气不过。前天听了陈侠君的胡说,想找个相好的女人。吓!你放心,我决不妨碍你的幸福。"

建侯气势减缩,强笑道："哈哈!这不是借题发挥是什么?对不住,我要睡了。"他躺下去把被蒙着头不做声。爱默等他五分钟后头伸出来,又说:"你去问那孩子把那本小说要回来,我不用他代我看了。"

建侯道:"你不用假仁假义。我下午有事出门,不到书房去。你要使唤齐颐谷,就随你便罢。我以后也不写什么东西了,反正一切都是这样!我名分下的东西,结果总是给你侵占去了。朋友们和我交情淡,都跟你好;家里的用人抢先忙着为你,我的事老搁在后面,我的命令抵不上你的方便。侥幸咱们没有孩子,否则他们准像畜生和野蛮人,只知道有母亲,眼睛里不认识我这爸爸。"李太太对养育儿女的态度,正像苏俄官立打胎机关的标语:"第一次光顾我们欢迎,可是请您别再来!"但是妇科医生严重警告她不宜生产,所以小孩子一次也没来投胎过。朋友们背后说她真是个"绝代佳人"。她此刻回答道:"说得好可怜!真是苦命丈夫哪!用人听我的话,因为我管家呀。谁爱管家!我烦得头都痛了!从明天起,请你来管,让用人全来奉承你。讲到朋友,那更笑话!为什么嫁你以后,我从前同学时代的朋友一个都不来往了。你向我计较你的朋友,我向谁要我的朋友?再说,现在的朋友可不是咱们俩大家有的?分什么跟我好,跟你不好?

你这人真是小孩子气。至于书记呢,这种时局今天不保明天,谁知道能用他多少时候?万一咱们搬家回南,总不能带着他走呀。可是你现在就辞掉他,也得送他一个月的薪水。我并不需要他,不过,你不写东西也犯不着就叫他马上走,有事时可以差唤差唤。到一个月满期,瞧情形再说。这是我女人家算小的话,我又忍不住多嘴讨你厌了。反正以后一切归你管,由你做主。"建侯听他太太振振有词,又只讲自己"小孩子气",不好再吵,便摇手道:"这话别提,都是你对。咱们讲和。"爱默道:"你只说声'讲和'好容易!我假如把你的话作准,早分手了!"说着出去了,不睬建侯伸出待拉讲和的手。建侯一个人躺着,想明明自己理长,何以吵了几句,反而词穷理屈,向她赔不是,还受她冷落。他愈想愈不平。

　　以后这四五天,建侯不大进书房,成天在外面跑,不知忙些什么。甚至有一两次晚上应酬,也不能陪爱默同去。颐谷的工作并不减少。建侯没有告诉他游记已经停写,仍然不让他空闲,吩咐他摘译材料,说等将来一起整理。爱默也常来叫他写些请柬、谢帖之类,有时还坐下来闲谈一会。颐谷没有姊妹,也很少亲戚来往,寡母只有他一个儿子,管束得很严,所以他进了大学一年,从没和女同学谈过话。正像汽水瓶口尽管封闭得严严密密,映着日光,看得见瓶子里气泡在浮动,颐谷表面上拘谨,心里早蠢搅着无主招领的爱情。一个十八九岁没有女朋友的男孩子,往往心里藏的女人抵得上皇帝三十六宫的数目,心里的污秽有时过于公共厕所。同时他对恋爱抱有崇高的观念,他希望找到一个女人能跟自己心灵契合,有亲密而纯洁的关系,把生理冲动推隔得远远的,裹上重重文饰,不许它露出本来面目。颐谷和爱默接触以后,他的泛滥无归的情感渐渐收聚在一处,对于一个毫无恋爱经验的男孩子,中年妇人的成熟的姿媚,正像暮春天气或鸭绒褥子一样泥得人软软的清醒不来,恋爱的对象只是生命的利用品,所以年轻时痴心爱上的第一个人总比自己年长,因为年轻人自身要成熟,无意中挑有经验的对象,而年老时发疯爱上的总是比自己年轻,因为老年人自身要恢复青春,这梦想在他最后的努力里也反映着。颐谷到李家第二星期后,已经肯对自己承认爱上李太太了。这爱情有什么结果,他全没工夫去想。他只希望常有机会和她这样接近。他每听见她的声音,心就跳,脸上布满红色。这种脸色转变逃不过爱默的眼睛。颐谷不敢想像爱默会爱自己,他只相信爱默还喜欢自己。但是有时他连这个信念都没有,觉得自己一味妄想,给爱默知道了,定把自己轻鄙得一文不值。他又忙忙搜索爱默自己也记不得的小动作和表情来证明并非妄想。然而这还不够,爱默心里究竟怎么想呀?真没法去测度。假如她不喜欢自己,好!自己也不在乎,去!去!去她的!把她冷落在心窝外面。可是事情做完,睡觉醒来,发现她并没有出去,依然盘踞在心里,第一个念头就牵涉到她。他一会儿高兴如登天,一会儿沮丧像堕地,荡着单相思的秋千。

　　第三个星期一颐谷到李家,老白一开门就告诉他说建侯昨天回南去了,颐谷忙问为什么,李太太同去没有。他知道了建侯为料理房子的事去上海,爱默一时还不会走,心才定下来,然而终不舒泰。离别在他心上投了阴影。他坐立不安好半天,爱默才到书房里,告诉他建侯星期六晚上回来,说外面消息不好,免不了开战,该趁早搬家,所以昨天匆匆到上海去了。颐谷强作镇静地问道:"李太太,你不会就离开北平罢?"这问句里每个字从颐谷心上挤出来,像病人等着急救似的等她回答。爱默正要回答,老白进来通报:"太太,陈先生来了。"爱默说:"就请他到书房里来——我等李先生回来,就收了这儿的摊也去。颐谷,你很可以到南方去进学校,比这儿安全些。"颐谷早料到是这回事,然而听后绝望灰心,只眼睛还能自制着不流泪。陈侠君一路嚷道:"爱默,想不到你真听了我的话,建侯居然肯把机要秘书让给你。"他进来招呼了颐谷,对爱默说:"建侯昨天下午坐通车回南了?"

爱默说:"你消息真快!是老白告诉你的吧?"

"我知道得很早,我昨天送他走的。"

"这事怪了!他事先通知你没有?"

"你知道他见了我就头痛,哪里会巴巴地来告诉我?我这几天无聊,有朋友走,就到车站去送,借此看看各种各色的人。昨天我送一个亲戚,谁知道碰上你们先生,他看见我好像很不得劲,要躲,我招呼了他,他才跟我说到上海找房子去。你昨天倒没有去送他?"

"我们老夫老妻,又不是依依惜别的情人。大不了去趟上海,送什么行?他也不要人送,只带了个手提箱,没有大行李。"

"他有个表侄女和他一起回南,是不是?"侠君含意无穷地盯住爱默。

爱默跳起来道:"呀?什么?"

"他卧车车厢里只有他和一个十七八岁的女孩子,样子很老实,长得也不顶好,见了我也只想躲,你说怪不怪?建侯说是他的表侄女?那也算得你的表侄女了。"

爱默脸色发白说:"他哪里有什么表侄女,这有点儿蹊跷?"

"是呀!我当时也说,怎么从没听你们说起。建侯挽着那女孩子的手,对我说:'你去问爱默,她会知道。'我听他语气严重,心里有些奇怪,当时也没多讲什么。建侯神气很落落难合,我就和他分手了。"

爱默眼睛睁到无可再大,说:"这里头有鬼。那女孩子什么样子?建侯告诉你她的姓没有?"

陈侠君忽然拍着大腿,笑得前仰后合。爱默生气道:"有什么可笑的?"颐谷恨陈侠君闯来打断了谈话,看爱默气恼,就也一脸的怒气。侠君笑意未敛,说:"对不住,我忍不住要笑。建侯那大傻子,说做就真会去做!我现在全明白了,那女孩子是他新有的情人,偷偷到南方去度蜜月,没料到会给我这讨厌家伙撞破。他知道这事瞒不了,索性叫我来向你报信。哈哈!我梦想不到建侯还有那一手!这都是那天茶会上把他激出来的。我只笑他照我的话一字没改地去做,拣的对象也是相貌平庸,态度寒窘,样子看来是个没见世面的小孩子,一顿饭、两次电影就可以结交的,北平城里多得是!在她眼里,建侯又阔绰,又伟大,真好比那位离婚的美国女人结识了英国皇太子了。哈哈,这事怎样收场呢!"

爱默气得管束不住眼泪道:"建侯竟这样混账!欺负我——"这时候,她的时髦、能干一下子都褪掉了,露出一个软弱可怜的女人本相。颐谷看见爱默哭了,不知所措,忽然发现爱默哭的时候,她的年龄,她相貌上的缺陷都显示出来,她的脸在眼泪下也像泼着水的钢笔字,模糊浮肿。同时爱默的眼泪提醒他,她还是建侯的人,这些眼泪是建侯名分里该有的。陈侠君虽然理论上知道,女人一哭,怒气就会减少,宛如天一下雨,狂风就会停吹,但真见了眼泪,也慌得直说:"怎么你哭了?有什么办法,我一定尽力!"

爱默恨恨道:"都是你惹出来的事,你会尽什么力。你去罢,我有事会请你来,我旁的没什么,就气建侯把我蒙在鼓里,我自己也太糊涂!"

侠君知道爱默脾气,扯个淡走了。爱默也没送他,坐在沙发上,紧咬着牙。脸上的泪渍像玻璃窗上已干的雨痕。颐谷瞧她的脸在愤恨里变形换相,变得又尖又硬,带些杀气。他意识到这是一个利害女人,害怕起来,想今天还是回家罢,就起身说:"李太太——"

爱默如梦乍醒道:"颐谷,我正要问你,你爱我不爱?"

这句突兀的话把颐谷吓得呆呆的,回答不上来。

爱默顽皮地说:"你别以为我不知道呀!你爱着我。"

怎样否认这句话而不得罪对方,似乎还没有人知道。颐谷不明白李太太问的用意,也不再愿意向她诉说衷情,只觉得情形严重,想溜之大吉。

爱默瞧第二炮也没打响,不耐烦道:"你说呀!"

颐谷愁眉苦脸,结结巴巴道:"我——我不敢——"

这并不是爱默想像中的回答,同时看他那为难样子,真教人生气,不过想到建侯的事,心又坚决起来,就说:"这话倒有趣。为什么不敢?怕李先生?你看李先生这样胡闹。说怕我罢,我有什么可怕?你坐下来,咱们细细地谈。"爱默把身子移向一边,让出半面沙发拍着叫颐谷坐。爱默问的用意无可误解了,颐谷如梦忽醒,这几天来魂梦里构想的求爱景象,不料竟是这么一回事。他记起陈侠君方才的笑声来,建侯和那女孩子的恋爱,在旁人眼里原来只是桩笑话!一切调情、偷情,在本人无不自以为缠绵浪漫、大胆风流,而到了局外人嘴里不过又是一个暧昧、滑稽的话柄,只照例博得狎亵的一笑,颐谷未被世故磨练得顽钝,想到这里,愈加畏缩。

爱默本来怒气勃勃,见颐谷闪闪躲躲,愈不痛快,说:"我请你坐,为什么不坐下来!"

颐谷听了命令,只好坐下。刚坐下去,"啊呀!"一声,直跳起来,弹簧的震动把爱默也颠簸着。爱默又惊又怒道:"你这人怎么一回事?"

颐谷道:"淘气躲在沙发下面,把我的脚跟抓了一把。"

爱默忍不住大笑,颐谷咕嘟着嘴道:"它抓得很痛,袜子可能给抓破了。"

爱默伸手把淘气捉出来,按在自己腿上,对颐谷说:"现在你可以安心坐了。"

颐谷急得什么推托借口都想不出,哭丧着脸胡扯道:"这猫虽然不是人,我总觉得它懂事,好像是个第三者。当着它有许多话不好讲。"说完才觉得这句话可笑。

爱默皱眉道:"你这孩子真不痛快!好,你捉它到外面去。"把淘气递给颐谷。淘气挣扎,颐谷紧提了它的颈皮——这事李太太已看不入眼了——半开书房门,把淘气扔出去,赶快带上门,只听得淘气连一接二地尖叫,锐利得把听觉神经刺个对穿,原来门关得太快,夹住了它的尾巴尖儿。爱默再也忍不住了,立起来顺手给颐谷一下耳光,拉开门放走淘气,一面说:"去你的,你这大傻瓜!"淘气夹着创痛的尾巴直向里面窜,颐谷带着热辣辣的一片脸颊一口气跑到街上,大门都没等老白来开。头脑里像舂米似的一声声顿着:"大傻瓜!大傻瓜!"

李太太看见颐谷跑了,懊悔自己太野蛮,想今天大失常度,不料会为建侯生气到这个地步。她忽然觉得老了,仿佛身体要塌下来似的衰老,风头、地位和排场都像一副副重担,自己疲乏得再挑不起。她只愿有个逃避的地方,在那里她可以忘掉骄傲,不必见现在这些朋友,不必打扮,不必铺张,不必为任何人长得美丽,看得年轻。

这时候,昨天从北平开的联运车,已进山东地境。李建侯看着窗外,心境像向后飞退的黄土那样的干枯憔悴。昨天的兴奋仿佛醉酒时的高兴,事后留下的滋味不好受。想陈侠君准会去报告爱默,这事闹大了,自己没法下台。为身边这平常幼稚的女孩子拆散家庭，真不值得！自悔一时糊涂，忍不住气，自掘了这个陷阱。这许多思想，搀了他手同看窗外风景的女孩子全不知道。她只觉得人生前途正像火车走不完的路途，无限地向自己展开。

## 灵 感

　　有那么一个有名望的作家,我们竟不知道他的姓名叫什么。这并非因为他是未名、废名、无名氏,或者莫名其妙。缘故很简单:他的声名太响了,震得我们听不清他的名字。例如信封上只要写:"法国最大诗人",邮差自会把信送给雨果;电报只要打给"意大利最大的生存作家",电报局自然而然去寻到邓南遮。都无须开明姓名和地址。我们这位作家的名气更大,他的名字不但不用写得,并且不必晓得,完全埋没在他的名声里。只要提起"作家"两字,那就是他。

　　这位作家是天才,所以他多产;他又有艺术良心,所以他难产。文学毕竟和生育孩子不同,难产并未断送他的性命,而多产只增加了读者们的负担。他写了无数小说、戏曲、散文和诗歌,感动、启发、甄陶了数不清的中学生。在外国,作品销路的广狭,要由中产阶级的脾胃来支配。我们中国呢,不愧是个诗书古国,不讲财产多少,所以把中学生的程度和见识作为作品的标准。只有中学生,这些有头脑而尚无思想、喜欢听演讲、容易崇拜伟人、充满了少年维特的而并非奇特的烦恼的大孩子,才肯花钱买新书、订阅新杂志。至于大学生们,自己早在写书,希望出版,等人来买了。到了大学教授,书也不写了,只为旁人的书作序,等人赠阅了。比大学教授更高的人物连书序也没工夫写,只为旁人的书封面题签,自有人把书来敬献给他们了。我们这位作家学到了成功秘诀,深知道中学生是他的好主顾。因此,他的全部作品可以标题为:"给不大不小的读者";或者:"给一切青年的若干封匿名欠资信"——"匿名",因为上面说过,不知道他的姓名;"欠资",因为书是要青年们掏腰包买的。他能在激烈里保持稳健,用清晰来掩饰浅薄,使糊涂冒充深奥。因为他著作这样多,他成为一个避免不了的作家,你到处都碰得见他的作品。烧饼摊、熟食店、花生米小贩等的顾客常常碰到他戏剧或小说的零星残页,意外地获得了精神食粮。最后,他对文学上的贡献由公认而被官认。他是国定的天才,他的代表作由政府聘专家组织委员会来翻译为世界语,能向诺贝尔文学奖金候选。这个消息披露以后,他的一位崇拜者立刻在报纸的《读者论坛》里发表高见说:"政府也该做这事了!不说别的,他的书里有那么多人物,总计起来,可以满满地向一个荒岛去殖民。现在因战事的影响,人口稀少,正宜提倡生殖,光就多产这一点,他该得国府奖励,以为同胞表率。"

不幸得很,世界语并不名副其实地通行于全世界。诺贝尔奖金的裁判人都是些陈腐得发霉的老古董,只认识英、法、德、意、俄等国语言,还有希腊文和拉丁文,偏没有人懂世界语。他们把夹鼻老花眼镜,擦了又擦,总看不明白我们这位作家送来审查的杰作。好半天,有位对于"支那学"素有研究的老头子恍然大悟道："是了！是了！这并非用欧洲语言写的，咱们搅错了！这是中国语文，他们所谓拉丁化的汉字，怪不得我们不认识。"大家都透口长气，放了心。和"支那学"者连座的老头子问他道："你总该认识中文的，它这上面讲些什么？""支那学"者严肃地回答："亲爱的大师，学问贵在专门。先父毕生专攻汉文的圈点，我四十年来研究汉文的音韵，你问的是汉文的意义，那不属于我的研究范围。至于汉文是否有意义，我在自己找到确切证据以前，也不敢武断。我这种态度，亲爱的大师，你当然理解。"主席的老头子瞧"支那学"者脸色难看，忙说："我想，我们不用考虑这些作品，因为它们根本不合规则。按照我们奖金条例，必须用欧洲语言中的一种写作，才能入选，这些东西既然是中文写的，我们不必白费时间去讨论。"其余的老头子一致赞同，并且对"支那学"者治学态度的谨严，表示钦佩。"支那学"者马上谦逊说自己还比不上获得本届诺贝尔医学奖金的美国眼科专家，只研究左眼，不诊治右眼的病，那才算得一点儿不含糊。在君子礼让的气氛中，诸老尽欢而散。只可怜我们这位作家的一腔希望！

奖金人选发表以后，据说中国人民全体动了义愤，这位作家本人的失望更不用提。有好多他的同行朋友，眼红地羡慕他，眼绿地忌妒他，本来预备好腹稿，只等他获得奖金，就一致对他的作品公开批评，说他不是理想人选。这些人现在都表示同情，大声地惋惜，眼睛的颜色也恢复了正常，也许由于同情之泪的洗涤，有一种雨过天青的明朗。一家报纸的社论大骂诺贝尔奖金的主持人"忘本";因为老诺贝尔在炸药上发了大财,而我们中国是世界上首先发明火药的国家,这奖金原该给中国人的,希望主持者对这点加以注意。那位"支那学"者还没研究到汉字的意义,所以这篇有力量的文章只等于白写。另一家报纸异想天开,用贺喜的方式来安慰这位作家,说他一向是成功的作家,现在又可以算是负屈的天才,被漠视、不得公平待遇的大艺术家:"成功和负屈,两者本来是对抗地矛盾的;但是他竟能一身兼备,这是多么希罕可羡的遭遇!"第三种报纸提出一个实际建议:"借外债不失为有利的政策,但是领外国人的奖赏是一种耻辱。为争回国家体面起见,我们自己该设立文学奖金来抵制诺贝尔奖金,以免丧失文艺批评的自主权。这奖金的根本条件是,惟有用中国各种方言之一写作者,才得入选;所谓中国方言,包括上海和香港人讲的英文,青岛人讲的日文,哈尔滨人讲的俄文。有了这奖金以后,诺贝尔奖金就不算希罕。欧美作者自然努力读写中文,企图获得我们的奖金,中国五千年的文化也从此深入西洋了。诺贝尔奖金是私人名义的,所以这奖金也该用私人名义。譬如我们这位大作家为什么不采取上述的报复策略,贡献些版税和稿费来设立这个奖金呢?"第四种报纸的编辑不但实际,并且流露出深刻的心理观察。他以为文学是应当提倡的,不过肯出钱提倡文学的人,也该受到奖励;所以,要资本家给文学奖金,我们该先对若干资本家嘉奖,以资鼓励,钱的数目不必大,只要略表意思,好在资本家并不在乎,"我们这位大作家肯带头做个榜样么?"谁知道这些善意良言断送了我们这位的性命!

　　他知道了奖金的确实消息,就气得卧床生病。同胞们代抱不平,稍稍替他出了些气。他一面等看报纸上帮自己说话的文章,一面想该赶快口述一篇采访自己的谈话记,送去发表。报上关于他的消息照例是他本人送去的,常常有意在记载里点缀些事实错误,一来表示出于旁人手笔,二来可以再来个更正,一桩小事能使他的大名两次见报。他心上正在盘算着怎样措词,偏偏接二连三看到上面所说的社论。第一篇已经恼了他,因为他想,这是自己私人的财产损失,一牵上国家民族等大题目,就把个人的形象比衬得渺小了。他一眼瞧见第二篇的标题是向自己贺喜,生气得把报纸一撕两半。他勉强捺住火,看完第三篇,背上像浇了冰水。读到第四篇的结句,他急得昏厥过去。

　　那天晚上,他病榻前立着不少男男女女,来问病的团体代表、报馆采访和他的崇拜者。除掉采访们忙在小本子上速写"病榻素描"以外,其余的人手里都紧握一方准备拭泪的手巾,因为大家拿准,今天是送终来了。有几位多情善感的少女读者,心里还怙惙着,怕一方小手帕不够用,仅能遮没夹肢窝的旗袍短袖不像男人大褂的袖子,可以补充应急。我们这位作家抬眼看见病榻前拥挤的一大堆人,还跟平时理想中临死时的情景符合;只恨头脑和器官都不听命令,平时备下的告别人世的一篇演说,此刻记不全也说不清。好容易挣扎出:"我的作品……将来不要编全集……因为……"他想说的句子也许太长,至少他余下的生命太短,不容许他说完。许多人竖起像猎狗般的耳朵,失望地像猪耳朵般下垂。出来以后,大家热烈辩论他不要编全集的理由。有人说,这因为他作品太多,竭力搜罗也收集不全。也有人说,他一定还有许多小说、剧本没有写出来,已印行的作品不够表示他的全部才华。这两派的争论成为现代中国文学史里最有趣的一章。一位批评家在追悼会上激昂地说:"他的精神是不死的,他的杰作永远存在,是他给我们最宝贵的遗产!"一个小读者私下舒一口气说:"他的身体总算是死定了!他不会再出版新书,否则我真要破产了!"这位读者的书都是花钱买的,那位批评家所有的书当然是作者签名赠送的。

我们这位作者一灵不昧,觉得死倒也不错;精神轻松,仿佛在身体燥热时,脱去一件厚重的外衣,身上本有的病痛,也像衣缝寄生的蚤虱,随同衣服解除。死是死了,死后境界不知怎样。像自己这样对社会和文化大有贡献的人,天堂早该派代表来欢迎招待才对,难道天堂真出于迷信,并没有那么回事么?为了安置自己,也得加工赶造一所呀!不过,老住在天堂里也怪乏味的。除非像摩罕默德安排下的天堂,那里可以占有七十二位随时随意恢复处女状态的美人,空中成群飞着脆皮的烤鹅和烤鸭,扑到嘴边来挨吃,那还有点意思。只恨写作过勤,常发肠胃病,多吃了烧烤怕反而害事,鸭子的脖子上想来不会也挂着一瓶"胃去病"、"若素"或者"清快方便丸"的。女人的数量也似乎太丰富了,一时享受不了那许多。假使七十二人相貌各各不同,个人的审美标准总有局限,难保不偏宠了谁,结果争风吃醋;应付不了两个吵嘴女人的他怎吃得消七十二位像泡菜那样又酸又辣的娘儿们？看来这七十二个狐狸精(Houris)是一个模子里刻出来的,都是黑头发、黑眼睛、水蛇腰,相貌没有丝毫两样。试想,老守着一个女人还嫌单调,这一个女人用乘法变了七十二倍……他吓得不敢再想下去。文人讲恋爱,大半出于虚荣,好教旁人惊叹天才吸引异性的魔力。文人的情妇只比阔人的好几辆汽车、好几所洋房,不过为了引起企羡,并非出于实际的需要。既然进天堂的每个人都有地煞星数目的女人,自己在性生活方面没法摆阔。借此积累点抒情诗和忏悔录的资料呢,那倒不错,只不知天堂里有人看书么？自己去了也许可以开读书的风气,又何妨带几本作品去送人呢？因此,我们的作家踱进了他的书房。

他踏进书室,觉得脚下有些异样。地面好像饿空的肚子给石块压得要陷下去,还在鼓气挣扎着掀上来。原来书架上自己的著作太多了,地载不起这分量。看来地的面子有些保不住,渐渐进出裂纹。他赶快抢架子上的书。谁知道"拍"的一声,地面裂开了一个大口子。架上的书,大的小的,七零八落地掉进地洞；他立脚不住,在崩塌的动力下,从乱书罅缝里直陷下去。他抱着胸脯,缩着脖子,变成了一切书冲撞的目标,给书砸痛了头,碰伤了肩膀,擦破了皮肤。他这时候才切身认识自己作品的势力多么重大,才懊恨平日没有抑止自己的创作冲动,少写几本书,每本书少写几万字。好容易,书都在身子前后左右摩擦过去了,遍体伤痕,一个人还是在无底的昏暗里跟着这书阵的尾梢飘降。心里益发慌张,想这样沉下去,岂不通过地心,把地球跌个对穿。忽然记起在小学时读的地理,地壳子那一面就是西半球,西半球就是美洲。美国是一切旧大陆作家的金银岛,不成功的人到那里可以成功,成功的人到那里可以收获。每个作家都该去游历、演讲,为作品开辟市场,替美国人减少些金元的负担,替本国挽回些在洋货上外溢的利数。一跌直到美国,那是第一妙事,又爽快,又新鲜,又免得坐飞机、坐船出事故的危险。他想到这里,身子愈低降,心气愈高昂。感谢天道毕竟有知,没亏负一生的苦干。原来好作家的报应,是跌坐到美国去,不是升天堂!俗语说"一跤跌在青云里",真有这一回事。

　　他正自我陶醉着,身子忽然碰得震荡一下,停止下降,居然没摔痛。爬起来看,原来是一间大屋子,壁上挂有地图。他从屋顶破裂处掉进来,他的书把地面铺得又软又厚,不致跌伤筋骨。他方才懊悔写的书太多太厚,现在欣幸书多书厚很有用处。只是砸破了人家屋顶怎么办?脚下的书忽然掀动起来,掀倒了他。门外冲进许多穿制服的人,拉他下了书堆,把书搬的搬,扔的扔,踢的踢,从书底下扶起一位压得头肿脸青的大胡子。这时屋里的陈设也露出来了,是一间讲究的个人办公室。穿制服的人有的替那胡子拍灰,拉衣服,有的收拾屋子,把翻倒的桌子和椅子整理好。作者一瞧这种官僚气派,惶恐得不得了,怕冒犯了一位要人。那胡子倒客气地对他说:"随意坐罢。"又吩咐手下人都出去。作者才注意到那人绕嘴巴连下巴的胡子,又黑又密,说的话从胡须丛里渗出来,语音也仿佛黑漆漆、毛茸茸的。

　　"先生的大作真是'一字千斤'哪!"那胡子也坐下来,抚摸头上的包,说时苦笑,他的胡子妨碍着笑容的发育完全。

我们的作者看见胡子不但不和自己为难,反而恭维"一字千金",胆子立刻壮起来,傲然说:"没有那么贵。我先请问,贵处是不是美国?折合美金,我的稿费并不算贵。"

"这儿不是美国。"

"那么,这是什么地方?"

"敝处就是世上相传的地府。"

作者慌得跳起来说:"岂有此理!我自信一生为人不该有这样的果报,到地狱来受苦!"

胡子挥手劝他坐下,说:"这一点,先生不用过虑,地狱早已搬到人间去了。先生忙于著述,似乎对最近的世界大势不很了解。唉!这也难怪。"

作者想对话者一定就是阎王了,怪不得他敢留那样威风的胡子,忙从刚坐下的位子上站起,说:"地皇陛下,恕我冒昧……"说时深深地像法国俗语所谓肛开臀裂地弯腰鞠躬(saluer á cul ouvert)。

那胡子哈哈笑道:"先生错了!我给你的书压得腰和背还隐隐酸痛,恕我不便还礼,生受你这一躬到底了。这儿虽是从前的地府,我可不是什么退位的末代皇帝,也不是新任的故宫博物院院长。照例,帝制取消,宫殿该改成古物保管所,只是十八层地狱里所有的古物都是刑具。人类几千年来虽然各方面大有进步,但是对于同类的残酷,并未变得精致文雅。譬如特务机关逼取口供,集中营惩戒俘虏,都保持野蛮人粗朴有效的古风。就把中国为例,在非刑拷打里,你就看得到古为今用的国粹,鼻孔里灌水呀,火烙夹肢窝呀,拶指头呀,以及其他'本位文化'的遗产。所以地狱原有的刑具,并非过时的古董,也搬到人间世去运用了。这里是'中国地产公司',鄙人承乏司长。"

作者正后悔自己的大礼行得冤枉,听见胡子最后一句话,又发生兴趣,想我有天才,他弄地产,这倒是天造地设的妙对。就问道:"地皮当然值钱啦,可是这儿是地心,会有人来交易么?想来是地皮给贪官污吏刮光了,所以你们这种无孔不入的商人,随着战时掘地洞躲空袭的趋势,钻到地底下来发利市了。"

那司长不动声色说:"照你那么说,'中国地产公司'是要把中国出卖给人了。主顾当然不少,可是谁出得起这无价之宝的代价呢?假使我是地道的商人,我咬定要实实在在的利益,一不做亏本生意,二不收空头支票。所以,中国这笔买卖决不会跟任何人成交,也决不会像愚蠢的政治家把中国零售和批发。你完全误解了我们名称的意义。我们是专管中国地界里生产小孩子的机关。地狱虽然迁往人间,人总要去世的,灵魂投胎转世,六道轮回该有人来管呀。一切中国地面上生育的人和动物都归我们这儿分派。"

"为什么叫'公司'呢?"

"这'司'字是传统称呼,阴间不是原有'赏善司''罚恶司'么?所以鄙人的头衔是司长,不是经理。'公'字呢,那无非表示本机关办事的公平、公正,决不纳贿舞弊,冤屈好人错投了胎。我这一部又黑又浓的胡子就是本司办事精神的象征。"

"我明白这是双关,"作者自作聪明说,"有胡子的是老公公,因此司长的美髯可算是大公无私的表现。"

"先生敏锐的心思又转错了弯了!这是你们文人的通病吧?号称'老公公'的不必要有胡子,从前的太监不就叫'老公公'么?先生总知道西洋大法官的标识,是头上戴的白假发。人世间风行的那些讲中国文明而向外国销行的名著,先生想也看过些。咱们的国家、人民、风俗、心理不是据说都和西洋相反么?咱们是东方民族,他们偏要算西方民族;咱们是中国人,他们老做外国人;咱们招手,手指向下,他们招手,硬把手指朝上;咱们敬礼时屈膝,他们行敬礼反而举手;他们男人在结婚前向女人下跪求爱,咱们男人在结婚后怕老婆罚跪;一切的一切,你瞧多别扭!以此类推,咱们爱面子,他们就不要脸;咱们死了人穿白,他们死了人带黑;他们的公正官吏头戴白假发,我们这里主持公道的人下巴该培养天然的黑胡子。这样我们才不破坏那些比较东西文明的学者们归纳出来的规律,也表示除掉这一把胡子的颜色永远是漫漫长夜,此外天下就没有'不白'的冤枉事!"

司长胡子飘扬,讲得十分有劲,须缝里溅出口沫。我们的作者边听边打主意。公正的人最讨厌,最不讲情面,要是听他安排,怕到不了美国,早溜一步为妙。他起身含笑告辞:"今天兄弟不小心,书架塌下来带累贵处,又妨害了先生的公事,真是抱歉得一言难尽。不过,借此认识了先生,听到许多高论,这也是意外奇缘,哈哈。兄弟将来写回忆录,一定把贵司大大表扬一下。兄弟不再耽搁了,请吩咐贵下人把掉下来的拙作搬进来。

我想挑一两种签字送给先生,一来留个纪念,二来有鄙人签名的书,收藏家都会出重价抢买,就算赔偿贵处房屋的修理费。"

"那不消费心。可是先生既来,不能随便去。"司长说时,捋着胡子,安坐不动。

"为什么不能?"作者怒冲冲地质问。"你手下人敢拦我?你知不知道我是天才?我并非有意跟你们捣乱,我这一次的堕落完全是意外的、偶然的。"

"天下就没有偶然,那不过是化了妆、戴了面具的必然。阳世间人死后都到我这儿来,各有各的来法。可是,这不同的来法根据一条不偏不颇的定律:'作法自毙,请君入瓮。'一辈子干什么事,临死就在那事上出个岔子,叫他投到。你是作者,所以你的书压破了地,你跟随它们下来。今天早晨,有位设计卫生设备的工程师的灵魂,你猜他怎么来的?他掉在抽水马桶里,给什么莽撞人直抽下来!我这屋顶常常或破或漏,我自己有时给打痛了头,有时淋了一身脏水。不过,为公家办事,吃苦是应该的。"

"那么,你想派我做什么呢?"

"这个,我还在考虑。你生前消耗了大量墨水,照例我该派你来世做乌贼鱼,吐墨水。可是你又糟蹋了不少的纸,你该投胎变羊,供给羊皮纸的原料。你当然也在写作生活里用退了无数笔锋,这样,我得派你做兔子、耗子或者还是羊。然而你是新作家,毛笔在你手里好像外国人手里的中国筷子。你常用的是钢笔尖和自来水笔的白金笔头,我不知道什么生物身上出这两种金属。万不得已,只能叫你转世做个大官,他心肠里和脸皮上也许可以刮下些钢铁。白金呢,好在白金丝发、蓝宝石眼睛的女人是现成的典型人物。最后,按照你藏头露尾、用好几个笔名投稿的习惯,你该来生做个累犯盗案遭通缉的积贼,非得常常改姓换名不可。不过,你只有一条命,总不成一身又是女人,又是男子,又是墨鱼,又是白兔子呀!所以——喂,你走不了!门外有人在等着你,跟你算账。"

我们的作者听那胡子愈说愈不像话,正要拉开门直向外跑,又停下来回头冷笑道:"什么!跟我算账!哈哈!司长先生,你笑我不知道'最近世界大势',那句话让我原璧奉还。你以为现代的天才还是潦倒穷酸不善理财的梦想者,一头长发、一屁股债么?你还中着浪漫主义的余毒,全没有认识现实生活呢!我们不是笨人,了解经济在生活里的重要,还怕自己不够精明,所以雇用了经纪人和律师来保障我们的利益。大宗的版税和稿费,我们拿来合股做买卖。当然有许多文化人是名副其实的斯文叫化,我可是例外哪!我临死的时候,就有几个剧本的上演税没收到,几本小说的版税没领,几千股股票没有脱手,一家公司的本期利息没领出。只有我向人家讨债,哪有人和我算未清的账目!你这话想哄谁?"

"先生善于抓住现实——我的意思是抓住现款和实利,那不消说。门外那些人也并非来算银钱的账,他们向我告你的状。"

"告我什么?大不了是诽谤、抄袭,或是伤害风化。文人吃官司不外这三种缘故。"——作者深知道,文人不上公堂对簿,不遭看管逮捕,好比时髦女人没有给离婚案子牵涉出庭,名儿不会响的。

"告你谋财害命。"这后面四个字胡子说得好像在钢铁模型里铸出来的。

作者吓呆了。过去几十年的生活,瞬息间在心上纤悉不遗地瞥过,全没有那一回事。只有一时期作品里曾经宣传革命,也许少年人傻气,经不起煽动,牺牲了头颅和热血。这上面难保不造孽。那时候,自己想保人寿险,太太要生孩子,都非钱不行呀!为自己的寿命跟老婆儿子的生命起见,间接地用作品害了人的性命,那也不算什么。何况那许多志壮气盛的孩子视死如归,决不会后悔,向自己倒搬账。他胆子又壮起来,"哼"了一声,拉开办公室门,身子还没全出去,只听四面叫喊:"还我命来!"

院子里挤满了人,直溢出大门以外。穿制服的仆役在走廊的阶石上拦住这群人,不许他们冲进办公室来。胡子拍作者的肩说:"事已如此,你总得和他们对个是非了。"两人在办公室门前站住。那群人望见作者,伸着双手想涌上来,不住地喊:"还我命来!"人虽然那么多,声音却有气无力,又单薄又软弱,各自一丝一缕,没有足够的黏性和重量来合成雄浑的呐喊。作者定睛细瞧,有男有女,有老有少,富的贫的,各色人都全。每人害大病似的,无精打采,身子不结实,虚飘飘地不能在地上投一个轮廓鲜明的影子。他们向自己伸出的手,都微颤着,仿佛悲愤时强自抑制的声音。这种人有什么可怕!他们中间有缠小脚的老婆婆,有三五岁的小孩子,有一团邪气(虽然这气像泄了)的女人,决不会是受他影响而革命的烈士。除非——除非他们的命被志士们革掉了,所以追究到他身上。他们压根儿该死,有什么可怕!作者雄赳赳上前一步,咳声干嗽,清一清嗓子,说:"别吵呀!你们认错了人罢!我一个都不认得你们,一个都不认得。"

"我们认得你!"

"那当然,自己全不知道的人却知道自己,这就是名气。你们认识我,有什么用?问题是,我不认识你们呀。"

"你不认识我们!你别装假!我们是你小说和戏曲里的人物,你该记得罢?"说着,大家挨近来,伸长脖子,仰着脸,叫他认,七嘴八舌:"我是你杰作《相思》的女主角!""我是你名著《绿宝石屑》里的乡下人!""我是你大作《夏夜梦》里的少奶奶!""我是你奇书《落水》里的老婆婆!""我是你剧本《强盗》里的大家闺秀!""我是你小说《左拥右抱》里的知识分子!""我是你中篇《红楼梦魇》里乡绅家的大少爷!"

作者恍然大悟说:"那末咱们是自己人呀,你们今天是认亲人来了!"

"我们向你来要命。你在书里写得我们又呆又死,生气全无;一言一动,都像傀儡,算不得活泼泼的人物。你写了我们,没给我们生命,所以你该偿命。"

一个面目模糊的女人抢先说:"你记得我么?只有我的打扮,也许还多少表示我是你书里什么样的角色。你要写我是个狠心美貌的女人,颠倒、毁灭了不知多少有志的青年。可是你笔下写出来的是什么?既不是像人的女人,又不是像女人的人,没有可能的性格,留下不清晰的相貌。譬如你说我有'水淋淋的大眼睛',又说我有'锐利得能透视灵魂的目光',吓!真亏你想得出!又滴水,又尖利,我的眼睛又不是融雪天屋檐上挂的冰棱!你描写我讲话'干脆',你听我的嗓子是不是干得要裂,脆得要破?你耽误了我的一生,现在怎么办哪?"

旁边一个衣冠端正的老头子上气不接下气说:"我在你的书里一出世就老了,那倒不算什么。可是老人该有老人的脾气啊,像我这种身体,加上这一把年纪,还有兴致和精力来讨姨太太,自寻烦恼么?你这人呀!不但不给我生命,并且糟蹋我的第二生命——名誉。我又没有老命来跟你拼;好容易今天碰到你,我先向你要了命,然后跟你拼——"老头子太紧张了,一阵呛,说不下去。

一个黑大汉拍老头子的肩,说:"老家伙,你话也说得够啦,让我来问他。喂,你认不认得我?我就是您笔下写的粗人,您看我像不像哪?短褂子,卷上袖口,动不动拍着胸脯,开口'咱老子',闭口'他妈的'。您书里说我'满嘴野话','咱老子'和'他妈',两口儿不就合成一家么?'野'在哪里?我是你笔下的粗人,按理,我得先给你几个耳刮子,再来算这笔账,可是,天哪!你打我耳刮子,我也没有气力还手。你说可怜不可怜!"

这时候角色都挤上来讲话,作者慌得也没工夫欣幸,假如自己真写成一个生龙活虎的粗人,今天就免不了挨打。还有几个角色直接向司长呼吁,要求他快把作者定罪处罚。司长微笑道:"这事虽比不上留声机的唱片,咱们也得两面都听听呀!作者先生,你对他们的一面之词,有什么答复?"

作者急出主意来了,对阶下的群众说:"你们讲的话,也有片面的理由,但是,没有我,哪来你们呢? 我是产生你们的,算得你们的父亲。'天下无不是的父母',为人不要忘本,你们别跟我为难。"

司长捻着胡子冷笑。

一个男角色怒叫道:"你在书里写我闹家庭革命,为理想逼死老子,现在又讲起孝顺来了?"

一个女角色抿着嘴笑道:"你是我爸爸,那末妈妈呢?"

另一个不男不女的角色声泪俱下说:"我只知道'母亲之爱',伟大、纯洁的'母亲之爱'。我在你的书里,从不觉得父亲有存在的必要。"

一个中年人说:"养活孩子的父亲还不能博得儿女们的同情,何况你是靠我们养活的。你把我们写得死了,你可以卖稿子生活,这简直是谋财害命,至少也是贪图遗产。所以,我们该是你的衣食父母。"

那老头子听了点头赞叹说:"这才像句话。"

那粗人指着自己鼻子说:"咱老子!"

那都会女人扭着身说:"'父母'的'母'? 我可不爱做。年轻人也可以养活老人。反正为父亲而牺牲自己身体的年轻姑娘,有的是。"

一个意料不到的洪大的声音在人堆里叫:"我总不是你产生出来的!"把一切声音都镇下去。

作者一看，喜出望外。说话的人非别，是比自己早死几天的一位提倡文化事业的资本家，生平最要好的朋友。这位资本家原是暴发财主的儿子，少年有志，嫌恶家里发财的时期太短，家里的钱还刺眼地亮、刺鼻地臭。他父亲也有同感。于是老子一心和绅士、官僚结交，儿子全力充当颓废派诗人，歌唱着烟、酒、荡妇，以及罪恶。他相好的女人有一把；抽的烟、喝的酒的各种牌子也凑得成国际联盟，只是什么罪恶也没有犯过，除了曾写过几首非由自出的自由诗。一天，他和情妇上饭馆，忽然注意女人的口红老是拌着饭和菜同吃下肚去，所以一顿饭吃完，嘴唇也褪了颜色，非重涂不可。遗传的商业本能在他意识里如梦初醒，如蛇起蛰。他不做颓废诗人了，改行做大企业家，把老子的钱来开工厂。这工厂第一种出品就是"维他命唇膏"。这个大发明的功效，只有引他的广告部主任的妙文来形容："美容卫生，一举两得"；"从今以后，接吻就是吃补药"——下面画个道士装的少年人搂着一个带发尼姑似的女人，据说画的是贾宝玉吃胭脂。"充实的爱情！"——下面画个嘻开嘴的大胖子，手挽着一个咕嘟着嘴的女人，这嘴鼓起了表示上面浓涂着"维他命补血口红"。这口红的化学成分跟其他化妆的唇膏丝毫没有两样，我们这位企业家不过在名称上轻轻地加上三五个字，果然迎合了一般人爱受骗的心理，把父亲给他的资本翻了几倍。他又陆续地发明了"补脑益智生发油"，"鱼肝油口香糖"，细腰身女人吃了不致发胖的特制罐头"保瘦肥鸡"。到四十岁，财发够了，他旧情未断，想起少年时的嗜好，赞助文学事业。

他和我们这位作者一见如故,结下了生死交情。资本家五十生日,作者还征集稿件庆祝呢。他现在看到朋友,胆子大壮,招手说:"你来得正好!快帮我分辨一下。"

"分辩!"资本家鼻孔里出冷气说:"我也要向你算账呢!"

作家惊惶失措说:"唉!咱们俩怎翻起脸来了!你五十生辰那一天,我不是还为你在报纸副刊上出个庆祝专号,写了几千字的颂词,把你大捧特捧么?谁知道你多喝了酒,当天晚上就得急病死了!我没有能和你诀别,正引为憾事,今天不期而遇,大家都该高兴,你为什么翻面无情?"

"吓!我的命就害在你手里,还说什么交情!你的副刊简直就是讣刊,你的寿文送了我寿终正寝,你捧我真捧上了西天。你不知道自己多利害,你的笔是刀笔,你的墨水等于死水,你的纸赛得阎罗王出的拘票。不但你小说、剧本里的人都是木雕泥塑的死东西,真正的活人经不起你笔下一描写叙述,也就命尽禄绝。假使你不写那篇文章,我还有好几年的寿命呢。你试想你那篇文章的颂赞,像不像追悼会上讲死人的好话?我哪里当得起这种恭维!把我的福分都折尽了!我在这里专等你来讨命。"

作者听他数说时,忽然起一个不快意的念头,梗在心中,像胃里消化不了的硬东西。临死以前,刚写了一个自传,本来准备诺贝尔奖金到手后出版的。照那资本家的说法,一到自己笔下,人物休想活命,那末自己这一次并不是气死的,致命原因怕就是那部自传了。千不该,万不该,不该有这样一支杀人不见血的笔,不该自杀地写什么自传,真是后悔无穷!且慢,好不傻!事到如今正好将错就错,打发了这些讨命鬼再说,就对群众道:"既然如此,我已经恶贯满盈,自食其报,偿过你们的命了。我不是写自传么?这不等于自杀?算了,算了!咱们大家扯个直,我也不亏你们什么。"

那些人一齐叫起来:"好便宜!你的死哪里算得自杀?好比贪嘴吃河豚,中了毒送命,那算不得厌世。我们还是向你要命!要命!"

作者慌得搓着手,在地上转,喃喃自语说:"这可真要了我的命!"

胡子说:"现在我可以判决了。我想派你投生到——"

作者向他鞠躬行礼说:"司长先生,我请求你先听我一句话。我这辈子尝够了文学生活的味道,本来妄想来生享受些人世间的荣华富贵,现在我不指望了。我自知罪孽深重,求你从轻发落,按照自作自受的原则,罚我来生还做个作者罢。"

胡子惊奇道:"还做作者?你不怕将来又有人向你要命么?"阶下的人也都睁大了眼睛,不相信自己的耳朵。

作者解释道:"我只翻译,不再创作,这样总可以减少杀生的机会。我直译原文,决不意译,免得失掉原书的生气,吃外国官司。譬如美国的时髦小说 *Gone With the Wind*,我一定忠实地翻作'中风狂走'——请注意,'狂走'把'Gone'字的声音和意义都传达出来了!但丁的名作,我翻作'老天爷开玩笑'。每逢我译不出来的地方,我按照'幽默'、'罗曼谛克'、'奥伏赫变'等有名的例子,采取音译,让读者如读原文,原书人物的生命可以在译文里人寿保险了。再不然,我不干翻译,只编戏剧。我专编历史悲剧,像关公呀、岳飞呀、杨贵妃呀、绿珠呀、昭君呀,有的是题目。历史上的人物原是已死的,悲剧里该有死人,经过这样加倍双料的死亡,总没有人会告我害他的命了。再不然,我改编沙士比亚。这位同行前辈曾经托梦给我,说他戏里的人物寿命太长,几百年活得不耐烦了,愿意一死完事,请我大发慈悲,送他们无疾而终罢。他说这是他们洋人所谓'mercy killing'。他还恭维我'后生可畏',向我打拱作揖,说'拜托拜托'呢。"

司长说:"我自有好办法,大家听着。他作自传的本意虽然并非自杀,他为人祝寿的用心也不是要使人减寿。这两事可以抵消,他跟资本家之间就算扯个直了。他剥夺了书里人物的生命,这一点该有报应。不妨罚他转世到一个作家的笔下也去充个角色,让他亲身尝尝不死不活的滋味。问题是,这一类的作家太多了,我派他到谁的笔下去呢?有了,有了!阳世有一位青年人,正在计划一部破天荒的综合体创作,用语录体小品文的句法、新诗的韵节和格式、写出分五幕十景的小说。纸、墨、笔都预备好了,他只等着'灵感',等他'神来'之际,我就向他头脑里偷偷送个鬼去。先生,"——胡子转脸向我们的作家道:"先生,你去充当书里主人翁最好没有了!你是天才,你的那位后起者恰恰要在书里描摹天才的性灵和生活。"

书里一个角色哑声问:"司长说的是'性灵和生活'?还是'性生活'?我没有听清楚。假如那青年作家注重在后者,岂不太便宜了我们这个公敌？"

胡子笑说："诸位放心。那个青年人传授了这位先生的衣钵，到他书里，你就不知死活，更谈不到什么生活。"

"赞成！""公正的司长万岁！"群众欢呼。我们这位作者提出最后无希望的抗议道："司长先生，我个人的利害，早已置之度外，逆来顺受，这一点雅量我还有。可是你不该侮辱文艺呀！那位青年等候'神来'。你偏派我的魂灵儿去'鬼混'，他要求的是'灵感'，不是'鬼迷'。你叫我受委屈可以，你要和崇高的文艺开恶毒的玩笑，那无论如何我不答应。文艺界同人知道了要动公愤抗议的。众怒难犯，还请三思。"

"神者，鬼之灵者也，"司长说，"先生当之无愧，这事不要紧。"作者听他通文，不知道是他杜撰的句子，以为出于权威性经典著作，哑口无言。在大众嗤笑声中，他的灵魂给一个穿制服的小鬼押送上路。

这位青年作家等候灵感，实实足足有三年了，从前储备的稿纸现在都涨不知多少倍的价了，一张空白稿纸抵得上一元花花绿绿的纸币，可是灵感左等不来，右等还不来，也许迷失了路，也许它压根儿不知道青年作家的住处。有一天青年人急智生，恍然大悟，要写处女作，何不向处女身上去找。所以我们这位作者的灵魂押送到的时候，青年正和房东的女儿共同探讨人生的秘密。押送的小鬼是个守旧派，忙别转了脸不窥看隐私。我们的作者在这生死关头，马上打定主意，想无论如何，总比送进那青年的脑子里好。他趁那小鬼不注意，飞快地向房东女儿的耳朵里直钻进去,因为那姑娘和那青年扭作一团,只有两只耳朵还畅通无阻。这样,他无意中切身证实了中世纪西洋基督教神学家对于童贞女玛利亚怀孕的解释,女人的耳孔是条受胎的间道(quae per aurem concepisti)。那青年丧失了书里的角色,那女孩子获得了肚子里的胎儿。他只好和她成为眷属,书写不出了,把写书的手笔来替丈人家开的杂货铺子记流水账。他惟一的安慰是:中国的老式账簿每行另起,一行写不到底,颇像新诗,而记账的字句,不文不白,也充得过亦文亦白的语录体。那押送小鬼回去了大受司长申斥,才认识到为了公事就得窥探私情。

据说,那孩子一生下地就笑,看见父亲,笑得愈有一种胜利的表情。亲戚们都说这孩子的命运一定大吉大利。直到现在,我们还猜不出这孩子长大了是否成为作家。

## 纪　念

　　虽然是高山一重重裹绕着的城市,春天,好像空袭的敌机,毫无阻碍地进来了。说来可怜,这干枯的山地,不宜繁花密柳,春天到了,也没个寄寓处。只凭一个阴湿蒸闷的上元节,紧跟着这几天的好太阳,在山城里酿成一片春光。老晴天的空气里,织满山地的忙碌的砂尘,烘在傍晚落照之中,给春光染上熟黄的晕,醇得像酒。正是醒着做梦、未饮先醉的好时光。

　　曼倩从日光留恋着的大街,转进小巷。太阳的气息早在巷里敛尽。薄暮的春寒把她警觉,才知道迷迷糊糊地已到寓处。路不知怎样走的,两腿好酸。高低不平的石子路,使她脚痛,同时使她担心;因为她穿的高跟鞋还是前年路过香港买的,她到内地前最后的奢侈品。她懊悔没有让天健为她雇了洋车回来。然而经过今天的事,她还能接受天健的献殷勤么?这不是对天健表示,他的举动获得自己事后的默许么?天健要这般解释的,他正是这种人!一面想着,曼倩疲乏地经过巷口人家,看见自己院子的那垛土围墙。在这砖瓦希罕的地方,土墙原是常事。但是比衬了邻居的砖墙石墙,这个不自知寒窘的土墙曾使它的主妇好多次代为抱愧。当初租屋时,曼倩就嫌这垛墙难看,屋主见她反对,愿意减少租金;就为这垛墙,这所屋反而租成了。到最近,她才跟土墙相安,接受了它的保卫。她丈夫才叔对于这粗朴的泥屏,不但接受,并且拥护、夸傲、颂赞——换句话说,不肯接受,要用话来为它粉饰。每有新到的朋友上门,她总听他笑呵呵说:"这围墙看上去很古朴,住惯都市里洋房的人更觉得别有风味,所以我一看就中意。同巷孩子又多,邻居的白粉墙上给他们涂满铅笔字,还有画啦!可是我这泥墙,又黑又糙,他们英雄无用武之地。上次敌机轰炸以后,警察局通知市民把粉墙刷黑。我们邻居怕吃炸弹,拖泥带水,忙个不了。只有我这围墙是天然保护色,将就得过,省去我不少麻烦。否则,我们雇匠人来刷黑了,房东还是不肯认账,我们得掏自己腰包。邻居的围墙黑了不多时,你看小孩子又纵横倒竖用粉笔书画满了。只等于供给他们一块大黑板,真不上算!"说到此,客人当然加进去笑;假使曼倩陪着招待,她出于义务地也微笑。才叔只忘记提起,小孩子们因为他墙上无地下笔,便在他板门上大大小小的写了好多"徐寓",多少仿着贴在门口高处红纸上他所写那两个字的笔意。这一点,新来的客人当然也不便补充。

曼倩推推门,雇用的本地老妈子在门里粗声大气地问:"哪一个?"曼倩进来,顺口问:"先生回来么?"老妈子答说还未。这是曼倩意料中的回答,然而曼倩今天听了,心上一阵宽舒。她惴惴地怕才叔已先在家,会问她到哪里去了。她还没想出怎样撒一个最经济而又极圆满的谎。当着他的面用话来骗他,比背了他做亏负他的事,似乎繁难得多。她明知近来本市一切机关为防正午有空袭起见,延到三点后开始办公,她丈夫要到上火后好半天才会回来。但是天下难保没有意外,因为她适才就遇到意外。真的,她今天午后跟天健相见,没准备有那样的收场。不错,她鼓励天健来爱慕自己,但是她料不到天健会主动地强迫了自己。她只希望跟天健有一种细腻、隐约、柔弱的情感关系,点缀满了曲折,充满了猜测,不落言诠,不着痕迹,只用触须轻迅地拂探彼此的灵魂。对于曼倩般的女人,这是最有趣的消遣,同时也是最安全的;放着自己的丈夫是个现成的缓冲,防止彼此有过火的举动。她想不到天健竟那样直捷。天健所给予她的结实、平凡的肉体恋爱只使她害怕,使她感到超出希望的失望,好比肠胃娇弱的人,塞饱了油腻的东西。假使她知道天健会那样动蛮,她今天决不出去,至少先要换过里面的衬衣出去。想到她身上该洗换的旧衬衣,她还面红耳赤,反比方才的事更使她惭愤。

曼倩到了家,穿过小天井,走进兼作客室和饭室的中间屋子,折入铺砖的卧房。老妈子回到灶下继续去煮晚饭;好像一切粗做的乡下人,她全不知道奶奶回来,该沏茶倒水去侍候。曼倩此刻也懒跟任何人对答。心上乱糟糟的,没有一个鲜明轮廓的思想。只有皮肤上零碎的部分,像给天健吻过的面颊和嘴唇,还不肯褪尽印象,一处处宛如都各自具有意识,在周身困倦感觉之外独立活动。旧式明角窗的屋子里,这时候早已昏黑。曼倩倒愿意这种昏黑,似乎良心也被着夜的掩庇,不致赤裸地像脱壳的蜗牛,一无隐遁。她也不开电灯,其实内地的电灯只把暗来换去黑,仿佛是夜色给水冲淡了。曼倩在椅子上坐定,走路的热从身子里泛出来,觉得方才和天健的事简直不可相信,只好比梦面上的浮雕。她想在床上和衣躺一会,定定神;然而她毕竟是女人,累到这样,还要换掉出门的衣服才肯躺下。这皮大衣快褪毛了,这衬绒旗袍颜色也不新鲜了。去年夏天以后,此地逐渐热闹。附随着各处撤退的公共事业,来了不知多少时髦太太和小姐,看花了本地人的眼睛。曼倩身上从里到外穿的还是嫁时衣,未尝不想添些时装。然而她陪嫁的一笔款子,早充了逃难费用,才叔现在的月入只够开销,哪有钱称她心做衣服呢?她体谅她丈夫,不但不向他要求,并且不让他知道。是的,结婚两年多了,她没有过着舒服日子。她耐心陪才叔吃苦,把骄傲来维持爱情,始终没向人怨过。这样的妻子,不能说她对不住丈夫。

应该说,丈夫对不住她。在订婚以前,曼倩的母亲就说才叔骗了她的宝贝女儿,怪她自己的丈夫引狼入室。曼倩的女伴们也说曼倩聪明一世,何以碰到终身大事,反而这样糊涂。但是哪一个母亲不事先反对女儿自由拣中的男人呢?哪一个女人不背后菲薄朋友们的情人呢?少年人进大学,准备领学位之外,同时还准备有情人。在强迫寄宿的大学里,男女间的隔离减缩了,而且彼此失掉家庭背景的衬托,交际时只认识本人。在学校里,这种平等社交往往产生家庭里所谓错配。何况爱情相传是盲目的,要到结婚后也许才会开眼。不过爱情同时对于许多学生并不盲目;他们要人爱,寻人爱,把爱献给人,求人布施些残余的爱,而爱情似乎看破他们的一无可爱,不予理会——这也许反证爱情还是盲目的,不能看出他们也有可爱之处。所以,男女同学不但增加自由配合的夫妇,并且添了无数被恋爱淘汰下来的过时独身者,尤其是女人。至少她们没有像曼倩肯错配了谁!

　　曼倩是个不甚活泼的慢性格儿。所以她理想中的自己是个雍容文静的大家闺秀。她的长睫毛的眼睛、蛋形的脸、白里不带红的面色、瘦长的身材,都宜于造成一种风韵淡远的印象。她在同学里出了名的爱好艺术,更使喜欢她的男学生从她体态里看出不可名言的高雅。有人也许嫌她美得太素净,不够荦;食肉者鄙,这些粗坯压根儿就不在曼倩带近视的弯眼睛里。她利用天生羞缩的脾气,养成落落自赏的态度。有人说她骄傲。女人的骄傲是对男人精神的挑诱,正好比风骚是对男人肉体的刺激。因此,曼倩也许并不像她自己所想的那么淡雅,也有过好几个追求她的人。不过曼倩是个慢性子,对男人的吸力也是幽缓的、积渐的。爱上她的人都是多年的老同学,正因为同学得久了,都给她看惯了,看熟了,看平常了,唤不起她的新鲜反应。直到毕业那年,曼倩还没有情人。在沉闷无聊的时候,曼倩也感到心上的空白,没有人能为她填,男女同学的机会只算辜负了,大学教育也只算白受了。这时候,凭空来了个才叔。才叔是她父亲老朋友的儿子,因为时局关系,从南方一个大学里到曼倩的学校来借读。她父亲看这位老世侄家境不甚好,在开学以前留他先到家里来住。并且为他常设个榻,叫他星期日和假日来过些家庭生活。在都市里多年的教育并未完全消磨掉才叔的乡气,也没有消磨掉他的孩子气。他的天真的卤莽、朴野的斯文,还有实心眼儿的伶俐,都使他可笑得可爱。曼倩的父亲叫曼倩领才叔到学校去见当局,帮他办理手续。从那一天起,她就隐然觉得自己比这个新到的乡下大孩子什么都来得老练成熟,有一种做能干姊姊的愉快。才叔也一见面就亲昵着她,又常到她家去住。两人混得很熟,仿佛是一家人。和才叔在一起,曼倩忘掉了自己惯常的矜持,几乎忘掉了他是有挑诱潜能的男人,正好像舒服的脚忘掉还穿着鞋子。和旁的男朋友在一起,她从没有这样自在。本是家常的要好,不知不觉地变成恋爱。不是狂热的爱,只是平顺滑溜地增加亲密。直到女同学们跟曼倩开玩笑,她才省觉自己很喜欢才叔。她父母发现这件事以后,家庭之间大起吵闹,才叔吓得不敢来住。母亲怪父亲;父亲骂女儿,也怪母亲;父亲母亲又同骂才叔,同劝女儿,说才叔家里穷,没有前途。曼倩也淌了些眼泪,不过眼泪只使她的心更坚决,宛如麻绳渍过水。她父母始则不许往来,继则不许订婚,想把时间来消耗她的爱情。但是这种爱情像习惯,养成得慢,也像慢性病,不容易治好。所以经过两年,曼倩还没有变心,才叔也当然耐心。反因亲友们的歧视,使他俩的关系多少减去内心的丰富,而变成对外的团结,对势利舆论的攻守同盟。战事忽然发生,时局的大翻掀使家庭易于分化。这造就大批寡妇鳏夫的战争反给予曼倩俩以结婚的机会。曼倩的父母亲也觉得责任已尽,该减轻干系。于是曼倩和才叔草草结婚,淡漠地听了许多"有情人终成眷属"的祝词,随着才叔做事的机关辗转到了这里。

置办内地不易得的必需品,收拾行李,省钱的舟车旅行,寻住处,借和买家具,雇老妈子,回拜才叔同事们的太太,这样忙乱了一阵,才算定下来。新婚以后,只有忙碌,似乎还没工夫尝到甜蜜。嫁前不问家事的她,现在也要管起柴米油盐来。曼倩并不奢华,但她终是体面人家的小姐。才叔月入有限,尽管内地生活当初还便宜,也觉得手头不宽。战事起了才一年,一般人还没穷惯。曼倩们恰是穷到还要讳穷、还可以遮饰穷的地步。这种当家,煞费曼倩的苦心。才叔当然极体恤,而且极抱歉。夫妇俩常希望战事快结束,生活可以比较悠闲些。然而曼倩渐渐发现才叔不是一个会钻营差使、发意外财的能干丈夫。他只会安着本分,去磨办公室里比花岗石更耐久的台角。就是战事停了,前途还很渺茫。才叔的不知世事每使她隐隐感到缺乏依傍,自己要一身负着两人生活的责任,没个推托。自己只能温和地老做保护的母亲,一切女人情感上的奢侈品,像撒娇、顽皮、使性子之类,只好和物质上的奢侈品一同禁绝。才叔本人就是个孩子,他没有这样宽大的怀抱容许她倒在里面放刁。家事毕竟简单,只有早起忙些。午饭后才叔又上办公室,老妈子在院子里洗衣服,曼倩闲坐在屋子里,看太阳移上墙头,受够了无聊和一种无人分摊的岑寂。她不喜欢和才叔同事们的家眷往来,讲奶奶经。在同地做事也有好多未嫁时的朋友,但男的当然不便来往,女的嫁的嫁了,不嫁的或有职业,或在等嫁,都忙着各人切身的事。又因为节省,不大交际,所以过往的人愈变愈少。只到晚上或星期末,偶有才叔的朋友过访;本不来看她,她也懒去应酬。她还爱看看书,只恨内地难得新书,借来几本陈旧的外国小说,铺填不满一天天时间和灵魂的空缺。才叔知道她气闷,劝她平时不妨一人出去溜达溜达。她闲得熬不住了,上过一次电影院,并非去看电影,是去看什么在内地算是电影。演的是斑驳陆离的古董外国片子,场子里长板凳上挤满本地看客。每到银幕上男女接吻,看客总哄然拍手叫着:"好哇!还来一个吗?"她回来跟才叔说笑了一会,然而从电影院带归的跳虱,咬得她一夜不能好睡。曼倩吓得从此不敢看戏。这样过了两年,始终没有孩子。才叔同事的太太们每碰到她就说:"徐太太该有喜啦!"因为曼倩是受过新教育、有科学常识的女子,有几位旧式太太们谈起这事,老做种种猜测。"现在的年轻人终是贪舒服呀!"她们彼此涵意无穷地笑着说。

去年春天,敌机第一次来此地轰炸。炸坏些房屋,照例死了几个不值一炸的老百姓。这样一来,把本市上上下下的居民吓坏了;就是天真未凿的土人也明白飞机投弹并非大母鸡从天空下蛋,不敢再在警报放出后,聚在街头仰面拍手叫嚷。防空设备顿时上劲起来。地方报纸连一接二发表社论和通讯,说明本市在抗战后方的重要性,该有空军保卫。也有人说,还是不驻扎飞机的好,免得变成军事目标,更惹敌人来炸——然而这派议论在报上是看不到的。入夏以后,果然本市有了航空学校,辟了飞机场,人民也看惯了本国飞机在天空的回翔。九月秋深,一天才叔回家,说本地又添一个熟人,并且带点儿亲。航空学校里有才叔一位表弟,今天到办公处来拜访他。才叔说他这位表弟从小就爱淘气,不肯好好念书,六七年不见,长得又高又大,几乎不认得了,可是说话还是嬉皮笑脸的胡闹,知道才叔已结婚,说过一两天要来"认"新表嫂呢——

"我们要不要约他来便饭？"才叔顺口问。

曼倩不很热心地说："瞧着罢。他们学航空的人，是吃惯用惯玩惯的，你请吃饭，他未必见情。咱们已经大破费了，他还是吃得不好，也许挨饿呢。何苦呢？与其请吃不体面的饭，还是不请好。他多半是随口说着罢了；他看过你，就算完了。这种人未必会有工夫找到咱们家来。"

才叔瞧他夫人这样水泼不上，高兴冷去了一半，忙说："我们就等着罢。他说要来的，向我问了地址。他还说，风闻你是美人，又是才女，'才貌双全'，非见不可——跟我大开玩笑呢。"

"哼！那么请他不用来。我又老又丑，只算你的管家婆子！给他见到，不怕丢尽了脸！"

"笑话！笑话！"才叔摩着曼倩的头发，抚慰她说："你看见天健，不会讨厌他。他有说有笑，很热络随和。性情也很敦厚。"于是话讲到旁处。才叔私下奇怪，何以曼倩听人说她"才貌双全"时，立刻会发牢骚。然而才叔是天生做下属和副手的人，只听命令吩咐，从不会发现问题。他看见夫人平日不吵不怨、十分平静，也没当她是个问题来研究。私下诧异一会，又不敢问。忙着吃晚饭，也就完了。

两三天后，就是星期日。隔夜才叔又想起天健明晨会来，跟他夫人说了。当日添买几色菜，准备天健来吃饭。因为天健没约定来，只是家常饭菜略丰盛些；如果来，也不会觉得是特备了等他的。又监着老妈子把客座和天井打扫得比平日彻底。夫妇俩一面忙,一面都笑说准备得无谓,来得又不是大客人,虽然如此,曼倩还换上一件比较不家常的旗袍,多敷些粉,例外地擦些口红。午刻过了好一会,还不见天健的影子。老妈子肚子饿了,直嚷着要为主人开饭。夫妇俩只好让她开上饭来对吃。才叔脾气好,笑着说:"原没说定哪一天来,是我们太肯定了。今天只算我们自己请自己,好在破费无多!天井好久没有这样干净了,不知道老妈子平时怎么扫的!"

曼倩道:"花钱倒在其次,只是心思白费得可恨。好好一个星期日,给他扫尽了兴。来呢说来,不来呢说不来。他只要浮皮潦草,信口敷衍你一声,哪知道人家要为他忙。只有你这样不懂事的人,旁人随口一句应酬,都会信以为真的。"

才叔瞧他夫人气色不好,忙说:"他就是来,我们也不再招待他了。这孩子从小就是没头没脑的。我们饭后到公园走走,乘天气好,你也不必换什么衣服。"曼倩口里答应着,心里对天健下个"好讨厌!"的评语。

又一星期多了,天健始终没来过。才叔一天回来,说在路上碰见天健和一个年轻女子在一起:"他也含含糊糊,没明白介绍是谁。想来是他新交上的女朋友——这小子又在胡闹了!那女孩子长得不错,可惜打扮有点儿过火,决不是本地人。天健听说我们那天等他来吃饭,十分抱歉。他说本想来的,给事耽搁住了。过几天他一定来,教我先向你致意,并且郑重道歉。"

"过几天来,过几天呢?"曼倩冷淡地问。

才叔说:"随他几时来,反正我们不必预备。大家是亲戚,用不着虚文客套。我想他昏天黑地在闹恋爱,一时未必有工夫来,我们怕是老了!像我今天看见青年情人们在一处,全不眼红。不知道为什么,我只觉得他们幼稚得可怜,还有许多悲欢离合,要受命运的捉弄和支配。我们结过婚的人,似乎安稳多了,好比船已进港,不再怕风浪。我们虽然结婚只两年,也好算老夫妻了。"

曼倩微笑道:"'别咱们,你'"——这原是《儿女英雄传》里十三妹对没脸妇人说的话;她夫妇俩新借来这本书看完,常用书里的对白来打趣。才叔见夫人顽皮可爱,便走上去吻她。他给自己的热情麻醉了,没感到曼倩的淡漠。

那一宵,曼倩失了大半夜的眠。听才叔倦懈地酣睡,自己周身感觉还很紧张、动荡。只静静躺着诧异,何以自己年纪轻轻,而对恋爱会那样厌倦。不,不但对恋爱,对一切都懒洋洋不发生兴味。结婚才两年多,陈腐熟烂得宛似跟才叔同居了一世。"我们算稳定下来了",真有如才叔所说!然而自认识才叔以来,始终没觉到任何情感上的不安稳。怕外来势力妨害他俩恋爱的发展,那当然有的。可是,彼此之间总觉得信托得过,把握得住。无形的猜疑,有意的误解,以及其他精致的受罪,一概未经历到。从没有辛酸苦辣,老是清茶的风味,现在更像泡一次,淡一次。日子一天天无事过去,跟自己毫无关系,似乎光阴不是自己真正度过的。转瞬就会三十岁了,这样老得也有些冤枉。还不如生个孩子,减少些生命的空虚,索性甘心做母亲。当初原有个空泛的希冀,能做点事,在社会上活动,不愿像一般女人,结婚以后就在家庭以外丧失地位。从前又怕小孩子是恋爱的障碍,宁可避免。不知道才叔要不要孩子,怕他经济又负担不起。这害人的战事什么时候会了结……

曼倩老晚才起来。她起床时,才叔已出门了。她半夜没睡,头里昏沉沉,眼皮胀结得抬不甚起。对着镜子里清黄的长脸,自己也怕细看。洗面漱口后,什么劲儿都鼓不起。反正上午谁也不会来,便懒得打扮。休息了一会,觉得好受些。老妈子已上街买菜回来,曼倩罩上青布褂子,帮她在厨房里弄菜做饭。正忙得不可开交,忽听见打门声,心里想这时候有谁来。老妈子跑去开门。曼倩记起自己蓬头黄脸,满身油味,绝对见不得生人,懊悔没早知照老妈子一声。只听老妈子一路叫"奶奶!",直奔灶下,说有个姓周的,是先生那门子亲戚,来看先生和奶奶,还站在院子里呢,要不要请他进来。曼倩知道天健来了,窘得了不得。给老妈子那么嚷,弄得无可推避,当时要骂她无济于事。出去招呼呢?简直自惭形秽,毕竟客气初见,不愿意丢脸。要是进卧室妆扮一下再见他,出厨就是天井,到中间屋子折入卧室,非先经过天井不可。不好意思见客,只得吩咐老妈子去道歉,说先生不在家,等先生回来告诉他。老妈子大声应着出去了。曼倩一阵羞恨,也不听老妈子把话传得对不对,想今天要算是无礼慢客了,天健明知自己在灶下不肯出见。也许他会原谅自己上灶弄得乌烟瘴气,仓猝不好见客。然而号称"才貌双全"的表嫂竟给烟火气熏得见不了生客,也够丢人了!这也该怪天健不好,早不来,迟不来,没头没脑地这会子闯来。曼倩正恨着,老妈子进来报客人去了,说星期六下午再来。曼倩没好气,教训老妈子不该有人来直嚷。结果老妈子咕嘟起嘴,闹着要不干,曼倩添了气恼。到才叔回家午饭,曼倩告诉他上午的事,还怨他哪里来的好表弟,平白地跟人家捣乱。

夫妇俩虽说过不特地招待天健,星期六午时才叔还买些糕点带回。饭后曼倩用意重新修饰一番。上次修饰只是对客人表示敬意,礼仪上不许她蓬头黄脸出来见客。这次全然不同。前天避面不见的羞愧似乎还在她意识底下起作用。虽然天健没瞧见她,而曼倩总觉得天健想像里的自己只是一个烟熏油腻、躲在灶下见不得他的女人。今天需要加工夫打扮,才能恢复名誉。无意中脂粉比平日施得鲜明些,来投合天健那种粗人的审美程度。

三点多钟,天健带了礼物来了。相见之后,曼倩颇为快意地失望。原来他并不是粗犷浮滑的少年,曼倩竟不能照她预期的厌恶他。像一切航空人员,天健身材高壮,五官却雕琢得很精细,态度谈吐只有比才叔安详。西装穿得内行到家,没有土气,更没有油气。还是初次见面呢,而他对自己的客气里早透着亲热了,一望而知是个善于交际的人。才叔和他当然有好多话可讲;但她看出他不愿一味和才叔叙旧,冷落着自己,所以他时时把谈话的线索放宽,撒开,分明要将自己也圈进去。是的,事实不容许她厌恶天健,除非讨厌他常偷眼瞧自己。有一次,天健在看自己时,刚跟自己看他的眼锋相接,自己脸上立刻发热,眼睛里也起了晕,像镜面上呵了热气,而天健反坦白地一笑,顺口问自己平时怎样消遣。这人好算得机灵!因为天健送的礼不薄,夫妇俩过意不去,约他明晚来便饭。那顿预定要请吃的饭,始终没省掉。

明天,曼倩整下午的忙,到百凡就绪,可以托给老妈子了,才回房换好衣服,时间尚早,天健已来,才叔恰出去访友未回。曼倩一人招待他,尽力镇住腼腆,从脑子犄角罅缝里搜找话题。亏得天健会说话,每逢曼倩话窘时,总轻描淡写问几句,仿佛在息息扩大的裂口上搭顶浮桥,使话头又衔接起来。曼倩明白他看破自己的羞缩,在同情地安抚自己,想着有点滑稽,也对他感激。天健说,他很想吃曼倩做的菜,而又怕曼倩操劳,所以今天的心理不无矛盾。更说他自己也会烧菜,找一天他下厨房显显手段。曼倩笑道:"亏得我没早知道你有这本领!我本不会做菜,以后你来吃饭,我更不敢做,只好请你吃白饭了。"天健有与人一见如故的天才,兴会蓬勃,能使一切交际简易化。曼倩不知不觉中松了拘束。才叔回来,看见他俩正高兴说笑着,曼倩平时的温文里添上新的活泼,知道他夫人对他表弟的偏见已经消释,私心颇为欣慰。到坐下吃饭时,三人都忘了客套,尤其是曼倩——她从来没觉得做主妇这样容易,招待客人的责任这样轻松。天健叙述许多到本地来以前的事,又说一个同乡人家新为他布置一间房,有时玩得太晚了,可以在校外住宿。才叔忽然想到和天健一起走的那个女人,问道:"和你一起玩儿的女孩子不会少罢?那天和你逛街的是谁?"

天健呆了一呆,说:"哪一天?"

曼倩顽皮地插嘴道:"意思是说:'哪一个?'想他天天有女

朋友同玩的,所以多得记不清了。"

天健对她笑说:"我知道表嫂说话利害! 可是我实在记不起。"

才叔做个鬼脸道:"别装假! 就是我在中山路拐弯碰见你的那一天,和你并肩走的圆脸紫衣服的那一位——这样见证确凿,你还不招供么?"

天健道:"唉? 那一个。那一个就是我房东的女儿……"曼倩和才叔都以为还有下文,谁知他顿一顿,就借势停了,好像有许多待说出的话又敏捷地、乖觉地缩回静默里去。夫妇俩熬不住了,两面夹攻他:"无怪你要住她家的房子!"

天健分辩似的忙说:"是这么一回事。我的房东是位老太太。我在四川跟她的侄儿混得很熟。我到此地来,她侄儿写信介绍,凑巧她租的屋子有多余,所以划出一间给我用——是啊! 我偷空进城的日子,有一个歇脚点,朋友来往也方便。她只有一子一女。儿子还上学读书,这位小姐今年夏天大学毕业,在什么机关里当科员。那女孩子长得还不错,也会打扮。就是喜欢玩儿,她母亲也管不了她——"说到此,天健要停,忽又补上道:"航空学校同事跟她来往的很多,不单是我。"

当科员的才叔听着想:"原来是办公室的'花瓶'!"没说出口。曼倩的笑像煮沸的牛奶直冒出来:"那位小姐可算得航空母舰了!"才叔不自主地笑了。天健似乎受到刺痛地闪了闪,但一刹那就恢复常态,也挣进去笑。曼倩说过那句话,正懊恼没先想想再说,看见天健表情,觉得他笑容勉强,更恨自己说话冒昧,那女孩子没准是他的情人。今天话比平时说得太多,果然出这个乱子。曼倩想着,立刻兴致减退,对自己的说话也加以监视和管束,同时,她看天健的谈笑也似乎不像开始时的随便坦率——但这或许是她的疑心生鬼。只有才叔还在东扯西拉,消除了宾主间不安的痕迹。好容易饭吃完,天健坐了一会儿就告辞。他对曼倩谢了又谢,称赞今天的菜。曼倩明知这是他的世故,然而看他这般郑重其事地称谢,也见得他对自己的敬意,心上颇为舒服。夫妇俩送他出院子时,才叔说:"天健,你不嫌我这儿简陋,有空常来坐坐。反正曼倩是简直不出门的,她也闲得气闷。你们俩可以谈谈。"

"我当然喜欢来!就怕我们这种人,个个都是粗坯,够不上资格跟表嫂谈话。"虽然给笑冲淡了严重性,这话里显含着敌意和挑衅。亏得三人都给门前的夜色盖着,曼倩可以安全地脸红,只用极自然的声调说:

"只怕你不肯来。你来我最欢迎没有。可是我现在早成管家婆子,只会谈柴米油盐了。而且我本来就不会说话。"

"大家无须客气!"才叔那么来了一句。这样嘱了"再会","走好",把天健送走了。

两天后的下午,曼倩正在把一件旧羊毛里衣拆下的毛线泡过晾干了想重结,忽然听得天健来。曼倩觉得他今天专为自己来的,因为他该知道这时候才叔还没下班。这个发现使她拘谨,失掉自在。所以见面后,她只问声今天怎会有工夫来,再也想不出旁的话。前天的亲热,似乎已经消散,得重新团捏起来。天健瞧见饭桌上拆下的毛线堆,笑道:"特来帮你绷线。"曼倩要打破自己的矜持,忽生出不自然的勇敢,竟接口说:"你来得正好,我正愁没人绷线,才叔手腕滞钝,不会活络地转。我今天倒要试试你。只怕你没耐心。让我先把这毛线理成一股股。"这样,一个人张开手绷线,一个人绕线成球,就是相对无言,这毛线还替彼此间维持着不息的交流应接,免除了寻话扯淡的窘态。绕好两三个球以后,曼倩怕天健厌倦,说别绕罢,天健不答应。直到桌上的线都绕成球,天健才立起来,说自己的手腕和耐心该都过得去罢,等不及才叔回来,要先走了。曼倩真诚地抱歉说:"太委屈了你!这回捉你的差,要吓得你下回不敢来了。"天健只笑了笑。

　　从此,每隔三四天,天健来坐一会儿。曼倩注意到,除掉一次请她夫妇俩上馆子以外,天健绝少在星期日来过。他来的时候,才叔总还在办公室。曼倩猜想天健喜欢和自己在一起。这种喜欢也无形中增进她对自己的满意。仿佛黯淡平板的生活里,滴进一点颜色,皱起些波纹。天健在她身上所发生的兴趣,稳定了她摇动的自信心,证明她还没过时,还没给人生消磨尽她动人的能力。要对一个女人证明她可爱,最好就是去爱上她。在妙龄未婚的女子,这种证明不过是她该得的承认,而在已婚或中年逼近的女人,这种证明不但是安慰,并且算得恭维。选择情人最严刻的女子,到感情上回光返照的时期,常变为宽容随便;本来决不会被爱上做她丈夫的男子,现在常有希望被她爱上当情人。曼倩的生命已近需要那种证明、那种恭维的时期。她自忖天健和她决不会闹恋爱——至少她不会热烈地爱天健。她并不担忧将来；她有丈夫，这是她最有效的保障，对天健最好的防御。她自己的婚姻在她和天健的友谊里天然的划下一条界限，彼此都不能侵越。天健确讨人喜欢——她心口相语，也不愿对他下更着痕迹的评定，说他"可爱"——无怪才叔说他善交女友。想到天健的女友们，曼倩忽添上无理的烦恼，也许天健只当她是那许多"女朋友"中的一个。不，她断不做那一类的女友，他也不会那样对待她。他没有用吃喝玩乐的手段来结交她。他常来看她，就表示他耐得住恬静。天健来熟了以后，她屡次想把才叔说他的话问他，然而怕词气里不知不觉地走漏心坎里的小秘密，所以始终不敢询问。这个秘密，她为省除丈夫的误会起见，并不告诉才叔。因此，她有意无意地并不对才叔每次提起天健曾来瞧她。她渐渐养成习惯，隔了两天，就准备（她不承认是希望）他会来，午饭后，总稍微打扮一下。虽然现在两人见惯了，而每听到他进门的声音，总觉得震动，需要神速的大努力，使脸上不自主的红晕在他见面以前褪净。

她活着似乎有些劲了。过了个把月，已入冬天，在山城里正是一年最好的时季。连续不断的晴光明丽，使看惯天时反复的异乡人几乎不相信天气会这样浑成饱满地好。日子每天在嫩红的晨光里出世，在熟黄的暮色里隐退。并且不像北方的冬晴，有风沙和寒冷来扫兴。山城地形高，据说入冬就有雾围裹绕，减少空袭的可能性，市面也愈加热闹。一天，天健照例来了，只坐一会儿就嚷要走。曼倩说，时间还早，为什么来去匆匆。天健道："天气好得使人心痒痒的，亏你耐得住在家里闷坐！为什么不一同上街走走？"

这一问把曼倩难倒了。要说愿意在家里闷着，这句话显然违心，自己也骗不信。要跟天健做伴在大街上走，又觉得不甚妥当，旁人见了会说闲话，有些顾忌——这句话又不便对天健明说。结果只软弱地答复说："你在这儿无聊，就请便罢。"

天健似乎明白她的用意，半顽皮、半认真地说："不是我，是你该觉得枯坐无聊。我是常常走动的。同出去有什么关系？不成才叔会疑心我拐走了你！"

曼倩愈为难了，只含糊说："别胡扯！你去罢，我不留你。"

天健知道勉强不来，便走了。到天健走后，曼倩一阵失望，才明白实在要他自动留下来的。现在只三点多钟，到夜还得好半天，这一段时间横梗在前，有如沙漠那样难于度越。本来时间是整片成块儿消遣的，天健一去，仿佛钟点分秒间抽去了脊梁，散漫成拾不完数不尽的一星一米，没有一桩事能像线索般把它们贯串起来。孤寂的下午是她常日过惯的，忽然竟不能再忍受。才想起今天也不妨同天健出去，因为牙膏牙刷之类确乎该买。虽然事实上在一起的不是丈夫，但是"因公外出"对良心有个交代，对旁人有个借口，总算不是专陪外人或叫外人陪着自己出去逛街的。

过一天，天气愈加诱人地好。昨日的事还有余力在心上荡漾着，曼倩果然在家坐不住了。上午有家事须料理；防空的虚文使店家到三点后才开门。曼倩午后就一个人上街去。几天没出来，又新开了好几家铺子，都勉强模仿上海和香港的店面。曼倩站在一家新开的药房前面,看橱窗里的广告样品,心里盘算着进去买些什么。背后忽有男人说话,正是天健的声音。她对橱窗的脸直烧起来,眼前一阵糊涂,分不清橱窗里的陈设,心像在头脑里舂,一时几乎没有勇气回过脸去叫他。在她正转身之际,又听得一个女人和天健说笑,她不由自主,在动作边缘停下来。直到脚步声在身畔过去,才转身来看,只见天健和一个女人走进这家药房。这女人的侧面给天健身体挡着,只瞧见她的后影,一个能使人见了要追过去看正面的俏后影。曼倩恍然大悟,断定是"航空母舰"。顿时没有勇气进店,像逃避似的迅速离开。日用化妆品也无兴再买了,心上像灌了铅的沉重,脚下也像拖着铅,没有劲再步行回家,叫了洋车。到家平静下来,才充分领会到心里怎样难过。她明知难过得没有道理,然而谁能跟心讲理呢?她并不恨天健,她只觉得不舒服,好像识破了一月来的快活完全是空的——不,不是空的,假使真是空的,不会变成这样的滋味。她希望立刻看见天健,把自己沸乱的灵魂安顿下去。今天亲眼瞧见的事,似乎还不能相信,要天健来给她证明是错觉。总之,天健该会向她解释。但今天他不会来了,也许要明天,好远的明天!简直按捺不住心性来等待。同时首次感到亏心,怕才叔发现自己的变态。那晚才叔回家,竟见到一位比平常来得关切的夫人,不住地向他问长问短。曼倩一面谈话,一面强制着烦恼,不让它冒到意识面上来。到睡定后,又怕失眠,好容易动员了全部心力,扯断念头,放在一边,暂时不去想它,像热天把吃不完的鱼肉搁在冰箱里,过一夜再说。明天醒来,昨夜的难受仿佛已在睡眠时溜走。自己也觉得太可笑了,要那样的张大其事。天健同女人出去玩,跟自己有什么相干?反正天健就会来,可以不露声色地借玩笑来盘问他。但是一到午后,心又按捺不住,坐立不定地渴望着天健。

那天午后,天健竟没来。过了一天又一天,天健也不来,直到第五天,他还没来。彼此认识以后,他从没有来得这样稀。曼倩忽然想,也许天健心血来潮,知道自己对他的心理,不敢再来见面。然而他怎会猜测到呢?无论如何,还是绝了望,干脆不再盼他来罢。曼倩领略过人生的一些讽刺,也了解造物会怎样捉弄人。要最希望的事能实现,还是先对它绝望,准备将来有出于望外的惊喜。这样绝望地希望了三天,天健依然踪迹全无。造物好像也将错就错,不理会她的绝望原是戴了假面具的希望,竟让它变成老老实实的绝望。

这八天里,曼倩宛如害过一场重病,精神上衰老了十年。一切恋爱所有的附带情感,她这次加料尝遍了。疲乏中的身心依然紧张,有如失眠的人,愈困倦而神经愈敏锐。她好几次要写信给天健,打过不知多少腹稿,结果骄傲使她不肯写,希望——"也许他今天或明天自会来"——叫她不必写。当才叔的面,她竭力做得坦然无事,这又耗去不少精力。所以,她不乐意才叔在家里,省得自己强打精神来应付他。然而才叔外出后,她一人在家,又觉得自己毫无保障地给烦恼摆布着。要撇开不想,简直不可能。随便做什么事,想什么问题,只像牛拉磨似的绕圈子,终归到天健身上。这八天里,天健和她形迹上的疏远,反而增进了心理上的亲密；她以前对天健是不肯想念，不允许自己想念的，现在不但想他，并且恨他。上次天健告别时，彼此还是谈话的伴侣，而这八天间她心里宛如发着酵，酝酿出对他更浓烈的情感。她想把绝望哄希望来实现，并未成功。天健不和她亲热偏赚到她对他念念不忘。她只怪自己软弱，想训练自己不再要见天健。——至多还见他一次，对他冷淡，让他知道自己并不在乎他的来不来。

又是一天。曼倩饭后在洗丝袜。这东西是经不起老妈子的粗手洗的，曼倩有过经验。老妈子说要上街去，曼倩因为两手都是肥皂，没起来去关门，只吩咐她把门虚掩。心里盘算，过几天是耶稣圣诞了，紧接着就是阳历新年，要不要给天健一个贺年片——只是一个片子，别无他话。又恨自己是傻子，还忘不下天健，还要去招惹他。一会儿洗完袜子，抹净了手，正想去关门，忽听得门开了。一瞧就是天健，自己觉得软弱，险的站立不稳。他带上门，一路笑着嚷："怎么门开着？一个人在家么？又好几天没见面啦！你好啊？"

曼倩八天来的紧张忽然放松，才发现心中原来收藏着许多酸泪，这时候乘势要流出来。想对天健客套地微笑，而脸上竟凑不起这个表情。只低着头哑声说道："好一个稀客！"

天健感到情景有些异常，呆了一呆，注视着曼倩，忽然微笑，走近身，也低声说："好像今天不高兴，跟谁生气呢？"

曼倩准备对他说的尖酸刻刺的话，一句也说不出。静默压着自己，每秒钟在加重量，最后挣扎说道："你又何必屈尊来呢？

这样好天气,正应该陪女朋友逛街去。"说到这里觉得受了无限委屈,眼泪更制不住,心上想:"糟了糟了!给他全看透了!"正在迷乱着,发现天健双手抱住自己后颈,温柔地吻着自己的眼睛说:"傻孩子!傻孩子!"曼倩本能地摔脱天健的手,躲进房去,一连声说:"你去罢!我今天不愿意见你。你快去!"

天健算是打发走了。今天的事彻底改换了他对曼倩的心理。他一个月来对曼倩的亲密在回忆里忽发生了新鲜的、事先没想到的意义。以前指使着自己来看曼倩的动机,今天才回顾明白了,有如船尾上点的灯,照明船身已经过的一条水路。同时,他想他今后对曼倩有了要求的权利,对自己有了完成恋爱过程的义务。虽然他还不知道这恋爱该进行到什么地步,但是被激动的男人的虚荣心迫使他要加一把劲,直到曼倩坦白地、放任地承认他是情人。曼倩呢,她知道秘密已泄漏了,毫无退步,只悔恨太给天健占了上风,让天健把事看得太轻易。她决意今后对天健冷淡,把彼此间已有的亲热打个折扣,使他不敢托大地得寸进尺。她想用这种反刺激,引得天健最后向自己恳切卑逊地求爱。这样,今天的事才算有了报复,自己也可以挣回面子。她只愁天健明天不来,而明天天健来时,她又先吩咐老妈子说"奶奶病了",让他改天再来。天健以为她真害病,十分关切,立刻买了两篓重庆新来的柑子,专差送去。因为不便写信,只附了一个名片。过一晚,又寄一张贺柬,附个帖子请才叔夫妇吃耶稣圣诞晚饭。回信虽由才叔署名,却是曼倩的笔迹,措词很简单,只说:"请饭不敢辞,先此致谢,到那天见。"天健细心猜揣,这是曼倩暗示不欢迎自己去看她；有抵抗能力的人决不躲闪，自己该有胜利者的大度，暂时也不必勉强她。到圣诞晚上，两人见面，也许是事情冷了，也许因有才叔在旁壮胆，曼倩居然相当镇静。天健屡次想在她眼睛里和脸上找出共同秘密的痕影，只好比碰着铁壁。饭吃得颇为畅快，但天健不无失望。此后又逢阳历年假，才叔不上办公室。天健去了一次，没机会跟曼倩密谈。并且曼倩疏远得很，每每借故走开。天健想她害羞远着自己，心上有些高兴，然而看她又好像漠然全没反应，也感到惶惑。

才叔又上办公室了，天健再来见曼倩的面。以前的关系好像吹断的游丝，接不起来。曼倩淡远的态度，使天健也觉得拘束，更感到一种东西将到手忽又滑脱的恼怒。他拿不定主意该怎么办，是冷静地轻佻，还是热烈地卤莽。他看她低头在结毛线，脸色约束不住地微红，长睫毛牢覆下垂的眼光仿佛灯光上了罩子，他几乎又要吻她。他走近她面前，看她抬不起的脸红得更鲜明了。他半发问似的说："这几天该不跟我生气了？"

"我跟你生什么气？没有这回事。"曼倩强作安详地回答。

天健道："咱们相处得很好，何苦存了心迹，藏着话不讲！"

曼倩一声不响，双手机械地加速度地结着。天健逼近身，手搁在曼倩肩上。曼倩扭脱身子，手不停结，低声命令说："请走开！老妈子瞧见了要闹笑话的。"

天健只好放手走远些，愤愤道："我知道我不受欢迎了！我来得太多，讨你的厌，请你原谅这一次，以后决不再来讨厌。"说着，一面想话说得太绝了，假使曼倩不受反激，自己全没退步余地,便算失败到底了。曼倩低头做她的活,不开口。在静默里,几分钟难过得像几世。天健看逼不出什么来,急得真上了气,声音里迸出火道:"好罢!我去了,决不再来打扰你……你放心罢。"

天健说完话,回身去拿帽子。曼倩忽抬起头来,含羞带笑,看了发脾气的天健一眼,又低下头说:"那末明天见。我明天要上街,你饭后有空陪我去买东西不?"天健莫名其妙,呆了一呆,醒悟过来,快活得要狂跳,知道自己是胜利了,同时觉得非接吻以为纪念不可。然而他相信曼倩决不会合作,自己也顾忌着老妈子。他出门时满腔高兴,想又是一桩恋爱成功了,只恨没有照例接吻来庆祝成功,总是美满中的缺陷。

这个美中不足的感觉,在以后的三四星期里,只有增无减。天健跟曼倩接近了,发现曼倩对于肉体的亲密,老是推推躲躲,不但不招惹,并且不迎合。就是机会允许拥抱,这接吻也要天健去抢劫,从不是充实的、饱和的、圆融的吻。天生不具有辛辣的刺激性或肥腻的迷醉性,曼倩本身也不易被激动或迷诱,在恋爱中还不失幽娴。她的不受刺激,对于他恰成了最大的刺激。她的淡漠似乎对他的热烈含有一种挑衅的藐视,增加他的欲望,搅乱他的脾气,好比一滴冷水落在烧红的炭炉子里,"嗤"的一声触起盖过火头的一股烟灰。遭曼倩推拒后,天健总生气,几乎忍不住要问,她许不许才叔向她亲热。但转念一想,这种反问只显得自己太下流了;盗亦有道,偷情也有它的伦理,似乎她丈夫有权力盘问她和她情人的关系,她情人不好意思质问她和丈夫的关系。经过几次有求不遂,天健渐渐有白费心思的失望。空做尽张致,周到谨密,免得才叔和旁人猜疑,而其实全没有什么,恰像包裹挂号只寄了一个空匣子。这种恋爱又放不下,又乏味。总不能无结果就了呀!务必找或造个机会,整个占领了曼倩的身心。上元节后不多几日,他房主全家要出城到乡下去,他自告奋勇替他们今天看家,预约曼倩到寓所来玩。他准备着到时候尝试失败,曼倩翻脸绝交。还是硬生生拆开的好,这样不干不脆、不痛不痒地拖下去,没有意思。居然今天他如愿以偿。他的热烈竟暂时融解了曼倩的坚拒,并且传热似的稍微提高了她的温度。

他们的恋爱算是完成,也就此完毕了。天健有达到目的以后的空虚。曼倩在放任时的拘谨,似乎没给他公平待遇,所以这成功还是进一步的失败。结果不满意,反使他天良激发,觉得对不住曼倩,更对不住才叔;自己有旁的女人,何苦"亲上加亲"地去爱表嫂。曼倩决然而去,不理他的解释和道歉,这倒减少他的困难,替他提供了一个下场的方式。他现在可以把曼倩完全撇开,对她有很现成的借口:自觉冒犯了她,无颜相见。等将来曼倩再找上来,临时想法对付。曼倩却全没想到将来。她一口气跑回家,倒在床上。心像经冰水洗过的一般清楚,知道并不爱天健。并且从前要博天健爱她的虚荣心,此时消散得不留痕迹。适才的情事,还在感觉里留下后影,好像印附着薄薄一层的天健。这种可憎的余感,不知道多久才会褪尽。等一会儿才叔回来,不知道自己的脸放在哪里。

那天晚上,才叔并没看出曼倩有何异常。天健几星期不来,曼倩也深怕他再来,仿佛一种不良嗜好,只怕它戒绝不断。自从那一次以后,天健对她获得了提出第二次要求的权力,两人面对面,她简直没法应付。她相信天健不失是个"君子",决不至于出卖她,会帮她牢守那个秘密。但是,万一这秘密有了事实上的结果,遮盖不下的凭据——不!决不会!天下哪有那么巧的事?她只懊悔自己一时糊涂,厌恨天健混账,不敢再想下去。

天气依然引人地好。曼倩的心像新给虫蛀空的,不复萌芽生意。这样,倒免去春天照例的烦闷。一天中饭才吃完,才叔正要睡午觉,忽听得空袭警报。和风暖日顿时丧失它们天然的意义。街上人声嘈杂,有三个月没有警报了,大家都不免张皇失措。本地的飞机扫上天空,整个云霄里布满了它们机器的脉搏,然后,渐渐散向四郊去。老妈子背上自己衣包,还向曼倩要了几块钱,气喘吁吁跑到巷后防空壕里去躲,忙忙说:"奶奶,你和先生快来呀!"才叔懒在床上,对曼倩说,多半是个虚惊,犯不着到壕里去拌灰尘挤人。曼倩好像许多人,有个偏见,她知道有人被炸死,而总不信自己会炸死。才叔常对朋友们称引他夫人的妙语:"中空袭的炸弹像中航空奖券头彩一样的难。"一会儿第二次警报发出;汽笛悠懈的声音,好比巨大的铁嗓子,仰对着荡荡青天叹气。两人听得四邻毕静,才胆怯起来。本来是懒得动,此时又怕得不敢动。曼倩一人在院子里,憋住气遥望。敌机进入市空,有一种藐视的从容,向高射机关枪挑逗。那不生效力的机关枪声好像口吃者的声音,对天格格不能达意,又像咳不出痰来的干嗽。她忽然通身发软,不敢再站着看,急忙跑回卧室去。正要踏进屋子,一个声音把心抽紧了带着同沉下去,才沉下去又托着它爆上来,几乎跳出了腔子,耳朵里一片响。关上的窗在框子里不安地颤动着,茶盘里合着的杯子也感受到这力量,相碰成一串急碎的音调。曼倩吓得倒在椅子时,搀了才叔的手,平时对他的不满意,全没有了,只要他在自己身边。整个天空像装在脑子里,那些机关枪声、炸弹声,都从飞机声的包孕中分裂出来,在头脑里搅动,没法颠簸它们出去。不知过了多少时候,才又安静。树上鸟雀宛如也曾中止了啁啾,这时候重开始作声。还是漠然若无其事的蓝天,一架我们的飞机嗯喇喇掠过天空,一切都没了。好一会警报解除。虽然四邻尚无人声,意想中好像全市都开始蠕动。等老妈子又背包回来,才叔夫妇才同到大街,打探消息。街上比平时更热闹,好多人围着看防空委员会刚贴出的红字布告,大概说:"敌机六架窜入市空无目的投弹,我方损失极微。当经我机迎头痛击,射落一架,余向省境外逃去。尚有一机被我射伤,迫落郊外某处,在寻探中。"两人看了,异口同声说,只要碰见天健,就会知道确讯。才叔还顺口诧异天健为什么好久没来。

此时天健人和机都落在近郊四十里地的乱石坡里,已获得惨酷的平静。在天上活动的他,也只有在地下才能休息。

这个消息,才叔夫妇过三天才确实知道。才叔洒了些眼泪,同时伤心里也有骄傲,因为这位英雄是自己的表弟。曼倩开始觉得天健可怜,像大人对熟睡的淘气孩子,忽然觉得他可怜一样。天健生前的漂亮、能干、霸道、圆滑,对女人是可恐怖的诱惑,都给死亡勾销了,揭破了,仿佛只是小孩子的淘气,算不得真本领。同时曼倩也领略到一种被释放的舒适。至于两人间的秘密呢,本来是不愿回想,对自己也要讳匿的事,现在忽然减少了可恨,变成一个值得保存的私人纪念,像一片枫叶、一瓣荷花,夹在书里,让时间慢慢地减退它的颜色,但是每打开书,总看得见。她还不由自主地寒栗,似乎身体上沾染着一部分死亡,又似乎一部分身体给天健带走了,一同死去。亏得这部分身体跟自己隔离得远了,像蜕下的皮、剪下的头发和指甲,不关痛痒。

不久,本市各团体为天健开个追悼会,会场上还陈列这次打下来一架敌机的残骸。才叔夫妇都到会,事先主席团要请才叔来一篇演讲或亲属致词的节目,怎么也劝不动他。才叔不肯借死人来露脸,不肯在情感展览会上把私人的哀伤来大众化,这种态度颇使曼倩对丈夫增加敬重。一番热闹之后,天健的姓名也赶上他的尸体,冷下去了,直到两三星期后,忽又在才叔夫妇间提起。他俩刚吃完晚饭,在房里闲谈,才叔说:"看来你的征象没什么怀疑了。命里注定有孩子,躲避不了。咱们也该有孩子了,你不用恨。经济状况还可以维持,战事也许在你产前就结束,更不必发愁。我说,假如生一个男孩子,我想就叫他'天健',也算纪念咱们和天健这几个月的相处。你瞧怎样?"

曼倩要找什么东西,走到窗畔,拉开桌子抽屉,低头乱翻,一面说:"我可不愿意。你看见追悼会上的'航空母舰'么?哭得那个样子,打扮得活像天健的寡妇!天健为人,你是知道的。他们俩的关系一定很深,谁知道她不——不为天健留下个种子?让她生儿子去纪念天健罢。我不愿意!并且,我告诉你,我不会爱这个孩子,我没有要过他。"

才叔对他夫人的意见,照例没有话可说。他夫人的最后一句话增加了自己的惶恐,好像这孩子该他负责的。他靠着椅背打了个呵欠道:"好累呀——呀!那末,就看罢。你在忙着找什么?"

"不找什么。"曼倩含糊说,关上了抽屉,"——我也乏了,脸上有些升火。今天也没干什么呀!"

才叔懒洋洋地看着他夫人还未失去苗条轮廓的后影,眼睛里含着无限的温柔和关切。

## 附　录

## 《写在人生边上》和《人·兽·鬼》
## 重 印 本 序[*]

考古学提倡发掘坟墓以后,好多古代死人的朽骨和遗物都暴露了;现代文学成为专科研究以后,好多未死的作家的将朽或已朽的作品都被发掘而暴露了。被发掘的喜悦使我们这些人忽视了被暴露的危险,不想到作品的埋没往往保全了作者的虚名。假如作者本人带头参加了发掘工作,那很可能得不偿失,"自掘坟墓"会变为矛盾统一的双关语:掘开自己作品的坟墓恰恰也是掘下了作者自己的坟墓。

《写在人生边上》是四十年前写的,《人·兽·鬼》是三十六七年前写的,那时候,我对自己的生命还没有愈来愈逼窄的边缘感觉,对人、兽、鬼等事物的区别还有非辩证的机械看法。写完了《围城》,我曾修改一下这两本书的文字;改本后来都遗失了,这也表示我不很爱惜旧作。四年前,擅长发掘文墓和揭开文幕

---

[*] 《写在人生边上》与《人·兽·鬼》曾于一九八三年由福建人民出版社分别出版,本序即为此次出版而写。——本书编者注

的陈梦熊同志向我游说,建议重印这两本书。他知道我手边没有存书,特意在上海设法复制了原本寄给我。在写作上,我也许是一个"忘本"的浪子,懒去留恋和收藏早期发表的东西。《上海抗战时期文学丛书》编委会成立,朱雯、杨幼生两位同志都要把这两本书收进《丛书》。我自信我谢绝的理由很充分:《写在人生边上》不是在上海写的,《人·兽·鬼》不是在抗战时期出版的,混在《丛书》里,有冒牌的嫌疑。于是,《丛书》主要编委柯灵同志对我说:"你不让国内重印,事实上等于放任那些字句讹脱的'盗印本'在国外继续流传,这种态度很不负责。至于《丛书》该不该收,编委自有道理,你不用代我们操心。"他讲来振振有词,我一向听从我这位老朋友的话,只好应允合作。又麻烦梦熊同志复制一次,因为我把他寄来的本子早丢了。

我硬了头皮,重看这两本书;控制着手笔,只修改少量字句。它们多少已演变为历史性的资料了,不容许我痛删畅添或压根儿改写。但它们总算属于我的名下,我还保存一点主权,不妨零星枝节地削补。

《丛书》的体例对作者提一个要求,他得在序文里追忆一下当时的写作过程和经验。我们在创作中,想像力常常贫薄可怜,而一到回忆时,不论是几天还是几十年前、是自己还是旁人的事,想像力忽然丰富得可惊可喜以至可怕。我自知意志软弱,经受不起这种创造性记忆的诱惑,干脆不来什么缅怀和回想了。两本小书也值不得各有一序,这篇就一当两用吧。

一九八二年八月